'한국근대문학과 중국' 자료총서 **8**

기행문 I

최 일·박미혜 엮음

역락

『'한국근대문학과 중국' 자료총서』 편찬위원회

위원장: 김병민

위 원: 이광일 최창륵 최 일 장영미 박설매 김 강

편찬자 소개

김병민 연변대학교 조선언어문학학과 교수. 문학박사.

이광일 연변대학교 조선언어문학학과 교수. 문학박사.

최창륵 남경대학교 한국어문학과 교수. 문학박사.

최 일 연변대학교 조선언어문학학과 교수. 문학박사.

장영미 연변대학교 조선어학과 교수. 문학박사.

박설매 연변대학교 조선언어문학학과 부교수. 문학박사.

김 강 연변대학교 조선언어문학학과 전임강사. 문학박사.

배 홍 연변대학교 조선언어문학학과 전임강사. 문학박사.

김은자 하얼빈이공대학교 조선어학과 전임강사. 문학박사.

조영추 연세대학교 국어국문학과 박사.

박미혜 성균관대학교 국어국문학과 박사과정 수료.

'한국근대문학과 중국' 자료총서   08

기행문 I

최 일 · 박미혜 엮음

역락

한국근대문학과 중국체험서사

― 서문을 대신하여 ―

김병민

1. 중국체험의 의미

한·중 문화 교류는 수천 년의 유구한 역사를 가지고 있다. 특히 한국은 한자, 유·불·도, 각종 문물제도를 중국으로부터 수용함으로써 한(漢)문화권에 편입된 뒤 한(漢)문화를 중심으로 한 동아시아문화권의 형성과 발전에 중요한 역할을 하게 되었다. 따라서 한국문학의 발전 역시 중국문학 및 문화와 불가분의 관계에 놓이게 되었다.

한국문학의 발전에 있어서 역대 한국인들의 중국체험은 한국 한(漢)문학 전통의 확립에 결정적인 역할을 했다. 한국문인들의 중국체험은 다양한 양상을 보이고 있는바 최치원 등을 비롯한 문인들의 유학(留學)체험, 혜초, 의상 등을 비롯한 불교 문인들의 구도(求道)체험, 정도전, 허균, 김만중, 홍대용, 박지원 등을 비롯한 문인들의 사행(使行)체험 등을 들 수가 있다. 이들은 중국을 체험하는 과정에 중국의 문인들과 다양한 교류를 진행하게 되었고 한중 문학의 쌍방향적 영향관계를 밀접히 했다. 실제로 한국문학에서 굴지의 작가로 불리는 최치원, 이제현, 허균, 김만중, 박지원 등의 문학은 중국 문학 및 문화와 깊은 연관성을 보여주고 있다. 한국문인들은 중국체험을 통해 자신들의 창작을 전개해갔고 또한 창작을 통해 그들의 문화의식 즉 세계인식과 시대인식을 구축해 가기도 했다. 최치원의 한시가 『전당시』에, 이제현의 사가 『강촌총서』에 수록되었으며 김만중의 경우 중국체험과 중국문화 수용을 통해 세계적 영향을 지닌 『구운몽』을, 박지원의 경우는 사행체험을 통해 세계 기행문학의 백미로 불리는 『열하일기』를 창작했다. 최치원, 이제현, 김만중, 박지원의 문학이 세계적인 명작이 되기에 손색이 없다고 할 때, 한국문학 발전에 있어서 중국체험은 큰 의미를 가진다고 할 수 있다.

중국체험은 한국 문인들에게 시간과 공간에 대한 새로운 인식을 심어주었고 자아와 타자에 대한 새로운 인식을 불러일으키기도 했다. 예를 들어 18세기 후반기 '북학파'의 맹주들인 박지원, 박제가 등이 중국체험을 통해 전통적인 문화의식에서 탈피하여 자본시장의 형성과 과학문명에 대한 인식을 얻고 중세의 몰락과 근대의 여명을 확인한 것은 시대를 앞서나간 문화적 초월이라고 할 수 있다. 그것은 말 그대로 국가 간의 경계, 문화 간의 경계, 민족 간의 경계를 넘어설 수 있었던 탈경계 체험의 산물이라고 하겠다.

20세기를 전후하여 한국은 근대 식민지체계에 편입되기 시작하여 1910년 '한일합방'으로 일제의 식민지로 전락되고 말았다. 망국을 전후한 시기부터 중국은 한국독립투사들의 항일투쟁의 정치적 공간과 근대적 이민의 생활공간이 되기도 했다. 따라서 한국근대문학은 중국의 문학 및 문화와 더욱 밀접한 연관을 맺게 되었고 보다 더 새롭고 다양한 발전 양상을 보여주게 된다.

따라서 한국근대문학과 중국과의 관련양상에 대한 연구는 비단 한·중 근대문학교류사 연구뿐만 아니라 한국문학사 연구에 있어서도 지극히 중요한 가치가 있다고 할 수 있다. 현재까지 이에 대한 한국 학계의 연구는 대체적으로 한국근대문학의 공간적 이동이라는 시각에서 접근하여 중국에서 벌어졌던 한국문인들의 문학을 '이민문학' 혹은 재외 한국근대문학의 범주에 두고 고찰하였다. 반대로 중국 학계에서는 중국에 이주한 한국문인들의 문학을 '조선족문학' 혹은 그 전사(前史)로 범주화하고 연구를 해왔다. 이러한 연구는 한민족문학의 연구에서 극히 중요한 작업임이 분명하며 또한 현재까지 괄목할 만한 성과를 거두었다. 하지만 한국문학의 공간적 이동으로만 접근하게 되면 인적 교류, 이론과 사상의 유동 내지는 상상력의 탈경계 등 한·중 근대문학 교류의 보다 다양한 차원의 문제들을 간과하게 된다. 한 마디로 한·중 근대문학 교류는 문학의 공간적 이동의 시각보다는 탈경계 연구(Border—crossing studies)의 시각에서 접근하는 것이 더 효율적이라고 할 수 있다. 이른바 탈경계 연구는 민족, 국가, 언어, 문화, 이데올로기 및 윤리 등의 탈경계 그리고 그 과정에서 문화적 재건, 융합 및 가치창조를 밝히는 새로운 연구 시각이다.

근대 전환기 및 근대과정에서 이루어진 한국문학의 중국과의 교류는 고금의 인류문학사에서 보기 드문 문학적 현상이었으며 일종의 '증후성(Symptomatic)'을 가진 문학적 사건이라고 할 수 있는바 다음과 같은 특징을 띠고 있다. 우선, 교류의 지속시간이 길고 방대한 양의 텍스트를 형성하였다. 다음으로 그 교류는 일방적인 영향관계가 아닌 쌍방향적인 상호작용의 관계였다. 끝으로 그 교류는 '중심'과 '주변'의 관계가 아닌 '주변'과 '주변'의 관계였다. 그중 탈경계 서사(beyond boundaries narrative)로 특징지어지는 한국근대문학의 중국체험서사는 한국문인들의 중국을 매개로 한 전통, 근대 그리고 미래와의 대화였다. 바로 이러한 의미에서 한국근대문학과 중국과의 문학·문화적 대화는 지극히 생산적인 것이었으며 근대 동아시아의 정신적 가치를 보여주는 소중한 유산이라고 할 것이다.

한국문학의 근대화 과정에서 일본을 통한 서양문학사조, 유파, 관념, 형식 등의 수용이 큰 역할을 하였음은 분명하나 식민지 출신의 한국문인들에게 있어 식민 종주국 일본이 생산적 가치를 가진 이상적인 공간이 될 수는 없었다. 오히려 비슷한 운명에 처한 중국이 생산적인 정치·문화공간이자 생존·생활공간이 될 수 있었다. 중국에 대하여 느낄 수 있었던 시대적 동질감과 유대감은 일본이 갖추지 못한 요소들이었다. 따라서 한국인들은 중국을 독립투쟁의 전장, 근대문명의 '박물관', 평등한 대화와 교류의 장소로 인식하였던 것이다. 한국근대문학과 중국과의 교류는 한국문학의 근대화 과정을 이해하는 데 있어 중요한 가치가 있을 뿐만 아니라 나아가 오늘날 한국과 주변의 관계를 이해하는 데 있어서 상당한 현실적 가치가 있다고 해야 할 것이다. 이에 『'한국근대문학과 중국' 자료총서』는 한국문인들이 중국과의 교류 과정에서 생산한 중국서사와 한국문인들에 의한 중국문학 번역과 소개 등 텍스트를 그 대표성과 중요도에 따라 선별적으로 수록하였다.

2. 저항과 항일체험서사

항일서사는 한국의 독립투사들이 중국에서의 반일활동에 근거한 탈경계 서사로서 의열단(義烈團), 한국애국단(韓國愛國團), 독립군(獨立軍), 유격대(遊擊隊), 조선의용대/의용군(朝鮮義勇隊/義勇軍), 한국청년전지공작대(韓國靑年戰地工作隊), 한국광복군(韓國光復軍), 중국국민군(中國國民軍), 팔로군(八路軍), 항일연군(抗日聯軍) 등 항일부대의 활동과 밀접히 연관되어 있으며 소설, 시, 수필 등 장르를 포함하고 있다.

소설로는 중국에서 전개된 한국의 반일독립운동을 소재로 한 신채호, 최서해, 강경애, 심훈, 장지락 등의 작품이 있다. 우선 아나키즘계열의 항일투쟁을 반영한 소설로는 신채호의 「용과 용의 대격전」, 장지락의 「기묘한 무기」 등이 대표적이다. 신채호의 소설 「용과 용의 대격전」은 환상적인 구조 속에서 일제 침략자를 상징하는 미리와 한국 민중을 상징하는 드래곤 사이의 격전을 그리면서 민중의 승리를 확인하고 있다. 「꿈하늘」(1916)에서 신채호가 국민국가 상상을 보여주었다면 「용과 용의 대격전」에서는 무산민중 주체의 민족국가 상상을 보여주었다고 할 수 있다. 장지락의 소설 「기묘한 무기」는 1922년 김익상 등 한국의 반일지사들이 상하이 황포공원에서 일제 육군대장 다나카를 저격한 사건을 다룬 단편소설로 1930년 북경에서 창작된 작품이다. 이 소설에는 사회주의, 아나키즘, 인도주의 등 다양한 사상들이 혼재되어 있다. '만주'지역에서 전개되고 있던 독립투쟁을 소재로 한 소설로 최서해의 「해돋이」와 강경애의 「모자」, 「축구전」 등이 있다. 「해돋이」는 생활에 시달리다 독립운동에 투신한 주인공 만수의 형상을 통하여 '만주'지역 한국 이주민들의 일제와 그 주구들에 대한 분노와 항거를 보여주고 있다. 강경애의 「모자」는 간도지역에서 벌어진 항일유격투쟁을 배경으로 하면서 희생된 남편의 못 이룬 뜻을 어린 아들로 하여금 이어가게 하겠다는 한 어머니의 불굴의 의지를 보여주고 있고 「축구전」은 일제의 주구들이 조직한 축구경기에 참가하여 경기는 졌지만 민중들에게 반일정신이 살아있음을 보여준 진보적인 한국 이주민 중학생들을 그리고 있다.

반일투쟁 승리의 강력한 의지를 표출한 시작품으로는 신채호의 「매암의 노래」, 이육사의 「청포도」, 김창숙의 「넋이여 돌아오라」, 이두산의 「당신은 의용의 전사래요」, 문정진의 「4명의 열사를 추모하여」 등을 들 수 있다. 이두산의 시 「당신은 의용의 전사래요」는 중국에서 활약하고 있는 항일부대 '조선의용대'의 영용한 모습과 필승의 신념을 노래하면서 항전의 승리와 조국 귀환의 절절한 정감을 읊고 있다. 김창숙의 시 「넋이여 돌아오라」는 중국

하르빈에서 독립운동을 지도하다 일경에 체포되어 옥사한 독립투사 김동삼을 기린 시로 일제에 대한 불타는 적개심과 구국의 염원을 노래했다. "신계(神溪)는 목 메이고/ 한수(漢水)는 슬픈데/ 한 치의 묻을 땅이 없어/ 다비(茶毘)에 부치더니/ 아, 나라 찾을 그날/ 다가오리니/ 넋이여 돌아오라/ 주저치 말고"라고 하면서 전편에 걸쳐 혁명동지에 대한 뜨거운 애도 그리고 원수격멸의 의지를 그려내고 있다.

이밖에 항일투쟁의 제일선에서 싸운 군인들의 실기, 수필 등은 실제적인 체험을 기록했다는 의미에서 상당한 가치를 가진다. 예를 들면 '조선의용대' 대원들이 창작한 「전선에서의 조선의용대」, 「중국 전장에서의 조선의용대」, 「화평촌통신」 등은 항일전장에서 조선인 대원들의 대적 무장선전, 중국 항일부대와의 협동작전, 민중교육 등 상황을 그려내고 있는바 한국 근대 독립투쟁의 역사와 한중관계를 조명함에 있어서도 중요한 가치를 가진다고 할 수 있다. 중국에서 전개된 한국인들의 독립투쟁을 반영한 작품 『청산리 혈전실기』, 「조선혁명일사」 등과 신채호의 수필 「단아잡감록」, 「조선의 지사」, 이두산의 연작수필 「억(憶)」(「산중 40일」, 「중국 항전에 참가하다」 등 11편) 등 작품들은 중국에서 한국 독립지사들의 투쟁과 생활 그리고 그들의 정신적 궤적을 반영하고 있다는 의미에서 높은 문학적 가치를 가진다고 할 수 있다.

3. 정착과 이민서사

한국근대문학의 탈경계 서사에서 가장 많은 비중을 점하는 작품은 한국 이주민들이 중국에서의 생존체험을 소재로 한 이민서사로 그 주제적 경향에 있어서도 다양성을 보이고 있다.

우선, 한국 이주민과 중국인들과의 갈등은 이민서사에서 가장 많이 보이는 소재이다. 토지의 주인인 중국인들은 '지주'의 신분으로 등장하여 민족·계급이라는 이중적인 갈등구조를 이룬다. 최서해의 소설 「홍염」, 강경애의 소설 『소금』 등이 대표적이다. 「홍염」의 중국인 지주 '은 서방', 『소금』의 중국인 '팡둥'은 토지의 주인이라는 절대적 우위를 이용하여 한국 이주민들을 억압하고 있고 극한적인 생존환경에 처한 한국인 이주민들의 자연발생적인 항거가 계급적 인식으로 나아가게 된다. 이런 의미에서 중국으로의 이주는 한국작가들로 하여금 계급적 대립에 의한 억압의 보편성을 확인할 수 있게 하였고 나아가 현실 인식에 대한 깊이와 정확도를 획득할 수 있게 하였다.

　다음으로, 중국에서 새로운 삶의 터전을 건설하려는 정착의식을 그린 작품들이 많이 있다. 안수길의 「벼」, 「북향보」 등과 현경준의 「선구시대」, 이기영의 『대지의 아들』, 『처녀지』 등 소설이 대표적이다. 안수길의 「북향보(北鄕譜)」는 주인공 정학도를 비롯한 이주민들이 어려운 여건 속에서 '북향농장'을 운영하는 과정을 통해 '만주'에 뿌리를 내려야 한다는 정착의식 혹은 지역의식(locality)을 상징적으로 보여주고 있다.

　하지만 '만주'의 실질적인 지배자가 일제였기 때문에 '만주'를 향한 정착의식은 '상상적인 탈식민'으로 흐르게 되고 자칫하면 '만주'에서의 일제의 식민주의 담론에 포섭되게 된다. 마약중독자들을 '만주국' 건설에 필요한 인재로 '갱생'시키는 과정을 그린 현경준의 「유맹」, '내부 식민주의'적인 시각에서 원시적인 초원에 사는 몽고인들을 '개량'하는 주인공의 노력을 그린 한찬숙의 「초원」 등이 대표적이다. 이러한 정착의식은 일제에 대한 철저한 순응으로 타락하는 경우도 있어 박영준의 「밀림의 여인」과 같은 노골적인 친일문학작품을 낳기도 했다. 그럼에도 이러한 작품들은 '태평양전쟁' 이후 일제의 전시총동원체제 등 특수한 시대적 상황 속에서 한국문학의 현실대

응의 다양한 예시를 보여준다는 점에서는 상당한 가치가 있다.

중국 도시에서의 한국 이주민들의 삶을 그린 작품으로는 주요섭의 「봉천역식당」, 김광주의 「북평서 온 영감」, 「남경로의 창공」 등 소설이 있다. 주요섭의 「봉천역식당」은 화자가 봉천역 식당에서 우연하게 만난 한 한국 여인의 10년간의 변화를 그리고 있다. 처음 만났을 때 이 여인은 행복이 넘쳐흐르던 처녀였으나 점차 남성의 노리개로 전락하여, 나중에는 우울한 모습으로 목석처럼 변해버리고 만 비참한 운명을 그리고 있다. 김광주의 「북평서 온 영감」은 살 길을 찾아 '만주'와 북경 등지를 전전하다가 상하이에 온 한국 이주민의 정신적 소외를 보여준 작품으로서 식민주의와 봉건주의의 이중적 억압 하에 놓인 한국 이주민의 삶을 그리고 있다.

한국 시인들의 중국체험도 주목되는 바이다. 백석, 유치환, 이용악, 서정주 등은 중국체험을 통해 상상력의 확장, 이미지의 다양화 나아가 민족적, 시대적 인식의 전환을 이루게 되었다. 백석은 「조당(澡堂)에서」란 시에서 목욕탕의 벌거벗은 중국인들을 보면서 이방인인 '나'와 중국인들 사이의 역사와 문화, 언어와 몸짓, 그리고 표정 등의 차이를 느끼다가 인간은 결국 벌거벗은 우스운 몸에 지나지 않는다는 초월적 인식에 이르고 있다. 서정주는 취직을 위해 8~9개월 간 중국에 있었던 체험을 바탕으로 "저 만치의 쑥대밭 언덕에서는/ 역시나 때 절은 靑衣의 한 滿洲國 아줌마가/ 누구의 것인가 새 棺널 하나를 앞에 놓고/ <꼭! 꼭! 끄르륵……/ 꼭! 꼭! 끄르륵……>/ 꼭 그런 소리로 울고 있었다./ 우리 단군할아버님의 아내가 되신/ 그 잘 참으신 암곰님처럼/ 씬 쑥과 매운 마늘 많이 자신 소리 같았다."(「만주제국 국자가(局子街)의 1940년 가을」) 등 살아서 숨 쉬는 이국 이미지를 창조했다. 또 이용악은 중국 '만주'에서 목격한 망국노의 슬픈 모습을 "울 듯 울 듯 울지 않는 전라도 가시내야/ 두어 마디 너의 사투리로 때 아닌 봄을 불러줄게/ 손때 수집은 분홍

댕기 휘 휘 날리며/ 잠깐 너의 나라로 돌아가거라."(「전라도 가시내」)와 같은 주옥같은 시구에 담아내고 있다. 그런가 하면 유치환은 중국체험을 바탕으로 대체로 여성적인 한국 근대 시단에서 「생명의 서」, 「바위」와 같이 단연 돋보이는 역동적인 시를 써낼 수 있었다.

4. 타자와 중국서사

한국문인들의 중국체험은 중국과 중국인을 소재로 한 다양한 문학작품들의 출현을 가능토록 하였다. 이러한 작품은 중국에서의 전통문화체험을 통한 동양문화의 가치에 대한 재인식, 자본주의적 근대체험을 통한 서양적 가치에 대한 비판, 반식민지 반봉건 사회체험을 통한 현실사회의 부조리에 대한 비판, 항일투쟁체험을 통한 한·중 연대의식 등 다양한 주제를 표현하고 있다.

우선, 전통문화체험을 통한 동양적 가치의 재발견을 보여준 작품으로는 정래동의 수필집 『북경시대』, 한설야의 수필 「연경의 여름」 등과 주요섭의 소설 「진화」, 「죽마지우」 등을 들 수가 있다. 정래동과 한설야 등은 수필창작을 통하여 중국 전통문화의 거대한 힘에 대하여 예찬하였고 주요섭은 소설 「진화」에서 중국문화의 전통성을 인정하면서 동양의 정신적 가치를 발견하려고 했으며 소설 「죽마지우」에서는 북경을 자신의 정신적 고향으로 묘사하는 등 다원적인 문화정체성을 보이기도 했다.

다음으로, 반식민지 반봉건 사회체험을 통한 현실비판을 보여준 작품으로 심훈, 피천득, 박세형 등의 시편들과 최독견의 「벌금」, 주요섭의 「살인」, 「인력거꾼」, 강노향의 「상해야화」 등 소설 작품들을 들 수가 있다. 심훈은 시

「북경의 걸인」에서 걸인의 형상을 통해 하층민에 대한 동정을 보여준 동시에 동등한 운명에 놓인 자기 민족의 고통도 하소연하고 있다. 피천득의 시 「1930년 상해」는 옷을 전당 잡혀 먹을거리를 사야 하는 현실과 곧 팔려갈 어린 생명을 시적 대상으로, 하층민들의 비참한 생활에 대해 공소하였고 박세영의 시 「북해와 매산」은 군벌혼전으로 피폐해진 북경의 암울한 현실을 비판하였다.

이와 더불어, 최독견과 주요섭은 소설 창작을 통해 제국주의 침략과 문화헤게모니로 하여 식민지화된 상하이 도시문명의 가치결손에 대하여 비판함과 동시에 하층민들의 소외를 적나라하게 폭로하고 있다. 이러한 소설들은 참신한 시각과 심각한 문제의식을 보여주고 있는바, 최독견은 소설 「벌금」에서 중국옷을 입고는 공원으로 들어갈 수가 없는 현실과 서양 여인이 개에게 먹이던 빵조각을 고맙다고 받는 중국인 여성을 통해 굴욕적으로 살아가야 했던 하층민에게 연민의 정을 보이고 있으며 중국의 반식민지 사회현실을 신랄하게 비판하고 있다. 또한 강노향은 소설 「상해야화」에서는 조계지 프랑스인 집에서 노예살이를 하는 중국인과 프랑스 여인의 부정당한 관계 등을 통해 서양의 가치결손과 식민지 조계지에서의 남성의 소외 내지는 타락을 보여주기도 했다. 한편, 주요섭은 소설 「살인」에서 도시 최하층 기생인 우뽀의 형상을 통해 버림받고 소외당한 하층민들의 운명을 보여주면서 그들의 각성을 촉구하기도 했다. 작가의 다른 한 소설인 「인력거꾼」 역시 자본주의 문명이 최하층 인간에게 들씌운 불행에 대하여 묘사하고 있다.

이처럼 상기 다양한 소설작품들은 근대 도시인 상하이를 배경으로 그 속에서 살아가는 하층민들의 불행한 운명, 특히는 생존권을 박탈당하고 소외되어가는 인물들을 통해 식민주의의 죄행을 공소하고 있다. 물론 이러한 문제의식은 한국문인들의 중국에서의 근대적 도시체험에서 얻어진 것이라 해야 할 것이다.

또한, 유자명, 이두석, 이관용, 문일평, 이광수, 최남선, 주요섭, 김광주, 정래동, 강경애 등 쟁쟁한 한국문인들의 수백 편의 기행문들에서는 중국체험과 시대인식이 다양하게 보이고 있다. 즉 이러한 기행문은 중국전통문화와 서양문명에 대한 새로운 인식, 시국에 대한 인식과 비판, 망국 국민으로서의 애환, 민족에 대한 뜨거운 사랑, 민족독립에 대한 열망 등으로 일관되어 있다. 특히 이러한 기행문들은 근대 중국사회를 인식하는 역외시각(域外視角)으로서 귀중한 문헌적 가치가 돋보이는 바이다.

5. 가치 수용으로서의 번역과 비평

한국근대문학과 중국의 관련 양상은 중국근대문학에 대한 번역과 비평에서도 잘 드러나고 있다. 한국에서의 중국근대문학작품에 대한 번역은 주로 양건식, 정래동, 유수인, 이육사, 김광주 등 중국 유학경력이 있는 문인들에 의해 전개되었다. 소설로는 루쉰의 「아Q정전」, 「광인일기」, 「고향」, 궈모뤄(郭沫若)의 「목양애화(牧羊哀話)」, 딩링(丁玲)의 「떠나간 후」, 위다푸(郁達夫)의 「피와 눈물」, 린위탕(林語堂)의 「북경호일」, 샤오쥔의 「사랑하는 까닭에」 등이 있으며, 시작품으로는 후스(胡適)의 「등산」, 「11월 24일 밤」, 궈모뤄(郭沫若)의 「봄 맞은 여신의 노래」, 「죽음의 유혹」, 쉬즈모(徐志摩)의 「가거라」, 「우연」, 주즈칭(朱子淸)의 「잠자라, 작은 사람아」, 저우쭤런(周作人)의 「소하」 등이 있으며, 연극으로는 궈모뤄(郭沫若)의 「탁문군 삼경」, 톈한(田漢)의 「상상의 비극」, 어우양위첸(歐陽予倩)의 「반금련」 등이 있다. 그 외에도 루쉰 등의 산문이 번역 소개되었다.

이외, 중국근대문학과 관련된 비평으로는 양건식의 「호적 씨를 중심으로 한 중국의 문학혁명」(1920, 번역문), 김태준의 「문학혁명 후의 중국문예관」
(1930), 정래동의 「중국 양대 문학단체 개관」(1931, 번역문), 「노신과 그의 작품」
(1931), 「중국문단의 신작가 파금의 창작태도」(1933), 김광주의 「중국 좌익문
예운동의 과거와 현재」(1931), 이육사의 「노신 추도문」(1936) 등이 있다.

　이러한 중국근대문학 작품의 번역과 비평을 통해 한국 근대 문인들의 중
국문학에 대한 인식과 수용 자세, 한국 근대에 있어서의 중국의 사회사상과
미학사상이 미친 영향, 나아가서 한국 근대 문학번역사와 문체의 변천과정
도 이해할 수가 있다. 주지하다시피, 한국 근대 문인들은 대부분 일본을 통
해 서구문학을 수용하였고 또한 서구문학에 대한 번역과 소개도 적지 않게
진행한 바이다. 그럼에도 프로문학 등 특수한 영역을 제외하고는 한국 근대
문단에서 일본문학이 별로 번역·소개되지 않았음은 주목이 필요한 대목이
다. 이에는 식민지시기라는 특수한 시대적 상황 속에서 형성된 이질감과 거
부감이 작용했을 것이다. 이러한 점을 염두에 둘 때 한국에서의 중국 근대문
학의 전파와 수용은 근대 한국 문인들이 중국 근대작가들과 함께 20세기의
동아시아적 가치를 창출하고 공유하고자 한 시대의식과 무관하지 않을 것
이다. 바로 이런 의미에서 중국근대문학에 대한 번역·소개와 비평은 한국근
대문학과 중국근대문학, 나아가 중국과의 관련을 해명하는 데 불가결한 중
요한 영역이기도 하다.

6. 편찬 동기와 총서의 구성

　일찍 2014년 연변대학 통문화센터에서는 중국어로 된 『'중국현대문학과
한국' 자료총서』(1~10권)를 간행한바 있다. 베이징에서 열린 이 총서의 출판
기념 좌담회에서 중국의 근대문학 연구자들은 필자에게 『'한국근대문학과

중국' 자료총서』를 편찬할 것을 제안한 바가 있다. 이에 상기 자료집 편찬의 중요성과 절박성을 깊이 인식하게 된 나머지 편찬위원회를 묶어 총서의 편찬사업을 시작했다. 한국근대문학과 중국 관련 자료는 이미 적지 않은 자료집에서 수록되기도 한 바이다. 예하면 연변대학 문학연구소에서 편찬한 『중국조선족문학대계』, 북경민족출판사에서 편찬한 『중국조선족 문학유산 정리편찬』 등에 수록된 적지 않은 작품들은 편찬자 나름의 시각에 따라 중국 조선족문학의 출발점으로 인식되어 중국 조선족문학 권역에 귀속시켰지만, 한국근대문학사에 있어서도 중요한 작가와 작품들이다. 물론 상기 자료집들은 한국근대문학과 중국 관련 연구를 위해 정리된 자료 총서가 아니며 한국근대문학과 중국과의 관련 양상을 살피기에는 전체적이지 못함도 짚고 넘어가야 할 것이다.

한국근대문학과 중국 관련 연구는 1990년대부터 학계의 주목을 받기 시작하여 적지 않은 연구 성과를 내고 있다. 그럼에도 아직까지 중요한 자료들에 대한 발굴과 정리가 진일보 요청되고 있으며 일부 연구들은 충분한 자료적 검토가 확실하지 못한 점도 없지 않다. 이러한 상황은 한국근대문학과 중국 관련양상의 전반적 검토와 연구의 심화에 장애로 작용하고 있으며, 이에 본 자료집은 그에 대한 극복을 목적으로 하고 있다.

『'한국근대문학과 중국' 자료총서』는 편찬 의도를 구현하기 위해 작품 선정에서 첫째로, 한국근대작가들의 중국체험을 바탕으로 중국의 시간과 공간에서 벌어진 인물과 사건들이어야 하며, 둘째로, 중국인들의 생활 혹은 중국에서의 한국인들의 생활을 소재로 해야 하며, 셋째로, 중국체험을 기반으로 하는 동서양 관련 문화인식을 다룬 작품도 가능하다는 원칙을 지키고자 했다. 한편, 편찬과정에서 적지 않은 애로에도 봉착하였는바, 일부 작품들은 당시의 중국 경내에서 꾸려진 신문, 잡지들에 발표되었으나 신문과 잡지의 보존상태가 완전치 못하여 그 전모를 알 수가 없으며, 아울러 신문, 잡지의 경우 여러 곳의 도서관과 서류관에 분산되어 있었다. 또한 일부 작품들은 유고로서 분실된 것도 있었기 때문에 편집자들은 이러한 난제를 풀기 위해 국내외 도서관들을 찾아다녀야 했고 따라서 관련 인사들을 찾아 방문하기도 해야 했다. 비록 편찬자들이 많은 노력과 심혈을 기울였지만 아직 미비한 점이 적지 않다.

본 총서는 총 16권으로서 창작편 11권(소설 4권, 시 3권, 기행문 2권, 정론·실기·수필·희곡 2권)과 비평집 5권이다. 편집과정에서 편찬자는 발표 당시의 원본 형태를 그대로 보여주기에 노력을 경주하였으며, 섣불리 개정이나 첨삭을 시도하지 않았다.

본 총서는 편찬과정에서 국내외 많은 한·중 문학관계를 연구하는 전문가들의 열정적인 관심과 도움을 받았으며 특히 국내외 도서관, 서류관의 지지와 성원을 받은 바 있다. 총서의 편집에 도움을 주신 모든 이들에게 진심으로 되는 감사를 드리는 바이다. 앞으로 본 총서가 한·중 문학관계 연구자들과 독자들에게 도움이 되기를 진심으로 바라며, 미진한 점에 대해 전문가들과 독자들의 기탄없는 비평을 기대하는 바이다.

2020년 2월 1일

차례

일러두기

1. 본 총서는 1919년 중국의 '5·4운동' 전후시기부터 시작하여 1948년 남북한 단독정부 수립에 이르기까지 중국인 및 중국에서의 체험을 소재로 창작한 문학작품 중 문헌적, 문학적 가치가 높은 작품들을 수록하였다.
2. 본 총서는 총 16권으로 구성되었는바 소설(1~4권), 시(5~7권), 기행문(8-9권), 평론(10-14권), 정론·실기·수필·희곡(15-16권)으로 나누었다.
3. 초간본을 저본으로 하여 원본의 표기를 최대한 보류하는 것을 원칙으로 하였으나 일부 초간본을 확인할 수 없는 작품의 경우 초간본에 가장 가까운 판본을 수록하였다.
4. 독자들의 읽기와 이해를 돕기 위하여 표기법은 아래와 같은 원칙을 적용하였다.
   - 근대 모음을 현대 모음으로 바꿨다.

     예: ㆍ→ㅏ
   - 근대 겹자음을 현대 겹자음으로 바꿨다.

     예: ㅺ→ㄲ, ㅽ→ㅃ
   - 띄어쓰기는 현행 한국어 표기법의 기준을 따랐다.
   - 소설의 경우 문장부호를 현행 한국어 표기법의 문장부호로 통일하였다. 대화는 " ", 간행물과 단행본의 명칭은 『』, 기사와 작품의 명칭은 「 」, 음악작품의 제목은 < >, 연극작품은 ≪ ≫로 통일하였고, 명확하지 않으면 ⸨ ⸩를 사용하였다.
   - 기행문, 평론, 수필, 정론, 시가, 희곡의 경우 원본의 문장부호를 보류하였다.
   - 원본에서 판독이 불가한 문자는 □로 표시하고 판독 불가한 문자가 1행 이상일 경우에는 주해에 "이하 × 자 판독 불가"를 밝혔다.
   - 원본의 오탈자, 오식은 보류하고 해석이 필요한 경우에는 주해에 "편자 주"를 밝혔다.

     예: 1) "淅江"은 "浙江"의 오식 - 편자 주
5. 외래어는 원본의 표기를 보류하였다.
6. 인명, 지명 등 고유명사는 원본의 표기를 보류하였다.
7. 한자는 원본의 표기를 보류하였다.

기행문 I

上海서[01]

滬上夢人[02]

(第一信)

우리 一行은 龍巖浦 連山 우에 첫눈이 더핀 것을 보고 배에 오른 지 十數日에 營口 大連 煙台 靑島를 두루 거처 어제밤을 吳淞砲臺 밋헤 지내고 아츰 해 뜨자 흐리건만 물결 업는 黃浦江을 거슬러져 軟黃色으로 서리에 물든 兩岸의 柳色에 反映하는 黃色 만흔 아츰 해볏을 등에 지고 東洋倫敦의 稱 잇는 上海 埠頭를 向하나이다 아직도 얼마 만에 하나씩 물의 深淺을 標하는 浮標에 채 꺼지지 아니한 電燈이 가물가물하오며 浚渫工事에 從事하는 뭉투룩한 배에는 새로 發動機에 물 끌히는 石炭내가 갈 길을 몰라 하는 듯 구불구불 서리고 우리 배는 휘임한 물 구비를 아조 살금살금 推進機 소리도 들릴락 말락 行進하오며 船客들은 자리와 짐을 모다 묵거노코 어서 上海市街를 보리라고 甲板 우에 나와 或은 船側에 기대어 「저긔는 어대요 여긔는 어대」라고 新來한 旅客에게 指點하는 이도 잇고 或은 외롭은 나그네 몸으로 말할 동

무 업서 번하니 定處 업시 바라보는 이도 잇고 或은 喜色이 滿面하야 압뒤로 왓다 갓다 하는 이도 잇나이다 船員들도 옷을 갈아닙고 신을 닥고 船橋로 그 닐며 水夫들은 무자위와 뷔를 들고 甲板을 닥노라 야단이 나나이다 나도 처음 오는 길이라 異常하게 神經이 興奮하야 몸이 들먹들먹하오며 한껏 茫茫한 前程을 생각하오매 길게 한숨도 나오나이다

저편 안개 속으로 엇던 크다란 뭉치가 八稜鏡 모양으로 번적번적 日光을 反射하면서 漸漸 갓갑이 오나이다 들은 즉 長江에 客室이 하는 배라는데 커다란 木板 우에 三層樓를 지어노흔 듯하오며 欄干에 오누이인 듯한 西洋 아이 三四 人이 雪白色 곱고도 단출한 옷에 帽子를 비스듬이 부치고 우리 배를 向하여 무슨 嘲弄을 하는 모양 우리 배에 탄 꼬리 달린 船客들도 무어라고 辱說로 댓구를 하나이다 돌아본 즉 우리 배 뒤에도 서너 隻 輪船이 우리 배 모양으로 슬근슬근 뒤따라오나이다 좁은 江이라 밤에는 入港을 禁하므로 吳淞口에서 지나고 아츰에야 上海埠頭로 올녀 다니는 모양이로소이다

차차 애나무 숩 사이로 亭子며 工場과 牧場 가튼 것이 드믓드믓 보이고 압길에 컴컴한 안개는 더욱 濃厚하오며 얼마 만에 中流에 닷 주고 선 배도 한두 隻 보이오며 저편 그리 크지 못한 船埠에 밋 빠진 낡은 輪船이 空中에 언치어 修繕하기를 기다리는 모양이오 그 압헤 檣頭에 거미줄 늘이듯 한 것은 中華民國 軍艦의 無線電信일지며 좀 더 올라가 휘임한 물 구비를 지나니 문득 딴 世界로소이다 안개 속으로 四五 層 高樓巨閣 빗살 박히듯 하고 그 좁은 江 左右 언덕에는 輪船과 삼판이 겹섯고 또 또 겹섯스며 檣頭 놉히 가온데 흰 靑旗를 날리는 것은 방금 出帆하랴는 배들이로소이다 이제는 산 都會의 奔走雜踏한 빗과 소리가 亂鳴하는 樂器 모양으로 大氣에 錯雜한 色彩와 波動을 니르키나이다 한복판에 倨傲하게 웃둑 선 米 英 法의 鉄甲艦을 스쳐 그리로서 나오는 瀏浣한 軍樂을 들으면서 우리 배는 江 南岸 埠頭에 조심

히 右舷을 다히엇나이다 禮讓이니 體面이니 하는 것도 閑暇할 때에만 쓰는 놀이감인 양 하야 航海 中에는 꽤 점잔턴 紳士 淑女도 前後도 돌아보지 아니 하고 압선 사람을 밀고 겻헤 사람을 물니치면서 저각금 먼저 나리려 하는 양 은 아마도 人生의 獸性이 發露된 양 하야 文明이니 道德이니 짓거리는 人生 이 可憐도 可笑도 하여이다 或 이것이 未開한 東洋이라서 그러한지도 모르 거니와 同舟하엿던 洋人 하나이 발길로 東洋人을 차고 압서 나리는 것도 그 의 强力이 우리보담 큰 줄을 알겟거니와 道德性이 發達함이라고는 許하지 못하겟더이다 元來 敏捷치 못한 나는 한 구석에 우둑하니 섯다가 맨 나종에 야 나리엇나이다 同行은 엇던 사람과 짐 가지고 다토나이다 그 사람들은 아 조 親切한 소리로

「짐은 제가 바다드리리다」
「실타 저리 가거라」
「아 그러실 것 업서요 제가 잠간 바다드리지요」
「이놈아 저리 가」

나는 이처럼 親切하게 하는 이에게 同行의 하는 行動이 넘어 迫切하다 하 엿더니 엇지 알앗스리오 짐을 한 거름만 옴겨 노하도 一圓 二圓 돈을 빼앗는 다 하더이다 그 사람들이 한사코 짐을 달라고 매어달리거늘 내 친구가 웃으 며 「英語로 辱을 하지 저희 말로 하면 우습게 보는걸요」 하며 눈을 부릅뜨며 「꼿 댐 껫 아웨[03]」 하고 발을 퉁 구르며 주먹을 둘너메니 그제야 고개를 폭 수기고 무어라고 중얼거리며 다라나더이다 나는 불상한 그 同胞를 爲하

---

03 "꼿 댐 껫 아웨": goddam. get away. - 편자 주.

야 매오 속이 不便하엿나이다 그네가 웨 그리도 廉恥를 일헛나뇨 그네가 堯
舜과 孔孟을 가지고 四百 州의 故疆과 四 億萬의 同族과 五千 年의 文化를 가
진 國民이 아니뇨 그네가 엇지하야 「꼬 땜」을 天性보담 더 두렵어하게 되고
내 집에 寄留하는 者에게 도로혀 受侮를 달게 여기게 되엇나뇨 그네는 이제
는 賤待가 닉고 또 닉어 맛당히 바들 것인 줄 알리만콤 닉엇도다 또 그네는
優秀하고 豊饒한 自然 속에서 生長한 이들이니 그네가 이러케 腐敗墮落한
第一 原因은 農村이라는 故鄕을 떠나 都會의 華麗한 安逸을 貪함이오 둘재
原因은 그네가 現世에 兩班의 標準 되는 强國民이라는 門閥이 업슴이며 셋
재는 그네가 都會 生活 — 文明 生活의 資格이 文明의 敎育을 바듬에서 나오
는 줄을 모르고 아모든지 文明한 都會에만 나오면 文明人이 누리는 華麗한
安逸을 바들 줄로 妄想함이로다 이밧게도 上海 市內에서 過度한 勞動과 榮
養과 慰安의 不足으로 靈을 獸化케 하고 健康과 목숨을 주리는 數萬 名 人力
車夫와 晝夜로 盜賊할 자리만 찻고 돌아다니는 사람들이 「耕鑿」을 니저바린
罪障으로 받는 罰인가 하노이다

우리는 새우가티 생긴 삼판을 타고 적은 배 큰 배 사이로 오불고불 흘니
저어 法艦 前軸을 스처 돌아 하마터면 부살가티 달려 나려오는 小汽艇에 衝
突될 번 하면서 큰 배들이 남겨노흔 물살에 놀을 격그면서 마즌편 黃浦灘 埠
頭에 無事히 上陸하엿나이다

江岸과 平行하는 大道의 일흠도 黃浦灘이라 닙 넓죽넓죽한 白楊木이 韻
致 잇게 江岸으로 들숭날숭 버리어서고 그 그림자로 電車 馬車 自働車 人力
車 精神이 횡 하게 왓다 갓다 하며 巍峩하게 돌로 지은 會社 銀行의 大宮室
은 이곳 第一이라는데 支那大國의 財政을 줌울럭거리는 滙豊銀行은 더욱 有
心하게 보이며 니억니억 나라는 적어도 돈 만키로 有名한 白耳義[04]銀行과 其
他 어느 나라 銀行이고 이곳에 支店 하나이라도 아니 둔 이가 업다 하니 支

那의 金融中心이 猫額만 한 黃浦灘頭에 잇다 함도 遠來한 客에게는 異常한 感想을 주더이다 이 銀行들의 주둥이가 四百 州 坊坊曲曲이 아니 간 데 업이 支那의 鑛産이니 鐵道이니 하는 끗을 물고 四 萬萬 못생긴 支那人의 膏血을 쪽쪽 빨아먹거니 할 때에 몸에 소름이 끼치오며 저 크다란 琉璃窓 안 컴컴한 金櫃ㅅ속에 支那의 鹽稅 海關稅 郵稅 等 支那의 文券이 典當을 자피어 어서 期限이 다하기를 기다리는 양을 想像하매 破産 滅亡에 瀕하는 老大國의 情境에 果然 눈물이 지더이다 얼마를 아니 가서 鐵柵을 구디 두르고 奇樹異草가 조는 듯 盛한 데는 上海에 有名한 黃浦灘公園이오 門에 서서 졸리는 듯 흔들흔들 그니는 키 크고 얼굴 검고 수염이 이 귀밋헤서 저 귀밋까지 꼬아 부치고 다홍 수건으로 삐죽하게 머리를 동여맨 이는 물을 것 업는 印度 巡査라 英美 兩 租界는 每事를 聯合하여 印度 巡査 ― 차라리 巡査補 ― 로 境內를 護衛하게 하고 西端에 잇는 法租界만 安南人 巡査를 쓰나니 말하자면 앵글로색손族은 앵글로색속族 끼리 聯合하여 그네의 共同한 榮光인 印度 征服를 表象하기 爲하야 印度人으로 街路와 門戶를 護衛케 함이오 法人은 라틴族으로 古代 로마의 榮譽를 代表하고 現代 라틴의 威光을 表하기 爲하여 自己네가 管轄하는 安南人으로 巡査補를 삼음이로소이다 더욱 注意할 것은 印度 巡査의 斷髮削鬚를 禁하야 印度 古來의 風習을 머리에 두게 하며 安南人도 削髮을 禁하고 머리에 △ 이러케 생긴 되갓을 씌움과 支那人도 馬車 같은 데 御者로 쓰랴면 支那 古來의 이상야릇한 服色을 시킴이니 그것은 마치 洋人들이 自己네는 政丞判書의 威風으로 奴僕에게 怪常한 차림을 식히어 우슴거리를 삼음과 가트며 또 이 불상한 人種을 한 興味 잇는 骨董品으로 愛玩함과 가트니이다 넘어 말이 겻길로 들어갓나이다 우리는 黃浦灘公園에 들어

---

04 "白耳義": 벨기에 - 편자 주.

가 六大洲의 自然의 精粹를 모핫다 하리만큼 各各 그 洲와 그 氣候帶의 特色
잇는 草木을 옴겨다가 元來 天地開闢 以來로 相關 업던 異土의 草木으로 하
여곰 용하게도 손바닥만 한 좁은 따에 造化翁이 配合한 것 보담도 더 妙하다
할 만하게 對照와 調和의 妙를 極하야 過分이라 할 만한 人智의 發達에 혀를
차고 人力車를 몰아 雜踏한 上海 中에 第一 雜踏하고 華麗한 上海 中에 第一
華麗한 英大碼路로 달리나이다 左右에 늘어선 四五 層 七八 層 벽돌 洋館은
마치 우리로 하여곰 千仞 좁은 벼래 미테서 갈 길을 몰라 북적거리는 듯 坦
坦히 똑바로 뚤린 숫돌 같은 磚石길에 쉴 틈 업이 달리는 電車 自働車 그 속
에 탄 사람은 나가티 할 일 업서 구경 다니는 이가 아니고 그 빠른 自働車도
더듸어 걱정되는 奔走한 사람이라 그 집의 문고리는 摩擦에 불이 닐고 四五
六 電話機는 쉴 틈 업이 늘 울며 籌板 소리 寫字機 소리 — 아 아 奔走한 世上
이로소이다 上海 人口가 不過 百萬이라는데 웬 사람이 이리 만흔가 아마도
房 안에서 낮잠 자거나 바둑 장기 두는 이는 하나도 업고 百萬 名 잇는 대로
통떨어 나와 東西南北으로 발이 땅에 부틀 새 업시 뛰어다니는가 보오이다

　이 中에 모르모르 「나는 다른 世上 몰라」 하는 듯이 웃둑 서서 점잔케 이
팔을 들엇다 저 팔을 들엇다 하여 人車의 煩雜을 制御하는 印度 巡査는 奔走
한 장거리 한 복판에 돌부처를 세워노흔 듯 果然 그네는 이 奔走한 가운데
잇건마는 이 奔忙함과 그네와는 아무 關係가 업나이다 全然히 沒交涉이로소
이다

　宏壯한 鴉片廛 銃砲廛에 肝膽이 서늘하면서 얼마를 다라나니 여기는 法
界라 어느덧 十餘 分이 다 못 되어 支那와 英國을 지나 法國에 到達한 셈이
로소이다 法租界는 一 街路를 隔함에 不過하것마는 종용하고 쓸쓸하기가 딴
世界라 그 本國의 老衰하는 表象인가 하야 슬그먼히 설음이 나더이다 그러
나 道路의 淨潔함 長林과 家屋의 瀟洒함은 輕快하고 詩趣잇는 라틴式을 發

揮하엿더이다

(第二信)

　　우리 一行은 客主에 들어 여러 날 路困으로 이튿날 늦게까지 잠이 들엇섯
나이다 이불 속에서 어제 구경한 光景을 생각하니 마치 어렴풋한 꿈갓더이다
　　果然 上海는 華麗하니이다 現世 文明의 精華의 一角을 遺憾 업시 본 듯하
더이다 上海란 一望無際한 벌판이라 흙물 가튼 江과 溫帶 德에 草木의 種類
와 色態는 豊富하다 할 만하오나 景致의 變化가 업고 土地가 卑濕하며 土色
까지 썩은 된장빗이라 이러한 보잘 것 업는 □에 이같이 文明의 精彩가 燦
爛한 市街를 建設하여 數 千 年 동안 春夢에 醉하엿던 古文明族에게 「時代가
엇더케 되엇나 보아라」 하고 霹靂 같은 警鐘을 들녀줌이 感謝하자면 無限히
感謝할 것이로소이다 그러나 그 主人 되는 老支那人이 눈을 번히 뜰 만한 때
에는 발서 그네의 세간과 衾枕과 糧食은 거의 다 간 곳이 업서지엇나이다 支
那 中에 가장 肥沃한 楊[05]子江 流域의 富는 大部分 론돈과 뉴욕과 파리의 倉
庫에 너흔바 되고 支那 땅이면서 支那의 主權 못 밋는 上海라는 무섭은 傷處
로서는 自由로 爆發彈 毒酒와 鴉片이 들어와 四 萬萬 人의 細胞와 細胞를 麻
醉하고 破壞하엿나이다 上海 市街는 果然 燦爛하여이다 長江의 交通은 極히
便利하여젓스며 國內의 富源은 날로 開發되고 鐵道、電信 等 交通機關은 날
로 完備하며 四百 州 坊坊曲曲이 新文明의 曙光이 아니 미쳐가는 데 업나이
다 그러나 생각하소서 아아 이러한 文明의 主人이 누구오니잇가 支那人과
이 文明과 얼마나 關係가 잇사오리잇가 그네는 제집을 꾸며주는 洋人을 感

---

05 "楊"은 "揚"의 오식 - 편자 주.

謝할가 마다할가 엇지할 줄을 모르고 물끄럼이 傍觀할 따름이로소이다 남이 제집 일을 處理할 때 傍觀하지 아니치 못할 그네의 身勢야말로 가이업슨가 하노이다

上海 開市된 지가 발서 六十餘 年이니 只今 上海 바닥으로 闊步하는 洋人에 初來者 二三 世孫도 잇슬 것이오 처음 上海를 建設하던 祖上은 이미 歷史的 人物이 되엇슬 것이로소이다 그러나 그네의 무덤이 적은 것을 보면 아마도 그네가 아직도 上海를 永住地로 알지 아니하고 年老하면 故國에 歸臥하기가 常例인 듯하오며 兒童들도 小學校만 마치면 母國에 보내어 敎育시킨다 하나이다

上海는 世界의 縮圖라고 보아만 하나이다 人種 치고 아니 와 사는 이 업스며 貨物 치고 아니 와 노니는 이 업고 第一 奇觀인 것은 十數 個 國 通貨가 다 通用됨이로소이다 그러나 그 中에 가장 勢力 잇는 이는 英人이니 그네의 租界는 三租界 한복판 形勝한 位置를 占하여 가장 繁華함이 마치 英帝國의 繁華함이 世界에 웃듬 됨과 갓사오며 또 英語는 全市 各色 人種의 通用語라 洞名이며 모든 것은 自國語로 쓰는 法人도 必須한 用文이나 告示는 모두 英文으로 하나이다 果然 英國의 勢力의 宏壯함을 더욱 欽慕하겟나이다 그밖에 有名한 宗族은 葡萄牙[06]人의 種族이니 相貌가 東洋人과 恰似하오며 獨立한 事業의 經營은 업고 대개 英美人의 商鋪에 店員 노릇 하오며 그 東洋피 섯긴 女子는 매오 姿色이 잇서 顧客을 끄는 廣告가 된다 하니 일즉 宇內에 雄飛하던 大國民으로서 이러케도 쉽게 變遷하는가 實로 世事와 運數는 難測이로소이다 아지 못게라 一 世紀가 지나지 못하야 主客을 顚倒할는지 뉘가 아노라 하오리잇가

---

06 "葡萄牙": 포루투갈 - 편자 주.

上海는 또한 畸形的 支那의 縮圖로소이다 한편에 조린 발이 뒷둑뒷둑 閨門 內에서 男子의 奴隷 노릇 하는 女子가 잇거늘 딴 편에서는 短髮男服 하고 女子參政權을 叫號하는 最新式 女權論者가 辯舌로 文筆로 女子의 覺醒을 喚起하나이다 한편에는 巴里[07]學士院의 會員과 伯林[08]大學 敎授 가튼 最新式 學者 名士와 社會主義 虛無主義 가튼 最新 思潮에 口角에 거품을 날니는 靑年이 잇스며 딴 편에는 拱手危坐하여 堯舜의 道를 講하고 孔孟의 禮를 說하는 舊套 腐儒가 잇나이다 文明한 空氣 中에 잇다고 文明하는 것은 아닌 듯 만일 그러타 할진대 上海 市內에 이러한 矛盾된 現像이 업을 것이로소이다 이로 보건댄 제가 努力을 아니하면 아모리 文明 風潮가 휩쓰는 가온데 잇더라도 努力만 아니하면 그 思想은 如前히 野昧할 것이라 우리가 數十 年 來로 外國에 留學生을 보내엇스되 그네가 그 留地의 文明을 理解 吸收치 못하고 그저 野昧沒覺함도 이 까닭인가 하나이다

우리가 支那人의 自覺과 努力의 程度를 알고자 할진대 商務印書館이라는 宏壯한 冊肆를 訪問할 것이로소이다 그 設備의 完全함이 참 놀나오며 그 內容을 보건댄 外國 書籍의 具備하고 豊足함은 그네의 新知識慾의 熾盛함을 볼 지오 各 階級에 對한 月刊雜誌와 兒童雜誌며 各色 敎育標本類와 中小學校 敎科書가 內容은 姑舍하고 外形만 그 만큼 整備하기도 國民敎育의 普及과 學問獨立에 對한 그네의 熱誠을 엿볼 지로소이다 支那는 政治上 經濟上 어느 方面으로나 完全한 自主가 업건마는 그 中에도 가장 痛心할 바는 小中學校가 專혀 英文으로 敎授하고 敎師까지도 英語로 說明함이니 불상하고 철 업는 그네들은 제 나라 말 모르고 英語 잘한다는 말 듯기를 榮光으로 녀기어

---

07 "巴里": 프랑스 파리 - 편자 주.

08 "伯林": 독일 베를린 - 편자 주.

제 國粹를 일허바리고 두루뭉실이 支那人도 아니오 洋人도 아닌 말하자면 似而非 洋魂에 浸染된 것이로소이다 그러하오나 그네가 그 배운 外國語로 新書籍을 博覽하여 新文明을 吸收하려 함이면 오히려 賀할 것이언마는 그네가 英語를 힘씀은 大部分 海關 가튼 데서 英人의 驅使 받는 通辭나 되려 함이니 遊子의 傍觀하는 所見에도 참 딱하여이다

商務印書館에서 또 놀난 것은 飜譯과 辭典의 事業이라 대개 엇던 民族의 文明의 初期는 外國書籍의 飜譯과 辭典의 編纂으로 비롯하나니 現今 支那에 이것이 必要함은 勿論이로소이다 書架를 죽 둘너보건댄 初等 高等의 諸般 科學書類와 哲學 文學 思潮에 關한 書籍이 거의 數十百種이나 支那文으로 飜譯되엇사오며 辭典類 거의 完備하리만큼 編纂되엇더이다 西洋人의 손을 빌어 겨우 韓英字典 한 卷을 가지고 全世界가 들떠드는 톨스토이 오이켄[09] 베륵손[10]이며 飛行機 無線電信에 關한 四五百 글도 못 가진 朝鮮人 된 나는 남모르게 찬 땀을 흘니엇나이다

그려고 支那人에 對하야 또 한 가지 부럽은 것은 그네가 勤儉貯蓄性이 만코 商業에 特別한 能力이 잇서 世界 到處에 그네의 商鋪 업는 데가 업다는 말은 들엇거니와 이러케 智力 金力 競爭이 隔歷한 上海 市街 한복판에 꼴이 와 긴 소매로 宏壯한 商業을 經營하야 넉넉히 洋人과 拮抗함이니 果然 勇士의 風采가 잇스며 또 純 洋式 市街 안에 純 洋人을 顧客으로 보면서도 塵鋪의 結搆[11]와 設備를 긔어코 支那式으로 하고 電燈은 켤망정 초불도 바리지 아니하며 머리는 깍글망정 先王의 衣冠을 바리지 아니하며 設或 洋裝을 하

---

09 "오이켄": 독일의 경제학자 Walter Eucken(1891-1950) - 편자 주.

10 "베륵손": 프랑스 철학가 Henri-Louis Berg'son(1859-1941) - 편자 주.

11 "搆"는 "構"의 오식 - 편자 주.

34 '한국근대문학과 중국' 자료총서 ❽

더라도 同族끼리는 古來의 禮儀를 지킴이 이를 保守라든가 頑固라든가 낫비 말하자면 말할 수 업슴이 아니로되 제 本色을 일치 아니하자는 美質임을 누라 反對하오리잇가 원숭이 나라에 生長한 나는 이에 羞恥한 생각을 禁치 못하엿나이다

또 上海 市街에서 異常한 感想이 생긴 것은 골목골목이 藥廣告가 만흠과 또 그 藥廣告가 모두 梅毒 痲疾 等 花柳病에 關함이니 文明은 梅毒(Civilization = Cifilization)이라는 俗談도 들엇거니와 이것을 보고 더욱 物質文明이 産出하는 生活難과 道德의 腐敗 ― 그것이 産出하는 여러 가지 害毒 中에 가장 치떨리는 花柳病 ― 하믈며 利 以外에 아모것도 모르는 烏合亂民이 모혀 사는 上海 가튼 港口와 여러 新植民地 두고 더욱 慘酷한 花柳病이 얼마나 무섭은 것을 切實히 깨달앗나이다

支那 南方은 支那 中에 色鄕이오 吳女 楚姬는 色鄕 中에도 웃듬이라 蘇州 杭州는 只今도 花柳로 有名하오며 그리로서 모여드는 上海는 支那의 美色的 中心일지라 저녁 後에 거리에 나서면 나오기도 나온다 人力車로 馬車로 綺羅紅裙이 空氣 中에 高貴한 美彩와 香氣를 放射할 때 巫山十二峰에 仙女의 떼를 본 듯 아모든지 恍然自失 아니할 이 업건마는 저들이 다 그 무섭은 毒菌의 둥진가 하면 不知不覺에 몸이 떨리며 香내 나는 꼿에 毒 잇슴 自然의 矛盾을 원망하엿나이다.

終日 보기에 눈이 困하고 생각하기에 腦가 困하야 舍館에 돌아와 이 편지를 쓰고 나니 夜半 十二点 집 생각 동무 생각 空想으로 그리면서 찬 자리에 들어가나이다 仔細한 말슴은 後日에 다시 할 次로 이만

ー『靑春』, 第3號~第4號, 1915년 2월~3월, 2회 연재

江戸에서 洞庭湖까지

金燁

一

一九一八年 四月 二十日 下午 四 時에 나는 四 個 星霜이나 風雨를 갓치 하든 江戸城을 뒤로 두고 神戸를 向하야、中央驛에서 下關行 急行列車에 몸을 언젓다. 車窓으로 보이는 建物、烟突、橋梁、馬車、自働車、電車、行人들이 無心한 내 腦 내 別달니 印像을 준다. 汽車는 발셔 品川驛을 지나 어느 덧 東京區域을 버서난다、지금까지 내 눈에 얼는거리든 無數한 家屋、許多한 商店 看板、廣告板은 汽罐車 烟筒에서 뿜는 黑烟과 車輪、軌道의 摩擦 소래 속에서 뒤로 멀니 슬어진다. 새라 새것이 내 눈에는 車窓 琉璃를 通하야 活動寫真을 演出한다. 다만 武藏野 널은 벌에 規則的으로 셧는 電線木이 車가 갈사록 끔침 업시 지나갈 뿐이다 잇따금 落花滿地의 雪景 갓튼 곳도 지낸다、이때 나는 슬프지도 깃부지도 즐겁지도 苦롭지도 안으나 그저 서어한 섭々한 무엇이 갓슴에 뭉켜잇는 듯하다. 내 腦는 맛치 臆病 들닌 모양으로 먹々하야 아모 生覺도 무슨 理想도 업섯다 五官은 無意識的으로 作用을 繼續하고 四肢는 機械的으로 놀닐 뿐이다. 내가 일즉 이 列車를 타고 이곳을 五六 次 往來하여스나 그때와는 其 目的이 달음을 따라 내 精神的 地位도 變하엿다. 나는 깁흔 默想에 잠겨지고 疲勞한 눈을 감앗다 떳다 하엿다. 車

가 橫濱에 到着할 때에 나는 곳 精神을 차려 몸을 車外로 向하야 거름을 옴기여 同行하기로 相約한 C 君을 맛나려 하여스나 C 君의 그림자는 보이지 안이하고 車는 定한 時間에 다시 動作을 始作한다. 各室은 滿員 超過가 되야 빽々히 겁을 치게 되도록 사람이 만으나 내게는 아모 相關 업는 木人갓치 보인다. 그들의 짓거리는 소래도 내 鼓膜만 쓸데업시 두다릴 뿐 내게는 아모 印像을 주지 안는 車輪 소래나 조곰도 달음이 업다 맛치 뷔인 車室에 나 혼자 탄 듯한 感想이 니러난다. 나는 預備하엿든 冊을 내여 들고 닐그려 하여스나 空然이 腦가 散亂하고 맘이 뒤숭々하야 所謂 伐齊爲名의 讀書를 하엿다. 汽車의 닷는 等比例로 時間도 달아난다. 어물어물하는 사이에 발셔 黃昏이 되고 보는 冊의 頁數가 감하여질사록 窓밧기 漸々 보이지 안코 캄々하게 어두어진다. 이날 밤에도 나는 前夜와 갓튼 疲困과 不眠을 가지고 밤을 새엿다.

二

二十一日 上午 七時 二十四分에 나는 시원섭々하게 神戶 三宮驛에 나렷다 精神은 爽快하고 다리는 것든것든하다. 플냇트홈을 나셔니 DN旅館 뿌이가 等待한 듯이 引導한다. 나는 點頭無言으로 그 뒤를 딸아 그 旅館에 막 들어셔자. 나보다 하로 몬져 와서 기다리고 잇는 R 君이 반기며 나와 손을 잡는다. 寒暄을 畢한 뒤에 우리는 C 君의게 門司서 맛나자고 打電하고 맛지 안는 洋食으로 早飯을 배불니 먹엇다. 임이 新聞에 廣告되엿든바 今日 上海를 向하는 八幡丸은 上午 十時에 神戶를 出帆한다고 한다. 우리 一行은 急々히 行李를 整頓하여가지고 埠頭에 나갓다. 神戶港에 滄々한 水波와 彎頭에 多數한 船舶이 내 限界를 가리울 때에 나는 문득 大同江 下流가 生각이 나며

故鄕을 聯想하지 안이치 못하엿다. R 君은 自己 나라에 自己 집에 도라가는 길이 되야、깁붐과 操急을 가젓으나 나는 이와 反對의 感想을 가지게 되엿다. 半 時 가량이나 小蒸汽船이 도라오기를 기다려、배를 타게 되엿다. 灣 外를 獨點하야 黑烟을 길게 海上에 멀니 一字를 그려 吐하는 八幡丸、船客 中에 한 사람이 되엿섯다. 배는 우리를 태우자 곳 出帆한다. 닷 감는 소래 가 左右에서 擾亂히 들니더니 그 소래가 그치자 猛烈한 汽笛聲이 神戶港에 反響을 주고 船體의 位置가 變하여진다. 나는 自然이 몸이 動搖됨을 깨다랏 다. 船窓으로 보이는 灣內에 無數한 船舶과 港內에 櫛比한 市街는 漸漸 우리 와 距里가 멀어진다. 船室은 그닷 널지 못하나 船客의 比로는 그리 좁지 안 이하다. 나와 R 君은 左便 한 모통이를 차디하고 널즉이 자리를 잡은 뒤에 疲勞한 몸을 길게 눕혓다. 우리가 들어누은 船室은 特別三等이다 學生이라 고는 R 君과 나뿐이요 그 外에는 全部가 商人이다. 그 中에도 異常하게 보이 는 것은 支那人과 日本人이 左右로 갈니는 것이다. 우리 잇는 便은 支那人만 이요 對方은 日人뿐이다. 支那人이 R 君까지 合하야 九 人、日人이 十餘 人 이요 支那人 뿐이 日人 뿐이 合하야 우리 船室에는 二十餘의 사람 外에는 더 보이지 안는다. 食事도 日支人이 다릇타. 支那人은 支那食、日人은 和食이 다. 우리는 點心을 먹고 甲板 우에 건일면서 東京 櫻花 見物談이며 日本 學 者 政客 批評을 되지 못하게 짓거럿다. 우리는 발셔 淡路 압흘 지나 瀨戶內 海 中央에 셔서간다. 배는 氣運 잇게 물결을 헷치고 三千五百 噸이나 되는 巨重의 그 몸을 輕々히 움직인다. 때々로 風航의 木船을 맛나면 한층 더 威 儀가 잇는 듯하다. 船頭에서 갈나지는 물결은 綿花도 白雲도 갓트며 그 우 에는 五色이 령롱한 무지개가 션다. 먼 山은 감돌고 海面은 船後로 달아난 다. R 君은 異常한 調子로 自己 나라 詩歌를 길게 읍퍼 그 愉快하고 즐거움 을 表한다 나 亦 되지 못하나마 노래를 불너 精神을 慰勞하려 하엿다. 나는

無心中「東海물과」을 高唱하엿다. 나의 부르는 노래가 다시 내귀에 들닐 때에 그 소래가 꼭 亞弗利加[01]사람이 外國에 팔녀가면서 부르는 소래갓치 들닌다. 그 떨니는 목소래는 悲哀와 煩悶의 化聲이다. 나는 부르든 노래를 그치고 먼 山을 精神 업시 바라보고 잇싯다. 내 가슴에는 무엇이라 말 못할 무엇이 苦痛을 주며 눈에서는 뜨거운 눈물이 맷처 떠러진다. R 君은 남의 心事는 모르고 弄談 笑話로 日女의 不貞操가 엇쓰니 洋女의 活潑이 엇쓰니 하는 말을 내게 하는 듯하다. 그러나 나는 그 말을 應할 勇氣가 죠곰도 업섯고 다만 낫빗을 곳쳐 苦笑할 다름이엿섯다. 나는 精神上 慰安를 엇기 爲하야 船室에 들어가 加方에서 聖經을 내여가지고 다시 甲板으로 나와 椅子에 안저 성경을 無心이 퍼니 第一 몬져 내 눈에 띄우는 것은 『空中에 나는 새도 깃이 잇으나 人子는 머리 둘 곳이 업다』라고 한 句節이다. 내가 平時에 성경을 볼 때에는 無心하게 이 節을 보와 지냇스나 只今은 無限한 同情과 同感이 된다. 나는 성경을 펴든 채로 눈을 감고 記形할 수 업는 悲哀의 默想을 가질 뿐이엿섯다. 이날 밤도 安眠을 조곰도 못 엇고 煩悶、悲哀、苦痛、疲勞 가운데서 지내엇다.

三

二十二日 上午 九時 三十分에 배는 門司港에 다엇다. 나는 眩氣와 頭痛으로 널어날 수가 업섯다. R 君은 내 넙을 떠나 室外로 나가고 업서진다. 죠곰 後에 내 귀에 「K 君 ~」 들니는 목소래는 C 君의 音聲이다. 우리 一行은 門司서붓허 C 君까지 三 人이다. C 君의 船票는 三等이 되야 우리는 特三等으

---

01 "亞弗利加": 아프리카 - 편자 주.

로 밧구노라 三等 船室에 밀녀가서 事務員과 交涉을 하는데 바로 내 뒤에서
귀에 닉은 故國 말노 짓거리는 소래가 들닌다. 나는 머리를 돌녀 그 곳을 보
니 果然 面熟한 듯한 사람 셋이 한便 구석에 둘너안저 世間評을 서로 건인
다. 그 中 한 분은 六十이 넘어 보이는 老人이요 其他 二人은 四十 內外의 中
老들이다. 나는 一瞥에 그들의 몸에 흰옷 걸엇든 表가 나타남을 보왓다. 그
들은 모조리 洋服을 닙엇으나 그 體格이며 그 動作 그 眼精이 아모리 보아
도 活氣가 업고 生命이 업는 듯하다. 그들의 言語、行動 其他 모든 것에는
瀨惰와 疲困이 表現되지 안음이 업다. 그들의 말 사투리는 셔울사람인 듯하
다. 나는 精神업시 그곳만 바라보고 잇는 사이에 C 君은 벌서 船票를 交換하
여 가지고 「K 君」 하고 부른다. 눈치 빨은 R 君은 말을 나초아 내 귀에 입을
대이고 「져들이 君의 나라 사람이지?」 한다. 나는 點頭할 뿐、F[02] 君은 「져
러케 老年에 航海를 엇지 하나!」라고 同情의 疑訝를 表한 後 C 君과 갓치 나
다려 船室노 도라감을 재촉한다. 나는 이때까지 이 배에 우리 사람이라고
는 나 혼자인 줄 알아 別노 외롭고 젹々히 지내스나 지금은 나까지 四 人 됨
을 깁버하엿다. 그러나 그 깃부고 반가움이 漸々 슬픔과 刺戟으로 變하여진
다. 나는 곳 그들의 안즌 便으로 갓가이 가서 人事한 후에 그 出發地、目的
地를 물엇다. 그들은 다 京城人인데 三 日 前에 南大門을 出發하야 昨日 下
關서 一泊하고 今日 門司서 上海를 向하는 걸이라 한다. 그들은 日語가 全不
知는 안이지만 通話는 못하는 듯하다. 그들은 나를 의심하는 듯、그다지 반
기지 안는다. 나 亦 仔細한 말을 물어 그들을 싱크럽게 하지 안을 양으로 간
단이 同行 됨을 賀하고 다시금 遠路에 健康을 祝한 후에 우리 船室노 도라왓
다. 船室은 門司 乘客으로 因하야 퍽 좁아젓다. 우리는 行李와 자리를 다시

---

02 "F"는 "R"의 오식 - 편자 주.

整頓하고 三 人이 억개를 連하야 甲板에 나섯다. 나 탄 八幡丸 左右에는 無數한 木船이 겹々이 붓텃는데 그 半部는 石炭을 摋扱하고 其餘는 荷物을 날은다. 우리는 下關 門司를 번가라 바라보며 거름을 마초아 甲板으로 건일면서 C 君이 橫濱서 汽車 時間 未及된 理由와 不得已 一二等 寢臺車를 타게 되야 損害 본 니야기를 들엇다 나는 한편으로 그 말을 들으면서 속으로는 나의 將來 運命을 스사로 헤아리며 무서운 空想에 뭇치게 되엿섯다. C 君의 말이 끗나자 나는 압흘 가라치며 「이 뿌즁이를 도라셔면 玄海灘이요. 그 玄海을 西北方으로 橫斷하면 우리 나라 釜山港」 됨을 兩 君의게 說明하여 들넛다. 이 때에 나의 心事는 왜? 그런지 썩 不便하게 刺戟되는 것이 잇섯다.

八幡丸은 石炭과 荷物을 滿載하고 上午 十一時에 門司港을 떠난다. 우리는 船室노 도라와 或 坐 或 臥하야 空談과 讀書로 이날을 서어히 보내엿다.

翌日 正午에 나는 無心히 홀노 甲板에 나셔서 四面을 바라보게 되엿다. 茫々한 滄海에 다만 보이는 것은 天涯에 奇形色々인 구름뿐이다. 나는 배의 右便 即 北方을 向하야 「東海에 突出한 半島야……너는 나의 고향 땅이다!」 라고 반도가를 기운것 高唱하엿다. 아모려 불너도 反響이 업고 對答이 업다. 平時에는 내 音聲이 크기로 有名하야 엇떤 때에는 憫망함도 잇섯스나 지금은 도로혀 퍽 적은 늣김이 잇다. 나는 다시 太白別歌를 불너보앗다. 감자기[03] 「K君!」 부르는 소래가 들닌다. 나는 그곳을 도라보니 C 君이 甲板 우에 地圖를 펴놋코 그 우에 指針을 노은 후에 녑헤 안저 무엇을 그리고 잇다. 그 뒤에는 日人 船客 二三 人이 돌나셔서 求景을 하고 셧고 그 對方에는 R 君이 双眼鏡을 눈에 대고 무엇을 有心하게 바라본다. 나는 B[04] 君 잇는 便으로 가

---

03 "감"은 "갑"의 오식 - 편자 주.

04 "B"는 "R"의 오식 - 편자 주.

서 무엇이 보임을 물엇다. R 君은 한참 후에 내게 双眼鏡을 주고 손을 들어 압흘 가라치면서 海霧 中에 희미하게 무엇이 보이기은 하나 自己는 近視가 되여 仔細이 알 수 업다고 한다. 나는 雙眼鏡을 밧아들고 그 곳을 바라보니 果然 白雲으로 허리를 싸고 雲霄에 놉피 소슨 山頂이 보인다. 나는 無心 中 「山이다! 山이다 퍽 놉흔 山이다 올치! 더곳이 濟州島이다 漢羅山 ～」 하고 떠드럿다. R 君은 「그런가」 「어듸」 하고 내게서 다시 望遠鏡을 빼아서 한참 보더니 「오! 山이다 놉픈 山이다 日本 富士山보다 오히려 놉하 보이고 威嚴이 잇다 그 山 일흠이 무엇이라고 하엿는지?」 무를 때에 나는 「응 濟州島 漢羅山 왜? 地理에까지 잇지 안이한가」 하엿다. R 君은 곳 C 君 잇는 便으로 가서 地圖를 보고 오더니 다시 망원경으로 바라보고 그 天然美를 讚揚한다. 이 山이 漸々 肉眼으로도 히미하게 보더니 나죵에는 分明하게 보인다 우리는 速키 배가 그곳에 갓가와지기를 기다리고 잇섯다. 日氣는 和暢하고 天空은 靑白色을 뫁하며 海上에는 쇼々한 바람이 잇을 뿐, 水波는 닐지 안는다. 멀니 風帆船이 三四 隻 보이고 海面은 日光을 反射하야 번젹거른다. 漸々 기다리든 山이 커지며 兼하야 불근 흑 죽은 나무가 보인다. 망々한 大海에 웃둑 놉히 衝天之勢로 소슨 그 山은 볼사록 雄壯하고 勇猛한 氣像을 늣기게 된다. 四圍의 風景은 그림갓기도 하고 夢中에 보든 곳 갓기도 하다. 내가 만일 詩人이엇스면 一 首 詩나마 지어 그 自然美를 詠하련만……내 죠곰이라도 書筆의 修養이 잇섯더면 그 天然美를 一部分이라도 그려서 오래동안 紀念하고 慰勞를 밧드련만 하고 自歎함을 마지 안이하엿다. 그러나 내 일즉 불너보왓고 記憶하는 것이 잇음으로 되지 못하나마, 나으는대로 소래 질너 불넛다.

白頭 金剛 太白님아
너의 동생 漢羅 君이

여기 잇서 기다리고
바라노나 맛나기를
....

별々 노래를 아모리 불너도 내게는 慰勞가 업고 滿足이 업다. 나는 다시 椅子에 몸을 던지고 安靜하게 안잣다. 濟州섬 너른 벌에는 靑々한 麥田이 보기 죠케 自然의 裝飾을 더한 듯하고 물 우에는 뜨문~ 漁船이 조는 듯 자는 듯 물결이 노는 대로 흔들~ 할 뿐이다. 그 배들 우에 잇따금 흰 옷이 낫하나며 우리를 바라보는 同胞도 보인다, 그 압페는 白鷗들이 펄々 나라든다. 八幡丸은 섬에 썩 갓가이 갓다. 나는 말할 수 업는 적막 가운데 스사로 愉快함을 엇엇다. 三四 時間이나 繼續하야 자미잇게 바라보든 그 畫幅은 다시 漸々 희미하여진다. 섭々하고 서어한 슬픔이 다시 내 腦를 刺戟한다. 鄕土라고는 또 보려야 볼 수 업겟고나、져 희미한 것이 最後인가 보다. 그러나 쉬이 볼 때가 生기겟지 하고 나는 내 맘을 스사로 위로하엿다. 한참 잇더니 기름자조차 슬어지고 지금은 아모리 보와도 보이지 안는다. 空然히 맘이 적막하여지며 슬픈 생각이 난다. 나는 힘업시 船室노 도라와 空想과 沈默으로 다시 時間을 보내엿섯다.

四

二十五日 晴天、早朝에 우리는 甲板 우에서 건일면서 三四 時間 後에는 배가 上海에 닷는다는 니야기며 上陸하여서 엇뜨케 할 것까지 議論을 하엿다. 어제까지는 海水가 靑白色이 되여 淸潔하고 爽快하더니 今日의 海水는 純黃色이다. 空然히 마음까지 적々하여지며 不愉快를 感하게 된다. 그러나

나 亦 黃海가에서 生長한 몸이라 그 누런 바다를 볼 때에 멀니 故鄕을 한번 다시 生覺하지 안이치 못하엿다. 우리는 船室노 도라갓다. 氣急한 船客은 아직 支那 沿岸도 보이지 안치만은 벌서부터 行李를 整理하고 衣服을 換着한다. 처음에는 一二 船客이 만첨 그 뒤를 니여 모조리 上陸 準備에 着手을 한다. 室內는 매우 複雜하다. 우리 亦是 그들의 임내를 내여 行李 其他를 서로 警戒하여가면시 整理하고 보니 이제는 할 것이 업서 공연이 甲板에 나갓다 들어왓다 할 뿐엇다. 거무하에 陸地가 보이는데 이 果然 生面江山이다. 멀니 一字를 直線으로 그은 듯한 沿岸이 압페 막혀스나 조고만 山이라도 山은 볼 수가 업다. 間或 우리 탄 배를 슷치고 다라나는 배들이 잇섯다. 그 中에는 이 八幡보다 적은 것은 업고 모다 二三 倍 되는 큰 배들이다. 威儀가 잇든 八幡이 至今은 한풀 머리를 숙이는 듯하다. 멧百 哩을 亘한 南支 沿岸은 無比 沃土갓치 보이고 부럽게 생각이 된다. ＣＲ 兩 君은 國土를 보더니 깁버 뛴다. 또는 내게 그 地名을 가라치며 얼마 안이 가면 上海가 보인다고 한다. 右 君 等은 上海가 東京 멧 倍 以上 華麗하기도 하려니와 또한 큰 建物이 만타고 자랑하기를 始作한다.

同日 上午 十一時에 八幡은 上海 日本 郵船會社 碼頭 棧橋에 다앗다. 果然 建物이며 道路가 그림에서 보든 倫敦 갓기도 桑港[05] 갓기도 하다. 멀니 보이는 市街에는 나로서 初見의 複雜이요 棧橋上에는 赤帽、人力車 馬車 自働車가 雜踏한다. 우리는 稅關 官吏의 行李 檢閱을 畢한 後 預定하엇든 客棧 茶房(뽀이)의게 行李를 一任하고 上陸하엿섯다. 뽀이의 引導하는 該 客棧 馬車에 몸을 싯고 가는 대로 내버려두엇다. 馬車가 닷도록 새 새라새 建物이며 道路가 그 華麗 宏壯함을 자랑한다. 내 일즉 上海가 조타는 말을 동

---

05 "桑港": 샌프란시스코 - 편자 주.

모의게 들어스나 이갓치 意外일 줄은 몰낫다. 日本式 建物은 한아도 볼 수가 업스나 道路에는 和服이 뜨문~ 보인다. 行人 中 勞働者를 除하고는 西洋人이 半數 以上이요 其他는 支那人 間或 日人도 잇다. 그 中에도 첫 번 보는 것은 골목골목 수건으로 帽子形을 만드러 쓰고 검불근 얼골에 식컴한 수염을 따아 부치고 누런 軍服에 몽동이를 들고 섯는、 키가 六 尺 餘나 되는 印度 巡警들이다. 나는 二十餘 分이나 그 實際 活動寫真에 醉하야 엇절 줄을 몰낫다. 그러나 그들의 富와 權威를 깁피 칭찬하는 同時에 또한 悲哀을 가저지지 안이치 못하엿다. 馬車가 멋는 때에 우리는 一時에 馬車를 버리고 客棧으로 들어갓다. 이 곳은 法界 三洋經[06]橋인 것을 나는 R 君의게 들어 알앗다. 우리는 뽀이의 引導하는 대로 三層 우에 客室 一隅를 차지하게 되엿다. 모든 것이 내게는 異常하게 보이지 안는 것이 업다. 이 客棧도 外面으로 보면 統[07]洋式이지만 其 內部는 퍽 不潔하여 보이고 또는 支那式이다. 그러나 其 生活 程度를 朝鮮人의게는 比較하지 못하겟다. 客室에 첫 번 들어셔는 左右에는 應接室인 듯하다 가운 놉픈 테불를 놋코 그 前後 左右에는 그리 적지 안은 椅子를 五六 個 둘너 노아스며 그 對方에는 茶具를 노은 小卓子가 잇다. 그 곳을 지나서는 흰 帳으로 우와 四面을 가리운 寢室 셋이 보인다. 나는 마치 村鷄가 官廳에 간 것과 일반으로 엇지하여야 이 사람들의 風俗을 마츨가 하엿다. 그러노라니 自然 C R 兩 君의 흉내만 낼 뿐이다. 그 居處 飮食은 내게 便利와 滿足을 주지만 한 가지 不快한 것은 不潔한 것이다. 햇듯한 다다미에 陽氣 잇는 二層 우의 生活이 갑자기 틱틱한 마루방 陰幽한 벽돌집 生活로 變하니 아모리 하여도 精神上 異動을 免할 수 업슴을 自覺하

---

06 "經"은 "涇"의 오식 - 편자 주.

07 "統"은 "純"의 오식 - 편자 주.

엿다. 그러나 한가지 感心되는 것은 무엇이던 厚하게 하고 餘裕가 잇는 것이다. 나는 스사로 그 大陸的 因襲이 이에 表現될 깨다랏다.

五.

十餘 日이나 逗[08]留하는 동안에 나는 엇은 것도 본 것도 만타. 勿論 刺戟되는 것이 만음을 따라 오래동안 잇을 사록 苦痛이 甚하다. 하로는 C 君의 紹介로 上海 中國民報 社長 Y 君、同 主筆 K 君을 訪問하게 되엿다 그들은 이곳 一流 人士들이다. 나의 淺見簿識으로 敢히 그들 尋訪함을 멧 번이나 躊躇하여스나 C R 兩 君의 勸함과 또는 나의 되지 못한 好奇心이 結局 正式 面會를 엇게 되엿다. 主筆 되는 K 君은 日本語도 것침업거니와 그들은 英語가 流暢하다고 한다. 그들은 만첨 나의 손을 잡고 다음에 茶를 勸한다. 나는 몬저 그들의 公務에 防害됨을 恕하라는 意思를 表하고 다시 이러케 奔忙 中에 一介 나 갓튼 書生을 爲하야 時間 許함을 謝한 後、내게 勸하는 椅子에 안잣다. 名片을 서로 交換한 뒤에 그들은 만첨 C 君과 同窓 됨을 뭇고 다시 遠路에 疲困함을 慰한다. 그들은 내게 無限한 同情을 表하고 自己 亦 나의게 더 낫지 못한 슬픔 가짐을 말한다. 나는 그들의 말이 한아도 刺戟되지 안음이 업[09]다. 나는 내 苦痛이 게워 말을 答하고 그들은 그들의 悲忿에 뭇쳐 談話을 繼續한다. 三十餘 分 後에 우리는 다시 맛나기을 期約하고 退出하엿다. 또 얼마 後에는 R 君의 在滬 友人의 紹介로 나는 上海 市外 交通部立南洋工業專門學校를 求景하려 갓다. 그 간에 다른 官廳、會社는 만이 보와스나 學

---

08 "逼"은 "逗"의 오식 - 편자 주.

09 "엽"은 "업"의 오식 - 편자 주.

校는 처음이다. 우리는 電車로 一時 半 可量이나 가서 그 學校를 보게 되엿다. 그 學校에 通學 中인 R 君의 親舊 D 君의 말을 듯건대 後[10] 校에 우리 兄弟 三 人이 留學한다고 한다. D 君는 連해 그 留學生 同窓을 無限이 襃揚한다. 그는 다만 내게 對한 禮語뿐 안인 듯하다. D 君이 襃讚하는 말은 이것이다. 「그들은 語學에 天才가 잇고 數學의 腦가 敏첩하며 또는 무슨 運動이던 異常한 選手라」고 한다. 나는 반갑기도 하고 놀납기도 하야 學校 구경은 좀 잇다 하고라도 速키 내 동포를 맛나 仔細한 이 곳 消息을 듯고 그들의 來歷을 알고져 하엿다. 該 校에는 附屬 中學校가 잇고 그 建物은 모조리 三四 層 純洋式의 壯觀이요 그 周圍는 日本 早稻田大學 二三 陪[11]가 넉々키 되여 보이나 學生 數는 專門、中學 合하야 七八 百에 不過한다고 한다. 첫 번 正門을 들어서는 左右에는 금잔듸가 連하야 깔니고 그 압페는 널다란 運動場이 잇스며 그 運動場을 지나서는 敎務室이요 그 압페는 뜨문~ 講堂이 놉다라케 셧다. 그 뒤에는 寄宿舍요、 그 녑해 붓튼 것은 機械室이란다. 우리는 D 君의 說明을 들어가며 校庭을 한 번 돌아 講堂 其他를 골골이 본 後 D 君의 寢室노 들어갓다. 나는 만첨 D 君의게 우리 兄弟를 마나게 하여달나 請하고 다리를 쉬게 되엿다. 조곰 後에 君은 男子다운 靑年 一 人을 더리고 들어온다. 그의 키는 六 尺 餘나 되여 보이며 그 體格은 東洋人으로 썩 보기 힘드는 健壯과 活氣가 잇다. 나는 敬意를 表하지 아니치 못하엿다. 그는 만첨 D 君의 紹介를 엇어 나의게 人事를 한다. 그 뒤를 니여 學生 둘이 들어오는데 그들 亦 반도에 籍을 둔 이들이다. 서로 名刺를 交換하고 그들의 말을 들으니 第一 몬져 들어온 M 君은 京城人인대 벌서 三 年 前에 靑年會館 英語科를 마

---

10 "後"는 "該"의 오식 - 편자 주.

11 "陪"는 "倍"의 오식 - 편자 주.

치고 南京으로 왓다가 昨秋에 此 校에 入學하엿다 하며 後者에 두 분 中 一
人은 平壤 生長인 A 君인대 支那를 一 年 間 週遊하다가 二 年 前에 이곳으로
왓다 하며 其 餘 一人은 昨年에 이곳 왓다는 忠淸道 本鄕인 M 君이라 한다.
그들의 談話에는 快活과 生命이 잇고、그들의 體格은 모조리 壯大敏捷하여
보이며 그들의 理想은 遠大하여 보인다. 나는 이곳 온 後 첫 번으로 깃뿜을
가지고 敍情을 하게 되엇다. 그들의 英語에 流暢함과 支那語에 熟達함은 果
然 나로 하여금 感歎하지 안이치 못하엿다. 그들은 일본 소식을 자새이 뭇
고 다음 留學生 近來 形便 及 理想을 케여뭇는다. 나는 되는 대로、아는 대
로 答할 뿐, 나는 다시 이곳 形便과 校規의 如何를 물엇다. 그들은 말한다
外處에서 듯기는 이 上海라는 데가 자유런지 갓트나 그 實는 不然하야 동족
간에 서로 容納하지 못하고 勿論 누구든지 서로 의심하고 서로 排斥하야 참
으로 깁뿜이 업고 위로가 업서 自然 젹막한 心地가 恆常잇스며 이것을 조차
外界의 消息이 斷絶되야 꼭 감옥 갓튼 感이 不無하다 한다. 그러나 그러케
從容함으로 工夫는 잘되는 듯 십다고 한다. 그들은 다시 말을 니여 此 校는
中華民國 交通部 所立이요、모든 制度는 英佛式을 그대로 갓다 쓰며 先生은
全部가 西洋人이요 歷史, 漢文 等만 支那人 先生이라고 한다. 그리 되야 校
規에 外國人은 入學을 不許함으로 自己들도 첫 번 入學試驗 할 時에는 支那
人이라고 假稱하엿고 한다. 敎科書는 學校에서 月賦로 주고 또는 每朔 八 圓
餘式 每 學生의게 오는 것이 잇는데 其中에서 食價를 除하고 남는 것이 잇스
면 雜用에 供한다고 한다. 아직 創設 初가 되여 모든 것이 不完全하나 明年
에는 完全이 될 모양이라고 한다. 나는 그들의 壯志을 가지고 外國에 와서
그 天才를 發揮하며 또는 반도에 第一 急先務인 工業 方面에 熱心함을 無限
히 賀하고 다시 반도 쟝래를 爲하야 만은 感謝를 하엿다. 나는 그들의 말을
들을 그때갓치 客窓의 安慰를 엇은 적이 업는 듯 십다. 나는 果然 그들이 사

람 다와보이고 또는 有望하여 보인다。나는 그들이 퍽 부러웟섯다。오래동안 놀다가 哀然이 그들과 分手할 때에는 발서 黃昏이 임이 지난 午後 八時엿섯다。

三十日 나는 CR 兩 君의 紹介로 南方에서 活動한다는 西蜀 女士 F 氏를 訪問학게 되엿다。내 일즉 支那에 女傑 만음을 歷史에서、또는 談話에서 보고 들엇스나 實地로 對面하야 意思를 疎通하여 보기는 처음이다。우리는 訪問하기 前날 밀이 通知하고 그 날 그 時間에 우리 三 人과 또는 그 女士의 親友되는 T 君까지 四 人이 馬車에 몸을 싯고 法界[12]에서 美界[13]를 向하엿다。T 君의 말을 듯건대 그 女士는 人物이미 才德이 兼備하고 理想이 高潔하고 또는 雄辯이요 詩人이라 한다。나는 男性인 몸으로 好奇心도 업지 안으나 한편으로 恐縮하기로 하엿다。얼마 後에 馬車가 셔는 곳에 우리는 一時에 나여 T 君의 指導 下에 該 旅館에 들어감을 엇엇다。그 旅館은 內外가 純洋式인 것 갓다。우리는 應接室노 引導되여 五六 分 기다리엇섯다。우리가 보려 간 主人公 비슷한 기름자가 應接室에 나타나며 流暢한 英語로 錚々히、그 멀니 차즘을 感謝한다。우리 一同은 몸을 닐어、敬意를 表한 뒤에 座次를 곳처 안잣다。나는 첫 번 그 女士를 對할 때에 벌서 그 明敏 헤일함을 그 容顏에서 發見하엿다。썩 美人 갓치는 보이지 안으나 上海 온 後로 첫 번 보는 얼골과 態度이다。그의 나히는 나와 同年인 듯하고 그 態度는 西洋 女人 갓튼 活潑이 잇스나 아모리 하여도、東洋 女子의 天性인 羞態가 나타나 보인다。머리는 半洋半支式인 結髮이요 그 衣服도 純支那 固有한 옷이 안인 듯하다、아조 潔白하고 썩 정하여 보인다。그 主人公은 만첨 정객다운 말을 나의게 건

---

12 "法界": 프랑스조계지 - 편자 주.

13 "美界": 미국조계지 - 편자 주.

넌다. 나라을 비관하는 말이며 북방관파의 頑固한 말이며 自己 나라 정객은 모조리 個人中心主義가 되야 實노 歎息할 말을 끗치지 안이하고 그 고은 音聲에 그 女子다운 태도며 닛새로 새는 英語는 나로 하여금 醉하고 惑하고 自愧함을 不覺하엿다. 나의게 다시 東洋을 爲하야 支那를 援助하라고 하는 말을 한다. 나는 自然 얼골이 불거지며 千萬에 無智、年淺 沒常識한、抱負와 理想이 굿지 못한 나의게 그런 말을 주심은 도로혀 自愧 萬々이라 하엿다. 조곰 後에 茶菓가 나오고 다음에 飮食이 나온다. 主人公 되는 F 氏는 내게 一首 英詩를 읍허 들니고 다음에는 漢詩 一首를 읍는다. 나 亦 되지 못하게 임이 배왓든 英語를 活用하게 되고 반도가를 불너 그 禮를 答하엇으나 내 그리 좃튼 비우와 無준욱으로도 自愧함을 무엇이라 形言할 수 업섯다. 때々로 가슴이 구근~할 뿐이다. 나는 다시 C R 兩 君의 強請과 主人公의 勸으로 붓대가 떨니는 것을 十餘 次 辭讓하고 三四 次 躊躇하다가 押毫의 榮을 엇엇다. 本是 내라는 爲人이 비우가 조코 假活潑에 주제넘은 生覺이 잇기 때문에 內心은 何如間 外面에는 自信을 가진 듯 머뭇~하는 性質이 업슴으로 엇지 되엿든 이날도 줄축박긴 行動은 업는 듯 십다. 終日 愉快히 놀다가 집에 도라온 때는 午後 九時가 지내엿섯다.

그 翌日 내가 非常히 놀난 것은 前날 나의 그 女子 訪問한 記事가 남파 기관보에 仔細히 記載됨이다. 나를 無限히 褒讚하고 人物다운 評을 하엿다. 나는 이때것 新聞에 이름을 나보기도 첫 번이려니와 지낸 일을 生覺하면 도리여 붓그럽고 놀납기 끄지 업다. 나는 다시 支那 女子의 社會에서 大活動함과 各 方面 點에서 어든 點은 男子 以上의 事業함을 歎服하지 안을 수 업섯다. 其 後에 各 新聞 記者의 來訪을 닙고 다시 中華民報 社員의 答訪과 二三 次 F 女士의 來訪과 同伴 求景의 榮을 가졋다.

그 다음 二 日 後에 R 君은 湖南省 戰爭과 急한 事情으로 因하야 不得已

만첨 도라가고 C 君과 나만 나마잇섯다. 나 亦 무슨 볼일노 杭州 蘇州를 단녀오노라고 三 日 間은 C 君과 갓치 잇지 못하엿다. 내가 이곳 와서 우리 사람이라고 맛나 본 이는 南洋校에서 三 人과 電車에서 勞働者 二 人 外에는 더 보지 못하엿다. (나마는 다음 號에)

六

우리가 上海를 出發할 時는 五月 十三日 即 留日 支那學生이 國際問題로 全部 引揚歸國한다는 報道가 上海 各 新聞에 떠드는 날 밤 十一時 頃이다. 나와 C 君은 招商局 汽船 江華丸에 몸을 태우고 長江을 逆航하게 되엿다. 二等(房창)에는 다만 우리 兩 人이 對坐하야 가게 됨을 나는 깃버하엿다. 江華丸는 翌日 鎭江을 것쳐 第三日 되는 아츰 六時에 南京에 다앗다. 나와 C 君은 뽀이의게 行李를 任置하고 南京 城內를 구경하려고 나렷다. 江華丸은 三 時間 後에 다시 出帆한다고 한다. 우리는 棧橋에 複雜한 사이를 헷치고 大街에 나서서 南京城을 바라보니 첫 번 내 눈에 뜨이는 것은 멀니 놉픈 곳에 雨花臺要塞砲壘이요. 이때것 上海서부터 이곳까지 오는 동안에 조곰이라도 놉픈 곳을 보지 못하엿스나 南京城은 小山이 重々겹々히 잇다. 無涯한 廣野에 山이 잇슴은 마치 大洋에 島嶼 갓흔 感이 니러난다. 城內는 小山으로 하야 眼界를 가리운다. 江 건너는 南京 天津 直通汽車의 來往이 보이고 잇따금 汽笛이 空氣의 振動으로 내 귀에 鼓膜을 울닌다. C 君의 말을 듯건대 南京 周圍가 北京보다도 上海보다도 퍽 널다 한다. 支那의 中心이요 또는 周圍로 屈指하는 城이며 自古로 人物이 層出하던 곳이라 한다. 우리는 電話로 自働車를 불너 城內 一週를 約하고 긔우 잇게 南京城을 一週하고 도라와스나 무엇이 무잇인지 조곰도 記憶할 수가 업다. 우리는 다시 江華의 乘客 됨을 엇엇다. 上海를 出發한 第四日 밤에 九江에 나려서 또 그와 갓치 구경을 하엿다. 九江서 멀니 들여다보이는 鄱陽湖는 오래동안 歷史를 가젓다고 한다. C 君은 나의게 녯날 蘇東波의 赤壁賦는 誤作이라고 한다. 洞庭湖에서 쓴 것이 안이요 鄱陽湖에서 쓴 것이며、三國 時에 孔明、周瑜가 曹甲을 大破한 곳이 即 九江 압이 湖水라고 한다. 나는 그 말을 듯고 다시 한번 살피는 心地는 無心할 때와 달음을 깨다랏다.

우리가 漢口에 入港하기 三日 前 漢口 入口에서 招商局 汽船 江寬丸이 中國 甲艦 楚秦과 夜間에 衝突하야、七八 百의 生命이 江中怨魂이 되엿다는 말을 九江서부터 船員의게 들어 알앗다. 該 衝突에 甲艦은 正面、汽船은 中腹이 되야 甲艦은 無事하여스나 江寬은 絶半이 된 고로 其 乘客은 全部 救助를 못 엇고 다만 外國人 十餘 名이 生命을 일치 안아슬 뿐이라 한다. 나는 無限히 두렵고 놀낫다. 그 衝突 當夜에는 風雨가 大作하엿고 咫尺을 不辨하게 暗黑하야 救助船이 만앗스나、容易히 서로 來往을 못하엿다 한다. 나 탄 江華가 밤 八時 頃에 이곳을 지내게 되엿는데 船中人은 다 슬픔과 恐懼와 同情을 가진 듯 십다. 船客은 半分 以上 甲板에 나가 江中에 表한 江寬 沈沒한 곳을 다토아 바라본다. 나와 C 君도 나가서 그곳을 바라보게 되엿다. 江上에 五色旗를 세워 그곳을 表하고 그 녑헤는 臨時 燈臺를 세웟다. 江 左右 두던에는 哭聲이 隱々悲々하게 들니며、祝文、祭文 일넌 소래도 哭聲과 섯겨 들니는 듯 십다. 우리 船客은 全部 甲板에 올낫고 船員까지 다 나와서 그곳을 바라보고 섯다. 江華는 잠간 停船하는 듯하더니、다시 進行한다. 甲板 우에 사람이 그리 만이 셧스나 아조 肅하고 고요하다. 나와 C 君은 서로 보며 三日 前에 出發하엿드면 우리도 그 悲劇에 主人公 됨을 말하며 다시 要倖임을 서로 賀하엿다. 그러나 그들의 魂魄이 우리 江華로 옴가오는 듯한 生覺도 업지 안이하다. 尸體를 수삭하는 小蒸汽船을 無數히 지나서 當夜 九 時에 우리는 漢口에 到着함을 엇엇다、C 君의 아는 旅館으로 引導를 밧아 나는 머—ㄴ 水路에 疲困한 몸을 쉬게 되엿다. 우리가 翌日 곳 洞庭湖를 向하야 出發하려고 豫定하엿든 것은 戰爭의 危險으로 一週 間 延期하게 되엿다. 그 一週日 동안은 나의 第一 愉快하게 보낸 時間이다. C 君의 親友들이 江 건너 武昌 잇섯다. 그들이 來訪하야 案內함으로 나는 武昌을 一週하고 또는 그들의 學校 即 武昌、國民商業學校를 구경하게 되엿고 野球、庭球、蹴球를 으래간만에 하여 보앗다. 우리는 漢陽도 一週하고 漢口의 昔日 夏口자리로부터 市內를 一週하엿다. 漢口의 建物은 上海나 조곰도 지지 안케 華麗、潔白、雄壯하다. 市內 亦 英國租界 獨國、俄國、佛國、米國、日本、其他 各國 租界가 規則的으로 째와잇다.

<h2 style="text-align:center">七</h2>

漢口를 出發하야 湖南省 首府 長沙를 向한 때는 五月 二十七日이다. 우리는 同日 午後 九時에 日淸汽船會社 배 湘江丸의 乘客이 되엿다. 氣候는 東京보다 十餘 度 差異가 잇고 나의 生長한 半島 北方보다는 二十餘 度의 熱을 加한 듯하다. 陽曆 五月이면 그리 덥지 안이한 袷衣를 닙을 때인데 漢口서는 벌서 夏衣를 四五 불 버서노은 듯이 보인다. 左右에 無邊廣野를 끼고 前後에 長江을 둔 湘江丸은 輕操한 機械를 性急하게 폴독거리며 逆航에 힘드는 것을 表하는 듯하다. 나는 上海서부터 이 楊[14]子江이 支那大陸의 富庫요 또는 幸福을 몟億 衆의게 줌을 認하엿스나 漢口서 다시 上流로 놀나갈 사록 大地

---

14 "楊"은 "揚"의 오식 - 편자 주.

가 肥沃하고 들이 널브며 穀物이 多産한다는 말을 들을 때는 더욱 楊[15]子江의 價値를 感服하게 되엿다. 江水 濁黃하야 보기에는 더러운 듯하나 其實은 淸浪한 江水보다 土地을 걸게 하고 産物을 增케 한다고 한다. 楊[16]子江 沿岸에 居住하는 幾 千萬 사람은 움물 일흠을 알지 못하고 이때것 五千 年 間이나 사라온다고 자랑하는 말이 내 귀에 別달니 들닌다. 그 물노 밥을 짓고 그물에 몸을 싯츠며 그 물노 田畓을 닐우고、그 물에 洗濯하야와스며 그 물에 배를 띄여 交易을 엇고 그 물에 그믈을 던져 고기를 낙가와스나 旱澡의 憂가업고 凶年의 慘이 업섯다 한다. 아々 나는 그 長江이 支那를 形成한 要素요支那 民族의 寶源이라 안이할 수 업섯다. 그럼으로 老大國으로 政府의 貧을 不免할지면[17]덩 民衆의 飢餓가 적음을 더욱 明白히 깨닷게 되엿다.

漢口를 떠난 지 第三日 일은 아츰의 湘江丸은 벌서 新堤、岳州를 지나 우리를 洞庭湖 入口에 싯고 간다. 나는 歷史에서도 詩歌에서도 像想으로 보고듯던 洞庭湖八景을 實地로 보게 되엿다. 同日 午前 十時 頃부터 平遠廣大한 周圍 八百 里(支那里)나 되는 湖水를 橫衝하게 되엿다. 물결은 잔々하야 조는 듯 湖上에는 微風이 솔々 불어올 따름이다. 水色의 大部分은 半透明 靑白이요、뜨문~ 純黃 長江 水色 갓튼 곳이 雲形으로 濁하여 진대도 적지 안이하다. 湘江丸은 湖의 西南을 向하고 左便 沿岸에 갓가이부터 살갓치 닷는다. 水力의 抵抗이 減하는 反對로 그 速力은 加한다.

湖 中央에 突立한 島峰들이 보이는데 꼭 雙角을 湖中에 새운 듯하다. 다른 船客의 談話를 드르니 그 山 일흠이 君山인대 全國에 茶의 産地로 屈指하

---

15 동상.

16 동상.

17 "면"은 "언"의 오식 - 편자 주.

54 '한국근대문학과 중국' 자료총서 ❽

는 곳이라 한다. 洞庭湖도 近來에는 아조 엿터져서 千噸 以上의 배는 잘 容收를 못한다는 말도 들엇다. 君山 左右 絶壁石斜에는 無數한 넷 詩人의 古跡을 남겨 別々 詩歌 姓名 等을 或陽 或陰 或大 或小하게 색인 것이 보인다. 이때에 C 君은 病으로 因하야 說明을 못함으로 나는 無限한 趣味를 가지고 혼자 보게 되엿섯다.

C 君은 本是 弱한 몸으로 二 朔餘나 遠旅의 疲를 가진데다가 調理를 잠 못함으로 因하야 岳州서부터 C 君의 本病인 心臟痛이 發하며 이것을 조차 더욱 身弱하여진 고로 飮食을 조곰도 먹지 못한다. 極力 看護하여스나 病勢는 漸々 더하여간다. 湘江丸이 長沙에 到着되는 날 아츰에 C 君의 病勢는 一變하야 時疫 類似 虎列剌로 變하는 듯하다. 口吐下痢를 一 時間에도 四五 次하게 되고 全身에 쥐가 늘어선다. 나는 엇절 줄을 모르고 船長 事務室에가서 藥을 請하여다가 아모리 먹이고 救護하나 C 君은 눈이 깁히 들어가고 精神이 죠곰도 업다. 漢口서부터 同行하던 Y 君도 엇절 줄을 모르고 벙々할 뿐이다. 前날 갓트면 이런 患者의 말만 들어도 黴菌이 입으로 드러오는 것 갓고 虎疫이 流行한다 하면 幸여 그 病에 걸니지 아니하기를 바라며 하로도 손을 六七 次나 싯고 消化되기 어려운 食物을 먹지 안나니! 부억, 便所를 淸潔하나니! 하엿스나 只今은 虎疫 그 물건이 무섭지 안이하고 도리혀 C 君의 生命을 그 病魔의개서 救하려고 勞力할 뿐이다.

長沙에 배가 닷차 나는 C 君을 붓들고 上陸하엿다. 이때 長沙는 한참 南北軍이 衝突하는 中이다. 城內에는 南軍이요 城外에는 北軍이란다. 멀니 砲聲이 들니며、白晝에 火焰이 衝天함을 보겟다. 各 船埠頭에는 官憲의 取締가 썩 甚하다. 나와 C 君은 洋服 下에 日語가 적히 通話는 됨으로 日人이라 假稱하야 아모 關係 업시 上陸하엿스나 同行하던 Y 君은 支那服에 外國語가 全不知임을 따라 北軍의게 南軍 偵探 嫌疑로 잡혀가게 되엿다. 임이 우리가

外國人이라 自稱한 以上에 그 官憲이 그 나라 服色 닙은 그 百姓을 잡아가는대 무엇이라 말할 能力이 잇스며 權利가 잇스리요! 만일 조곰 잘못하다가는 우리 生命도 썩 危險하겟는 고로 不敢 關口하고 Y君을 畫中之人으로 다만 볼 따름 무슨 方針이 업게 되엿다. C君은 精神을 아조 일코 다만 손으로 北方을 가라치며 어서 自己 本家로 달여다 달나는 뜻만 表한다. 나는 곳 거기서 木船 一 隻을 엇어 行李와 C君을 싯고 專人으로 城內에 들여보내여 藥을 사왓다 우리는 곳 瀟湘江을 다시 버서나 洞庭湖를 北方으로 橫斷하게 되엿다. 不幸한 내 運命、慘酷한 C君이여! C君은 洞庭湖 中 一 個 小船室에서 나를 넙헤 안치고 永遠한 別世를 한다. 아! 不幸하다 C君아! 네 엇지 나를 이곳까지 덜여오기는 왜? 하엿스며 只今 와서 나를 두고 어대를 가논다?!!! 하고 號哭함을 마지 안이하엿다. 내 일즉 父母나 同生의 病을 이갓치 誠心으로 看護하여 본 적이 업고 내 親舊로 C君갓치 誼分이 죠코 信用하며 敬意를 表하여 본 적이 업는 C君이 고만 나를 두고 아조 어대로 갓구나! 그 얼골은 漸漸 퓌기를 始作하여 다시 呼吸을 가지는 것 갓다. 나는 참으로 落地 以後에 初見의 悲와 痛을 가젓섯다. 그러케 有望하고 담大하던 C君이 二三 日 동안에 病魔의게 그 生命을 빼앗기다니 하엿다. 事實을 自己가 目見하면서도 그 眞否를 未知하겟다. 나는 그때에야 참으로 基督 말슴에 「왼 天下를 엇고도 그 生命을 일흐면 무엇이 有益하리요」 한 말을 깁피 깨다랏다. 나 亦 世上이 貴치 안아져서 나도 그러케 갓치 죽어스면 하기도 하엿다. 나는 이 世上이 電雷의 死影인 줄을 始覺하엿다. 이제는 生面不知 湖上에 나 혼자 남앗다. 나의 悲觀과 苦悶과 젹막은 더 記錄할 수 업다.

우리 배는 C君의 魂이 떠난 지 十一 時間 만에 常德府라는 C君의 故鄕에 다앗다. 沿岸 警保 檢疫員은 C君의 尸體 上陸을 不許하고 게다가 나를 다른 배 船底에 몰아녓코 그 우에 石炭水를 끼친다. 뭇슨 消毒인지 냄새를 참아

맛지 못하겟다. 나 亦 할 수 업시 生死를 上帝끠 一任시키고 마음을 平安히 가지려 하에스나 속에서 불이 닐고 가슴이 터져온다. 日氣는 九十餘 度의 熱이요 室內는 暗黑하야 무엇이 조곰도 보이지 안으며 게다가 空氣가 조곰도 流通을 못하다 보니 꼭 想像하던 地獄이다. 목은 마르고 배는 곱흐다 못하야 압프다. 나는 꼭 죽는 줄 알앗다. 三日三夜를 連하야 물 한 목음 못 먹으니 참으로 鬼神 갓흔 生覺이 난다나는 誠心으로 最後의 上帝를 부르지젓다, 내가 일즉 父母의게 親舊의게 不孝, 積惡이 今日에 如此한 罰임을 알앗다. 그때 내 눈에는 도라가신 祖父님의 寬仁한 얼골도 낫하나고 父母의 仁慈한 얼골도 낫타난다. 同生의 웃는 얼골、親舊의 비웃는 우슴소리도 보이고 들닌다. 나는 果然 地獄의 生活을 免치 못하엿다. 잇따금 도라가신 祖父님이 와서 나 어려슬 때에 달 罰하던 그 챗직을 손에 들고 威嚴 잇고도 寬仁하며 책망하면서도 얼니는 그 口調로 『月錫아 내가 너를 이때것 바라고 기다리든 보람이 업다 엇지하면 대담스러운 즛을 그러케 하여서 나까지 너로 爲해 다시 걱정을 하게 하느냐! 月錫아! 精神 차려라 네가 이런 즛을 함으로 집안에는 엇떤 禍와 걱정이 잇는지 너도 짐작하겟구나! 너 이것 보아라 네가 每日 맛든 초달을 내가 아직도 가지고 잇다. 只今부터 精神 차려라、天命을 거사리면 언져던지 이런 厄運이 잇나니라 네가 이곳까지 안이 오더라도、事業을 합[18] 수 잇는대 家門을 더럽히는 利金에 取하야 이러케 팔녀단니느냐! 너와 同行한 人은 너 때문에 너를 活路로 보내려고 네 命을 代身하엿다. 가려거든 더 멀즉이 사람 살 만한 곳에 가거라 月錫! 아못죠록 이 초달을 늘 記憶하면 萬事에 이런 變은 안이 생기리라 月錫아 精神 차려라 ~ 네 목이 마르겟기에 이것을 가져왓다』하면서 무슨 果實 갓튼 것을 내 손에 쥐여 주고 업

---

18 "합"은 "할"의 오식 - 편자 주.

서지기도 한다. 나는 祖父님!!!! 하고 다시 부르지지면 다시 나타나셔서 조곰만 더 참아라 하시고 가신다. 잇따금 아부지의 嚴한 얼골도 다라나서 責하시기도 하고 어머니의 우는 얼골도 보이며 祖母님의 悲衰하는 얼골노 上帝를 의지여라 예수님만 밋어라 하는 말도 들닌다. 잇따금 내 압데는 上海서 먹던 支那料理도 별여지고 神戶서 먹던 洋食도 낫타나며 靑年會에서 먹던 밀크氷水도 보인다. 엇던 親舊의 慰勞하는 말도 들니고 때々로 C 君의 얼골이 나다 마며 아못죠록 自己와 同伴함을 말하기도 한다.

只今 생각하니 그때 나는 半生半死의 혼몽증임을 알겟다. 나는 精神도 氣力도 업시 그저 그 좁은 暗室에 들어누머[19]슬 뿐이다. 그 뒤에 알고 보니 그러케 苦生한 時間이 꼭 三 晝夜이다. 나는 一 年이 되엿는지 一 月이 되엿는지 알 수가 업다. 엇떠케 精神을 차려 눈을 뜨니 환하게 발근 天地에 사람들이 來往하는 街路 上에 警察署 압 갓다. 나는 그때에 「올타 내가 주어서 魂이 裁判을 밧나보다」하 보다. 生面不知의 사람들이 帽子이 或 흰 테 或 불근 테를 두르고 내 左右에 들너셧다. 그 압페는 威儀 잇는 服裝을 닙은 사람 서넛이 안자스며 배에 뽀이 갓튼 사람이 내게 물을 주며 먹으라는 뜻을 表한다. 左右間 밧아 마시고 漸々 精神을 차려 살펴보니 和服 닙은 사람들이 무어라 ~ 내게 말을 하는 대 이는 꼭 日本이다. 그러나 그 말이 내 귀에 잘 들니지 안이한다. 나는 다만 어릿 ~ 할 다름이 엿섯다. 멀[20]마 후에 그 和服 닙은 사람이 『貴公ノ 國ハ 何處テスカ?』라고 뭇는 듯하다. 나는 다만 못 들은

---

19 "머"는 "어"의 오식 - 편자 주.

20 "멀"은 "얼"의 오식 - 편자 주.

체 하고 C 君라[21] 갓치 보[22]다가 C 君이 不幸히 죽고 나 亦 消毒하기 爲하야 船底에 갓첫다가 지금 나온다고 말하엿다. 내 말을 들은 和服人들은 點頭하고 간다. 나는 警官의게 그 無理함을 責하야 怨言을 吐하고 곳 旅館을 定하여달나 하야 旅館에 들어가 길게 쉬면서 C 君의 집에 專人 通知하엿다. 나는 C 君의 家族을 對하고 십지 안으나 C 君의 家族은 만첨 내게 와서 여러 가지 말을 하고 다음 屍體를 가져가는대 그 慘酷 悲哀는 形言할 수 없다. C 君의 夫人은 내 目前에 殉死를 하고 그 家族은 세 길 네 길 뛰며 슬퍼한다. 나 亦 슬픈 눈물이 조곰도 마르지 안이한다. 이러케 悲哀로 三 日을 참 적막다게 혼자 지내게 되엿다. 나는 몸이 充實하기를 기다려 故國으로 도다[23]가려 하엿다. 第三日 되는 날 下午 三時 頃이 갑자기 大砲 소래 小銃 소래 城內 城外에 震動하며 것무더 哭聲이 四面에서 들니며 고함소래 사람 밀니는 소래가 들닌가. 나는 無心 中 뛰여 나가니 道路에는 避亂民이 雜沓하야 서로 발고 자며 달아난다. 或 山으로 或 江으로、그 中 老幼는 太半이나 발피 죽는 듯하다. 나 亦 비우 죠케 隣家인 基督敎 會堂으로 避亂함을 엇게 되엿다. 이 敎室에도 避亂民이 꼭 찻다. 勿論 國際上 아모리 內亂이 잇서도 外國 宣敎師와 敎堂은 安全함을 아는 故로 나는 곳 그 敎會을 治理하는 敎師를 차자 避身을 許하라 하엿다. 그의 夫婦는 別노 네게 同情을 表하며 自己 應接室을 내여준다. 그들은 내가 信者임을 그 前날부터 아는 고로 더욱 同情을 하는 듯하다. 나는 行李를 못 가져와서 엇지하면 죠흐냐고 무럿다. 아직 關係 업

---

21 "라"는 "과"의 오식 - 편자 주.

22 "보"는 "오"의 오식 - 편자 주.

23 "다"는 "라"의 오식 - 편자 주.

스니 가져오다[24]고 한다. 나는 미련스럽게 뛰여가서 行李를 들고 막 敎堂 門에 들어셔자 나 잇든 旅館 烟氣 가운데 무치고 만다. 그 敎會堂 室內는 勿論이요 庭園에까지 사람이 빽々 겹을 치고 大門에는 운[25]직이가 잇서 들어오는 사람은 許하지만 나가는 것은 不許한다. 그 모힌 中에도 第一 불샹하게보이는 것은 妙年의 處女와 아모 것도 모르는 어린 아희들이다、十字旗가퍼넉거리는 아래서 그 生命을 救하겟다는 것을 볼 때에 나는 洋人의 勢力보다도 예수의 權威를 確認하엿다. 宣敎師는 멧 千 名 輩衆의게 講道를 하는데只今 이 世上이 今日 이곳 戰爭과 갓흔 形便이라는 말과 아모리 戰時에라도十字旗 잇는 敎室에 들머노면 사는 것라[26] 갓치 이 世上에서도 十字架를 지고 예수 그리스도만 따르면 生命을 엇고 永生을 엇는다고 熱誠을 다 하야 傳道한다. 나는 그 말이 平時 갓트면 그리 神奇하게 들니지 안켓지만 이 날은그 말이 果然 眞理임을 개다랏다. 그말[27] 밤은 더 猛烈한 戰爭 中에서 모든사람은 떨니는 목소래로 上帝끠 救援을 빌엇섯다. 城內는 火光이 衝天하고四面에서 고함소래 銃소래는 더욱 振動하는 나는 이날 밤 하로에 十 年 減壽할 것 갓치 恐縮을 가지고 지내엿다. 쾯日 早朝에는 그리 요란하던 소래가그치고 南軍 司令官 特派員이 우리 잇는 敎會까지 와서 대단이 놀엿겟다고宣敎師의게 未安함을 말한다. 그때에는 나 亦 살앗다. 一晝夜 烈戰에 城內에 北兵이 쪼기고 南軍의 占領한 배 되엿다고 한다. 나는 그 쾯日 곳 日淸會

---

24 "다"는 "라"의 오식 - 편자 주.

25 "운"은 "문"의 오식 - 편자 주.

26 "라"는 "과"의 오식 - 편자 주.

27 "말"은 "날"의 오식 - 편자 주.

社 汽船으로 漢口를 向하야 떠낫싯[28]다。(一千九百十八年 六月 十八日 夜 畢稿)

— 『創造』, 第3號~第4號, 1919년 12월~1920년 2월, 2회 연재

---

28 "시"은 "섯"의 오식 - 편자 주.

中國旅行記

石湖 權泰用

原來『나』는 財力도 不足하고 學識도 抱負도 업는『나』의 건방진 思想으로 어리석게『古言』에 百聞이 不如一見이라는 語句를 如何히 解釋하얏던지、무엇 하야본다는 希望으로 故土를 떠나 貴重한 三四 星霜을 外海에서 苦勞를 밥다 不幸히 健康하든『나』의 身體에 只今은 最히 우리의 人生에 對한 生命을 뺏는 重病을 어더 歸國하얏삽니다 엇던 醫師의 忠告를 바다 仁川 海水浴에서 精神을 修養할 次로 月尾島까지 와 留하든 중 다행이『나』親友인 仁川支局 記者 李汎鎭 君을 맛나『나』日記를 貴報에 託하야 건방진 말로 우리 半島의 實業 諸氏에 萬分之一이라도 參考될가 하노이다

前途에 有望할 靑島와 濟南

靑島은 只今으로부터 漸漸 發達이 될 希望이 有한 줄노 生覺하옵니다 歐洲大戰이 平和를 唱함에 昨今 各 新聞과 雜誌上에 專管인지 共同인지 居留地 問題가 世人의 耳目을 惹起되게 하오나 事實上 靑島는 日本의 勢力範圍 內에 在하고 또 商業上 其他 商品取扱引上으로 觀할지라도 以前 獨逸時代로부터 日本品 及 우리 朝鮮品을 輸入하얏는 故로 今後야 말할 것 업시 樂觀을

볼 줄 生覺하노라 靑島는 氣候 溫和한 地라 더욱 中華民國의 中央의 地点으로 將次 濟順鐵道의 開通이 되면 山西省、四川省、을 互相 聯絡하야 終乃 南滿大陸보다 一層 事業上 重要地가 될 줄 生覺하옵니다 我 朝鮮品은 開城人蔘、朝鮮紙、等의 大部分으로 此外 實로 中國人의 要求品에 適當한 品이 許多하오나 此는 次號에 細詳히 紹介하와드리겟습니다

靑島 方面의 鮮朝[01]人 生活 狀況

　靑島市 新町을 視察하야 우리 朝鮮人의 現況을 말하자면 悲慘한 事 第一 『나』의 頭腦에 感되는 것? 엇더한 料理店 압흘 『나』는 無心코 通過한 時 赤瓦 二階에 白紅의 華麗한 朝鮮服으로 『여보시오』 朝鮮 兩班이어던 올나오시오 하는 一 美人이 第一着 『나』의 目에 視線이 相接하얏소 『나』의 얼는 生覺에는 아 ― 엇던 집 令孃이 이와 갓치 『나』를 何故로 『올나오시오』 하는가 하고 『나』 生覺에는 『子曰 男女 七歲어던 不同席이라』는 聖賢의 訓話도 잇거니와 將次 靑島서 留하오면 朝鮮 兩班은 相逢할 期會가 잇지 料量하고 다시 旅舍로 도라왓습니다 翌 早朝에 『나』는 靑島旅館에서 起床하야 純 獨逸式의 華麗壯嚴한 靑島旅館의 庭園에 若 一 時間이나 散步하얏다 긋때 『나』의 얼는 生覺에 한갓 感想이 이러낫다 무엇?

　千八百九十七年 十一月 山東省 兗州府에서 獨逸宣敎師 二 名의 生命의 犧牲이 今日 如此히 山東大陸을 자랑할 만침 世界의 地位를 어덧도다 然이나 사람마다 自己의 生命을 업세여지면 如此히 될가요 우리 朝鮮사람도? 아…… 뽀―이의 案內가 잇서 朝飯을 맛치고 昨日에 엇더한 곳 우리 朝鮮사

01　『鮮朝』는 『朝鮮』의 오식 - 편자 주.

람(더욱 貴婦人)의 招待를 밧은 곳을 向하야 靑島旅館을 나섯습니다

그렁저렁 正午가 되얏다 저 無窮無限한 勢力을 가진 太陽光線은 山東 一角의 海陸과 『나』의 視線과 한참 競爭하얏다

前進하야 昨日 貴婦人의 招待를 맛흔 그 집 門前을 到着한즉 今日도 亦是 昨日과 갓치 赤瓦洋屋의 二層에서 紅白衣를 着한 一 婦人이 말하기를 『여보시오 朝鮮 兩班이어시던 올나오시오』 말하기에 『나』는 예 『나』는 朝鮮사람이요 하고 그 二層을 올나갓삼니다 『나』는 그 婦人의게 對하야 貴女 何故로 『나』를 招待하얏는고 하면서 그 婦人의 歷史를 問하얏다 그 女子는 慶南 昌原郡의 出生으로 幼時는 無男獨女로 金枝玉葉과 如히 그의 父母의게 受養하얏다 十三의 年을 迎할 春에 不幸히 父母 두 분이 一去不歸의 黃天에 도라간 후 少女의 몸이라 엇지할 수 업서 自己의 三寸叔 되는 李 某와 갓치 三 四 年 前(日獨戰 後 即時) 山東 方面을 渡하야 博山硝子製造所 職工으로 一家族이 現狀을 維持하야 糊口하야오던 中 同年 九月 十五日 夜 中國 馬賊의게 被殺된 自己의 三寸叔을 別하고 轉々하야 四十 圓의 身代로 四 年 間의 契約으로 女子의 地獄이라 하야도 過言이 안인 이러한 곳으로 四 年 間 宣告를 바다잇는 可憐한 現狀이라

◎ 그러면 上記와 如히 現今 世界에 자랑할 만침 훌융하게 된 靑島는 다만 獨逸宣教師 二 名의 生命을 貢獻한 때문인지요?

◎ 또 上記와 如히 우리 朝鮮사람은 一家族의 生命을 貢獻하야도? 如斯히 可憐하게 된 우리 朝鮮사람 間에 非人道를 敢行하는 事ㅣ 許多하도다

四十 圓에 金으로 前程이 萬里 갓고 一家의 主婦가 되야 國家 社會의 主人公 될 吾人을 産出할 賢母의 重貴한 女子를 如此이 人間의 地獄에다 모라너어 長久한 年月에 身을 亡케 하옵니다

靑島에 우리 朝鮮사람 所謂 海外에서 事業한다는 兩班은 擧皆 此 非人道

의 暴行的 事業 外에 全無하다 하여도 過言이 아니올시다

그러면 『나』는 如何한 事業을 하야 海外에서 活動하는가요 이갓치 料理業을 하는 人의게 攻擊하오니 絶對로 此等의 業에는 從事하지 말나는 것은 아니오나 조금 改良하야 非人道를 敢爲하는 者로 覺醒하야 仁義正道로 歸順함을 바라며 天賦의 人性正道와 吾人의 良心으로 大陸의 産物『天産物』은 勿論 其他 許多한 事業이 잇지 아니한가요?

山東大陸은 土地의 肥富와 産物에도 滿洲大陸보다는 幾 層 將來의 好成績을 改할 줄 思則하노라

◇ 氣候와 交通은 勿論

山東의 廣野肥土에 棉花 栽培와 落花生、水田經營、栗、小麥을 大部分으로 其他 農産物의 特産地요 此外 天津 方面의 靑玉『비취』牛肉、鷄卵、野菜 等의 諸 産物도 우리 朝鮮의 人蔘、朝鮮紙 等、特産物로 交換을 하얏스면 前途에 有望할 줄 生覺하옵니다

回顧할지어다 十五世紀에는 十五世紀에 適當한 人物과 事業을 要할 거시오 二十世紀에는 二十世紀에 適合한 人物과 事業을 要할지니다 二十世紀의 新文明의 밋물은 太平洋을 건내여 半島의 四海에 부드치고 時代의 新風潮는 三千里의 白頭山頂을 넘엇도다

吾人의 肉體는 비록 十 五六 貫의 重量에 不過하나 最高最敏한 靈、靈에서 智 智에서 識、識으로 萬物의 最高位를 엇더로라

보시오 『파나마』大陸을 橫斷하야 幾千 幾萬 噸의 汽船이 朝夕으로 往來하고 空中을 飛鳥와 갓치 自由自在하는 飛行機와 萬里의 遠地에 在한 親友의 安信을 隣里와 갓치 每日 得聞하는 電信機關 此外 宇宙 自然의 森羅萬象이

모다 우리의 靈에 잇도다

이갓치 最强最敏한 靈을 가진 우리들 何를 恐하며 何를 懼할가?

相當 資力 잇는 우리 朝鮮사람들 人道에 너모 바서나는 일만 하지 말고 一步를 進하야 遠大한 事業에 着眼하옵소서

濟南 方面의 우리 朝鮮人 現狀

『나』는 五月 一日 午前 十時 列車로 靑島驛을 出發하야 濟南으로 向하얏습니다

『나』는 三百九十四 哩의 山東鐵道를 無事히 濟南까지(山東鐵道 終點驛) 安着하얏삽니다

宏壯한 濟南驛을 한 거름 두 거름 즛침~ 나서 旅館을 定하랴 하든 차 生覺하지도 아니한 日本 憲兵과 中國服을 着한 우리 朝鮮사람 刑事 朴 某라 하는 兩班과 두 분이『나』를 何等의 깁흔 意味나 잇는 듯시 끔찍이나 保護하야 濟南 緯七路에 잇는 鶴家『호텔』로 指定하야 旅館 主人의게 嚴重히 命令을 하는 듯?

如何間 初行者 되는『나』의 生覺에는 十二分이나 感激하옵듸다

濟南은 山東鐵道의 終點으로 津浦鐵道에 連絡하얏고 山東省의 首府로 數千 年 來의 舊都입듸다 黃河 老稱 濟河의 南端에 位置됨으로 濟南이라 命令하얏고 運輸交通은 四通八達로 山鐵 津浦의 兩 鐵道를 結合[02]하야 黃河의 大水運을 擁하얏스며 小淸河水道로 渤海에 連通하야 商業交通은 至極히 便利 殷盛의 自然 發展을 期할 地오 氣候도 우리 京城과 相等하야 夏季 最高

---

02 『含』은 『合』의 오식 - 편자 주.

가 九十八 度이오나 春秋의 期에 至하야서는 蒙古霓(土雨)가 襲來하야 天空을 蔽하면 實로 咫尺을 分別치 못하게 暗々한 天地가 되야 白晝라도 室內에서 燭火를 不得不用할 極度를 成하야 이것 정말 답답하옵듸다

『나』는 이 山東省 首府인 濟南에서 多少의 日字를 費하드래도 充分한 調査를 行할 豫定이얏스나 其時에 『나』의 不運인지 업는 旅費를 써가면서 山東交涉 山東還附 等 排日學生團이 南京 北京 天津 方面으로부터 襲來하야 市內 市外는 一大 風雲을 不免할 戰爭를 成하얏습니다

其後의 日中의 關係는 漸々 危險한 狀態에 至하야 實로 可觀할 餘地가 잇사오『나』原來 政治에 對한 精神도 不足할 뿐 不啻라 『나』의 目觀한 事實을 記하면 多少 當局의 注意를 處할가 念慮되야 고만 中略?

五月 二十七日 支那에 對한 國恥記念日(日中山東條約日) 그 暗黑하고 複雜한 光景을 『호텔』一室에서 不出門外 하고 傍觀만 하고 其夜를 經過하얏습니다 그 後 『나』는 即時 우리 朝鮮사람의 現狀과 其 事業을 알고저 四方으로 濟南 城外 城內를 무슨 物件이나 失하고 찾는 사람과 如히 허둥~ 하면서 徃來하얏습니다 日本市街를 지나 緯七路를 지나다가 『鳳來洋行』이라는 看板을 掛하고 樓上에는 朝鮮服을 着한 兩班이 잇습듸다 맛참 드러가 接賓口에서 主人公을 面會하랴 願하고 名刺 一 枚를 드럿습니다

主人 되시는 李載源 氏가 應接室로 案內를 하시기에 드러가 長時間을 山東 方面에 對한 우리 朝鮮사람의 現狀을 詳細히 聞하얏습니다

鳳來洋行은 資本金 二萬 圓의 合資會社로 組織되야 山東 方面 特産物 取引을 할 目的으로 新設된 洋行인대 아마 此로써 山東 全體에 對한 우리 朝鮮사람의 代表的 商會라 하야도 過言이 아니로라 此外에는 朝鮮料理業을 營하시는 이가 二三 店이나 잇스나 此는 모다 前述과 如히 靑島의 料理業 狀態에 等準하옵기 略함

如此히 肥富하고 廣大한 山東大陸에서 正正當當히 事業에 着手한 우리 朝鮮사람은 不過 資本金 二萬 圓의 鳳來洋行 一 軒이오니 此로 觀할지라도 우리 朝鮮사람의 海外 活動力과 其 貧弱하고 可憐한 狀態을 知할지로다 資本과 實力이 有한 有志 諸氏여 深히 考思할지어다 歐洲大戰이 平和가 되엿스나 보시오 各國의 經濟戰과 實業의 競爭을? 四千 年을 東園桃李에 春夢을 未覺하야 今日 如何한 現狀을 當하얏는가?

其後 『나』 六月 二十五日 靑島로 向하야 更히 靑島서 滿鐵命令船 榊丸으로 上海로 出發하얏습니다 茫茫滄海를 左右로 긔운 잇게 헛치고 東洋의 巴里라 稱하는 美麗하고 宏壯한 上海를 六月 二十九日 無事이 上陸하야 最初 佛共同居留地 ○○旅館에 投宿하얏습니다

上海의 歷史야 말삼 아니하야도 外官의 壯嚴과 其 內部의 如何의 東西를 勿論하고 雜誌卷이나 新聞紙張이나 보시는 諸位야 다 아실 듯하와 不必更論이오나 大抵 上海의 居留하시는 우리 朝鮮同胞는 何業을 營하시는지 其 內容을 아모리 앳써 알랴 하야도 알 수 업서요 過去와 現在와 未來는 生覺치도 아니하시고 아마 朝鮮 內地에서 新聞雜誌에 記載된 其 外部의 華麗한 形式만 取하야 애써 업는 金錢으로 路費兩이나 求處하야 가지고 半虛榮의 狂으로 渡來하신 모양입디다 其中에도 或 무엇 生覺 잇서 渡來하신 分도 기실 터이나 如此한 分내들은 勿論 最初의 自發的 精神에 充分한 信望 잇서 最後의 決心으로 渡航할 時 上海는 東洋 第一의 位置를 得한 名地이니 上海만 渡航하야 上陸만 하면 政治家도 可成이오 思想家에도 其他 實業 方面에 從事하야도 一得萬金의 大志와 大意가 다 春夢으로 歸할 터이 올시다 勿論 更論치 아이 하야도 明若觀火올시다

大抵 都市의 發展과 人口의 激增이 日로 時로 朝夕相變하는 所謂 東洋의 第一位라 稱하는 上海야 勿論 其 內容에 無限한 條件이 含有할 터이라 人口

增加와 都市 發展하는 대 依하야 吾人의 生存競爭은 益益 더 甚하야짐은 말 아니하야도 짐작하실 터이라 四千 年 間 高樓巨閣에서 봄꿈을 未覺하시든 우리들이야?

그러면 上海에 居留하시는 우리 朝鮮사람이 擧皆 如此한 것은 아니올시다 其中에도 相當한 實力과 抱負를 튼튼한 精神에 發揮하야 相當한 方面에서 相當이 活動하는 同胞도 잇사오나 此는 極히 九牛一毛라 하야도 可하옵니다

某 方面의 確實한 統計에 依하오니 現 上海 居留하시는 우리 朝鮮사람 數 實로 八千의 大數에 至하다 하옵듸다 此 八千의 人口에 比較하야 其 正業에 從하야 自己의 一身을 自己의 生産力에 依하야 生活하시는 이는 四 五百 名에 不過하오니 其外는 모다 朝鮮의 업는 돈을 갓다 日常生活을 維持하야가는 形便이오니 朝鮮의 生産率를 試觀하라 如何한 金錢이 잇서 外國으로 빠자나갈가? 志가 잇는 諸位여 눈을 감고 손을 가삼에 대이고 生覺할지어다 有形한 資本(金錢)이 업는 우리는 第一 急務가 無形한 자본(精神)을 充分히 修養할지어다

其後 『나』는 香港으로 向할 時에 上海 日本總領事館에 게신 金秉憲 君과 또 上海에서 實業 方面에 從事하시는 韓載根 君과 來訪하야 一便은 무슨 깁흔 意味나 잇는 듯시 잘 保護하고 잘 紹介하야주옵늬다 『나』는 初行者 됨으로 深히 其 厚意를 表하고 右 二 君의 紹介로 上海의 求景은 대강 하얏삽늬다 滯在 四十 日에 『나』는 香港을 經하야 南北滿洲 及 西伯利亞03 方面으로 向하얏습늬다 以上 上海와 香港 方面에 對한 『나』의 感想과 其後 南北滿洲 及 西伯利亞에 對한 『나』의 推想과 우리 朝鮮사람의 現狀을 細密히 紙面으

---

03 "西伯利亞": 시베리아 - 편자주.

로 紹介할『나』의 마음은 實로 太平洋의 滄海를 모라『나』의 空腹 中에 너어
도 不滿할 터이오나 南北滿洲 及 西伯利亞의 狀態는 前察者도 即히 屢屢히
各 新聞雜誌上에 記載한 바요 또는 現在의 現狀과 當局의 嚴命이 잇슬 듯 生
覺하야 此를 省略하오니 讀者 諸位는 此에 對하야『나』의 眞實에 同情하옵
심을 島中의 病床에서 萬祈하옵고 更히

天父끠 永遠히 祝하나이다

勿論 大陸 方面에서 即히 實業 方面에 從事하시는이나 일로 將次 營爲하
실 諸位는 各樣 方面이 異하실 터이오나『나』의 어리석은 想像으로 所謂 大
陸經濟 方面에 對한 感想을 略說코자 하오니 諸位는 萬分一이라도 或 參考
에 要하사실지 願하는바요 且 南北滿洲 及 西伯利亞의 日記는 너모 長長하
고『나』의 歷史만 只今까지 記한 故로 도로혀 여러분게 如何할가 此를 省略
하옵니다

中國 特産物 大豆의 輸送 狀態

北滿洲地方으로 産出하는 大豆는 年額 實로 六十萬 噸에 過하는 大數로
此等 運搬하고 冬期에 至하야는 氷上으로 此를 鐵道沿線까지 輸送하고 其
輸出 經路는 浦鹽、大連、營口 等地로 又는『니코라이쓰크』[04] 及 吉林 方面
에도 多少 輸移送하나 此는 極少量에 不過하고 其 大部分은 浦鹽이 第一位
를 点하고 大連 方面에는 三四 萬 噸의 少數에 不過하던 것이 大戰 以來 東
淸線의 不良에 依하야 結氷 中 長春 方面으로 馬車 運搬을 하던 것을 東淸鐵
道廳과 滿鐵 間에 屢屢히 互相 貨車配給方法을 交涉하야 南行輸送에 全力을

04『니코라이쓰크』: 러시아 볼고그라드주에 속한 도시 Никола́евск - 편자 주.

盡한 結果 今에는 一躍 五十萬 噸의 增加에 至하야 近時 北滿 大豆의 相場은 世界的으로 變動되야 今後는 南滿洲 大豆와 共히 大陸의 特産物市場에 一大 光權을 起할 줄노 生覺하옵니다

哈爾賓 製酒業

哈爾賓 方面에서 今日까지 우리 朝鮮사람은 勿論 日本人까지라도 別로히 新起한 事業이 업든 中 大戰 後 露西亞의 革命 以來 一時 過激派의 勢力으로 全露 더욱 西伯利亞 方面은 全혀 秩序를 維持키 難한 時 日本出兵 後 日本 及 中國 間에 協力하야 該 地方에서 北滿 特産의 大豆를 應用하야 一大製酒業을 開設하야 將來의 有意한 事業을 起하얏고 此外 製粉、窯業、鑛工、其他 豊富한 事業을 日로 時로 新設하는 現狀이고 且 東拓會社에서는 哈市[05]를 距하기 南으로 五十 里 地『아치아』에 一大 工場을 開設하고 着着 其 好成績을 見하는 듯 哈爾賓은 將來 一大製酒地가 될 듯『나』의 生覺하는바 今般 日本의 西伯利亞出兵은 政治的 意味보다 經濟的 意味가 더욱 含하얏다 하야도 過言이 아이로다 出兵 前의 哈市와 出兵 後의 哈市를 比較하야볼지어다

開原의 企業 發展

開原에는 三四 年 一 次 視察한 事 잇사오나 今般은 特히 該地에 잇엇던 親友가 잇기에 訪問하야 數三 日 동안 滯在한『나』의 感想 第一을?

原來、奉天、鐵嶺、開原 等地는 將來 工業 發展上 重要地인 것은 世所共

---

05 『哈市』: 哈爾賓市의 줄인말 - 편자 주.

知하는바이나 其中 더욱 開原은 地質上 工業 原料를 多大히 包藏한 地이라 今日까지 其 天賦한 産物을 應用하야 發展의 大志를 가진 有志도 極少하얏고 또 二三의 事業으로 油房 粉房 織房 等 此等의 工事業은 擧皆 家庭工業에 不過하얏더니 今日에 至하야 面目을 新할 新事業이 多數이 起興하야 着着 進展에 向하는 中 今般 內外의 金融 乏迫의 打擊을 受한 結果 一時 危險 狀態에 至하얏더니 最近 該地의 日本人 中國人과 合力하야 資本金 一千萬 圓의 興業會社가 創立된다 하옵데다 此 會社가 開始되게 되면 開原은 實로 南滿洲의 工業的 發展地가 될 줄 生覺하노라

滿蒙 綿羊 飼育 事業

此는 『나』旅行 中 某 友에 聞하오니 旣히 朝鮮總督府에서도 該 事業의 獎勵를 盛히 하든 바 其 成績 良好함으로 此를 永久的으로 一般에 獎勵하야 今에 至하든 中 日本人資本家 某某 有志도 着着 投資하야 廣漠한 滿蒙大陸에 此 事業을 發展 且 永久的으로 旣히 大倉組에서 此 事業을 經營하야 東蒙古 鄭家屯 新河 附近에는 自然的 遊牧地에 適合함으로 一年 中 新河 以南에 山羊 五十九萬餘 頭 牛馬 三十四萬餘 頭를 收得하야 其 成績이 翌翌良好함으로 大資本을 投하야 自今으로는 濠洲産 又은 此外 優良種으로 改良하야 東蒙古 一帶의 將來有望한 牧畜事業地로 發展의 根本을 成키로 計劃 中이로다

滿洲의 絹紬工業에 對하야

山繭 及 絹紬는 滿洲大陸의 一 特産物로 其 重要位를 點함은 一般이 認識하는바이나 그中 더욱 關係를 深結함은 우리 朝鮮과는 古來로부터 甚大하도다 想像할지어다 今日까지 우리 朝鮮 中流 以上의 家庭에서 着하는 衣服을?

如此히 多數히 需用하는 重寶는 全然 今日까지 中國人의 手로 飼養하고 製織하얏사오니 其 內容을 印察하는 今日 우리 마음에 如何한 遺感이 잇슬가? 現今 中國의 舊式에 조금 改良을 加하야 一步를 進하면 如何히 將來의 發達을 見할가요 우리 朝鮮사람은 그래도 깨닷지 못하고 暗黑 가온대서 지척지척 하고 잇스나 日本人은 발서 同品의 改良을 目的하야 其 勢力을 取引키 爲하야 滿洲 海城에 製織會社를 設立하얏고 其後 安奉線 方面에 山繭飼養을 目的할 大會社를 更設하고 且 大連市에 資本金 十萬 圓의 合資會社로 大連絹紬製織會社를 設立하야 現今 旅順 工場에서는 年額 十餘 萬 圓의 織物이 外地로 輸送하게 되는바 此外 一 個人關係上 間接 直接 此 事業에 着手하는 者 日로 增加케 되오나 우리 朝鮮사람은 一人도 此 有望安固한 事業에는 夢中에서도 生覺 업슴니다

中國 製鐵 發展

中國 製鐵業은 大戰 以來로 더욱 發展의 狀態에 至하얏도다 『나』上海 滯在 時期 엇든 中國人 新友의 紹介로 上海 方面의 製鐵事業을 槪察하얏슴니다 此 方面에는 比較的 大規模로 計劃된 處도 許多하나 小規模的 製鐵業은 到處마다 多大한 數로 新起되야 其 內容도 永久的 大成績을 見할 줄 『나』는 生覺하옵니다 最近 滬寧停車場 附近에 新設된 咸興廠은 現今 二百二十餘 名의 職工을 使用하는 製鐵所인대 此 經營權利者 되는 江蘇議員 莊查 氏는 目下 上海의 資本家 等과 協力하야 更히 大規模的으로 創立計劃 中이라 言하며 閘北 顧家灣에 新設된 大效廠도 旣히 業을 開하야 昨年 夏 『나』上海 잇슬 時에도 發電機、扇風器、精米機、等 其他 小型機器類를 製出하고 浦東에 잇는 和舉廠은 熔鐵爐 二 基를 使用하야 木炭熔化、焦炭熔化의 二 部를 設하고

上海、英、佛、各 電車會社의 注文에 應하는 大規模的 製鐵所의 現狀을 呈하고 其中 最大의 製鐵所라 稱할 만한 大陸製鐵公司은 前 農商總長 張謇 氏 等 其他 中國 一流의 有志 諸氏로 設立된 것인대 最初 鳳山鐵鑛에 接近한 某 鐵鑛의 原鑛을 使用할 豫定이엿스나 其後 形便과 事情에 依하야 目下 江西省 方面에 一大 良鑛을 指定하야 此로 實行할 計劃이라 云하며 此 公司의 資本 中 幾 分 美國의 資本이 含有하다는 說이 잇사오나 『나』淺薄한 思想으로는 確知키 難하옵대다 其中 大部分은 安徽督軍 倪嗣冲 氏의 出資한 二千萬 圓 의 資本으로 現 製鐵所를 創設할 計劃이온대 아마 此가 中國 全體의 代表라 稱하야도 過言이 아니로다

昨年 中 滿洲의 企業

昨年은 大戰 後 事業界의 最殷盛한 期라 言하야도 可하도다 昨年 中의 滿 洲에서만 新設된 會社 銀行을 示하면 大連에 創立된 株式會社만 二百六 社 인대 此 公稱 資本 一億五千六百餘 萬 圓에 達하고 此外 新히 支店을 設置 한 것이 三十二에 達하얏스니 一 昨年에 比하면 本店 數 四百□□ 此 資本金 一億三千六百餘 圓의 激增을 示하엿고 支店에도 約 七 割 餘의 增加의 現狀 이로다 更히 全 滿洲의 企業計劃自今을 觀하면 新設 數 三百二十四인대 此 資本金總額이 二億二千三百六十七萬 九千餘 圓에 至하얏도다 前年에 比하 면 會社 數 二百六 資本總額 一億八千三百十六萬餘 圓의 大激增을 呈하얏슬 뿐 此外에 또 合資會社의 數 五 社인대 此 資本總額 九百二十五萬四千餘 圓 의 大激增을 成하얏도다 如此히 事業熱이 盛起하는 大陸 中에서 우리 朝鮮 사람은 此에 關係된 數 九 人의 小數로 出資額 一萬四千餘 圓에 不過하오니 此 엇지 悲慘치 아니하며 痛嘆하지 아니할가?

大略 『나』의 旅行 中 『나』의 日記의 第一着의 感想을 記錄하온 바 以上과 如하오니 祝願하옵고 伏祈하옵니다 半島의 諸位여 政治家가 되던지 思想家가 되던지 藝術家가 되던지 文學家가 되던지 哲學家가 되던지 實業家가 되던지 第一 其 有形無形의 資料를 튼튼한 鐵腦裡에 充分히 印置하야 健康한 半島兒의 聲을 諤諤하면 大陸으로 進하야 着足할 地가 恢恢타 하노라 資力이 잇는 니는 此等 事業에는 夢中에도 生覺지 아니하고 有形한 金力이 업는 니는 無形한 資本 卽(精神)이 不足하야 何等의 目的 업시 自己 一身의 糊口를 保치 못하야 世界(落伍者)라 稱할 만한 悲運苦境에 陷한 우리 朝鮮사람 大陸 方面에 現狀이 十中九 以上의 大數 最極度에 在하도다

萬物 中 第一位를 占한 權利야 一般이지요?

—『東亞日報』, 1920년 7월 11일 ~ 13일, 3회 연재

上海로부터 漢城까지

天友

北天으로 날아오는 쭈루룩 끼루룩 외마리 기럭이 소리는 나의 그리워하는 고향 꿈뭉치를 덧 업시 깨치도다 西城으로 넘어가는 어스름 빈방, 한 조각 커 떨어진 달은 나의 사랑하는 부모님 얼골을 끗업시 빗치도다 아 ― 무엇무엇 하여도 부모밧게 더 사랑할 이 업스며 아 ― 어대어대 하여도 고향밧게 더 그리운 곳 업스리라 한다 내가 지금 고향을 떠나 江南을 온 지도 아마 몃 달이 넘엇으며 부모를 여워 萍水를 딸은 지도 또한 얼마가 되엇도다 파릇파릇 피던 입새 黃浦灘의 봄날이며 부슬부슬 오던 비는 莫愁湖의 여름이다 秦淮夜泊의 一杯送情은 암만하여도 우리 집 乙密臺 우에서 一片綾羅를 건너봄만 갓지 못하며 西湖 風流의 三潭印月은 암만하여도 우리 집 統軍亭 아레로 三江合水를 구경함만 갓지 못하다 松江의 鱸魚와 吳郡의 素灼은 암만하여도 우리 집에서 먹던 沉菜干漿만 못하고 絹紗의 鉄寢床과 官房의 錦裝榻은 암만하여도 우리 집에서 자던 薄衾單褥만 못하다 암만 암만하여도 제 것과 제 해라면 더욱 더욱 반갑고 그립고 아름답고 사랑스런 無限의 戀情 愛情의 무엇이라 말할 수 업시 저 ― 黑龍江으로 對馬峽까지 白頭山으로 漢拏山까지 쏘치고 뻐치도다 그리하야 나의 고향은 白雪이 滿山일지라도 荒林이 逼邇일지라도 남의 동산의 봄철 빗보다 남의 길가에 꼿나무보다 그리고 또 나의 부모는 암만 얼골이 껌웃껌웃할지라도 암만 수염이 희끗희끗 할지라도 남의 아버지의 活潑한 態度보다 남의 어머니의 生氣로운 姿色보다.

아 — 나의 아버지 나의 어머니 아 — 나의 시골 나의 마을 아 — 나의 일상 그려하는 고향의 경치 아 — 나의 매양 사랑하는 내 부모의 정디 가고 십고 보고 십허 참을 수 업고 이즐 수 업다 그래서 나는 暑暇임을 利用하야 還國키를 圖謀하니 速히 하로 바삐 떠나기를 바라고 또 바랏더라.

아 — 來日은 떠나도다 깃븜도 極하고 서운도 極한 오늘 밤 하로를 엇더케 지내일가? 나의 同學 친구들은 밤이 맛도록 行李를 묵거주고 눈이 붓도록 別淚를 뿌려준다 盧舟 君의 구든 손으로 주는 紹興酒 한 盞을 정답게 바드며 素石 君의 붉은 입으로 읇는 送別詩 한 首를 눈물로 새겻도다.

知子明朝還國日、是吾今夕斷腸詩。
臨別一言湏紀念、看雲步月動相思。

나는 다시 그 韻을 和하게 되다.

最是人間難忍處、客中送客正其時。
欲泣未能歌不得、關山萬里憑何思。

時는 正히 八月 二日이라 아츰 날이 뜨자마자 눈 부비며 일어나서 洗手도 못 하고 그저 되는대로 옷가지를 주섬주섬 주어입고 停車場을 나갓섯다 會에 中國 政黨에 直、安 兩 系의 大衝突이 生하야 北京 段派의 徐樹錚과 保定 曹營의 吳佩孚가 서로 陣을 對하게 되고 딸아 直隸系인 江蘇督 李秀山과 安徽系인 浙江督 盧永祥이 또한 兵을 交하게 되니 上海서 南京 가는 滬寧線 浦

ㅁ서 天津 가는 津浦線이 고만 一時 中斷이 되어 한참은 아조 混沌 狀態에
빠젓섯다 그러다가 近日에 와서야 비롯오 車가 通한다는 消息을 新聞紙上으
로 어더 듯고 이가티 일즉이 나온 길인데 진작 나와 본즉 아즉도 뭇快車는
그냥 不通인 채 잇고 오즉 夜快車라야 直通을 한다 함에 旣往 나왓던 길이
라 그저 回步를 할 수도 업고 또는 떠나자 하니 中路에 如干한 故障이 아니
겟다 그래서 이날 하로를 上海에 第一가는 아니 中國에 第一이라 할 만한 新
世界 游戲場에서 구경도 할 兼 시간도 보낼 兼 아조 支離함을 참앗스며 紛雜
함을 견디엇다 於焉間 날이 저물엇다 地平線 上에 힘 업시 걸렷던 白日이 그
믈그믈 넘어가자 滿城燈花는 點點飛하고 一樓[01]淸歌는 間間響이라 紅男綠女
는 雙雙히 거름을 마춰가고 南腔北曲은 處處에 곡조를 흘려보낸다 와글버글
끌는 사람 오고가고 섯는 사람 勿論 上海 가튼 世界의 有數인 大都會ㅣ니까
그러키야 하겟지만 果然 中國이야말로 別別般般한 꼴이 다 만타 無事閒遊
의 放蕩客도 만코 淫謔迷累의 惡風俗도 만코 만타 아마 中國이 이러케 疲弱
하여진것도 此의 一因이 업지 아니하리로다. 밤 열점이 되어 停車場으로 또
나가 보앗다 벌서 賣票口에 票 사는 사람이 얼마 아니 되는 것을 보니 發車
時刻이 거의 臨한 모양이다. 上海 北站서 天津 總站까지 三等 聯絡票를 十四
圓 七 角 五 分에 사서 들고 盧舟 素石 兩 君은 入場券을 찍어 들고 月臺로 썩
들어서니 그제야 정말 車中客이 되엇더라 이윽고 十一時가 땅 치는데 삑 ―
삑 ― 하는 汽笛소리는 沉寂한 夜情을 限업시 깨트리고 확 ― 확 ― 하는 鐵筲
굴뚝은 萬丈의 氣焰을 連하야 뿜어낸다.

그런데 盧舟 君 과 素石 君은 帽子를 벗어들고 手巾을 뽑아들어 두 손으
로 흔들면서 먼대까지 보이도록 잘 갓다 잘 오라는 無限의 情表야말로 나의

---

01 "樓"는 "縷"의 오식 - 편자 주.

가슴을 찌르는 듯하는 무슨 몽둥이 가튼 것이 흑흑 느껴 참지 못하는 뜨거운 눈물을 흘리게 한다.

아 — 나는 간다 나는 간다 가티 왓던 친구를 떼이고
나 혼자 간다 나 혼자 간다
뉘라서 고향 가고 십지 안은 동모가 잇겟느니마는
뉘라서 부모 보고 십지 안은 자식이 잇겟느니마는
갈랴야 갈 수도 업고 볼랴야 볼 수도 업서서
저 혼자 외로히 한 줄기 눈물 뿐 쥐어 짜리라
아 — 나는 간다 나는 간다 가티 잇던 친구를 두고
나 혼자 간다
너의 집 차자가서 네 소식 傳하리라
너의 님 맛나여서 네 정지 告하리라
傳하기야 잘 傳하고 告하기야 잘 告하지만
듯는 이 가슴은 한 움쿰 서름뿐 사모치리라
아 — 나는 간다 나는 간다 가티 놀던 친구를 버리고
나 혼자 간다 나 혼자 간다
그래도 그래도 울지는 말어라
곳 단여오리라 漢陽城 먼먼 길을
오면 보고 보면 반겨 故國 事情을 말 할 적에
네가 그 때 듯고 안저 울겟늬!? 웃겟늬!?

그리고 그날 밤을 잣는지 말앗는지 가는지 오는지 아무런 줄도 모를고 그냥 그냥 안젓섯다 그 翌日 午前 六時에 南江 下關 江口에 다다랏다 곳 聯絡

船에 몸을 실어 楊02子江을 건너 浦口驛에 이르럿다 벌서 天津行 列車가 乘客 오기를 等待하고 잇다 거름을 재촉하야 車內에 들어가니 不規則한 坐席이며 沒整頓한 行李들은 되는대로 안젓스며 함부로 벌여낫다 그러나 나는 조고마한 몸둥이라 어듸가서 못 끼이랴 하야 한 구석 좁은 틈에 웅덩이를 부드첫다 車窓을 열고 前面을 내다보니 저편 쭉쭉 두룬 鐵甕城이야말로 六朝名勝의 金陵 風景이다 江南의 甲地를 보고서 엇더케 글 한 句를 애낄소냐

北極高樓挹雨淸、金陵王氣依然晴。
薜蘿古木參差極、一曲琴湖萬里晴。

浦口서 車가 떠나기는 午前 九時 頃이러라 車內에서 朝飯을 먹고 新聞 들고 안젓스니 훌렁훌렁 가는 길이 어느덧 徐州站에 당도하다 徐州서 東으로 數百 里를 들어가면 옛날 韓信이 나던 淮陰縣이 그곳이다 漂母祠도 跨下橋도 잇다 이에서 나는 생각키를 저 韓信이야말로 거룩하다 내가 그를 보도 못하엿고 말도 못하엿거늘 上下 數千 載의 오늘날에 이르러 지금 나에게까지 韓信이란 그 이름을 듯게 되어 그의 남긴 歷史 그의 끼친 遺功을 생각도 하며 말케도 되도다 이 實로 人生觀의 興味이다 그러면서 車 가는 줄도 모르고 그저 蚌埠를 보게 되엇다 蚌埠에는 安徽督軍 倪嗣仲03의 屯兵處라 죽는다 산다 하던 倪 將軍도 아즉까지 그 位置를 保全하고 잇더니 지금은 고만 四面楚歌、八公草木의 中에서 가도 오도 못하게 되엇다 이것을 볼 지면 當時 威風이 凜凜하고 氣槪가 堂堂하던 軍閥派 무리야말로 現代의 時勢 上 그를 容許

---

02 "楊"은 "揚"의 오식 - 편자 주

03 "仲"은 "沖"의 오식 - 편자 주

하겟는가 말겟는가.

어느덧 해가 지고 먼 山이 어둑컴컴하다 이상한 바람도 슬슬 불어온다 아
— 이곳이 即 山東省이라 한다 連年의 水災 兵災 數百萬의 貧民들이 或은 北
滿 或은 南洋으로 푸르덩덩한 통둥에 하나이 붉은 다리를 감추지 못하고 검
웃테테한 얼골 빗갈이 주린 형상을 그리는 듯한데 나는 그네들을 볼 때마
다 문득 나의 父老와 兄弟와 姉妹와 親戚이 서로 붓들고 서로 헤어져 울며불
며 가는 情景 男負女戴하야 鴨綠江 豆滿江을 얼음 우흐로 — 손발이 얼고 터
저서 이리 빗슬 저리 빗슬 정처를 못하다가 或 道路에 거꿀어지기도 하고 或
溝壑에 엎드러지기도 함을 넉넉히 보는 듯하고 말하는 듯하다.

그 翌日은 即 八月 四日이라 午後에 濟南府를 당도하니 濟南서 東으로 接
한 鐵路의 終點處가 곳 東洋平和의 큰 問題를 惹起케 한 아니 中日 兩國의
큰 悲劇을 演出케 한 膠海岸 靑島市라 한다 나는 지금 靑島 問題에 對하야
무슨 政治的 利害를 敷說코저 아니한다.

이날 午後 四時 頃에 天津總站에 이르럿다 몬지는 두 눈을 못 뜰 듯이 그
저 덤비고 더위는 머리를 못 들 듯이 내리 누른다 그런데 天津驛에 썩 내리
기만 하면 참말 初行者로는 엇지할 줄 모르게 떠드는 것 하나이 잇나니 이는
旅館 下人들이 손님네 모시려고 각가지 手段을 함부로 베푸는 일이다 或 行
李를 꺼드는 놈 或 袖衫을 당기는 놈 或 압서는 놈 或 뒤서는 놈 한참 야단법
석이 난다 그러나 精神을 꼭 차려 눈을 똑바로 뜨고 停車場으로 조만 나서면
이곳저곳 旅館 客棧이 林立하야 잇다 그래서 제 마음대로 들고 십흔 곳을 마
음껏 擇定함이 얼마콤 自由롭고 또 相當하다 萬若에 그 旅館 下人놈을 따아
들어갓다는 아니꼬운 꼴을 턱업시 볼 때가 만히 잇다. 암만 하여도 中國사
람 아니 中國사람이라고 다 그러련마는 그저 그 한 가지 큰 弊習은 金錢上으
로 남을 속이고 어름어름하는 것이야 누가 보던지 不文明 不徹底한 行動이

라 아니할 수 업스리라 나는 언제 그 누구의 말하는 것을 웃읍게 들엇다 무엇인고 하니 中國사람으로 말하면 上下 勿論하고 도적질을 本業으로 하고 農工商을 副業으로 한다 하니 이야말로 넘우 過한 말인 듯하나 그러나 내 생각까지는 그 遺傳性 惡習을 根本的으로 撲滅하엿스면 시원하련마는.

그날 밤 十二時 頃에 天津서 奉天을 行할 세 時는 軍事戒嚴 中인 故로 來人去客의 모든 行李를 檢查하는데 나의 行李에는 다만 공부하던 冊 몃 권과 입던 衣服 몃 가지와 또 學生證 하나뿐이다 다시 두말 업시 돌아가되 다른 사람들에게는 참말 刻甚한 查實을 客氣 업시 하는 듯하다.

그 꼇日 아츰에 山海關을 왓다 山海關은 秦時 萬里長城의 起點이라 한다 그곳서 좀 들어서면 秦皇島가 잇다 秦皇島라면 그 이름만 들어도 그 意味를 大畧 짐작하리라 俗談에 秦始皇이 그곳까지 移御하야 白日을 挽하고 靑石을 鞭하던 곳이라 한다。車窓을 열고 쑥 내다보니 白沙露骨이오 靑草枯塚이다 原來 京奉線은 東洋 치고는 第一 넓은 軌道이다 그리하야 火車 速力도 比較的 빠를 듯하다 아 ― 西山에 걸린 해는 누엿누엿 저가는데 錦州城 天后宮塔을 둘러싼 져녁 烟氣는 廣陵山 白鹿寺로 돌아가는 잘새 소리와 가티 깔아지고 말앗다.

그날 午後 七時 頃이라 奉天驛에 썩 내리니 친구 하나 어더볼 수도 업고 누구한테 의뢰할 곳도 업다 그래서 찾기 쉽고 말 잘듯는 人力車를 잡어 타고 旅館으로 들어갓다 그날 저녁 긴긴 밤을 잘래야 잘 수도 업고 말랴야 말수도 업다 건너편 엇던 집에서 새장고 소리가 바람에 불려 나의 連日 疲困한 耳膜을 반갑게 고동시킨다 그러다가 엇더케 잠이 들어 한참을 자고 깨니 이날은 即 八月 六日이라 奉天 치고는 北陵 구경을 아니할 수 업다 蒼松은 鬱密하고 石逕은 寥落이라 二百 年 帝王蹟이 아즉도 남아 잇서 石人 石馬 石獅子 石豹虎 가튼 것은 참말 當代 工藝의 얼마나 發達된 것을 足히 推想할 수 잇다 夕陽을 안꼬 山路로 내려온다 무슨 생각이 갑작히 突出인지 巖上에 펄석 안저 南天을 가르치며 限업는 서름의 말이

> 사람을 죽여서 어대로 보내나
> 天堂인가 地獄인가 故鄕인가 客地인가?
> 늙은이 젊은이 모도다 한길로
> 원통하고 서름지게 피눈물을 흘려가며
> 손발을 잘리이고 뼈ㅅ속을 쑤시이되
> 오즉 보지도 못하는 魂이야 누구라서!

　그리고는 이러서서 한참 동안 생각다가 힘업는 거름으로 旅館까지 돌아오다 이렁저렁 數 日을 지내니 어느덧 八月 十一日이러라
　午前 九時 車로 京城을 直行할 새 벗도 업는 외론 몸이 車를 타고 안젓스니 奉天까지도 이제는 離別이로다 瀋陽城 검은 烟氣 보기만 하여도 끔직하구나.

> 니를 갈고 찌져 먹을 듯이
> 달려 드던 그 개도
> 한 點 고기 두 입 菓子로
> 「엣다」 하고 줄 뜻을 보이니
> 꼬리치며 돌아서서
> 압길을 許해준다

　그런데 벌서 本溪湖、橋頭驛을 얼른얼른 지나여서 下午 二時 頃에 鷄冠山

을 또 왓도다 憲兵 巡査가 웃둑웃둑 서서잇다。

　나는 저 鷄冠山을 쳐다보고 限업는 늣김이다 日俄戰爭의 古事를 追想한다 말이야 바로 許多한 血尸를 파무든 山이다 午後 다섯時가 되엇더라 아 — 安東縣을 왓섯다 아 — 鴨綠江을 건너도다 元寶山 점은 안개 鎭江園 맑은 기운 끝업시 느끼엇고 덧업시 보는도다 얼마나 흘린 눈물 얼마나 떨어 친 땀 點點滴滴 큰 쇠다리 동녹 싸고 붉어진다

　　　아 — 無窮花 한 송이
　　　어대서 떨어서
　　　비에 채고 또 바람에 불러서
　　　이리 굴고 저리 구니
　　　꽃인지 흙인지
　　　그 누가 알가 보냐

　아 — 아제야 故國 땅을 밟앗도다。新義州驛이다 光城面 넓은 들은 볼성스럽게 질펀도 하다。白馬驛이다 아 — 반가워 반가워라 白馬山城아。네 그냥 잘 잇섯늬 그리구 林 將軍도 아 — 白馬山城아。

　　　너는 나에게 무슨 意味로 허리 굽혀 절을 하나
　　　너는 나에게 무슨 陳情을 그러케도 하려는가
　　　너의 몸뚱에 나무 한 개 남기지 안코 반반 찍어 먹는 놈과
　　　너의 머리에 三角釘을 꼭 꼭 박아주던 놈을
　　　네가 能히 記憶느냐 아는 대로 말하여라
　　　死生決斷 하오리라 어대까지를。

이러케 말을 할 제 宣川 定州 모도 지나 嘉山 쯤 오게 되다 「아마 이 近境이 泰川 고을이겟지 나의 사랑하는 P 兄의 집이 저 ― 茄子峯山 압힌가 뒤인가」 나는 車窓을 열떠리고 趣味잇게 바라본다 限업시 보다가서 머리에 石炭 가루가 드리뿌림도 미처 생각을 못하엿다 고만 머리를 돌이켜 困하고 힘업서서 눈을 감고 잠들엇다 밤 十一時 頃이라 平壤驛을 왓다 한다 다만 大同江 鐵橋로 우루렁 우루렁 건너가는 소리뿐. 그저 가고 자고 자고 간다.

그 翌日은 八月 十二日이라 天氣는 淸朗한데 白綿 가튼 구름 쪽이 或 솜도 되고 或 개도 되어 아조 얌전하고 아름다운 三角山 머리로서 무럭무럭 떠오른다. 午前 七時 頃이라 南大門驛을 멋업시 到着하다 내가 올 줄을 期約치 못하엿던 터이니까 누가 하나도 迎接하려 나온 이가 업섯더라. 곳 人力車에 몸을 태워 나의 늘 생각하고 말하던 고향집을 썩 들어갓다. 넘우나 반갑던 김이라 아버니와 兄님은 어대를 나가셧는데 오즉 어머님 한분뿐 나의 사랑에 겨운 인사를 바드신다 억색하야 말슴은 못하시나 그리던 정리를 엇더케 참으랴 그날부터 나는 고향의 몸이 되엇도다 집안의 아희가 되엇도다 어머니 손으로 맛잇게 지으신 白飯 素菜를 배불리 멱고서 낮이면 나가 놀고 밤이면 들어 잔다.

八月 十五日은 日曜日이라 나의 친구들의 간절한 招待를 바다 술 지우고 안주 싸들고 逸興이 陶陶하야 十 人이 隊를 지어 淸凉寺로 소풍 겸 나갓더라 薰風은 徐來하고 樹陰은 稀薄하다 O 君 L 君 T 君 P 君 等 文章 雅儀의 깨한 座席이다 O 君이 나에게 맛잇는 글 한 首를 주는데

遠客寺中醉 何如滬上游

나는 그때 되나 안 되나 和答을 미처 못한 것이 정말 遺憾이엇섯다 아마

醉中除萬事로 어드런 줄도 모르게 되엇섯다 그러나 마음에 깁히 새겨 지금
이 글을 쓰게 됨에 다시 생각이 솟아난다。

別時每念逢時話 他日更思此日游

그리고 그날 밤은 아조 몹시 醉하야 돌아왔다 엇지 된 판인지 머리를 못
들고 그냥 자리에 눕고 말엇다 「아 — 어더케 되엇는가 집에를 간다더니 벌
서 왓는가 잘 단여왓는가 故鄕이 얼마나 조헌가 부모가 얼마나 반기던가」하
는 素石 君의 말을 듯고서 나는 그저 대답도 못하고 한참만에야 말문이 열리
어서 素石 君의 손목를 잡고 「너의 아버님도 보고 왓네」 渾家 다 平安하더라
하고 무슨 말을 連하야 하려할 제 이마에 언졋던 팔뚜이 베개 우흐로 뚝 떨
어지자 두 눈이 번쩍 뜨인다 아 — 이것이 한바탕 꿈이야 꿈인가 보아!

—『開闢』,第4號, 1920년 9월

上海로부터 金陵까지

江南賣畫郞

　나는 一個 書生이오 萬里萍踪이라 이름 업는 風月漢이며 동모 업는 賣畫
郞이다 아 — 외롭고 어여쑤다 簇子幅 엽헤 끼고 寫真機 둘러매고 낫이면 楊
柳青絲에 吟咏을 是織하며 밤이면 水月清閑에 乘興이 亦足하다 죽음도 拘束
업는 真自由를 나 혼자 享有하고 조곰도 忌憚 업는 活空氣를 나 혼자 呼吸한
다 무엔지 모르지만 花朝月夕에 멋잇는 生活이 미어던지 모르지만 春山秋水
의 끗업는 樂園이다

　　　徘徊千古問無人、
　　　到處風光皆我有。
　　　點點山川眼際流、
　　　白雲萬里一壺酒。

　이에서 나는 넘우 狂逸하나마 아조 拘束이 업는 나의 真 生活狀態를 넘우
浩瀚하나마 아조 忌憚이 업는 나의 活樂園 風景을 무슨 燦爛한 文學이 아니
고라도 또는 美妙한 彩色이 아니고라도 다만 뚝뚝하고 룽룽하게 되나 안 되
나 그저 진정 그대로 그저 사실 그대로 죽음도 주저 말고 죽음도 애낌업시

깨나 자나 자나 깨나 오즉 幸福의 生活을 꿈꾸는 우리 父老兄弟를 爲하야 첨말 뼈가 저리고 말이 떨려서 아니 號白할 수 업고 아니 紹介할 수 업다

그러나 오즉 遺憾인 바는 온갓 文句의 忌避 上 얼마 쯤 不便의 感이 적지 안코 딸아 記事의 內容 上 얼마 쯤 不足의 嘆이 업지 안타

上海로부터 杭州에

때는 正히 秋 八月望間이라 一葉船 흘리 저어 江湖客 되엇서라 紅蓼作花 秋正半、碧天如水月當中。 이 조흔 風流에 行樂이 얼마관대 이 널은 乾坤에 知音이 업단 말가

> 아 ― 上海야 잘 잇거라
> 나는 그저 떠나간다
> 江南 名勝 곳곳마다
> 淸風明月이 내 벗이다

이러케 노리하며 黃浦江 우흐로 白渡橋[01]를 건너다본다 검은 銅像 하얀 玉塔은 黃葉丹楓이 우거진 속으로 머리를 半쯤 숨겨 은근히 정을 준다 배는 벌서 楊樹浦를 감돌아서 崇明島에 다달앗다

> 出沒魚龍舞、滄茫島嶼流。
> 胸中無限恨、一碧極天浮。

---

01 "白渡橋": 상하이 황포강에 세워졌던 다리, 영어로 Garden Bridge - 편자 주.

이날 夕陽이라 어느덧 錢塘江을 왔다 한다 碼頭에 썩 내려서 旅館을 定하고는 얼시구 조화라 충충 걸어 나간다 武林山을 바라보며 湧金門을 턱 나섯다 아 — 이곳이 西湖이다

十里荷花五里霧、三面山石一面城。참 조타 西湖!!

雷鋒高塔은 千古魂을 지켜잇고 空谷傳聲은 故國恨을 말하도다 杏花村 濃綠酒는 李太白의 먹던 대요 湖心亭 一點秋는 蘇東坡 노던 대라 小瀛洲의 三潭印月, 內外湖의 八門石橋, 참 조타 西湖!! 어느덧 白日은 고만 莫干山 넘어로 넘어가벼렷다 이윽고 黃昏이 한참 秋女俠[02] 무덤을 푹 둘러싸더니 온갖 景致가 다 나온다 모든 感情이 다 솟친다

> 살랑살랑 梧桐 입 우으로 가만가만 薜蘿 덩굴 속으로
> 남모르게 소매를 당기며 「날 좀 보구려」 하는 정답고도 산뜻
> 한 가을바람!
> 한낮에 고흔 뺨이 흐들흐들 하며 살눈섭에 구슬 눈물이 가랑
> 가랑하면서 무슨 말을 할 뜻 말 뜻 치마폭 입에 물고 누구를
> 怨하는 듯 애차럽고 가련한 외쪽 달!

이러노라니 그저 밤은 깁허 三更이라 欄干에 의지하야 故情을 직히놋다 西湖의 風景도 조커니와 西湖의 歷史도 들을 만하다.

西湖의 이름은 或 明聖湖라고도 하고 或 錢塘湖라고도 한다 勿論 杭州 城西의 所在이니까 어쨋던 西湖라고 通稱하게 되엇다 딸아 杭州로 말하면 옛날 越王 句踐의 都邑이던 紹興府와는 아조 上下村의 一江을 隔할 뿐이다 그

---

02 "秋女俠": 중국 근대 초기 여 혁명가 추근(秋瑾, 1875-1907) - 편자 주.

리하야 句踐이 밤낮 放浪豪飮하던 자취가 아즉도 물미테 숨어잇는 듯하다 그러대 이 西湖를 보면 문득 聯想되는 古事가 하나 잇스니 이는 아마 宋末金 亂의 年間에 생긴 이악이인가 하오 무엔고 하니 卽 賣油郎의 事實이다

『當時에 杭城 一流의 有名한 妓生 玉波란 이가 잇섯다 그는 어렷슬 때에 이미 約婚한 곳이 잇섯다 그런데 그는 亂離 中에 父母도 일코 親戚도 업시 되엇다 엇떠케 되엇던지 그만 金枝玉葉의 깨끗한 몸이 앗차 路柳墻花에 떨어젓다 그는 매우 聰明이엇고 넘우 天才이엇다 詩畫에 能通하고 歌舞에 能爛하다 그리하야 그때 그 시절에 富豪家、權勢家로는 모도 그의 色에 醉하야 죽을 둥 살 둥 막 덤비게 되엇다 그러나 그는 죽기로써 貞操를 직히고 딸아 自己 남편을 차지려고 때때로 天地日月에 祝願을 마지 안핫다 그러자 杭州 城市에 한 賣油郎이 잇섯다 그는 일즉 自己 父親을 딸아 杭州까지 왓는데 그 父親이 그를 油房 主人에게 養子로 팔앗더라 그리하야 그는 油房公子의 美名을 엇게 되다 그러나 그는 運數가 넘우 崎嶇하얏던지 고만 그 養父까지 離別되고 그 養母에게 미움을 입어 모진 累名을 입고 그 집을 아조 쫏겨나게 되엇다 아 ― 그는 불상도 하다 그는 最後로 어쩔 수 업시 꼭 매친 마음이 무엇이라 말할 수 업시 끗 업는 설름을 품고 永遠히 물속의 귀신을 지엇스며……夕陽을 안고 말업시 흐르는 피눈물이 그저 西湖ㅅ가에 뚝뚝 떨어질 뿐。

아 ― 나는 나는 나는 이젠 ――
어대로 어대로 어대로 가나
萬端의 서린 怨을 千秋의 끼친 恨을
뉘게다 뉘게다 뉘게다 말하랴 ――

그때에 어떤 老人 하나 이 날 저믄 줄 모르고 이리저리 西湖ㅅ가으로 물 구경을 나왔더라 「아 ― 아차」 하면서 단바람에 달려들어 힘잇게 붓잡앗다 그래서 그는 다시 이 生의 因緣을 그 老人의 慰安 한 마디에 부텨두엇다 그는 그 後부터 기름을 둘려메고 杭州 城市를 새벽으로 저녁까지 저녁으로 밤 들기까지 힘드는 줄 모르게 뒤돌아단이는 기름장사가 되엇다 하로는 기름을 메고 將軍府 모통이로 돌아들어 珠簾이 푹 ― 늘인 어떤 꼿다락을 당도하야 한 번 머리를 들어 얼풋 본 그림자가 어느덧 그의 생각 머리에 「번뜻」 하는 活動寫真이 되엇더라 그는 스스로 생각하되 내가 이 세상에 무슨 재미를 부티고 산단 말가 功名엔가 富貴인가 모도가 다 아니다 오즉 ― 오즉 사랑 ― 그 사랑이 가득한 나의 정든 님 ― 명주솜보다도 더 부들어운 그의 음성, 함박눈보다도 더 힌 그 얼골, 그의 가는 허리, 날신한 목 「에라」 후리처 끌어안고 두 손을 훨신 들어 볼록한 젓꼭지를 물고 달디 단 꿈속에서 永遠히 잠들엇스면……이러케 생각하고 생각 끄테 決心이라 어떤 날 아츰이라 그 기름 판 돈을 충충 다 모아가지고 어떤 貰衣ㅅ집에서 번번한 옷을 입고 아조 바로 貴公子의 걸음처럼 그 美人을 차자갓다 가니까 그 보고 십던 美人은 뉘 집의 宴會에 불려가고 업는데 보기 실흔 老婆 하나이 익쌀을 부리면서 「이리 들어오십시오」 하면서 자측어리 나온다 익허 단이던 집이 아니니까 발걸음도 어떠케 설음설음 하여지며 목소리까지 떨려 나온다 「에 ― 에 ― 그 ― 그 玉波 先生님 어대로 가 ― ㅅ나요」 하엿다 그 老婆는 벌서 크게 울려먹을 떡붕이나 맛난 듯이 「아 ― 이리 좀 오셔요 이 房이 玉波 房이야요 그리로 가십시오 좀 잇스면 들어옵니다」 하며 一邊 차를 붓는다 一邊 아첨을 야단스럽게도 한다 그렁저렁 벌서 해가 지고 달이 떳다 그래도 아즉 玉波는 아니 온다 아조 궁금하여 죽을 지경인 賣油郎은 生前 못 보던 錦繡屏風이 우뚝허니 그림자만 비처잇다 얼마 잇다가 門 소리가 난다 香내가 물큰, 가슴이 스르르 술을 어떠케나 지독히 먹엇는 지 치마를 ¾허리에 걸어 노코 房안을 비틀거려 들어오더니 되는대로 寢床에 넘어진다 코를 골면서 그냥 그냥 잠만 잔다 그 엽헤 賣油郎은 어떤 영문인지 그린 듯이 안젓슬 뿐 몸을 떠들썩하고 머리를 이리저리 굴리더니 왁ㅡ왁ㅡ 한바탕 吐하기 시작한다 왼 房에 술내가 가득하다 아모 말도 업시 걸네를 들고 그 吐한 것을 모도 씻어버리며 입을을 곱게 덥허주는 賣油郎의 정지야말로 가련도 하다 어떠케 되엇던지 그 美人은 지금 눈을 뜨게 되엇다 한 번도 보지 안턴 初面 男子가 웨 自己를 爲하야 온갓 수고를 다하야 주는고? 놀랍기도 하고 고맙기도 하다 은근하고 알뜰하게 끗업는 同情의 눈물이 무어라 말할 수 업시 막 북바처 떠오른다 「아ㅡ이재[03] 웬일인고?」 이러한 일을 그윽히 생각하며 딸아 나의 지금 買畫郎의 이름을 엇게 됨도 實로 偶然치 안 한 境遇에 處하얏다 아ㅡ너를 爲하야 限업는 느낌이다 心上無鉤掛恨事、眼中有尺度人情 이러케 읇흐며 愀然히 안젓다가 그만 제 집에 잠이 들엇다 그 翌日이라 錢塘觀潮는 말로만 들엇더니 참말 世界四大潮의 有名한 奇觀을 이제야 보게 되다 물 구경은 사람 온 사람이 어찌나 만턴지 와글와글 「아ㅡ압다」 하는 소리에 귀청이 떨어지게 되도다 그 中에 西洋사람 日本사람 모도다 寫眞 박기에 한참 야단이 낫더라 이 潮水로 말하면 一年 치고 中秋佳節이 가장 趣味 잇다 한다 그리하야 「金陵三月 錢塘八月」이라 함은 中國사람의 일상 말하는 바이다 그런데 나는 이에서 생각하기를 이 만흔 사람으로 하여곰 언제나 우리 金剛山 萬瀑洞의 구경군이 되게 할고ㅡ하엿다 際에 中國 學生 하나이 나의 엽헤 섯다가 「엑쓰큐스미」 하고 人事를 請한다 그래 나는 손을 주어 반가움을 말하엿다

(ㄱ) 나는 貴國 사람을 매우 사랑하오 딸아 貴國의 사정을 다만 新聞上 所

---

03 "재"는 "게"의 오식 - 편자 주.

見이나마 얼마 쯤 同情을 마지 안소 나는 지금 學生의 몸이라 무슨 政
治上 言論은 나의 말할 範圍가 어니니까 오즉 敎育 一面을 들어 말하
러 하오 貴國의 大學이 몃 군대나 됩니까

(나) 아조 大學이라고 爲名한 學校는 오즉 한 군대 뿐인데 그 外에는 專門
學校가 더러 잇소 아조 敎育狀態로 말하면 저 — 東京이나 上海에 비
겨 말할 수 업소 그리하야 지금 外國에 留學 가는 熱이 얼마큼 澎漲하
엿소 그러나 近來에 무슨 朝鮮大學이라던가 하는 것이 생긴다더니 어
떠케 되는 모양인지 아즉 조흔 消息을 못 들엇소이다

(ㄱ) 勿論 兄長의 洞察이 게시겟지오마는 何時代 何境遇를 不問하고 오즉
敎育問題에 至하야는 우리 人生의 徹底한 精神點이 되는 바외다

(나) 에 — 그야말로 그러치 안습니까 더구나 우리는 四千 年의 歷史가 잇
고 二千萬의 民衆이 잇스니 이것만으로 보아도 固有한 風俗習慣이 잇
고 固有한 文化藝術이 잇습니다

(ㄱ) 그런데 貴國이 일즉 弊國의 屬한 바 되어 서로 兄弟의 友誼처럼 지내
어오던 것은 事實이 아닙니까 웨 지금 와서 이러케 몰라보게 되엇스
니 참 時運變遷이야말로 이루 測量할 수 업소이다

(나) 아니 그야말로 兄弟의 友誼를 가지고 서로 親密히 지내어왓다 함은
勿論 조흔 말슴이오마는 屬이라는 文句는 그때에 貴國의 天子라는 이
와 弊國의 임금이라는 이가 서로 室家的 交際에 지나지 못하엿던 것
이오 지금 와서는 그런 것을 웨 말슴하셔요 貴國이 지금 共和가 되어
모든 舊觀을 一筆로 抹殺하고 民國 元年으로부터 開國紀元을 잡아노
코 내려온 지 벌서 九 個 星霜이나 되지 안핫습니까 그때 그 屬이라고
쓴 것은 貴國 皇家의 史氏가 濫墨한 듯하오

(ㄱ) 글세 그는 그러탄 말이지 무슨 意味 잇게 하는 말이 아니인즉 容恕하

여 주셔요

㈏ 그런데 兄長은 어느 學校에 단여요

㈐ 에 ― 之江大學에 단입니다

하고는 나의 손을 잡고 일어서며 「자 ― 우리 學校로 가서서 구경이나 하
시오」 한다 그래서 나는 그 이를 딸아 之江學校로 들어갓다 별서 下學이다
運動場에 뽈 차는 소리가 뿡뿡 하고 學校 門에는 通學生이 집으로 돌아가노
라고 매우 분주하게 떠든다 校長室로 들어가 校長 보고 人事한 뒤 모든 先生
들에게 정다운 「하우드유드」을 돌랴바닷다 그리고 그 學生의 引導로 應接室
에 들어갓다 이윽고 모든 學生이 죽 둘러서더니 그 中 Mr。 Pang이라는 이가
모든 學生을 代表하야 나에게 人事談을 하야준다 그리고 이날 밤은 이 學校
에서 寄宿을 하게 되다 晩飯을 먹은 뒤에 學校 後園을 한바탕 뒤돌고는 第一
號講堂으로 引導한다 講堂 안을 썩 들어서니 모든 學生이 왼통 모혓는데 아
마 무슨 通知가 잇서 모인 듯하다 校長 以下 各 先生이 다 왓고 門밧게는 守
門 갓기도 하고 司察 갓기도 한 어떤 生徒 하나 이섯다 原來 之江大學은 學
生自治會의 一 支會이니까 그는 卽 學生自治制度의 巡査인가 보더라 今年
春間에 杭州省立第一中學校 內에서 浙江 及 江蘇 兩 省의 中等學校 學生의
自治會를 開하엿는데 이것이야말로 「데모크라시」의 風潮가 넘우 자아친 모
양이다

밤 八時 頃이라 Mr。Pang이 開會를 宣布하고 式辭처럼 하는 말이 「지금
우리 學校에 朝鮮 兄弟 한 분이 光臨하섯는데 우리가 朝鮮나라와는 歷史 上
으로나 地理 上으로나 무엇으로나 참말 同病相憐 同舟共濟의 處地를 아니
생각할 수 업소 그러나 우리가 매양 그 나라의 사정이 어떠하며 그 同胞의
生活이 어떠함을 아지 못하야 넘우 궁금하던 김에 마츰 그이가 이번 潮水 구
경 次로 이곳까지 오셧슴은 實로 우리의 機會라 아니할 수 업습니다」 하며

곳 나더러 壇에 오르기를 請한다 나는 이때에 넘우 기가 막혀 어찌할 줄 모르고 그저 그만두겟노라고도 할 수 업고 또는 하겟노라고도 할 수 업다 제 나라에서도 입 한번을 못 벌리던 것이 이야말로 강똥을 싸게 되엇다 그러나 事勢가 고만 이러케 迫不得已함에 되어서는 정말 딱한 노릇이다 에라 登壇이나 하고 보리라 성큼 壇에 오르니 滿場의 拍手는 나의 약한 가슴에 霹靂이 아니면 威脅이다 속은 그저 떨리면서 어쌔는 제법 으쓱하야진다 나는 그때 말을 잘 할 수 업스니 못할 말은 黑板에 써노켓노라고 말하엿다

나는 여러분과 가튼 마음을 가지고 가튼 希望을 求하는 한낫 學生의 몸이외다 나의 가슴에 싸히고 싸힌 그 무엇이 함부루 뛰놀 뿐인데 거긔다 목소리까지 떨려나옵니다

噫! 우리는 적어도 世界的의 一分인 責任을 젓습니다

國家와 國家의 區分이 업시 民族과 民族의 差別이 업시 서로 意思를 交換함으로써 安樂을 삼고 서로 主義를 共通함으로써 幸福을 삼아서 서로 親睦하고 서로 扶持함을 우리의 絶對的 義務로 아옵시다 그리하야 온 天下의 不徹底 不自然인 一切 罪惡과 矛盾을 모다 우리의 손으로 때려 붓어야 되겟습니다 그리하야 우리와 主義가 가튼 이는 아모라도 그들로 더불어 握手하여야 되고 우리와 理想이 가튼 이는 누구던지 그들로 더불어 親交하여야 될 줄은 이미 여러분의 同感이 아닙니까 지금 이 사람을 爲하야 이가티 同情의 뜻을 表하야 주는 것도 또한 이에 잇다 합니다 그러면 우리 나라이니 너의 나라이니 하야 무슨 特別한 境界를 劃準할 必要ㅣ 업는 바에야 미리 다 아시는 말을 무엇이라고 더 자꾸 贅說한 것 무어야요 나는 지금 나의 고향 사정을 一一히 입으로는 말할 수 업스니 여러분이 나의 苦衷이나마 들어보시려고 하시면 제가 이 苦衷에 모든 것을 多少 文體 上으로 筆記를 하야 그 稿草를 두고 갈 터이니 그리함이 썩 便할 듯하오 내가 기다라케 되도 못한 말을

하나니보다 여러분이 수고롭게 들으시려고 애쓰는 것 보다 늘 ― 두어두고 도 보실 터이니까……但 記稿는 省畧함

이만하고 下壇하다 그리고 어떤 女學生 하나이 「피아노」를 하는데 참말 나의 심사를 산란케 하는 무슨 曲調를 흘러는도나 그는 암만 相逢歌를 하더 라도 나 듯기에는 望鄕歌 갓고 그는 암만 校友歌를 하더라도 나 듯기에는 離 別歌 갓다 아홉時가 떵떵 치며서 閉會를 하엿더라

그 翌日은 아츰을 일즉 먹고 모든 學友 諸君과 先生 一同으로 作別을 告할 적에 뜰 우에 심어 노흔 「아까시아」나무를 가르치며 有月請看庭上樹、殷勤 無語此心知라。校門을 썩 나서서 길ㅅ가에 놉히 섯는 크다런 古木을 보고 古 木誓將大廈支、依然自居臥龍姿라。名片 뒤똥에 두 줄로 따로 써서 P 君에게 送情을 謝過하다 그 길로 旅館에 돌아와서 行李를 차져 들고 人力車에 몸을 태워 停車場으로 나갓다

杭州로부터 蘇州에

十八日 午正이라 滬杭鐵路의 終點인 閘口站에서 車를 타고 嘉興까지 오 기는 그날 午後 四時 頃이러라 步轎를 잡아타고 秀州中學으로 들어갓다 校 長代理 沈 先生은 내가 上海 잇슬 때에 친히 往來하던 情知의 벗이다 그날 밤 그이로 더불어 가티 寄宿舍에서 무슨 이약이를 길다르케 하며서 밤 열두 점까지 안젓섯다 그이가 무어라고 나한테 말을 하노 하니

去年 冬에 貴國 사람 하나이 本校에 왔습니다 그는 상투가 뻐쳐잇고 소매 가 널찍한 衣服이 좀 더럽게 보이는데 더구나 그 상토 튼 머리에는 땀내가 물큰물큰, 몬지가 켜켜, 참 보기에 매우 거북합디다 그래 아즉 貴國 사람치 고는 머리를 안 깍근 이가 얼마나 됩니까? 나는 우리 地方에 지금까지 송치

꼬리를 남겨둔 同胞를 보고 매양 印度人의 亡國 種族을 말하여요 印度사람은 무엇이 그리 아까워서 아즉껏 그 머리를 그대로 두엇는가? 이것이 하나亡國 原因이라 하엿더니 그 貴國 사람의 상투를 보니 거의 印度사람처럼 되어 먹엇습니다 그것 좀 업시하엿스면 어떠합니까 그 사람 말이 나는 沈 姓을쓴다 하면서 自己의 祖先을 차지려고 이곳까지 왓노라 하며 나더러 이악이합니다 아마 貴國의 沈 哥치고는 모다 嘉興서 나갓다 하여요 그래 나는 同族도 되려니와 또는 貴國 사람이라 하야 얼마큼 同情을 하엿소 그는 매우 漢文에 爛熟합니다 머 — 儒敎를 밋는다 하며 또 白笠을 썻는데 그는 國喪 난 까닭이라 합니다 지금 그 사람이 峽右(嘉興서 西南으로 가면 限 二百 里 되는車站 所在地)學生會의 書記로 가면서 곳 머리를 깍고 옷을 갈아입엇지요 지금은 中國말도 좀 하지오 그의 生地는 咸鏡道라 합듸다 張 君 알겟소?

나는 그 말을 듯고 한참 생각하기를 自家의 못된 風俗을 自己가 宣傳한그 놈이야말로 넘우 어이업도다 外國사람이 우리나라를 썩 들어서면 그 더럽고도 구역나는 온갖 惡風俗을 寫眞으로써 自己 나라에 紹介하야 주는 것을 나의 눈으로 얼마큼 보앗는데 이제 이 사람이야말로 寫眞도 오히려 不足하야 實物까지 出品을 하엿구나 나는 이에서 모든 생각이 聯想된다 내가 年前에 이러한 이악이를 들엇소이다 어떤 사람이 朝鮮의 惡風俗을 冊子로 製成하야 外國에 宣傳을 하엿다는데 그 宣傳의 催眠에 걸린 이는 「아 — 朝鮮은 참 별것들만 모혀 산다 아마 大人國 小人國처럼 되지나 안핫나 그것 좀보앗스면 — 勿論 짐승이야 아니겟지 물거나 차거나 하지는 안켓지 그것을언제나 한번 보아서 二十世紀 博物學 知識에 한 標本을 맨들고」 그래서 宣川에 처음 나온 宣敎師 하나이 講道를 하다가 이런 말까지 하엿다 한다 아 —이게 대체 무슨 일이요 勿論 우리 동포의 안 된 風俗도 업지야 안켓지만 그것을 一一히 綜合하야 冊子를 製成하면 참 그러케도 생각하여 볼 수 잇겟다 바늘 가튼 말이 바위가티도 될 수 잇고 조쌀 가튼 일이 밤알 갓게도 될 수 잇다 아 — 소경 개천 나무래 무엇 하나 모도 제 잘못이지 이것이 꼭 우리 同胞의 鐵鞭이 아니면 木鐸이다 하고 한참 이악이하던 沈 先生을 보고 「자 — 밤이 깁헛스니 잠이나 잡시다」 하고 힘업는 소리로 점직한 듯이 말을 하엿다 그리고 그 꼋日은 배를 타고 湖州를 지나면서 太湖까지 구경을 하고 그냥 배 안에서 잠을 자기 凡 이틀 밤이나 되어서 吳江에 배를 대기는 二十一日 아츰이다 게서부터 물이 얏헤서 배가 스스로는 갈 수가 업스며 사람들이 돗 끄테 줄을 매고 그 줄을 어깨에 잡아 멘 뒤 「어기야차」 하고 배를 끌어올린다 이것이야말로 陸上의 欸乃聲이다 이 날 午後 一時 頃에 蘇州 閭[04]門 밧글 당도 하엿다 아 — 蘇州는 吳王 夫差의 古都이다 城郭도 依然히 宏壯하고 樹林도 蒼鬱하게 뒤덥헛다 姑蘇城外寒山寺、夜半鐘聲到客船、이는 참말 나의 일상 생각하고 보고 십던 蘇州에 對한 古詩 一句이다 蘇州에는 나귀가 흔하다 거리에 나가기만 하면 나귀 타라는 請이 하도 야단이다 아모러나 타라는 것 안 타겟느냐 하고 척 — 나귀 등에 올나안저 蘇臺館을 차저갓다 第五號 官房에 자리를 定하고 그 나귀 도로 타고서 寒山寺로 나갓더라 아 — 아조 보잘 것이 업다 碑文 박아 팔아먹는 중 하나이 나오며서 반가히 迎接은 하나마 내가 밤낫 그립던 景致의 預想과는 아조 틀린다 堦下에 石苔가 찜웃찜웃 古鐘에 몬지가 덕지덕지 茶 한 잔 마신 뒤에 곳 돌아나왓더라 그길로 나귀를 모라 旅館으로 돌아갓다 저녁을 먹고 마루에 나안젓노라니 밤 七時 쯤 되어 妓生隊가 달려든다 「아 — 이것 참 조하라」 하며서 그 오는 數를 손꼽아 세보니 아마 限 七十이나 八十餘 名 쯤 된다 웨 이러케 旅館으로 오는가 하고 下人한테 무르니까 下人의 말이 우리 蘇州로 말하면 中國에 第一 가는 色鄕이

---

04 "閭"의 "關"의 오식 - 편자 주.

아님니까 그래서 그 계집들이 밤이면 旅館으로 와서 손님하고 밤동무를 가치하렵니다 나는 얼풋 뭇기를 그리면 돈을 밧느냐? 에 ― 勿論이지요 얼마나? 하로밤에 四圓 大洋이지요 「압따 그것 참 빗싸구나 나가튼 놈은 마음도 못 낼 일이다」 그러고 안젓노라니 지나나던 계집 하나이 나의 엽헤 와 안즈며 무슨 말을 하는지 족음도 모르겟다 아모러나 계집의 音聲은 꼭 듯기 조케되엇다 勿論 그 말하는 意味는 自己와 가티 住宿을 하자는 모양이다 그래 나는 손을 내어들으니까 바싹 더 달려들어 꼭 야단을 부린다 어 ― 참 江南의 採蓮女인가 月下의 採桑女인가 글로는 아조 에뿌고 정답게 읽어더니 마츰내 보고난즉 아모 생각이 動치를 안코 돌이어 구역이 난다 보기도 실코 말도 모르는데다가 아양까지 부리는 것 참 形容할 수 업다 그 中에도 좀 人物이 똑똑하고 戀愛가 붓는 것은 그리 달려 들어 야단은 아니하고 儼然한 態度로 가는 것은 얼마쯤 보기에 조치마는 그 外에는 모다 아모것도 아니다 그래 下人더러 뭇기를 蘇州의 物色이 이뿐이냐 한즉 그 下人의 말이 妓生 치고는 原妓、長三、么二、野妓의 여러 가지 種類가 잇는데 그는 么二라는 것이라 한다

밤 十一時에야 그들이 다 물러간다 그제야 나는 비롯오 잠드럿다

그 翌日은 東吳大學을 차저갓다 나의 친구 杭州人 戴恩錫 君이 나의 손을 잡고 自己의 房으로 들어간다 그 날 下午에 戴 君이 나와 가티 虎邱山 구경을 가는데 桃塢中學에 잇는 魏荔洲 君 張逢騏 君 等 十 數 人이 作隊하야 배를 저어 望蘇臺를 바라보고 간다 石塔은 우뚝하고 古塚은 을몽을몽, 아 ― 이곳이 虎邱라 한다 康熙帝의 匾額이며 顏眞卿의 題字한 것 아즉도 새로온데 오즉 손가락을 곱으리며 坎中連 하고 잇는 黃金부처 보기 좃타 魏 君이 나에게 글 한 首를 주는데

箕子遺風古國古、臥虎睡獅醒何日

遠客東來此地游、興歌麥黍恨悠悠、

나는 딸아 그 韻을 和하야 주엇다

天下皆兄弟、何妨同道游。知面知心處、山高水自悠。

夕陽을 지고 客館으로 돌아올 제 途中에서 戴 魏 一行을 作別하다 그 잇튼日
아츰에 行李를 차려노코 나귀를 불러 타고 常北으로 올라가 木船에 몸을 싯
고 楊[05]子江을 건너 通州를 떠나간다

蘇州로부터 金陵에

二十四日 午後 三時 頃이라 天生港을 다달앗다 碼頭에 썩 내려서 自動車
에 몸을 태워 通州城을 들어갓다 通州에는 우리 나라의 詩(漢詩)客으로 有名
한 金滄江 翁의 居住處라 滄江 翁이 通州로 移寓하게 된 것은 張季直[06]의 一
般 周旋으로 되엇는데 季直은 通州의 王이며 中國實業界의 名士이다 그래
滄江 翁을 차저가서 寒喧을 畢한 뒤에 翁의 所事를 물은즉 翁은 힌 수염을
슬슬 쓸면서 족으마한 상투 우에다 떨어진 冠을 쓰고 아조 다 늙엇고 삭은
몸이 힘드는 목소리로 「나는 지금 무엇을 하겟노 그저 곱으라진 몸이 그러
나마 아즉껏 翰墨林書局이라고 經營하여가는데 내가 좀 著述한 것이 멧 가
지 잇소」 한다 나는 남의 著述이라 하면 어대까지던지 따라가서라도 보고는

---

05 "楊"은 "揚"의 오식 - 편자 주.

06 "張季直": 장젠(張謇, 1853~1926), 중국 근대 초기 실업가, 정치가, 교육가 - 편자 주.

곳 批判을 마지 안는 性味가 잇다 翁의 所著인 朝鮮歷代小史란 一書는 紀元을 箕子로 잡고 檀君神話는 아조 荒唐한 말로 비처버럿다 그래 나는 뭇기를 웨 이러케 되엇슴니까 한즉 翁은 말하되 原來 朝鮮이라 함은 箕子 以前을 따저 말할 價値가 업는 것이오 오즉 箕子 때 와서야 비롯오 歷史라는 것이 생기엿다 한다 그래서 箕子를 紀元으로 잡는 同時에 不可不 中原의 封地가 되지 아니치 못할 것은 事實이라고 말한다 나는 이 말을 듯고 어찌나 어이업섯던지 그저 한 미디로써 翁을 對하야 「령감은 中國 령감이 올시다 다시 朝鮮的 魂이라고는 아조 업서젓슴니다 그려」 하고 무엇무엇 무를 것 업시 그져 허수하게 作別을 하고 旅館으로 돌아와 그날 一宿을 지나 그 이튿날 아참에 天生港을 나가 漢口 가는 배를 타고 鎭江까지 가서 鎭江서 다시 小輪船을 換乘하고 楊洲까지 가기는 二十七日 아츰이다 南門 外絲關을 지나 城中 全安棧에 寄宿所를 定하다 客棧 下人의 引導를 입어 金山 구경을 간다

옛사람의 말을 듯고 乘鶴下楊州라 하야 매우 楊洲를 놀랍게 알앗더니 이제사 와서 보니 알만한 친구도 업고 볼만한 경치도 업다 그 中에 고작 韻字나 부틸만한 곳은 金山이라는 곳이다 間間이 보히는 古蹟은 얼마쯤 나의 興味를 도두도다 대개 中國땅의 무슨 名勝이니 무슨 風景이니 하는 것은 모다 詩人이 아니면 賦客의 붓끗 알에 아모것도 업는 虛位를 남겨둔 것 뿐이다

그 길로 돌아와서 밤 九時에 배를 타고 곳 金陵으로 내려간다 二十八日 새벽에 下關埠頭에 배를 대엿다 城內로 돌어가난 火車에 들어안처 鳳儀門 뒤으로 툭 터저 들어가는 鐵道길 엽헤는 蘆花가 펄펄 난다 中正街에 썩 내려서 金陵大學을 들어갓다 나의 사랑하는 친구 P。 B。 K。 H 等 諸君이 나를 校門 안으로 마자 손목을 담뿍 잡는다 南京으로 말하면 우리의 留學生이 三十餘 名에 達한다 그 中 女學生이 七八 人이 되구요

이날 午後에 點心을 먹고 明陵 구경을 가게 되엿다 鐘山 허리에 宏壯한

建築으로 當代의 技術이란 技術은 모다 나타내엿다 나는 이 鐘山 頂上에 웃둑 올나섯다 四面이 다 보인다 뒤으로 長江이 흐르고 압흐로 平野가 질펀하다 참말 六朝王都의 本色이 이러하다 鳳凰臺上鳳凰遊는 지금에 그 痕迹도 업고 二水中分白鷺洲는 족오마한 江亭이다 秦淮의 花舫은 물결을 좃차 이리저리、南門의 雜遝은 그림가티 얼른얼른 莫愁湖의 맑은 물빗 雨花山의 느진 안개 獅子山 砲台裝置 雞鳴寺 帝王踪跡 한참 눈이 멀거니 바라보다가「포케트」속으로 萬年筆을 뽑아 들고 手帖을 펼치며서 해 넘어가는 줄 모르고 무엇을 그리 생각한다

　　　　놉흔 한울 나즌 땅에 가득한 것 무엇이냐
　　　　南山에 落葉이 우수수 北天에 歸鴈이 쭈루룩
　　　　그 中에 더욱 나의 쉬파람 소리 호 ― 효 ―
　　　　아 ― 이것이 秋聲! 아니 江南의 秋聲!!

　　　　　　　　　　　　　　　　　　　　　― 『開闢』, 第6號, 1920년 11월

臺遊雜感

朴潤元

　나는 이 問題에 對하야 日記나 路程記 가튼 것을 쓰고저 함이 아니라 본 대로 들은 대로 感想된 바를 斷片的으로 次序 업고 系統 업시 記錄하야 멀리 敬愛하는 우리 同胞의 案前에 供코저 하노라

興味 잇는 蕃人의 生活

　대개 蕃人의 歷史는 三百 年(?) 以上의 長 歲月을 經하얏다고 한다 그런 데 그들은 至今에 石器時代를 經하야 鐵器時代에 入한 듯하다 그러나 尙今 도 酋長制度와 部落生活임으로 互相 間에 言語와 風俗이 各各 差異가 잇스 며 딸아서 그들의 날마다 營爲하는 바 實業은 大約 農獵漁 三 種에 分할 수 잇다 그 亦是 蕃과 蕃 사이에 各各 定界가 잇서서 自己의 區域과 範圍를 超越 치 못한다만 일에 自己의 勢力을 밋는다던지 或은 어떠한 境遇로던지 境界 線을 越하야 他 蕃社의 劃定한 領地에서 穀을 種하던지 또는 獸를 獵하며 魚 를 漁하는 同時에 彼 所有主인 蕃社에서 크게 憤怒하야 그의 無理함을 責하 며 互相 間에 衝突을 開始하야 激鬪의 波瀾을 起하며 無數의 生命을 犧牲하 고 長久의 歲月을 虛費할지라도 最後의 勝負를 決하고야 만다고 한다 假令

此便 蕃人이 勝한다면 彼便 蕃人은 아조 亡하고 만다 그러나 이것이 形式 上의 亡이요 精神 上의 亡은 아니다 그리하야 滅亡을 當한 蕃人들은 自己의 蕃種이 一 人이라도 이 世間에 存在할 때까지는 自己에게 滅凸을 준 蕃族을 殺害하기로 目的한다 自己뿐만 아니라 自己의 子孫이 出生될 때에는 그 來歷과 그 精神을 腦髓에 遺傳시켜 自己 蕃族의 復讐를 하고야 만다고 한다 아아 ― 이것을 野蠻視할가 文明視할가 一大 硏究 資料인 同時에 그들의 種族性이 豊富한 것은 우리가 그를 感歎치 안흘 수 업다

珍奇한 그의 和約締結法

戰鬪의 말이 낫스니 말이지 그들은 어떠한 戰鬪를 勿論하고 한동안 激烈을 經한 後에는 彼此 間에 講和라는 問題도 생길 것이다 그리하야 和約(그 밧게 무슨 契約이던지)을 成立함에는 文字의 記錄도 업스며(文字의 創作은 尙今도 업슴) 年限의 區別도 업스나 그러나 그들의 由來習慣 上 奇妙한 法則이 잇다 그리하야 그 原則 대로 甲乙 兩方이 互相 間에 力을 出하야 地를 深掘하고 一個 大石을 埋한다 그리하야 契約은 成立되엇다 그러나 歲久年深하야 或은 다른 影響으로라도 此 石이 自然히 露出되는 때에는 곳 解約의 日이다 아아 ― 그들이어 石을 埋함으로써 契約이 成立되며 石이 出함으로써 前約이 無効된다 이것이 天造草昧한 結繩政에 不過한 듯하나 그러나 그들이 敵我 間에 確固한 信義를 지키며 朋友 間에 純一한 平和를 維持함은 實로 그를 頌揚하며 許興치 안흘 수 업다

人舌로 織成된 그의 戎衣

그리고 그들의 歷史는 戰爭의 歷史요 그네의 生活은 殺戮의 生活이라 하

야도 過言이 아니다 그리하야 그들의 酋長 된 者는 勿論 人을 多殺한 者이다 더구나 그의 服飾은 可驚치 안흘 수 업다 敵을 殺하고 頭를 斬하며 곳 舌을 拔하야 이것을 百死戰場에서 凱旋歌를 부르는 勇將의 勳章처럼 胸前에 鱗着한다 그리하야 百戰百勝의 優等 酋長일스록 人舌 組成의 戎衣를 着한다 여러분이어 그의 凜凜한 威風과 堂堂한 號令의 莊嚴은 拙한 余의 筆로 形成할 수 업다 더구나 그들은 官兵과 接戰하기에 殆히 寧日이 無하다 前淸時代는 懷柔策으로서 食料品의 重要 되는 鹽醬과 狩獵 上의 最緊 되는 銃彈 等을 供給하얏다 그들은 얼마큼 威服되어 山中으로 退縮하엿스나 그러나 野性이 未開된 蕃人이라 武藝 上 練習 심으로 一 年 間에 一二 次의 大獵을 開始하야 殺人如麻에 官蕃衝突이 有하엿스며 近代에 至하야는 別種의 供給도 업슬뿐더러 兼하야 文明 上 利器인 電網、爆彈、飛行機 等의 威脅과 壓迫이 날로 甚하며 또 그 猥大하던 領地가 날로 縮하야 집에 大憤를 發한 그들은 對抗策으로써 以卵擊石의 途를 向하야 死而後已라는 決心을 한 듯하다 아아 — 그들의 果斷心과 忍耐性은 蕃人의 特色이라고 이를 만한 同時에 自己의 天然한 素質을 發揮함에는 한 번 稱歎치 안흘 수 업다

무서운 새똥이라고

딸아서 戰爭 하던 이악이나 좀 하야보자 그들은 자기의 間에도 激戰 熱鬪가 만치마는 그러나 그 무서운 電網에 多數한 生命을 犧牲하고 비롯오 地下의 道를 開通하얏스며 또 空中에서 翶翔하는 飛行機를 구경하다가 意外 爆彈에 놀라인 그들은 무서운 새똥(鳥屎)이라고 彼此에 相傳하야 비록 自己네 間에 不共戴天의 讎가 잇다 할지라도 官兵을 敵함에는 서로 助力하면서 서로 盡心하야 一大 聯合으로 敵을 防禦하되 各各 自己의 兵糧과 自己의 彈藥

으로 三 日 以上의 戰役을 助함에 가장 敏捷하야 假令 東便에 蕃人 出草가 잇는 同時에 東 南 北이 應하야 常山의 蚘처럼 頭를 擊함에 尾가 至하고 尾를 擊함에 頭가 至하며 中을 擊함에 頭尾가 다 至하는 듯하다 아아 — 그들이 智力만 驍勇할 뿐 아니라 公益을 圖함에 私讎를 思치 아니하며 일터에 나와 生命 아끼지 안는 勇敢力은 어찌 蕃人의 愚昧 頑惡으로만 볼 바티요

神出鬼沒하는 그의 戰畧

더구나 天然의 險固를 據한 그들은 出戰入安의 生活이다 그리고 그네들을 沒識頑固의 特色을 가젓다고 할 만한 同時에 한便으로 天然의 俊偉淸粹한 稟資를 가젓스며 神出鬼沒의 計策이 잇다고 할 수 잇다 그럼으로 그들은 機會를 골라서 電線을 斷하며 時期를 타서 銃彈을 奪한다 그래서 當時에 新報 上 記事도 요란하며 政治界 理蕃도 複雜한 貌樣이다 또 그들은 險固한 地利를 미들 뿐만 아니라 官兵을 逢着할 때에(山谷 間에 樹木이 鬱蒼하고 岩石이 重疊한 곳이다) 接戰을 始作하다가 곳 佯敗하야 甲을 棄하며 兵을 曳하고 走한다 料外 勝捷에 意氣揚揚한 그들은 딸으기 始作한다 威崖峻嶺에 猿猩이처럼 安閒이 往來하는 蕃人들은 얼픗이 從跡을 감추엇다 得勝에 깃버서 如入無人之境으로 아니 危險莫堪한 途路에 艱辛히 오던 追兵들이 險阻의 길을 當할 때에 숨어서 기다리던 蕃人들은 四面으로 내다라 攻擊하야 사람의 머리 버이기를 囊中取物처럼 한다 그러나 함부로 虐殺하는 게 아니라 奔走한 가운대에도 區別하야 쿨이(苦力者)는 決코 殺害치 아니하며 그 亦是 武器를 가진 者에게는 容恕치 아니한다 그리고 그들은 돌이어 其 쿨이의 할 수 업시 이와 가튼 危險한 곳에 온 것을 惻隱히 여긴다고 한다. 아아 — 그들이 天然한 良心에서 솟아나는 仁心 義性은 어려운 患難 가운대서 歷歷히 볼 수 잇다

共產主義는 그들이 먼저

또 그네의 生活은 滋味잇는 共同의 生活이다 即 共産主義이다 아즉것 商業의 發達은 업스나 그러나 農場이라던지 무엇 무엇 할 것 업시 다 共有의 産이다 그리하야 그 酋長 된 者가 蕃族 上 人口의 多數를 參酌하야 田地를 分與하되 假令 食口가 五 人인 同時에는 五 人에 相當케 或 三 人 以下라던지 十 人 以上일지라도 다 適當한 標準에 律하야 한다 그리고 熟蕃에 對하야 볼지라도 그러하다 무슨 勞動問題라던지 여러 가지 方面을 勿論하고 그 어든 바 賃金을 그 酋長 된 者가 全혀 管理하야 相當한 食料品과 日用物을 平等하고 均一하게 分給하며 또 老弱과 疾病에 養하리 업는 者들은 다 公養을 한다고 한다 뿐만 아니라 이와 가티 共同의 生活을 하는 同時에는 懶惰者의 遊衣遊食을 謀함과 奸惡者의 公力公營에 惜함도 有할 것은 人類社會의 免치 못할 事實이다 그러나 그들의 本性은 朴·訥·仁이며 또 이러케 懶惰하고 奸惡한 者를 人類로 待치 안 할뿐더러 兼하야 우리와 가티 말숙치 못한 것은 勿論이지만 어떠튼지 그네의 社會的 趣味와 公共的 生活은 어찌 現代의 落伍者라고 이르리오

또 그들의 人格은 頑野하고 沒識한 動物인 同時에 一面으로 튼튼하고 健全한 人種이다 그리하야 衛生 上 注意라는 것도 모르는 그들도 七八 十의 長壽도 享하며 疾病이라는 名詞는 感覺치 못하리만치 지낸다 더구나 高山峻嶺에서 平遠曠野처럼 뛰놀며 冷風寒雪이 極甚한 때에도 無衣單衣로 冷暖도 모르고 往來함을 볼 때에 그의 血氣의 强壯함은 地上仙이라고 이르기에 躊躇치 안노라 그러나 그 亦 自來의 人種改良 上 조흔 習慣이라 할 만한 것이 잇다 그리하야 그들은 産母가 分娩하는 劈頭에 곳 初生의 兒를 極히 冷한 淸泉에 沐浴을 시킨다 그리하야 그 氣質의 虛弱과 堅實함이 出生 當日에 生死로 判明된다 그들은 그와 가튼 固有한 習慣에 健全한 人種이 遺傳된 듯하다 아

아 — 이 世上에 惡毒한 遺傳性의 疾病者가 社會에 惡魔임을 볼 때에 그들의
愚한 것이 돌이어 賢타 할 수 잇도다

婚姻 其他에 關한 風俗

또 그네들도 吾人과 가티 이 世上에 生活함에는 疾病이라는 것도 免치 못
할 事實이다 그러나 그들은 아즉것 醫藥의 治療도 모르며 다만 水火木石 가
튼 것에 祈禱하는 바가 잇다고 한다 그리다가 死亡을 免치 못할 境遇에 이르
면 男子는 自己의 집(蕃人의 婚禮 風俗이 男子가 女家로 入贅한다)으로 돌
오 보내며 或은 自己의 집이 업는 境遇나 또 女子일 것 가트면 自己네의 居
處치 안는 別室로 옴기며 特別한 看護는 업스나 食料品은 먹이며 먹지 아니
함을 勿論하고 每日 三 次式 自己네의 風俗 대로 供饋하며 만일에 回生 될 時
에는 神의 靈祐를 感謝하며 或 死亡된다 할지라도 이것을 自然에 任하야 特
別한 哀戚은 업스나 傳說을 綜合하야 觀하면 祖先을 爲하야 紀念하는 觀念
이 有한 듯하다 더구나 流行性感冒가 盛行할 때에는 非常히 恐懼하며 그 原
因을 黙想하며 硏究한다 그리하야 그들의 疑幕은 迷信이나마 비롯오 열리기
始作되엇다 悔過하며 自責하야 이르되 진실로 우리들은 懶散者로다 아니 父
祖의 志를 承치 못한 者로다 우리가 永遠히 敵 되는 저들을 殲滅치 못함으로
써 父祖의 靈魂이 震怒하심이라』고 一決한 그들은 大活動의 武裝으로 官民
을 勿論하고 一大 殺戮을 開始한다 그리하야 蕃人 出草가 有함을 보고 蕃社
에 染病이 流行함을 聯想케 한다 그러나 物品 上 密商者와 言語 上 通譯者는
決코 殺害치 안는다 아아 — 이것이 一種 迷信의 觀念인 듯한 同時에 硏究 上
特徵도 豊富할뿐더러 承祖的 確志와 報本的 誠意는 實로 文明社會에 讓步할
배 아니로다

그들의 風俗 말이 낫스니 말이지 生活上 人類 集會에는 善人도 잇스며 惡人도 잇고 竊盜者도 잇스며 被盜者도 잇슬 것이다 一例를 들어 말하면 物質間 被盜者 一人이 잇다 하자 그는 自思하되 隣里 中 某也(前日 行爲에 參酌하야 指目을 바들 만하다)가 必然이라고 假定한다 그리고 村落 中에 長老한 者와 有志라 할 만한 者를 請邀하야 그 事由를 說明하고 互相 熱議하야 同議可決로 그가 果然 그러타고 認定한 後에 그를 곳 逮捕한다 그리고 그에게 審問을 한다 그러나 그는 不服한다 참으로 그에게 對하야 假想 뿐이고 竊盜라 할 만한 證據는 업다 그리한 同時에 그들은 自來習慣인 法律에 依하야 處決하되 그 竊盜者에게 얼마의 期限을 주어 自己네의 恒常 寃讎로 思하는 敵의 首級을 斬來하라고 命한다 그는 奮鬪的으로 大獵을 始하야 한 敵의 首級을 得하면 참말로 得意揚揚일 것다 그리하야 成功된 境遇에는 將功贖罪 하는 셈으로 그들은 그에게 無罪를 宣言한다 만일에 失敗가 되엇다 하면 그는 被盜者의 損害를 補充하는 것이다 아아 — 이것을 法律 上 實効가 잇다 할가 아니 習慣 上 一種 痴想이라 할가 何如턴지 勸善懲惡의 一道인 듯하다

法律 말이 낫으니 말이지 그들의 政治는 참으로 立憲主義이다 아니 共和張本이라 하야도 過言이 아닌 듯하다 文明한 社會로서 보면 진실로 野蠻의 集會이며 複雜한 生活로서 보면 참말로 單純한 生活인 것은 나의 贅言할 배 아니나 그러나 그들 自己의 所見에는 前日에 比하야 얼마만큼 進步되고 複雜한 것을 感覺하리로다 올토다 그들은 穀을 分하던지 人을 殺하던지 兵을 出하던지 簡單하나마 複雜한 여러 가지 方面에 大小事를 勿論하고 自己 部下의 老成한 모든 議員과 其他 有志한 모든 사람까지라도 全혀 召集하야 每事를 諸人의 同議可決이 된 後에야 始行된다 그리하야 酋長 自身의 觀念에는 十分 可타할지라도 諸 議員이 不可라 하는 同時에는 不可가 된다고 한다 아아 — 이것이야 참말 아름다운 政治이다 酋長制度이며서도 專制가 아니며

野蠻生活이며서도 共和이다 다른 不足은 免치 못할 事實이지마는 여□ 이
點에 對하여서는그를 稱讚치 안흘 수 업다

또 그네들의 婚姻法則은 神聖한 自由結婚이며 家族制度는 우리와 正反對
입니다 그리하야 不重生男 重生女로 누구던지 男子를 生하면 다 他家로 사
위(壻) 들어가고 女子를 生하면 他人의 者를 取하야 곳 養子의 制度로 家督
을 相續하는 風俗이 잇습니다 그런데 그 養子를 取하는 法은(即 壻를 迎하는
法) 極히 可笑롭다 할 만한 同時에 그들의 天眞爛漫의 自由롭고 神聖함을 歷
歷히 볼 수 잇다 今에 年期 長成한 一 美娘이 잇다 하면 附近 靑年들은 其 家
로 集來하여 그 家務에 服從한다 곳 仔細히 말하면 田도 耕하며 牛도 驅하고
薪도 探하며 水도 汲하야 아모쯔록 그 娘子의 눈에 잘들리려고 自己의 衣食
을 自辦하야가면서 勞力함을 마지 아니하며 그리하야 그의 집은 稍富도 된
다고 한다 이와 같이 半年 以上이나 或 一年 쯤을 經하는 同時에 娘子가 그
男子 中 一人을 擇하야 自己의 父母에게 告하면 그 父母는 勿論 許諾합니다
그리하야 婚約이 成立되고 그 當選된 男子는 十年磨劍에 一朝成功처럼 無限
히 깃버한다 그러나 그 落選된 男子들은 不平도 잇고 忿怒도 잇스며 騷動도
일으켜 黙過할 것 갓지 안 하지만 그들은 元來 操行이 方正하고 習俗이 悠久
함으로써 前功이 虛地에 歸함도 忘却하고 自反하야 自己의 不足을 恨하며
또 當選된 男子를 爲하야 祝賀한다 아아 ― 그들의 自由롭고 神聖함을 볼 때
에 文明社會의 一 分子라는 堂堂한 名啣을 가지고도 賣女謀食하는 惡習과
强制 結婚 함을 例事로 아는 그들을 爲하야 一掬의 淚를 禁키 難하다

또 그들의 一部分 가운대에는 斬首結婚의 風俗이 流行된다 假令 自己의
戀愛하는 女子가 잇는 同時에 仲媒를 紹介할 與否도 업시 直接을 그 女子와
그 父母에게 面談하야 그 女子나 父母가 適當한 줄로 認定할 時에는 먼저 人
首를 斬來하라고 命한다 그리하야 그 男子는 急速히 斬首하기에 準備하야

山野로 돌아단이다가 萬幸으로 自己네의 敵讎로 思하는 日支人[01] 等을 맛나면 그들은 樹木이나 或 岩石 間에 隱身하야 百發百中 하는 手段으로서 한 首級을 得하면 곳 女子와 밋 그 父母에게 通知하야 婚約은 이로부터 成立되고 其 後 男子에게로서 納采하는 것은 自己네의 生命으로 아는 鐵砲와 文明의 特徵 되는 「쓰一구」이라는 布類며 藝術의 元祖라 할 만한 獸骨 等의 彫琢物이요 또 婚禮日에는 勿論 酒도 釀하며 餠도 做하며 獸도 獵하야 一大 宴會를 排設한다 그리고 그날 宴席에 來參한 者가 비록 私讎가 잇슬지라도 區別 업시 眞心으로 親切하게 讌饋하되 親疎 업시 均一일뿐이며 厚薄이 업시 平等일뿐이다 더구나 그들의 歌舞야 참말로 壯觀이다 女子들은 手에 一個 木棒을 持하고 石을 擊하며 石의 響을 應하야 歌를 唱할 때에 男子들은 手舞足蹈를 하야 愉快하게 지낸다 아아 — 그네들의 冤讎를 사랑하는 아름다운 德性이야 豊富할 뿐만 아니라 그네들의 斬首結婚도 一種 可笑의 習俗으로 볼 수 잇는 同時에 武烈을 崇尚하는 그네들이야말로 壻郞의 資格을 그러케 擇함이 眞正한 活路라 이르기에 躊躇할 배 아니로다 그리고 尙今도 우리 社會에서 人格의 相當함과 知識의 程度는 最後로 보고 金錢이 만흐니 來歷이 훌륭하니 하는 그들을 보라 그 距離의 遠近이 어떠한가

一夫從事의 그 女子

그리고 女子들의 德性은 端一하고 誠壯하며 行爲는 貞信하고 淫치 아니하야 結婚한 女子들은 自己의 男便을 爲하야 生命을 아끼지 안코 貞操를 固守하며 더구나 其 夫와 비록 一日의 短時期를 同居타가 死亡할지라도 終身

---

01 "日支人": 일본인과 지나인 - 편자 주.

토록 改嫁치 안는다고 한다 아아 — 아름답도다 蕃社의 女子여 實로 感心할 만하도다 現代 社會의 花明柳暗한 樂天地에서 一時 娛樂을 取하는 靑年男女를 볼 때에 그들을 稱讚치 안흘 수 업다

또 그네들의 日用器具는 나로 하야금 놀라게 한다 男子들의 무엇을 運搬하는 지게(擔車)의 負한 것과 女子들의 물을 깃는 동의(土盆)의 載한 것을 볼 때에 우리의 風俗과 恰似하게 된 것을 聯想케 한다 어찌 그뿐이리요 米穀을 舂出하는 杵臼(木製와 骨製가 有함)와 江河를 濟航하는 獨木船(롱궁이)는 符合도 그런 符合은 업슬 것이다 아아 — 우리의 社會는 進步 업시 長 歲月을 經한 듯하며 또 그들의 織物上帽·布屬의 組織은 精細하고도 奇麗하며 武器 中 刀鎗 等의 藝繪는 平凡하며서도 淡雅하다 아아 — 그네들의 野蠻의 때는 벗지 못하얏슬망정 可觀의 價値도 적지 아니하며 또 그네들의 家屋制度는 奇麗하고 宏壯타 할 만한 建築도 잇겟지만 尙今도 岩間에 窟을 營함과 樹枝에 巢를 構함이 間有하며 또 鯨面文身으로써 冶容의 慣習을 삼는 그야말로 蕃人이요 사람다운 價値가 넉넉타고 이르기는 實로 躊躇하는 바로다

그리고 以上의 記錄한 바를 總括하야보니 그들의 宗敎야말로 馘首의 宗敎이다 祭祀·婚姻·疾病 그 外 무슨 方面이던지 馘首가 그의 目的이며 그 외 特長이다 自己네의 名譽富貴 上 榮替도 그로부터 解하며 子孫들의 興亡盛衰 中 運命도 그로조차 決한다 그러나 그의 頑腦도 化하며 强腸도 柔케 된다는 道率의 指針은 愚昧한 痼疾을 廖하며 敎化의 曉鐘은 長夜의 迷夢을 破하야 生蕃으로 熟蕃이 되고 또 一 世 或 三 世를 經하야 文學·宗敎·實業 等 여러 方面에 投하야 現世에 有名한 者를 對할 때에 그네를 爲하야 讚揚하며 歎服하기에 躊躇할 배 아니로다

—『開闢』, 第9號, 1921년 3월

北京記行

呂運弘

◇ 基督教 關係의 國際的 大會合의 一인 世界基督教學生同盟大會의 盛況을 參觀키 爲하야 黃塵을 冒하고 燕京에 入하야 正陽門의 車站에 立하기는 五日 午前 十時 十五分이 올시다 會議는 四日부터 開始되얏슴으로 初日의 光景을 實見치 못함이 遺憾이라 생각하면서 直時 長安飯店에 入하야 行具를 卸하고 旅塵을 떨친 暇隙도 업시 다시 北京 名物의 一種인 人力車를 驅하야 會議地인 淸華園으로 向하얏나이다

◇ 淸華園은 北京을 距하기 約 三十 里이며 大會場인 淸華大學은 米國이 還附한 團匪事件[01]賠償金으로 □營된 것이라 합니다 午後 一時 頃 會議場에 到着한즉 맛침 午餐의 時이라 慇懃한 中國 童子의 先導로 食堂에 入하니 滿堂의 賓客 中에 米國 其他로부터 來會한 同窓의 友人이 不少한지라 握手를 交換하고 久濶을 叙하며 想外의 邂逅에 格別히 歡喜를 感하얏나이다 食堂 內에는 朝鮮의 女子代表로 參會한 金弼禮、金活蘭 兩 女史도 在席함을 發見하얏는대 正式 請牒의 到着이 遲延된 所以로 李商在、申興雨、李大偉 三 代

---

01 "團匪事件": 1900년 북경 등지에서 일어난 '의화단(義和團)운동' - 편자 주.

表의 到燕[02]은 遲晚하얏슴을 不拘하고 兩 女史가 此에 先하얏슴은 疑問이라 由來를 問하야 비록 遲滯될지라도 請牒의 到着할 것은 明白함으로 男子 側 代表의 出發 與否를 不拘하고 兩 女史는 一日 夜에 京城을 出發하야 開會의 前日인 三日 夜 北京에 得達하얏다 함을 聞하고 記者는 兩 女史의 臨機應變 術에 驚歎하얏슴니다

◇ 此會에 出席한 各國의 代表는 七百餘 名의 多數인데 中國 各地의 代表 가 約 五百 人이오 其外 二百餘 人 은 東西 三十二個 國으로부터 參集하얏다 함니다 會議의 가장 重要한 議題는 『世界 改造와 基督敎』로 題意가 頗히 廣 汎함으로 從하야 其 討議事項도 國際、人種、社會、政治、哲學、科學 其他 各 方面에 亙하게 되얏스며 私席이나 會席을 勿論하고 正義、人道、戰爭、平 和 等 語가 各人의 口로부터 絶치 아니하는 間에는 朝鮮 問題가 반드시 話頭 에 上하고 東西 各國의 男女 人士는 擧皆 우리의게 對하야 深切한 同情을 앗 기지 안터이다 開會의 翌日인 五日에는 中國의 少年團이 『我對世界學生同盟 大會之希望』이라는 一書를 會議에 提出하얏는데 北京財政商業專門學校 學 生代表 章潛夫의 執筆이라 하더이다

◇ 其 內容은 基督敎人의 言行이 一致치 못하야 國際關係는 甚히 不公平 하고 人種은 不平等임을 痛論하고 基督敎 學生들은 第一 먼저 自國의 政府 에 請願하야 朝鮮、印度、安南을 獨立케 하고 各國이 占領한 中國 內의 租借 地를 還附케 하라 함이오 八日 朝에는 中國에 잇는 朝鮮學生同盟會로부터 『世界學生의게』라는 書面을 郵便으로 送來하얏는대 其 趣旨를 本 紙面에 紹 介치 못함은 遺憾이 올시다

◇ 會는 每日 四 部에 分하얏스니 아침 八時로 十一時까지는 委員會로 分

---

02 "燕": 청나라 때 북경의 명칭인 연경(燕京) - 편자 주.

科하야 여러 가지 問題를 討論하고 十一時로 十二時 三十分까지는 各國 代表의 報告를 밧고 午後에는 名勝地 觀覽과 歡迎會 參席과 運動을 하고 저녁이면 講演會가 잇섯습니다 四日 午後에는 各國 代表의 歡迎會가 잇섯고 五日 午後에는 北京의 第一 名勝地인 萬壽山을 參觀하게 되얏는대 淸華園에서 萬壽山까지 約 五 里이라 緩步 四五十 分의 路程임으로 七百餘 名 代表는 全部 徒步로 正門에 到着하니 多數 人士가 門外에 羅立하고 軍樂으로 歡迎하더이다 萬壽山의 歷史와 沿革은 更히 紹介할 必要도 업거니와 其 建物의 宏傑함과 雕刻의 巧妙함은 傳聞에 依하야 想像하든 바보다도 遙히 優勝하야 東西 何國의 建築物에 對하야서든지 遜色이 업겟습니다 昆明湖에는 春水가 洋々하고 排靈[03]殿 石大亭은 雲表에 聳立하야 其 景致의 壯快美麗함은 姑捨하고 中國々家의 貧乏하다는 것과 中國人의 無能力하다 함이 擧皆 疑問이라 思하얏나이다 볼 것은 만코 時間은 短縮함으로 대강대강 보고 後日에 한번 다시 와 잇기를 期約하고 當日은 恨然히 도라왓나이다

◇ 六日 午後에는 萬里長城의 觀覽이 有하얏스나 數萬 里에 相慕하든 家兄이 마침 北京에 滯留 中임을 訪키 爲하야 記者의 萬里長城 視察은 後日을 期하기로 하얏나이다 七日 午後에는 大統領 徐世昌 氏 歡迎會가 잇슴으로 下午 二時에 一行은 淸華園을 떠나 特別列車로 正陽門 停車塲에 下하야 大統領府를 訪코저 七百餘 輛의 人力車를 相連하야 府의 正門에 이르니 軍人 警官이 門外 門內에 列立 迎接하더이다 總統府의 宏大華麗함도 萬壽山에 比하야 別로 遜色이 無한 貌樣이라 橋梁도 幾次를 渡하고 殿閣도 幾個를 過하야 柳綠花紅의 直路로부터 華殿이라는 大廈에 到하니 곳 徐 總統의 各國 代表 歡迎會塲이 올시다

---

03 "靈"은 "雲"의 오식 - 편자 주.

◇ 前方에 中國 女子代表、其次에 外國 代表、中國 代表의 順序로 整列한 椅子에 定席하고 多數한 文武官도 左右에 列立하얏는데 徐 總統은 殿後로부터 徐徐히 出來하야 長揖으로 一行과 相見禮를 畢하고 鄭重한 態度로 歡迎辭를 朗讀하얏스며 此에 對하야 一行을 代表한 『모트』博士의 答辭가 畢한 後 徐 總統은 席을 退하얏는대 總統의 顔面에는 憂愁가 現하며 行動에는 不安을 感하는 듯하야 中國의 現狀을 想하며 同情의 念을 禁치 못하얏나이다 會場의 隣室에는 茶菓가 美麗한 食卓 上에 客을 苦待하얏스나 主人인 徐 總統이 憂愁의 氣色으로 悄然히 退席하얏슴에 感傷되야 茶菓를 對한 人은 反히 稀少하얏나이다

◇ 歡迎辭의 大意는 『世界大戰爭 後에 第一次 되는 世界基督敎學生同盟 大會가 中華民國 北京에서 會集됨은 余의게 無限한 興味를 주는 것이며 또 한 가지 奇異한 것은 第十一次會議가 中華民國 十一年에 中國에서 모히게 된 것이라 耶蘇敎會는 果然 世界的이며 그의 精神은 人類와 平和를 爲하야 犧牲하는 것이라 中國人의 性質은 平和的이며 正義의 愛好함으로 말미아마 한番이라도 他人의 것을 强奪할 目的으로 即 侵略的 野心的으로 戰爭한 事가 업노라 余가 알기는 世界基督敎學生同盟會도 平和 正義 下에서 世界를 發展식히는 것이라 余가 多大한 興味를 가지고 바라기는 諸君이 將次 諸君의 理想을 實現하기에 努力할 事이며 이 機會를 利用하야 歡迎하고 祝賀하게 됨을 歡喜하노라』

◇ 九日 日曜 午後 七時 半에 最終의 會議가 開會되매 會長 『모트』博士가 登壇하야 該會의 主賓 된 淸華大學 校長 及 以下 모든 學生과 少年軍까지 一行을 爲하야 親切함과 努力함을 感謝하고 特別히 中國 一般敎人에게 謝意를 表한 後 佛蘭西 代表 中『삐드그레인』孃과 印度 代表『폴』氏가 各各 그 自己의 感想을 述하고 北京協和醫學校 吳 醫師는 英語로 外國代表者들에게 對

하야 余日章 氏는 漢語로 中國代表者에게 對하야 簡單히 陳述한 바가 有하얏스며 『모트』博士가 『에베서인서[04]』에서 『하나님의 全身甲胄를 입고 能히 서서 麗鬼의 詭計를 □敵하라』를 朗讀한 後 暫時 點禱하고 閉會되얏나이다

◇ 十日 午前 八 時 淸華停車場에서 特別列車로 三百餘 名의 代表者는 前大總統 黎元洪 氏의 歡迎會에 參席코저 出發하야 當日 午前 十一時 天津驛에 到着하니 停車場에는 百二十餘 團體의 代表가 八九十 臺의 自働車를 準備하고 苦待하더이다 代表들은 自働車로 華麗한 市街를 通하야 黎元洪 氏 宅에 到하니 黎 氏는 奏樂 中에 全 家族을 率하고 門前에서 一一히 代表者에게 握手로 歡迎하는데 그 迎接함이 親切하야 조금도 前日의 榮譽를 자랑함이 업시 謙遜하고 또한 平民的으로 徐 總統에 對比하야 非常히 相異하더이다

◇ 大廣室의 歡迎會場에서 黎 氏는 로英兩語漢[05] 『今日 如斯히 世界基督敎學生同盟大會의 代表者인 諸君을 對함은 余에게 無上한 興味를 주며 또한 余에게 無限한 光榮으로 思하는 바이라 中國 五千 年 以來에 建國의 精神은 孝悌 忠信 禮義 廉恥인대 이것은 中國이 外國과 交涉이 업기 前부터라 今日 우리가 新世界에서 生活하야 交通과 科學이 發達되고 各種 專門學識이 一日 千里의 速力으로 進步되는 際에 紳士淑女 諸君 여러분이 我國을 訪하야 文化와 知識을 交換하게 됨은 中國에 對하야 큰 幸福이 올시다 過去 世界大戰으로 由하야 人類의 生命財産이 多大히 犧牲되얏스나 此 戰爭은 또한 偉大한 功效를 遺하얏나니 國際 間 交涉은 그 方針을 變換하야 軍力으로만 主張하지 안코 正義 人道를 標準으로 하고저 함이 是이라 元洪 一 個人의 意思는 世界學生同盟會가 將來 世界로 一家族을 打成하야 永遠히 平和를 供給케 할

---

04 "에베서인서": '에베소서' - 편자 주.

05 "로英兩語漢"은 "英漢兩語로"의 오식 - 편자 주.

可能性이 잇다 하야 特別히 希望하는 바이라

　또한 此는 元洪 一 個人의 識見에 不過하나 그러나 同盟會의 諸君은 全世界 各國에서 選定된 代表이라 諸君의 識見과 聞見은 遙히 元洪의 以上이 될지니 諸君은 高見을 披攊키를 願하며 又 元洪을 爲하야 遠路來臨하심을 感謝하노라』

　◇ 更히 奏樂 後에 『모트』博士의 簡單한 答辭가 有하얏스며 代表는 食堂에 請導하야 珍羞의 饗宴이 有한 後 中國 餘興의 幻術과 園遊會가 有하얏스며 當日 午後 三時에 一行은 北京으로 歸還하얏나이다

　◇ 近日 北京에서 北京大學을 中心으로 南方 北方 各 地方에까지 波及되야 白熱的으로 運動한다는 反基督教同盟會는 各 新聞紙上에도 發表 報道된 바와 가치 漸次로 蔓延되는 模樣인데 或者는 該 同盟大會를 微弱하게 녁이는 者가 잇스나 이 同盟會의 中心人物은 中國에 名望 잇는 敎育者들이니 時局에 對하야 큰 影響이 잇슬 것이요 또한 우리로는 크게 注目할 必要가 잇다 생각합니다 其 原因은 多樣일지나 其 根本的 原因은 科學的 見地에 잇스며 其 傳播되는 實狀은 侵略主義를 排斥함에 잇다 하겟슴니다 다시 말하면 普遍的 宗敎排斥이 아니라 但 基督敎만 排斥함이니 基督敎排斥이라 하면 米國人排斥이다 그러면 中國人이 米國人을 信用하얏는대 只今에 何의 理由로 排斥하는가 中國人은 日本은 露骨的 侵略者이요 米國은 假面을 쓴 侵略者라 하야 基督敎排斥運動이 秩序잇시 組織되야잇스며 따라서 今後로는 熱烈한 運動이 잇스리라 한다(完)

─『東亞日報』, 1922년 4월 21일 ~ 23일, 3회 연재.

滿洲旅行記 — 四 星期 間

金元壁

一九二二年 七月 七日은 金曜日이라 어제까지 學校의 殘務를 處理하기에 汨沒한 몸이 느지기 오는 여름비에 困함을 씨섯다 비록 行李를 運搬하는 데 不便이 적지 안앗스나 비를 기다리던 餘望으로 이를 도리혀 滋味롭게 生覺하엿다 雨中에 作別를 告하는 어린 아희들은 速히 도라오는 것을 强要한다 心算 업는 對答을 얼른 하고 車에 오르니 南大門서 타고 新村까지 온 이 中에 知友도 數人이라 이에 同伴하여 부실々々 오는 비를 車窓으로 내여다보니 農夫들은 첫 비에 느즌 移秧을 하노라고 載水가 만흔 논 가온대서 活潑히 勞働하는 것이 맛치 黃土 편 運動場에서 蹴球 하는 學生들 갓다 소는 풀을 뜻기에 奔走하야 精神을 차리지 못하는 것 갓흐나 귀바위는 비방울을 터노라고 不絶히 번복한다 졸기도 하며 求景도 하면서 멧 時間을 지나니 벌서

平壤。

驛이라、나려서 一泊 後에 金基淵 君을 訪問하니 金亨鐘、尹基誠 君도 그곳에 갓치 있다 暫間일만정 만흔 懇談을 난호왓다 그리고 以前 學生時代에 보던 江山이 其樣이냐 試驗코저 빗긴 해를 엽해 두고 金基淵 君을 作伴하야

向方 업시 가노라는 것이 浮碧樓 압 永明寺에 니르럿다 前에 업던 돌갓도 떠러지고 엽구리가 여러 군대 이리저리 破壞된 新造 碑石이 뵈인다 이것이 平壤妓生組合 取締役 千象河 者가 自己의 功德을 表하기 爲하야 費用은 自己가 내고 名義는 妓生 一同으로 하얏다가 八十餘 名 市民團에게 大攻擊을 當한 戰跡이라 한다 그런데 只今은 또한 妓生들이 千 君을 排斥하야 다시 同盟休業이라 한다 同盟休業이 아모리 廿世紀에 流行이라 하여도 이런 同盟休業은 世界에 처음일 뜻、自己를 爲하야 名譽를 釣하던 千 君의 身勢도 可憐하거니와 市民들이 그트럭인망정 碑石을 아즉 그樣 남겨둔 것은 아마도 人間社會에는 이도 可히 全廢할 수 업다는 意味인지 風紀紊亂이 碑石에 갓만 벗기고 楚撻만 하면 矯正될 것인가? 其 根底를 여지업시 破壞하는 同時에 根本的으로 人間의 마음에서 不義한 肉碑를 깨여야 할 것 갓다 어두음을 혐의하던 우리는 東方으로 올나오는 玉兎을 歡迎하야 잔잔한 물결 우에 一葉 小艇을 가만히 저어서 나려올 새 淸流壁도 自己 景槪를 자랑하며 淸風도 솔솔히 브러오매 그 무엇으로 보와서던지 詩的 材料가 豐備하다 自身이 李白도 아니오 東坡에도 不及한 것만 遺憾이다 金 君의 따뜻한 사랑의 作別을 밧고 翌日에 曹晩植 先生을 靑年會에 訪問하니 先生은 녜나 이제나 變함업는 愛情으로 마저주신다 또 近日에 平壤서 發起된 物産獎勵會를 專力하야 紹介하여 주신다 이는 現在 朝鮮 事情으로는 가장 意味잇고 切合한 運動이라고 生覺한다 이에 同 會의 將來 發展을 衷心으로 祝賀하엿다

　幾日을 留하면서 만흔 知友들을 訪問함에 넷情의 回想이 적지 아니하야 떠나기가 슬치만 時間은 나를 督促하야 北行 車上에 듸려 몰앗다 於焉間 다시 따를 밟브면서 看板을 바라보니 新安州이라고 썻더라 여긔서 다시 나귀방울갓치 달낭~ 가는 輕便車를 타고 가다가 第一 停車場에 나리니 이곳은

安州。

이라 市內 七星旅館에서 一夜를 보내고 翌朝에 本社 分賣局長으로 協定된 崔風燁 君의 指導로 市內를 지나 百祥樓에 을나갓다 建物은 비록 날가슬 망정 온갓 景槪와 趣味는 그대로 남아잇다 北向하고 淸川江을 나려다보니 맑은 물결이 배암처럼 굽을굽을 흘러 나려간다 그러케 더운 炎天에도 을나 안즌 지 十 分 以內에 흑흑 늣기도록 춥다 安州 靑年은 이런 조흔 祖先의 遺物을 밧아스매 其 思想界는 아마 다른 대보다 좀 異彩가 잇슬 뜻하다

건넌便으로 한 小瓦家가 뵈인다 이것이 昔時 乙支文德이 淸川江戰爭에 七 個 僧侶가 出現하야 길을 指導하여준 故로 勝戰하얏다 하야 지여준 七佛寺의 殘跡이라 한다

一 時 以上을 에누리하는 輕便車를 다시 타고 古邑停車場에 나리니 五山學校 學生 趙陽七 君이 出迎한다 따라 드러가서 苦學生들의 먹는 게 석긴 粟飯을 맛보고서 五山學校에 柳永模를 訪問하니 學校가 地方人士의 贊成으로 새로히 校舍를 建築하여스매 現今 在籍生 四百餘 名을 收容하기는 裕足하나 維持 方法이 困難이라 한다 各處에서 中學期成會를 組織하야 創立을 勞力하는 此時에 定州 人士는 已爲 잇는 것도 保存치 안으랴는지 廢止하고 다시 設立하기는 어려울 것 갓다 아마 무삼 心思가 잇기야 잇겟지?

數人의 同鄕 學生들의 懇曲한 送別을 밧고 다시 京義 本線 上에 안즈니 窓 밧게는 農夫가 耕耘에 汨沒하다 自己의 觀察로던지 傍人의 所論으로던지 今年 農事로 말하면 이 地方은 豊作이다 아마 年前 旱災로 當 한 어려움을 니즐 뜻하다 어느덧 車는 벌서

宣川。

驛에 다앗다 梁甸伯 牧師가 出迎하섯다 선길로 禮拜堂을 向하얏다 水曜
日이라고 說敎를 命하신다 敢히 辭免치 못아야 臨席說敎를 擔任하엿난대 그
날은 市日이라 잘 모히지 안엇다는대 五 六百 名에 至한지라 이것이 北便 敎
會의 集合熱을 表明하는 것이다

翌日 靑年會 主催의 懇談會에 出席하야 만흔 靑年들을 마나보고 다시 北
으로 向하랴고 停車場에 나아가니 맛참 貞信女學校 音樂隊가 其 車에서 나
린다 校長 以下 同伴한 知友들을 맛나자 作別하고 乘車하야 끗까지 가서 나
리니 停車塲의 通路가 다른 대와는 反對로 地下途이다 大門을 出하야 한참
드러가니 이는 朝鮮 北邊 國境

新義州。

이라、東洋旅館에 投宿하고 市街地로 단여보니 新築한 地方이라 將來는
道廳도 이리로 移轉한다 하고 高等普通學校도 擴張할 터이니까 現在는 別로
볼만한 것이 無하나 將來가 有望하고 家屋의 制度도 別로 低陋한 것은 업고
모다 번듯하야 內容만 充實하여지면 外國 都會地에 比하야 그리 差等이 生
하지는 안을 것이다

翌日 自働車로 舊 義州를 向하얏다 劉如大 牧師를 반가히 만나고 親友 張
載舜 君을 同伴하야 이전 地誌에서 외이던 統軍亭에 올나가니 樓臺가 莊嚴
하야 果然 勇將의 氣勢를 돕겟고 四面을 바라보니 大小山이 羅列하엿스며
鴨綠江이 四五 支流로 分派하야 或은 遠方에 或은 亭下에 或은 直하게 或은
橫하게 우불구불 흘너가고 間々히 介在한 小島들은 푸른 잔듸로 着衣한 듯
하고 야즉다분한 楊柳로 裝飾하얏스니 可謂 錦繡江山이라 하겟다

翌日에 다시 自働車를 雨中에 물어서 新義州에 왔다 너무 降雨가 甚多하야 門外 出入이 困難하다 아모 動作을 할 수가 업서서 車이나 타고 北行을 繼續하랴고 停車場에 갓다 여기서는 旅行證明書가 所用이 된다고 한다 성가신 手續을 맛치고 車에 올나서 兩側을 내여다보니 흔히 寫眞에서 보던 鴨綠江鐵橋이다 別것 아니고 漢江 人道橋 中央 馬車 通行路에다가 汽車線路를 敷設한 것이다 通行하는 사람들은 或은 自働車、馬車、人力車、或은 自轉車、徒步로 頗히 複雜한 模樣이다 視線을 좀 멀니 옴기니 江水가 急流한다 近日 霖雨로 增水가 된 緣故이다 일흠은 鴨綠江이라도 實狀은 黃河이다 車가 出發한 지는 五 分 間이것만 停車場 時計는 五十五 分 뒤로 갓다 淸國 時計는 뒤로 가는가? 하엿다 이것은 時間의 標準이 다른 까닭이라 한다

稅關에서 檢査하는 手續을 因하야 汽車는 畧 一 時間을 停車한다 其 時間을 利用코저 停車場 門을 出하니 無數한 黑服 勞働者가 미러온다 처음에는 무삼 緣故인지를 몰낫다 다시 生覺하니 이는 東洋車(人力車)를 乘하라는 請求이다 이것만 보와도 勞働者가 너무 만흠을 表示함인 同時에 아직 勞働組合이 成立지 못하야 賃銀을 個人競爭에 依하야 決定함에 其 程度가 어리고 따라서 까닭 업시 複雜하게 되는 것을 알 수 잇다

먼저 드러가면서 書院 한 곳을 맛낫다 드러가서 安東案內며 其他 繪畵葉書 等을 사가지고 日本人居留地를 通過하엿다 어대나 一般으로 內容은 엇지 되얏든지 陳列한 商品은 整頓이 된 듯하고 다시 드러가는 곳은 支那人居住地니 곳 安東의 本部이라 처음으로 보기에는 商店이 하나갓치 形色이 컴컴하고 門外가 不潔하야 惡臭가 太甚하야 通行하기가 困難한 故로 不快한 生覺이 하나 둘이 안이다 그래도 求景을 爲하야 거름을 압흐로 나위니 그곳은 間々히 大商店이 뵈이는대 其 規模가 宏大하다 勿論 商業術로도 專門 大家가 만흔 듯하다 이를 보와서 日本은 學校로써 世界 文明을 輸入한다는 말

이 正言이라고 再想된다 참 그럿타 간 곳마다 商店으로는 外國人과 對等할 者가 多하나 學校舍는 별로 볼 수 업다 何如間 中國人은 商業에는 天然的으로 才能을 備한 듯하다 아느듯 한 時 동안이 盡하얏다 다시 車를 타고 北行을 繼續한다 窓으로 내여다보니 田園에 두문두문 農家가 뵈이는대 하나갓치 一字집이오 草家도 만치만은 黃土를 그냥 닉여서 屋根을 덥흔 것이 좀 異常히 보인다 비는 작구 나리는대 川水는 大蕩이라 한 마일마다 小岫의 턴넬을 지낫는 車에는 窓을 開放할 수가 업다 아모리 더워도 煙氣가 작고 드러온다 또 二 마일마다 鐵橋가 掛設되얏다 이는 每番 다른 河川이 아니오 其 河川을 四五 次 건는다 山의 구비를 따라 물도 흐르고 鐵道도 敷設되얏는 까닭이다 南滿洲鐵道會社가 近年까지 損害를 補充치 못하얏다 함은 이곳의 鐵道敷設費가 너무 多額을 要하엿슴인가 聯想된다

夕陽 빗긴 그늘에 車는 벌서 그 支離한 山谷을 다 지나서 平野에 나아왓다 이야말노 참 曠野이다 四面을 바라보와야 山麓 一 個를 發見할 수 업다 地帶가 甚廣하야 東邊에는 日氣가 晴明하고 西邊에는 大雨가 注下한다 山國에 生長한 眼目으로는 等閑視하기 어렵다 이런 生覺을 혼자 할 동안에 車는 벌서 停車하엿는데 이는 곳

奉天。

이라 사람들은 만히 나린다 나도 갓치 나려가니 旅館案內로는、西洋人、淸人、日本人이 滿場햐얏다. 朝鮮衣服을 着한 者도 四五 人이 잇다 其中에 京城旅館이라는 帽標를 附한 小童子가 잇다 그를 떠라 西塔 南場 前에 잇는 京城旅館에 드러갓다 規模는 크지 안으나 房은 淨潔하고 兼하야 主婦의 親切한 歡迎이 客苦를 慰勞하는 듯하다

奉天은 安東서 百七十一 哩 北便에 잇는 大都會라 人口가 朝鮮人 一千五百餘 名、淸人이 三十一萬、日本人 一萬 五千 人、其他 外國人이 二三百 人이다 氣候는 大陸인 故로 寒暑의 差異가 大端하고 冬節에는 西北烈風에 砂石이 捲起하야 白雪을 보태인다고 한다 奉天은 潘水(運[01]河)의 北岸에 位한 故로 潘陽이라고도 稱하는데 此는 元朝時代에 始하야 明代에는 潘陽中衛를 置하고 淸太宗 天命 十年에 首都를 此에 遷하고 盛京이라 稱한 것이라 順治 初年에 北京으로 遷都되고 其後로 奉天、吉林、黑龍江、三省의 一部를 成하야 今日에 至한 바 東三省巡閱使 張作霖 閣下가 잇는 곳이다 그는 一個 浮浪者로 馬賊의 大將을 經하야 巡閱使 閣下가 되섯다 淸國이야말로 大國이 되야서 그런지 奇事가 不絶한다 今番 吳 將軍[02]한테 大敗는 하얏슬망정 北京 政客은 누구나 다 括視치 못하고 다 其의 諒解를 求한다

翌日에 主母의 案內로 市街地를 通하야 求景을 始作하얏다 元來 市街地는 城內、商埠、新市街로 三分하얏다 商埠는 各國人居留地인대 이를 지나서 城內에 至하니 人口가 綢密하야 그런지 엇던 時는 人力車가 二十 臺式 길이 막혀서 가지 못하고 섯다 그래도 婦人 出入者는 별로 아니 뵈인다 이리저리 避하야 城東 一隅에 至하니 蓮花가 滿發하얏는대 이를

小河沿。

이라 한다 河沿에서 分岐한 小川을 因하야 一 哩式이나 길게 河岸에다 築石을 하고 徃徃히 木橋를 架하고 橋內에는 臨時 草堂을 無數히 지엿는대 大

---

01 "運"은 "渾"의 오식 - 편자 주.

02 "吳 將軍": 중국의 근대 초기 '직계(直系)' 군벌 우페이푸(吳佩孚, 1874~1939) - 편자 주.

한 者는 四人分 一 個의 食卓을 五百 個 以上 設置한 곳도 잇다 水上에는 遊用船을 彩色이 華麗하게 꿈엿다 越邊에는 共同體育所며 公園도 잇고 劇場도 잇다 맛참 蓮花가 大發하야 偶然히 記者가 好奇緣을 맷는 듯하다 이는 다 張大監이 趣味를 加하노라고 配置한 것이라 한다

日氣가 더움도 니저버리고 草堂에 안저서 西苽種子만 까다가(此는 淸國人의 消日的 食料) 時計를 보니 벌서 午後 三時라 歸路에 本社 奉天支社 記者 高時煥 君을 차젓다 君은 一週 前에 書信을 밧아스나 昨日 發한 電報는 못 밧아서 失禮라고 再三 辭意를 述한다

氏의 말을 듯건대 奉天은 朝鮮人이 만흐나 夏節이면 大部分은 農事를 爲하야 城外에 出役한다고 한다 人物이 各處로 來往하는 通路가 되야서 그런지 思想界가 複雜하야 團結도 困難하다고 한다 그리하야 朝鮮人民會도 長春哈爾賓처럼 獨立하지 못하고 日本人居留者와 同營이라 한다 靑年은 만하도 機關은 업다 遺憾이라고 生覺하얏더니 日前의 高 君에게서 記者의 今番 訪問 後로 무삼 動機로 되엿든지 靑年會를 組織하고 大活動을 開始한다고 하는 通知를 밧고 奉天 靑年의 將來를 爲하야 祝賀의 敬意를 表하얏다

奉天에는 宗敎가 多種이지만은 일즉히 長老敎會에서 宣敎하야 敎人이 百餘 名이라 하고 北監理敎會에서도 近日에 宣敎 事業에 着手하야 벌서 三四十 名의 敎人이 생겻다 한다

敎育事業으로는 中國人 側에도 小中學校 及 專門學校가 잇고 日本人 側에도 學校의 設備가 完滿한 模樣인대 近者에도 南滿醫學堂 設置를 完實케 함을 從하야 一種 異彩가 生할 뜻하다 그러나 朝鮮人을 爲하야 講習所 一 個가 업섯다가 今年 春期에 비로소 政府의 經營으로 普通學校 一 個를 設立하얏다 한다 그로 二百餘 名을 收容한다니까 적은 事業은 안이다

翌日 高 君의 指導로 張 巡閱使의 官舍 겻헤 잇는 宮殿을 차자가니 이를

金鑾殿이라고도 稱하야 城內 中央에 位하얏다 案內者가 따로 잇서 압길을 가라친다 內庭에 드러가보니 果然 宏壯한 建物이오 古代의 建築으로는 美術的이라고 할 만 하다 이는 崇德 二年(距今 二百八十餘 年 前)에 建築하야 太祖 高皇帝 及 太宗 文皇帝가 宮居한 곳이라 한다 康熙皇帝의 玉座라는 것만 餘存햐얏는대 石柱와 磐石까지 一 個도 粗荒한 者 업고 精密히 調制한 靑瓦를 盖하야 風致를 加하엿다

다시 人力車를 몰아서 新市街를 나려가니 朝鮮에는 그만큼 設備한 곳이 업겟는대 木製 家屋에 戀愛가 깁흔 日本人도 奉天에서는 全部 鍊瓦製이라 그러케 變하여가다가 大和魂이 變하여서는 큰일일 것 갓더라 그래도 金融이 緊縮인지 空家가 만히 잇다 住宅難 中에 사는 나의 心思로는 京城에 이러케 大家가 만하스면 하고 空想의 注文을 하여보왓다

日氣가 몹시 덥다 그래도 求景할 慾心에 東洋車를 今番은

北陵。

으로 向하야 모랏다 俗談에는 北陵이나 正名은 昭陵인데 奉天 北便으로 限 五 里 즘 가서 鬱蒼한 森林이 뵈인다 그 속을 이리저리 길 잇는 대로 드러 갈 새 路傍에는 樫棟樹가 한가히 섯다 좀 더 멀리는 古池 遺跡이 보인다 아가위꼿이 滿發하고 和氣 잇는 春風이 솔々 吹來할 때는 兄弟의 友愛도 잇섯고 榮光도 누리며 如松茂矣며 如竹苞矣라고 兄弟의 繁盛함을 노래한 적도 잇섯스런만 其네들은 다 벌서 그 榮光의 꼿이 떠러지고 北京 잇는 宣統帝는 美人은 잇서도 婚費가 不足하야 藏書를 賣却하랴다가 與論만 이리키고 成禮도 못 니루웟다는 報道를 遠想하야 이에 同情을 表하며 人生의 榮慾이 春夢임을 깨다랏다

陵의 門內에는 諸般 動物形을 石造하야 排置하고 또 三 棟의 殿閣이 잇는 대 第一은 碑閣이오 第二는 祭殿이오 第三은 正殿인대 內에 太宗 文皇帝之 陵이고 漢字 外에 滿洲와 蒙古의 三 體 文字로 大書한 碑石이 잇스며 實로 陵은 五十餘 尺 高와 一 里 假量의 周圍로 山을 造하얏는대 外圍에는 森林을 造하야 頗히 深山幽谷을 成하얏더라 求景을 맛치고 歸來할 새 路傍에 白衣農夫들이 김을 맨다 얼는 보매 朝鮮人 갓다 高 氏에게 問하니 그럿타고 對答한다 農庄은 道路가 不平하야 그냥은 드러갈 수 업다 그러나 사람 잇는 대는 한 一 哩 된다 이에 東洋車를 나려서 洋襪을 벗고 徒足으로 한참 드러가서 한 同胞를 맛나니 限 五十 된 婦人이라 安否를 問하니 對答하는 音聲이 慶尙道 出生 갓다 또 점 더 가서 一 靑年을 맛낫다 그의 말을 듯건대 今年은 豊年이라 한다 自己는 限 十餘 斗落 耕作하얏다 한다 南滿洲에서 農事는 大利라한다 그러나 淸人의 一 年에 倍 以上 밧는 農債를 지고는 利를 내일 수 업다하다 그러치 안으면 日本人의 經營하는 會社나 大地主의게 依託할 수 밧게업다 한다 會社에서는 水稅(支那 官營 水利局에서 分擔하고도 所得의 五 割 五 分을 가저가매 昨年보다 五 分가 느럿다 한다 土地로 因하야 社會 問題가 起하는 이때에 그것이 永久無事할가 하얏다 何如間 土地를 사랑하는 朝鮮 富者들아 內地의 土地를 사랴고 相爭치 말고 이런 方面에 좀 投資하야보라한다 利는 만코 同情을 表함이라 卽 同胞를 도라봄이 되리라 한다

이에 우리는 섭섭한 作別을 將來의 希望으로 密約하고 도라왓다 夜間이면 盜賊으로 因하야 出入은 禁物이다 아니라 조곰 하면 宅內 侵入이다 昨夜에는 京城旅館 겻집에 盜賊이 들어서 놀난 일이 잇다 平壤서 간 康秉弼 氏는 數日 前에 家具 衣服 全部를 被奪하얏다 한다 그리하야 우리는 門을 堅封하고 經夜하얏다 夜間에 裵亨湜 宣敎師가 車로브터 와서 叩門함을 누구인지 몰나서 一 時間이나 門外에 立케 하얏다 드러오신 後에 謝過는 하얏지만 엇

재던지 精神차려야 兩目을 保全하야 도라갈 모양이다

翌朝에 다시 車를 타고 北으로 向한다 窓으로 내여다보니 너른 平野에 農作物을 심엇는대 畓은 업다 비록 灌漑水가 足할지라도 畓農은 할 줄을 모른다고 한다 馬를 駕하야 田을 耕하얏다는대 이랑이 甚히 狹小하며 田의 長廣이 空濶하야 朝鮮서는 그러케 큰 밧을 볼 수가 업다 作物은 全部가 大豆가 아니면 玉蜀黍이오 其外에는 園藝作物을 往々히 볼 뿐이다

해가 西山에 걸녀서 나려가기를 액길 때에 盛夏 行客이 서늘함을 깨닷겟다 이는 이곳 地名이 언제나 四時

長春。

인 까닭인가 십다 恒常 思慕하던 裵東宣 君이 나와서 마자준다 萬里異域에서 나를 出迎하는 그의 心懷도 尋常치 안케지만은 旅行에 疲困한 自身의게는 만흔 慰勞가 되얏다 君을 따라 흔한 馬車를 타고 君의 住宅에 至하니 君의 父親 裵孝湜 牧師의 宣敎所라 下層은 禮拜堂으로 使用하고 上層은 住宅으로 使用한다

長春은 寬城子、滿鐵附屬地、商埠地、城內의 四 個 所로 分하얏는대 寬城子는 東淸鐵道의 附屬地오 城內는 純然한 中國 市街地요 商埠地는 滿鐵附屬地와 城內의 中間에 在하야 二百六十萬 坪의 開放地라 君의 住宅이 이 商埠地 初入 東隅이다 別로 큰 都會는 아니나 市街 組織과 建物들이 雅然하야 朝鮮의 松都 같은 感이 잇다 滿鐵의 北止点인 故로 其 設備가 볼 만한 者 만타 全部가 滿鐵附屬이다

翌日 君을 從하야 市街地를 보러 나아가서 空中에 무삼 큰 甬을 맞치 大工場의 煙突 갓치 놉히 싸흔 臺上에 置하얏다 무엇인지를 解得하기 어려웟다

이것은 平地인 故로 水道를 어느 山에 올녀갈 곳이 업서서 貯水池를 平面 以上에 두기 爲하야 만든 워터 팅크라 한다 한 모퉁이를 도라서 公園에 드러가니 四面에 綠陰이 濃厚하고 樹下에는 잔듸가 가짓한대 或時 더운 날 午後에 中央 料理店에서 軍樂을 奏하면 綠陰 里에 浪遊하는 佳人才子들은 여긔저긔 起立하야 舞蹈를 한차레 하는 것이 볼 만하다더라 다시 中國 市街를 가니 變함 업는 그 制度도 不潔한 것이 特色이라 干康里 엽흘 지면서 偶然히 바라보니 娼女들이 朝鮮 男子服 비슷한 바지저고리만 着하고 나안젓다 物色은 그리 흉치 안흐나 압머리 깍근 것이 情떠러진다

商品陳列館을 차자가니 時는 맛참 商標展覽會라 內外側 商品의 商標를 展開하고 實物까지 出品하얏스며 其外에도 滑稽作이며 裸體 美人이며 想像的 作品이 만타 其中에는 過激派 反對運動이라 或은 防止策이라 하야 別々한 消極的 畵作品은 만흐나 過激派의 運動 方法과 計畵을 積極的으로 畵寫한 것은 볼 수 업는 것이 奇觀이다 엇더한 攻勢라는 前提가 업시야 反對攻擊이라 함이 무삼 意味가 잇슬가? 한다 우리는 가지고 가시요 한은 廣告 見本 몃 個를 가지고 宿舍에 도라왓다

吉林을 가랴고 하얏스나 路程이 不許하야 그냥 도라오랴고 하얏든 次에 마참 吉林官立(中國)女子師範學校에 通學하는 金溫順 孃을 맛낫다 初面이지만은 그의 親舊를 아는 이가 만허서 여러 차 紹介를 들어슬 뿐 아니라 裵君이 엇더케 紹介하얏던지 親切히 歡迎하신다 自己의 男兄을 맛나는 듯시 事情을 말하여준다 一見하기에 記者 以上 冷靜한 態度이다 冷靜한 사람끼리 만나서도 二 時間 談話 中에는 만흔 同情이 生한다 이는 孃이 苦學으로 其 學業을 繼續함이다 飮食은 粟飯과 蜀黍粥을 往々히 饌도 업시 먹으나 그레도 身體가 健康타 함은 感謝한 일이다 兼하야 成績이 過히 不良치는 안아요 하는 말끗혜는 一生으로 自己의 堅忍不拔의 工夫 上 決心을 드러내는 同

時에 一生으로 苦生 됨을 聯想하야 눈물이 눈에 그러인다 記者는 말업시 안 젓스나 心臟은 벌넝~ 뛴다 夕飯 時間이 우리를 督促하야 晚餐을 同參한 後 靑年會에서 主催한 講演會에 徃參하니 散在한 同胞가 近 百 名이나 왓다 記 者 된 나보다도 故國을 生覺하고 보려 온 것이 事實이다 講演을 맛친 뒤에 人事를 請한다 其中에는 朝鮮人民會長 以下 有志人士가 왓다 그들이 近日 에 領事館에 交涉하야 朝鮮 兒童을 爲하야 尋常學校에 別科를 置하게 하엿 다 하니 以後로 就學의 價値가 잇슬 뜻하고 또 商業을 經營하는 이도 왓다 朝鮮人 滿洲 商業으로는 長春이 빠지지 안을 뜻한대 本社 分賣局長으로 決 定한 許駿 氏도 相當한 活動的 實業家이다

그 中에는 領事館 警察署에서 온 刑事도 잇다 人事 後에 直問하는 말은 朝 鮮 內地보다 日鮮融和가 잘되지 않아늣냐? 한다 記者가 보기에도 좀 日本人 의 態度가 다른 것 갓다 그리하야 나는 元來 日鮮人의 衝突은 其 責任이 日 本人의게 在한지라 그네가 우리의 罪를 주고 害함이 업는대 우리가 惡感을 起하는 것도 아니요 그네들이 우리를 相當히 待遇하는대 우리가 忿怒하는 것이 아닐지라 故로 滿洲에서는 日鮮人 罪惡 關係가 背馳되지 아는 点이 만 코 朝鮮人보다 더 賤待할 淸人이 無數하니까 淸人을 스러하는 心情으로 朝 鮮人에게 좀 好感을 두는 것이라고 說明하얏다 그도 其 理由에는 首肯하는 模樣이다

드러가는 때브터 自己 兄弟갓치 사랑하던 裵 君의 妹氏들과 同謀들을 作 別하고 停車場에 나아가니 國民會 諸氏도 오섯스며 其他 知友들이 만히 나 와 餞送하여주신다 車를 타고 마음을 鎭靜한 後 다시 窓을 바라보니 前日 보 던 曠野가 그냥이라 汽車가 露國 經營인 故로 車는 비록 淨潔하나 言語를 不 通하야 不便이 적지 안타 그럭저럭 一日을 보내이고 黃昏에 車는 큰 停車場 에 대엿다 여긔가 十 年 前에 伊藤 公이 東洋平和를 爲하야 活動한 成蹟의 發

表場인

哈爾賓。

이다 公이 日本을 爲하야 만흔 野心을 부럿스나 現今갓치 東洋拓植會社
가 專橫하는 이때 우리는 公이 其 會社의 創設을 反對하던 것이 念頭에 남아
잇다 조곰만 더 넓은 生覺으로 活動하얏더면

짜른 時間에 긴 因緣을 맷고 본 지가 四 年이 되야 顔面을 닛게 된 朴庭植
君과 白永燁 牧師가 出迎하얏다 朴 氏는 世專 出身으로 現在 哈爾賓朝鮮人敎
會 牧師이라 兩 友를 따라서 十六道街 素人旅館에 投宿하얏다

翌朝에 高麗病院長 李元載 氏를 同伴하야 禮拜堂에 出席하니 이는 道裡
라는 곳이다 五十 名의 信徒가 會集하얏는대 男子와 女子와 幼兒가 다 數交
가 比式하겟다 男子들은 大槪 活動하는 紳士들이오 婦人會는 中等敎育을 밧
고 本國서 온 지 幾日이 되지 아니한 이도 잇고 或은 滿洲에서 生長하야 露
國式 敎育을 받은 이도 잇서 婦人界의 智識 程度로는 滿洲 하서 他에 讓步치
아니할 뜻하다 그러나 아모 活動이 업슴이 遺憾이다 아마 指導할 만한 人物
이 업는 듯하고 實狀 너른 市街에 散在하니가 出入과 會合이 困難함도 理由
가 잇는 듯하다 그러나 그네들의 衣服은 全部 洋服이나 朝鮮 內에서 着한 것
을 보는 것보다는 格에 맞는 듯한대 背가 굽은 이는 別無하다

幼兒들은 全部가 朝鮮을 目睹치 못한 아희들이다 저들은 淸語는 勿論이
오 露語를 能通한다 또 舞蹈 一種은 다 할 줄 안다 그곳 敎會에서 設立한 學
校가 잇어 學生이 近 二百 名이라 한다 그 아희들은 朝鮮은 한 天堂으로 아
는 感이 이서 한 번 가보고 십혀 한다

이러케 會集한 敎人이 言語가 相通치 못하는 句節도 잇서서 說敎者의 不

便이 적지 안타 說敎를 依託하기에 一時 牧師代理를 한 後에 開會가 된다 敎堂 마루에는 靑草를 폇스니 아마 海草인 듯하다 아모것이나 淨하면 쓰는 모양이나 나 보기에는 자오락草 갓다 이것이 都市 生活을 支離히 生覺하는 市民의게 踏靑의 感을 줌이 적지 안타 禮拜堂뿐 아니라 사람이 만히 出入하는 곳은 料理집이나 劇場이나 어대든지 흔히 편다 朝鮮서도 京城갓치 複雜한 市內에서는 해볼 必要가 잇슬 뜻하다

李 氏와 朴庭植 君을 갓치 하야 北邊 松花江에 니르럿다 江의 幅圓은 좁으나 水深은 漢江보다 깁다고 한다 小舟를 저어서 越便에 至하야 一 小 支流를 맛나니 四圍에는 避暑집이 櫛比하고 食道樂館이 滿地하얏다 川邊에는 內外國人의 水浴者가 人海를 成하얏다 朝鮮서는 水浴하는 女子들이 黑衣를 着하야 美態를 減殺식히난 일도 不無하지만는 여긔는 決코 黑衣를 着하는 者는 업고 擧皆 삼팔쥬[03]이나 生노방주[04] 갓흔 것으로 或은 長하게 或은 短하게 勿論 背胸은 露出케 하여 입고 男女가 混浴한다 遊戱와 舞蹈의 格式과 法式을 여긔도 適用한다 우리는 浴衣를 不帶하얏슴으로 고요한 一隅에서 手足을 濯하고 도라왓다 그 길로 李 氏 家인 新開放地로 갓다 氏의 懇篤한 慰勞는 酷炎이 自退한다 차츰 이곳 形便을 드르니 昨年 이來로 北新開放地에 四千餘 戶의 家屋을 建築하얏다는대 初次에는 官有인 故로 警官이 許可 업시 지은 집을 헐어버렷다 그러나 市民들은 國土에 人民이 家屋을 建築지 못하면 누가 집을 지으면 어대다가 집을 지을 것이냐 하고 그저 繼續하얏다 官廳에서는 不得已하야 測量을 하야 通路를 내이고 路邊에만 지으라고 하얏는대 只今은 또한 土地의 代價를 請하는 바 그것도 市民은 不應한다고 한다 이

---

03 "삼팔쥬": 삼팔주(三八紬) - 편자 주.

04 "生노방주": 생노방주(生蘆坊紬) - 편자 주.

야말로 滋味스러운 일이다 空地가 多하되 一 間 草家를 지울 수 업는 京城에서 住宅難을 當하던 나로는 이를 尋常히 녁일 수가 업다

翌日 다시 朴永九 氏 外 여러 兄弟를 가치 하야 露國 居留地를 갓다 商店이며 住宅이며 公園이 다 西洋 다른 나라 一等地에 比하야 遜色이 업다 한다 이는 全部 露人村인대 其中 半數 以上은 猶太人이라 한다 將來는 米國人도 事業에 投資를 運動한다고 한다 東淸鐵道 本社를 訪問하니 建物은 한 村落과 가타서 어대가 어대인지를 알 수가 업다 참 큰 建物이다 白永燁 牧師의 同窓生인 中國人 靳 君이 在社함으로 그가 引導하야 全部를 뵈여준다 其 會社 役員은 米人이 四五十 名이오 淸人도 數百 人이요 露人은 千餘 人이라 하며 收入이 一日에 大戰 後에는 十三萬 圓이더니 現今은 八萬 圓이라 한다 君은 英語를 能通하는 故로 淸語를 不知하는 나의게는 만흔 便利가 잇다 氏가 우리를 爲하야 茶菓를 設하얏다 初面 親友의게 너무 신세를 끼첫다

門을 나오니 午正이다 日氣가 너무 더워서 다른 同行은 도라가고 朴永九 氏가 갓치 나섯다 이로 조차 內外人의 共同墓地를 차저갓다 露國正敎墓地가 그中 大規模인대 市井과 갓치 道路를 整理하얏고 入口에는 禮式을 執行하는 敎堂을 지엿스며 墓碑는 別形이 다 만흔대 할 수 잇스면 어대나 十字架形을 付하얏다 도라가면서 보니 朝鮮人이라고 漢字로 書한 墓所도 잇다 이는 露國에 入籍하얏다가 死亡한 者라 한다 北門을 出하니 곳 猶太人의 墓所인대 其 制度는 露國 墓所와 다름이 업스나 其 碑石은 다 多額을 드려서 或은 銅像을 置한 대도 잇다 이것은 猶太人은 富者가 만흘뿐더러 古來로 墓地를 貴重히 녁이는 風俗이 잇슴이라 한다 그런대 露國 墓所에 附한 十字架 代身으로 이곳에는 三角 二 個를 合付하야 六角形을 作한 星形標를 每 墓所에 置하얏다 이것은 猶太敎 標라 한다

歸路에 朝鮮人 共同墓地도 보앗다 地面은 別한 것이 아니것만 設備가 不

足하야 否라 全無하야 아직 他人의게 見失하지 안은 것이 多幸이다 아니라 좀 일헛다고 한다 近日에 무든 무덤도 하나 잇스니 이는 몃칠 前에 松花江에서 船遊하다가 泥醉하야 溺死한 者라 한다 自己의 行爲는 엇지하얏던지 異域孤魂인 그를 爲하야는 同情에 눈물을 흘일밧게 업다

질고 진 市街를 거러서(아모 車도 여긔는 업다) 中國人의 公園을 잠간 돌너서 高麗病院을 가니 李 朴 兩 君이 잇다 朴 氏의 引導로 支那人 市街를 도라단여 보니 大商은 外國人과 相對하야 조곰도 질 것 업시 잘한다 新市街라는대 昨年 以來로 數千 戶가 갑작이 눌엇다고 한다

저녁에는 市民 卽 哈爾賓에 居留하는 朝鮮 兄弟들이 한 七八十 名이 會集하야 講演會를 開催하얏다 나는 할 수 잇는 대로 各 方面에 就하야 朝鮮 事情을 報道하야 그들의 그려움을 풀고저 하얏다 閉會 後 民會長 金一元 氏의 茶話會의 招待를 受하고 數人의 親舊로 더부러 露國劇場에 舞蹈 求景을 갓다 入場料는 大門 外에서 差等 업시 七十 錢을 밧고 初저녁에는 庭內 假屋에서 軍樂을 間間이 세워가며 歌劇과 活動寫眞으로 始作하야 밤이 깁도록 놀다가 새로 二時 頃이 되여야 正屋에 드러가서 獨唱 舞蹈를 始作하는대 여긔는 食道樂을 爲主하야 他所보다 料理가 五六 倍 빗싸다 舞蹈를 觀光하는 이의게 飮食을 파는 것이 아니라 飮食을 사는 客의게 無料로 音樂과 舞蹈를 뵈여주는 方式이라 한다

말소래는 몰나도 舞蹈 一 幕 後에는 獨唱을 하는대 전부가 女唱이오 京城 近地에서는 흔이 듯지 못하는 聲樂이니 이는 그것만 專門으로 擔任한 者가 數十 人이나 되는 모양이다 또 舞蹈는 或은 여럿이 하고 或은 單獨으로 하고 或은 兩人이 하는대 兩人이 하는대는 반듯시 界[05]女兩性舞더라 그런대 흔히

---

05 "界"는 "男"의 오식 - 편자 주.

十五六 才 된 男子와 二十四五 才나 或은 三十 內外의 女子가 同舞한다 이는 그 키와 體容이 比式하게 하기 爲하야 그러케 組織함에 年齡의 差異가 生한 듯하다 그래도 女優의 化粧이 美術的이라 年少한 女態를 不失한다 休息 時間에는 觀客들이 自己 뜻 맛는 男女가 舞蹈를 하는 것도 멧이 잇다 閉場한 後 場門을 나서니 발서 東天이 붉것다 그네들은 밤에 놀고 나제 자는 모양이다 風俗으로는 別로 조흔 줄 모르겟다

正午가 되도록 困히 자던 나는 精神을 차려 市街를 도라다니면서 若干의 物品을 삿다 우리 보기에 제일 싼 것은 雨衣이더라 그날 午後에는 朝鮮 兄弟 一同이 記者의 歡迎會를 新世界에 開催하얏다 正刻에 入門하니 數十 人의 同胞가 來參하얏는대 名啣을 바다 보니 醫師가 其中 만흔대 또한 相當히 活動한다고 한다 其次로는 旅館業이 만코 또 雜貨와 米穀을 營하는 이도 잇다 거긔 잇는 우리 同胞가 一千 四五 百이라 한다 其中에 아조 露國에 入籍하야 故國語를 모르는 이가 잇다고 하난대 만흔 靑年들은 黑煙商을 한다고 한다 利도 잇고 하기 쉬운 까닭이다 그러나 그런 이는 오지 아니하여스니까 姓名도 알 수 업다 生存을 爲하야서는 아모 營業도 한다지만만은 할 수 잇스면 그런 營業은 人道를 爲하야 그만두기를 바라는 生覺도 自然 난다

其前에는 다른 事務를 爲하야 留哈한 이도 不少하다 特히 金秉玉 氏 갓흔 이는 以前 閔 忠正公이 佛國 公使로 갈 時에 秘書官으로 갓든 이인대 二十餘 年을 머스코[06]에 留하면서 露國 皇帝大學(帝國大學)에서 法科 內에(文學科 露國 學制는 法科 內에 文學科가 잇다 함)를 卒業하고 學士位까지 엇엇스며 數年을 助敎授로 잇섯다 하며 그는 文學의 才能이 有하야 現代 露國文學界와 思想界에 精通하며 世界文學에도 素養이 잇는 모양이오 特히 舞蹈

을 잘한다고 한다 그가 席上에서 年前에 同胞들이 露國에서 苦生하던 慘憺한 이야기를 속이 찌르도록 하여 주시면서 今番 東亞日報에서 主催한 海外同胞慰問運動이라는 거는 有理 且 有意味한 것이라고 力說하여 주신다 할 수 잇스면 그런 識見 잇는 兄弟가 內地로 드러와서 活動하여주서스면 하고 내 속으로 바랏다 나는 이에 床側에서 數言으로 感謝를 告하고 退場하야 即時 水曜禮拜時間에 參席하니 牧師는 新生活이란 名稱이 조흐니 이로써 說敎의 題目을 삼아 傳道를 하야달라고 한다 남들이 여러 번 이 問題로 說敎와 講演을 한다고 是非처럼 하얏더니 오늘은 내 차려가 되엿다

一 時 餘에 閉會하고 一時 發 列車를 乘하기 位하야 十一時에 停車場에 나아가니 만흔 親友가 餞送코저 來臨하얏는대 時間이 너무 일타 그러나 여긔는 이것이 風俗이 되야 느즈면 車를 못 탄다고 한다 그 間에 나는 만히 엇은 感想 中에 哈爾賓은 外國人이 集合하야 居留하는 故로 商業上으로도 有望하고 現在 大勢이니까 또 生活의 趣味라 比할 때 업슴으로 언제나 한번 가서 살아보겟다 尋常치 안이한 約束을 하얏다 참으로 사람마다 적은 上海라고 한다

하도 오래 기다리니까 發車 時間이 되얏다 만흔 知友 中에는 다시 못 볼 이도 잇겟거니 하고 섭섯함을 먹음고 옷깃을 난호앗다 그 후 닭의 홰 갓흔 車間에서 一夜를 經過할 새 裵亨湜 宣敎師와 令孃 愛主와 또 其外 女學生 一人 女敎師 一人이 同伴하매 갈 때보다는 寂々치 안다 翌日에 長春에 나렷다가 다시 奉天을 둘너서 大連으로 向할 새 車中에서 내여다보니 여긔저긔 未墾地에 草場이 둘넛는대 牧童들이 羊과 牛馬와 豚을 數十 頭式 몰고 다니면서 먹인다 淸人들은 牧畜業에 注意함을 可히 알겟더라 汽笛이 끗츨 告하기에 나러서 보니

大連。

이라 한다 여긔는 停車場에 朝鮮人은 업다 鎭西館이라는 日人 旅館의 뽀
이를 따라 다시 行李를 거긔 맛기고 朝鮮人 사는 대를 무르니 사람마다 朝鮮
料理店으로 가야 만난다고 하니 이는 料理를 파는 飮食店이 아니오 遊廓이
라고 한다 나는 日曜日 午前 十時 頃 即 白晝에 靑樓를 차저가는 放浪客의 行
色을 作하얏더니 多幸인지 電車에 나리자 朝鮮人으로 打綿商 하는 이를 맛
나 若干의 懇話가 有한 後 地形의 紹介를 듯고서 바로 市外로 놀나 갓다 電
車를 타고 한 時間 半 나아가니 거리는 海水浴場 이 잇는대 이는

老虎灘。

이라 大連市外建物會社에서 海水浴場을 無料로 設置하얏다 港灣이 巧妙屈
曲하야 水波가 不興하고 砂石이 平鋪한대 無數한 沐浴軍의 男女老幼가 提携
踏至한다 나도 해가 맛도록 海浴을 하고 그 저녁을 거긔서 보내니 山麓에는
百餘 戶의 避暑屋을 洋制로 지엿고 어두운 夜間에 四面에서 獨唱 並唱의 新式
唱歌 소래가 들이니 여긔도 여름한철 보내기는 支離한 줄 모를 곳이더라

이른 참에 도라와서 市內를 도라갈 새 本社前이라는 停留場에 나려보니
이는 南滿洲鐵道 本店 所在地인대 滿鐵의 設置는 참 놀나을 만한대 이 會社
는 처음 二億餘 萬 圓으로 創立한것이오 只今은 社債를 合하야 資本이 增加
하얏다 公衆이 出入하는 公會堂、圖書館、公園、學校、病院、劇場、무엇이
던지 하나도 남기지 안코 全部 滿鐵 經營이요 日人의 住宅이며 營業까지 하
나도 後援하지 아니하는 것이 업고 누구나 日本人은 其 惠澤에 浴치 안는 이
가 업다 資本主義가 다른 대는 몰르거니와 大連에 잇는 日本人의게는 天國
에서 下來하는 恩惠의 神 갓겟다 우리 同胞는 그런 機關이 업서 그러한지 事

業도 볼 것 업슬 뿐 안이라 五百餘 名이나 居留한다는대 集會機關이 하나도 업다 나는 이에 大連에 잇는 우리 同胞의 將來를 爲하야 自省을 求하엿노라

市區는 大槪 整然하고 日本人 商業으로도 南滿洲에서는 第一位인 듯하다 東西南北으로 地圖만 보고 함자인 대로 도라 단엿다 너무 더워서 다시 市外 電車를 타고 水源池를 向하얏다 여긔는 五 里 밧게서 機械力으로 海水를 引渡하야 人造 海水浴場을 新設하얏다 이것만 보와도 南滿鐵道會社의 活動을 可히 알겟다 또한 區域을 가서 電車 끗을 到達하니 이는 곳

星浦。

이라 이곳은 海水가 쭉 드러오고 兩岸은 半島를 成하얏는대 左便에는 公園을 設置하얏으며 中間으로 統治한 大路는 限 三 里나 되겟고 園內에는 樹木이 密密한대 두문두문 亭子와 椅子가 잇다 海邊에는 脫衣室을 洋制로 建築하얏는대 滿鐵 沿岸에 잇는 各 小學校에서 臨海敎育을 爲하야 出張 中이라 各處에서 男女 選手의 水泳 敎師들이 各各 自己의 擔任한 學生들의게 親히 遊泳을 敎授하는 것이 볼만하다 또 一邊에는 貴紳士들이 作伴하야 快活이 遊泳하는대 나는 내 그림자를 보는 外에는 다른 同侔가 업섯다 그래도 나도 만흔 滋味 속에서 그 해를 보내고 해진 後에 右便 一角을 거러가니 여긔는 天幕을 宏壯하게 베퍼스니 天然한 太古時代的 生活이라 이는 大連體育會에서 發起하야 數十 名 學生과 갓치 와잇는 곳인대 團長이 무삼 廣告를 付할 時는 書名할 곳에다 酋長 白이라고 한다 이 亦是 奇觀이다 人心조차 厚朴하야 餐이 업서도 夕飯을 먹으라고 强勸한다 나는 夕飯을 지난 故로 辭絶하고 도라와서 다시 浴塲 附近에서 一夜을 보내이고 明旦에 大連을 다시 드러와서 午後 八 時에 仁川을 向하야 出帆하는 阿波固汽船會社 所有 二十一共同丸

에 오르니 此 船은 三千八百餘 噸으로 商船 中에는 그리 적지 아니하다 順風
을 맛나 翼旦에 芝罘港에 寄하엿슴으로 朝飯을 지난 後에 잠시 港內에 올러
가니 諸般 設備와 制度가 西洋風이 만흔대 北海岸에는 西洋人의 避暑家屋들
이 一 村落을 成하얏더라

午正이 되매 배는 이곳을 떠나서 다시 갈 새 甲板 우에를 오르락 나리락
하는 間에 해가 지고 다시 一夜를 또 지나서 해가 東天에 소섯다 午前 八時
에 갑작이 海霧로 因하야 四 時間이나 淀泊하얏다가 날이 개이매 다시 航海
를 繼續하야 午後 五時 頃에 仁川에 着하얏다 먼저 한 五 里 밧게 警官이 出
張하얏는대 처음에는 淸人 따로 日本人 따로 分立식히고 身分과 行先地를
調査한다 나는 잠간 日本人 側에 서잇섯다 그래도 아조 만々치 아니하야 그
런지 우리 江山이니까 特待를 하여서 그러한지 警官이 타고 온 特別小蒸氣
船으로 海關까지 시러다주고 外國人 及 日本人은 共同丸 그대로 棧橋에 대
이엿다 나는 海關에서 담배 업느냐? 하는 審問과 檢査를 畢하고 다시 警察署
出張所에 가서 臨時罪人의 審問을 밧앗다 아니라 臨時만 罪人 갓지도 아니
하다 一視同仁이니 무엇이니 하면서 엇지 差別은 그러케 甚한고 그 甚한이
만치 아니라 其 以上으로 代價를 領收할 걸!

記者는 이 辛酸한 것을 다 맛보고 行李를 仁川驛에 依託하고 申洪植 牧師
宅을 차저가니 氏와 갓치 今番 江華에서 開催하는 敎役者修養會에 講師로
請聘되섯던 鄭春洙 牧師가 한 二 時間 前에 와잇섯다 그리하야 這間의 經過
를 드르니 비가 너무 만히 와서 家屋의 破傷과 農作物의 損害가 多하야 景況
이 업서서 中途에 修養會가 變하야 水洋會가 되엿다 한다 這間 滿洲에는 비
가 오지 아니하여슴이 異常한 일이다

다음날은 四 五 人이 作伴하야 仁川海水浴塲의 水泳會로 出脚하니 若干의
施設은 하노라고 하야스되 大連 等地의 그것에 比하면 아직 始作도 아니한

세음이다 將次는 滿鐵에서 二十萬 圓을 드려서 最新式 浴場을 經營한다니까 좀 참을 밧게 업섯다 다른 곳은 업스니까 只今도 日曜日이면 水泳 오는 男女가 雲集한다 오날은 土曜日이라도 學生 其他을 合하야 不少히 來遊한다

땀을 씨서가며 月尾島를 등지고 도라와 順天病院에 林在夏 氏를 訪問하니 氏는 這間 客苦를 慰勞하여주신다 더위를 무릅시고 米豆取引所에 狀況을 視察 갓다 朴昌漢 君과 東亞、朝鮮 兩 新聞支社 記者들이 親切히 案內하여주신다 取引場 內에 入하니 賣出 呼買人呼를 알 수도 업는대 알 수도 업는 소래로 목에 피대가 오르게 부른다 참으로 여긔가 經濟的 競爭場이다

朴昌漢 君의 生辰宴을 意外에 參觀하고 午後 八時가 되매 靑年會의 主催로 講演會를 열엇다 滿洲의 感想을 처음으로 陳述하얏다 日氣가 甚暑하야 聽衆에게 만흔 受苦를 끼첫다

月曜日은 八月 七日이라 日記冊을 披閱하니 내가 出發하던 日로브터 꼭 一 個月이오 四 周 間이다 四 周 間이라 題한 所以이다 그래서 나는 아참 九時 半에 上京하랴고 하얏스나 行李가 오지 아니하야 十二時로 延期하얏다 出發할 때도 行李가 말성이 되엿더니 끗헤도 그러하다 무엇이나 始終이 如一한 것이 조타하지만 이런 일은 그러치 안어스면 조켓다

記者는 本 記를 맛침에 際하야 今番 旅行 中에 만흔 受苦를 不拘하고 精神과 物質로 直接 間接을 勿論하고 守護하여주신 여러 親友의 恩惠를 謝禮하기를 마지 아니하오며 아직 夏日이 尙殘하얏는대 諸位의 氣體萬康을 衷心으로 비나이다

一九二二 八、月 八日 於 延禧專門學校

—『新生活』, 第9, 1922년 9월

萬里長城어구에서 — 內蒙古旅行記의 一 節

벗이어ㅡ、

나는 只今 헐덕헐덕 달아나는 京義線 急行列車 한쪽 구석에서 窓밧그로 보이는 萬里長城을 각금각금 내다보면서 이 글을 쓰나이다. 아츰 여들 時 半 北京을 떠난 汽車는 열時에 南口를 지나 只今 靑龍橋로 向하는 中이오며 우리가 탄 一等車간에는 四十餘 歲 되어 보이는 西人 畫家 한 분이 무슨 寫生을 하노라고 鉛筆을 紛走히 놀리고 잇는 外에 西國 婦人 四五 人이 무슨 滋味잇는 이약이를 하고는 우슴의 合唱을 하면서 잇나이다.

벗이어!

萬里長城과 西人 遊覽客 — 이 巧妙한 對象은 나에게 여러 가지 깁흔 印象을 주오며 더구나 興敗의 原理에 對하야 어느 哲家의 名著보다도 더 — 深奧한 妙理를 말하는 것 갓사외다.

秦始皇이 六國을 統一한 後의 萬里長城을 싸아서 山海關、古北口、獨石口、張家口、殺虎口、喜峯口、天井口、散關、蕭鬪[01]、嘉谷[02]關의 要塞를 만

---

01 "關"은 "關"의 오식 - 편자 주.

들고 阿房宮을 지은 後 童男、童女 五百 人을 蓬萊方丈 瀛洲山에 不死藥 캘려 보낼 때에 그의 夢想은 정말 크엇을 것이외다.

自己는 언재까지든지 죽지 아니하고 살아 저 — 華麗한 阿房宮에서 맘대로 놀고 지내면서 天下를 號令할 것이오 「人命이 在天이라」 萬一 不幸히 죽게 된다드라도 「自己의 子孫은 天地가 업어질 때까지 萬乘의 位를 保全하야 永遠히 福樂을 누리리라」고 하엿을 것이외다.

그러나 그가 그러한 꿈을 꾼 지 不過 몃 十 年에 그의 아들 二世는 項羽와 沛公에게 大敗하야 참혹한 죽음을 當하고 그처럼 宏壯하든 阿房宮도 不過 몃 十 日에 全部 재가 되고 말앗읍니다.

自己가 힘껏、精誠껏 싸아둔 萬里長城이 只今 그가 꿈에도 生覺치 아니하든 — 코 크고 눈 노른 — 西洋사람의 求景거리가 되는 것을 보고 그는 아마 地下에서라도 이를 갈고 가슴을 뚜다리며 憤해할 것이외다.

그러나 이러한 일이 어찌 萬里長城과 阿房宮뿐이며 이러한 後悔가 어찌 秦始皇만 當하는 바이겟읍니가? 世上 萬事는 다 — 이러하고 古今人生은 다 — 이러한 설음을 맛보는 것이외다.

壯丁이 어린 아희를 對할 때에 「저 — 아히는 百名 千名이라도 나 하나를 對敵하지 못 할 것이고 또 언제든지 그러할 것이라」고 生覺하지만 不過 二十 年에 그는 작지가 아니면 것지 못 하고 돗보기가 아니면 보지 못 하는 半病身이 되고 말고 어린 아이 튼튼하고 힘잇는 壯丁이 되는 것이외다.

富者가 거어지를 對할 때에 「나는 언제까지든지 富者로 …… 거어지는 언제까지든지 거어지로 지낼 것이라」 하야 내가 도야지처럼 虐待하지만 머지안은 將來에 그의 子孫이 거어지 子孫의 門 간에서 식은 밥을 求하는 날이

---

02 "谷"은 "峪"의 오식 - 편자 주.

잇는 것이외다.

저 ― 所謂 文明하엿다는 英人이나 法人이 印度人이나 埃及03人을 對할 때에 自己네는 特別히 高尚한 民族임으로 永遠히 저 ― 野蠻한 民族과 같아질 날이 업을 것이니 天地開闢때 붓어 文明하야 天地가 업어질 때까지 文明한 民族으로 지낼 것가티 生覺하고 그네들을 無限 虐待 하지만 「그네들은 二千年 前 印度와 埃民族에게서 이러한 虐待를 밧든 野蠻한 民族이엇고 또 將來에 이러한 時代가 돌아올리라」는 것을 그 ― 누구가 否認할가요?

더위가 지내면 치위가 오고 밤이 지내면 날이 오는 것처럼 盛이 지내면 衰가 오고 衰가 지내면 盛이 오는 것은 自然의 理致외다.

벗이어!

이러한 生覺을 할 때마다 恒常 속예서 북바치어오르는 것은 우리 同胞의 現狀이 오니 千三百 年 前에 天文臺(慶州 瞻星臺)를 싸우고 七百 年 前에 活字를 發明하든 우리의 祖先을 生覺하고 現今의 우리 社會를 돌아볼 때와 扶餘、高句麗의 옛일과 우리의 現象을 比較하야 볼 때에 아 ― 그 누구라서 눈이 캄캄하고 四肢가 떨리는 그 ― 무슨 懷抱를 禁할 수 잇겟삽나이가?

이 글을 쓸 때에 빠이론의 靈이 나를 노리어 보고 「自由의 後孫인 奴隸의 ○○人아」라고 꾸짓는 것 갓사오며 왼 車간에 잇는 모든 사람들이 나를 흘기어 보면서 그 詩를 부르고 비웃는 것 갓하여서 낫이 확근확근하고 四肢가 떨림을 禁할 수 업나이다.

벗이어!

그러나 「낫과 밤이 서로 밧귀우는 것처럼 盛과 衰가 서로 循環하는 것은 天地의 正當한 理致니 우리가 이러케 된 것도 할 수 업는 일이라」하야 그저

---

03 "埃及": 이집트 - 편자 주.

斷念 하얏으면 우리의 설음은 업어질가요?

또 「게울이 칩움은 녀름이 덥어질 압장이고 낫이 밝음은 밤이 어두어질 장본이라」 하야 우리의 現在 境遇는 돌아보지 아니하고 그저 前途를 樂觀하 엿으면 그만 될가요?

世界 最古의 文明國이든 印度、埃及、中國의 現狀을 生覺하고 西方 唯一 의 專制國으로 佛国[04]、툴키[05]、항가리아[06] 等의 國民運動에 恒常 帝政派를 도우든 러시아의 現象을 돌아볼 때에 우리는 이 一 循環의 法則을 充分히 볼 수 잇을 것이외다.

現在에 富하고 强하다고 自慢할 수도 업는 同時에 貧하고 弱하다고 落心 할 必要도 업음은 이 몟 가지만으로도 充分히 理解할 수 잇을가 하오나 이 外에 우리의 注意치 아니치 못 할 問題가 하나 잇사오니 即 一「이 原則은 努力하는 者에게만 適用된다」는 것이외다.

우리는 動物學이며 植物學에서 前世界에 잇든 動植物로 只今 업어진 것 을 만이 볼 수 잇고 人類學이며 考古學에서 前世界에 잇든 人類로 只今 업어 진 種族을 到處에서 發見할 수 잇읍니다.

그네들은 어찌하여 이 世上에서 永遠히 업어지고 말앗는가요? 勿論 動物 이나 植物에 對하야는 氣候、風土、其他 여러 가지 方面으로 說明할 수 잇슬 가 하오나 人類에 對한 說明은 다만 「徹底한 自覺이 업엇댓고 努力이 不足하 엿는 것이라」는 外에 別다른 理由가 업을 것 갓사외다.

萬一 그네들이 徹底한 自覺을 가지고 努力하엿다면 決코 滅亡되지 아니

---

04 "佛國": 프랑스 - 편자 주.

05 "툴키": 터키 - 편자 주.

06 "항가리아": 헝가리 - 편자 주.

하엿을 뿐 아니라 이 世上의 強者로 無限한 福樂을 누릴 하로가 잇엇을 것이외다.

따라서 우리는 現在 弱하고 貧하드라도 決코 失望할 必要는 업는 同時에 徹底한 自覺으로 努力하여야 될 것을 알아야만 되겟음니다. 그리치 못하는 民族은 北海道의 아이누나 台灣의 生蕃처럼 漸漸 적어지어가다가 永遠히 이 世上에서 쓸어지고 말 것이외다.

벗이어!

生覺이 이에 이르매 나는 「우리에게 徹底한 民族的 自覺이 잇는가?」 「우리의 하는 努力이 우리의 모든 建設事業을 이룸에 不足됨이 업는가?」라고 反問하지 아니할 수 업엇사오며 이와 同時에 甚한 恐怖로 全身이 떨림을 느끼엇나이다.

汽車는 「나의 煩悶이 저에게 아모 相關도 업다는 듯이 如前하게 털그덕 털그덕 달아나오며 車간은 如前히 고요하옵고 다만 西洋 婦人의 우슴소리가 間間히 沉默을 깨트릴 뿐이외다.

一九二二、六、二三、(京義車中)

現存한 長城이 秦始皇의 싸은 것이 아니라는 것은 最近 史學家의 公認하는 바이외다. 그러나 이 感想文은 古來의 傳說 그대로를 事實로 假定하고 쓴 것이외다. (作者 附注)

—『開闢』, 第40號, 1923년 10월

中國行

柳光烈

漢陽아 잘 잇거라

電燈불 밝은 京城驛을 뒤로 두고 奉天行을 탄 나는 오래 정드럿든 京城을 떠났다 俗談에 五六月 불도 쪼이다가 물러나면 섭々하고 滿期出獄의 罪囚도 監獄을 다시 도라본다더라 그러나 나에게 對한 京城은 五六月 불도 아니요 罪囚에 對한 監獄도 아니엇다 우슴도 만코 우름도 만흔 靑春의 記念塔이엇다 回顧하니 내가 京城으로 오기는 一千九百十九年 八月 十五日 불볏이 털털 나리쪼이든 녀름날이엇다 그리한 후 於焉間 五 年이 되엇구나 五 年의 歲月! 果然 괴롭기도 하엿다 世上에 對한 말은 고만두고라도 내 自身으로는 흘더⁰¹가는 歲月이 앗가웟다 스러저가는 靑春이 애차로웟다 그러나 이보다도 더욱 나를 압흐게 한 것은 感傷의 화살을 마즌 나의 어린 가슴을 하소연할 길이 업슴이엇다 이리하야 金華山 머리에 殘月이 질 때에 외로운 그림자를 끌기도 하고 漢江鐵橋에 秋風이 부듸칠 때에 여윈 얼골을 빗취엇세라 아 ― 괴롭든 漢陽! 정드럿든 漢陽! 너를 두고서 나는 가노라 菓子 상자를 엽헤 끼고 눈물 먹음은 눈으로 나를 보며 『참 섭々하오』 하든 K 君과 울늣한 목소래

---

01 "더"는 "러"의 오식 - 편자 주.

로『참 꿈 갓소』하든 R 군의 말을 드를 때에 나의 눈에서는 몃 번이나 눈물이 터저 쏘다질 번 하엿다 이럴 때마다 나는 운 니빨로 아래 입술을 깨물고 눈물을 안 보히려고 얼골을 돌니엇다

우둑허니 車窓 밧게 서서 여러 親友의 두루는 帽子를 바라보다가 나는 참 앗든 눈물이 一時에 쏘다저서 눈빗가치 흰 寢臺에 얼골을 파뭇고 울고 십흔 대로 우럿다

이리하다가 나는 어렴풋이 잠이 드니 夢魂은 부절업시 정든 동모에게 往來한다

山家의 初夏景色

얼마를 자다 깨니 날이 새이고 窓外에는 細雨가 뿌린다 平壤驛을 지나는 대 大田支局 記者 李吉用 君이 車中으로 차젓다 다른 때보다 變[02]으로 반가웠다 君은 鎭南浦로 가는 中이며 將來 東京 留學을 가겟다더라 汽車가 安州驛을 지날 때에 어늬듯 비는 개이고 雲間으로 새여나오는 朝陽이 車窓을 빗 취인다

汽車가 鴨綠江을 근너서니 이곳부터는 外國이다 山 밋 農家에는 淸服 입은 村婦가 아해를 안고 섯고 門 압 밧에는 희고『누른 장다리』꼿이 滿發하엿다 그리고 그 위로는 기는 봄을 액기는 듯이 힌나비 떼가 수업시 펄々 난다

春光을 탐하는 나뷔 떼를 바라보다가 나는 일즉이 사괴든 여러 情人을 回想하엿다 金石이라도 녹일 듯한 哀調로

『안령히 가서 게십시오』

---

02 "戀"은 "雙"의 오식 - 편자 주.

하는 말을 악센트를 길게 뽑아 부를 때에 나의 가슴도 메여질 듯하얏섯다 나는 흘너가는 靑春이 너무 앗가워서 입속으로 노래를 불넛다

나뷔야 靑山 가자
九十春光을 다 보내고
너를 따러 나도 가자

이 노래를 부르다가 누가 들을까보아 얼른 소래를 죽이고 四面을 둘너보 앗다

繼續되는 楊柳村

門前에 어린 아해 안고 섯는 村家를 몃치나 지나가도 如前히 鄕村의 景色 이 繼續된다 一村을 지나면 又 一村 垂楊은 느러지고 農夫는 悠閑하게 일한 다 車가 本溪湖를 지나면서 次次 滿洲의 氣分이 濃厚하여진다 樹木 만흔 山 이 업서지고 질펀한 平野 나오니 이른바 遼東 七百 里 벌판이다 山은 업서젓 스나 如前히 楊柳의 村이 繼續된다

女息에게 가는 片紙

汽車가 平北地方을 지날 때에 맛난 一 中老人이 잇스니 彼는 俄領 海蔘威 에 多年 잇다가 近日 京城을 다녀간다는 咸鏡北道 明川人 李 某이라더라 彼 는 十餘 年 前에 俄領에 渡하야 赤手空拳으로 돈을 버러 海蔘威에 벽돌洋屋 을 셋이나 지어놋코 太平으로 지내다가 赤化의 革命이 한번 이러나서 紅潮 가 海蔘威 一帶에 부듸치매 彼는 有産階級으로 몰리어 身邊이 危殆하야 도

라가지 못한다 그리고 滿洲의 野로 定處업시 간다더라 彼의 本家에는 愛妻
와 幼兒가 잇스며 一 女는 上海 留學을 식히는대 이번에 旅費가 잇스면 딸아
나 가보고 십흐나 旅費 업시 엇지 가겟느냐고 長太息을 發하다가 내가 上海
까지 간다는 말을 듯고 반색을 하면서 上海 가거든 좀 차저보아달나고 片紙
를 써주며 自己 딸의 寫眞까지 보히니 어엿부게 생긴 十 七八 歲의 少女이다
나는 참아 此를 拒否하지 못하고 될 수 잇스면 傳해주마 하엿다 어늬듯 夕日
은 가도 업는 廣野 저편으로 숨으려 하고 西天을 붉게 물드린 落照만이 한업
시 곱게 보힌다

暮色을 帶한 奉天驛

俗談에 범도 제 색기 둔 곳을 두둔한다는 말과 가치 十餘 年 風霜에 世上
의 甘苦를 격글 대로 격고 漠漠한 天地를 집 삼아 다니는 彼 漂浪客도 自己
의 女息을 생각하는 마음은 간절함인지 여러 번 自己 딸을 차저보고 消息을
傳한 後 길히 사랑하야 달나고 付託하며 늙은 눈에 눈물이 고힌다 彼의 善惡
是非는 如何間 天涯地角에 떠러저잇는 父女의 애끗는 情懷를 同感할 뿐이다
暮色이 樹間에 나는 廣野를 얼마 쯤 가다가 市塵이 漲天한 一都市에 車가 다
으니 이 곳이 奉天이다 彼와 車隅에 手를 分하고 내리니 어둑어둑한 停車場
에는 馬車와 人力車가 노히고 알아드를 수 업는 淸人의 외마듸소리가 요란
히 들린다

暗中에 어린 동모

조고마한 馬車에 行具를 실리우고 어두어가는 市街를 向하얏다 所謂 新
市街라는 곳에는 電燈이 잇스나 엇던 거리는 캄캄한 곳도 잇다 馬車가 市街

를 지나 어두운 골목으로 들어갈 때마다 나의 마음은 一種 不安을 늣기엇다 馬車夫에게 奉天 十間房 東亞日報支局이라고 일러주기는 하엿스나 이곳 形便을 도모지 모르고 一個 車夫에게 身을 委하고 가는 것이 不安한 同時에 車夫가 어두운 골목으로 드러갈 때마다 『아라비아나잇』이 今夜인 듯하엿다 車夫는 이 사람 저 사람에게 무럿스나 畢竟 찻지 못하고 헤매일 때에 나는 어두운 中에서 반가운 朝鮮의 어린 동모를 만낫다 아즉 小學校 學生인 듯한 十七八歲의 少年들이라 내 말을 듯더니 서슴지 안코 두 아해가 馬車에 달리여 나의 目的地까지 다려다두고 간다 너무 고마운 마음에 姓名을 무르려하니 우스며 對答 아니하고 가더라 구태여 姓名을 아라 무엇하리요 나는 그들을 苦生할 때 맛난 우리 어린 天使이라고 불러두리라

古墓白楊不得老

支局에서는 支局長 閔輔根 氏 外 여러 어른을 맛나 旅程에 疲困한 몸이 어늬듯 외로운 꿈을 이루엇다

깨어보니 東窓이 밝엇는대 奉天 와서 처음 듯는 淸人의 行商이 물건 외치는 소래가 이상스러운 『액센트』로 들닌다 朝飯을 마치고 閔輔根 氏와 奉天名物의 北陵(淸太宗陵)을 보러 가게 되얏다 洋車(이곳에서 부르는 人力車의 別號)에 몸을 싯고 郊外로 나간다 이날은 奉天 特色의 몬지도 일지 아니하고 한가하고 조용한 봄날이엇다 길가에는 보리가 퍼럿케 茂盛하고 間間히 한 푼의 돈을 비는 乞人들이 장괘[03]를 련해 부르며 叩頭한다 廣野에 오즉 하나인 松林 속에 黃瓦로 이은 殿閣이 잇스니 이것이 北陵이다 殿閣 門前에

---

03 "장괘": 중국어 掌櫃(주인, 바깥양반) - 편자 주.

는 數업는 飮食장사가 秩序 업시 飮食을 버려노앗다 殿閣 안에 드러가니 碑石에는 漢字와 滿洲語로 陵名을 썻더라 陵閣의 城上을 도라 뒤로 가니 所謂 帝王이 永眠한 古墓가 잇다 墓上에는 楊柳가 느러저서 불어오는 春風에 시름업시 흔들리더라 어늬듯 墓上에 夕陽이 담복 드럿다

도라오는 길에 나는 感想的 氣分을 띄이고 눈가치 희게 滿潑한 배꼿 몇 개를 뜻어 나의 정든 친구에게 보내며 이 꼿이 시들기 전에 바다보아 달라는 글을 썻다 꼿은 시든다 물은 흘러간다 靑春의 人生도 속절업시 저물어간다

皇宮은 燕雀의 巢

그날 午後에는 奉天의 所謂 皇宮이란 것을 보게 되얏다 皇宮은 淸太祖가 滿洲벌판에서 이러나 中國 全幅의 征服을 謀하고 瀋陽의 一邊에 都를 定한 후 彼가 처음으로 黃袍를 입고 所謂 帝王의 威嚴을 보히려 하든 집이다 宮室의 制度가 朝鮮의 그것과 近似한 點이 잇스나 집웅을 黃瓦로 이은 것이 다를 뿐이니 當時 所謂 天子는 宮에 黃瓦를 쓰고 其外의 國王은 宮에 靑瓦를 쓰게 마련이엇다 한다 때에 春風秋雨 二百의 星霜을 經하야 彼 蓋世의 英雄으로 自處하든 淸太祖도 地下에 永眠하야 無情한 瀋水만 空然히 흐를 뿐이며 彼의 起居하든 此家가 行人의 玩好處가 되여 燕雀의 깃드리는 곳이 되얏슬 뿐이다 彼가 坐하얏든 龍床에는 칙々하게도 自上達下가 龍을 그리고 안는 곳은 붉은 칠을 하얏스며 그 外 天井에도 雙龍을 그리엇다 予는 집 한 채의 문을 열 때마다 銅錢 몃 푼씩을 주지 아니하면 말을 아니 듯는 彼 열쇠찍이 淸人에게 또 다시 銅錢 몃 푼을 빼앗기고 龍床에 눈을 감고 가마니 안저서 朝鮮의 使節이 此 前에 屈服하얏든 모양을 생각하고 一種 憤怒를 禁할 수 업섯다

다시 後便의 寢殿을 가보니 삿자리 우에 검은 칠을 한 듯한 한 방에는 積

年의 몬지가 켜를 이루엇다 다시 彼가 美人과 淸歌로 遊興하든 樓上에 오르니 奉天 一帶가 眼下에 展開된다 予는 此 樓에서 徘徊 數時에 도라가게 되엿다 然이나 異常하게 보이는 것은 淸朝의 創業主가 起居하든 此 宮殿의 一部를 現 東三省의 王으로 曾히 直隸督軍 吳佩孚와 中原 全幅의 覇를 爭하든 張作霖의 舍宅으로 쓰는 것이다 皇宮 구경을 다 하고 나오는 길에 번연히 안될 줄 알면서도 門派守에게 張作霖 舍宅 求景을 請求하니 派守軍은 大驚失色하며 그런 말은 도모지 업다고 하더라

咀呪할 喇嘛敎

夜에는 日本人의 經營이라는 奉天 新市街와 奉天의 暗黑面을 求景하고 劇場까지 본 後 잣섯다 翌日에는 喇嘛寺를 求景하게 되니 喇嘛寺는 彼 淸人이 中原 一幅을 占領하고 我 朝鮮까지 侵略하야 그의 氣勢가 자못 衝天의 槪가 잇섯스나 曾히 亞細亞沙漠으로부터 東歐까지 天下席捲의 勢를 보히든 蒙古에게는 甚大한 憂慮를 懷하고 蒙古人 詐欺策에서 나온 寺刹이라 當代無敵의 淸人도 兵力으로는 到底히 彼 强暴한 蒙古族을 征服치 못할 줄 알고 此 敎를 獎勵하되 其 敎 中에 無數한 階級的 喇嘛(僧侶의 名稱)가 有하고 其 中 大喇嘛라는 것은 天子와 同等 待遇를 주는 大喇嘛가 되려면 勿論 戒命을 잘 직히어 色界를 멀리 하여야 하는 것이라 然함으로 此 僧侶優遇策은 天子 同等이라는 美名 下에 蒙古의 種族을 滅하려는 術策이엇스며 從하야 蒙古人들은 此 天子同等의 大喇嘛 되는 통에 精神이 빠지어 兵事나 政事를 생각할 餘裕가 업게 되여 永遠히 淸族의 羈絆을 엇지 못하얏스며 一邊으로 所謂 淸天子가 蒙古人을 大讚하야 蒙古人에서 實로 崇嚴안 大喇嘛가 輩出한다 하얏나니 蒙古人은 此 催眠術에 걸린 以來 紅日이 三 丈이나 高한 二十世紀

의 今日에도 生存權을 엇지 못한 一 野蠻族을 免치 못하게 되얏다 이는 맛치 漢族이 朝鮮民族에게 漢文과 儒敎를 주어 朝鮮人은 此를 學하고 解하기에 歲月을 보내게 한 것과 一般이라 이리 하야 漢族은 蒙古族 어루만지듯이 『참朝鮮을 小中華』라고 올려 안치는 바람에 미련한 우리 祖上네가 『헤 一』하고 고라떠러지며 奴隷的 地位에 自甘하든 것이다 아一 咀呪하리라 蒙古의 大喇嘛와 朝鮮族의 小中華를?

明濟泰 氏를 訪함

午後에는 奉天에서 우리 朝鮮人의 民間 有力靑年 二三 人을 訪問하얏다 그 中에 奉天 皇寺後樓에 寄寓하는 明濟泰 氏는 奉天에 온지 十餘 年에 奉天 人士 間에 信望도 相當하고 日中 兩國 間에 介在한 奉天 朝鮮人들을 爲하야 만히 努力하얏스며 더욱 中國 官民 間에 交際가 만타 한다 予는 彼의 주름잡힌 얼골과 半白이 된 머리를 그의 努力의 表證으로 아랏다 그리고 外國에 漂浪하는 우리 同胞 中 生活의 根據좃차 잡히지 못한 사람이 만흔 이때에 氏의 家庭에는 淸潔한 應接室과 電話設備까지 잇슴으로써 氏의 生活의 餘裕가 有함을 알겟다

三學士의 遺蹟

밤에는 또 다시 閔輔根 氏와 함끠 奉天의 夜街를 逍遙하얏다 閔 氏는 멀리 日本人家屋이 만코 電燈불 빗나는 엇던 집안을 가룻치며 저곳이 昔日 丙子胡亂 때에 斥和로 有名하든 三學士의 處刑된 곳이라 한다 瓦金[04]이냐 玉碎냐 南漢孤城의 落日을 도라보면 힘업는 君臣이 痛哭하든 模樣과 及其 白旗를 달고 降伏할 때에 慷慨의 辭 悲憤의 淚로 斥和를 主張하든 可憐한 三學士

의 얼골이 눈압헤 나타나는 듯하얏다 그리고 傲慢暴虐한 汗奴가 斥和臣을 잡아 보내란 命令에 힘 업는 우리 朝廷에서 三學士를 잡아 보내든 일을 聯想햇다 그리고 漠漠한 胡地에서 賊의 칼날을 바드면서도 오히려 炬光와 如한 意氣를 吐하든 그들을 생각하엿다 그러나 그들도 사람이라 山 설고 물 설은 이 廣野에서 最後의 瞬間을 지날 때 응당 父母와 妻子를 思하고 一掬의 淚가 그들의 眼睛을 적시엇스리라 三 人의 孤魂은 漠漠한 廣野에 손목을 마조 잡고 彷徨하며 슯히 울엇스리라 予ㅣ 幼時에 우리나라 歷史를 읽을 때에 三學士의 事跡 中 만흔 詠詩를 보앗는대 그 中 獄中에서 自己 婦人의게 보냇엇던 분의 詩 中에 婦人에게 遺腹子를 잘 기르라는 말이 잇는 것을 기억하노니

吾生未可卜 幸護腹中兒

그러나 朝鮮에 三學士가 胡汗에게 受刑하든 곳에 日本人의 電燈이 달릴 줄이야 누가 알앗스랴 二百 年의 歲月아 너는 果然 무엇이냐

奉天槪觀

奉天은 淸朝 創業한 後에 所謂 奉天命이란 意味로 지은 일홈이라 한다 全體 戶數 三萬五千 人口 卅一萬인대 其中 朝鮮人은 戶數 約 三百 人口 約 一千五百이며 日本人 戶數 約 三千八百 人口 一萬五千이며 外國人 戶數가 約 七千 人口 二百四十이라 此地는 元來 瀋陽이라 하엿나니 瀋水의 此에 在함으로 此 名이 有함이라 淸太祖 十年에 遼陽에서 此地로 遷都하니 一名 盛

---

04 『金』은 『全』의 오식 - 필자 주.

京이라 淸太宗 順治 初年에 北京으로 遷都하고 淸朝末까지는 鎭守使를 두 엇스며 現在는 奉天 吉林、黑龍江 等 三 省의 行政中心地가 되엿슬 뿐 아 니라 現在 奉天督軍 張作霖은 實로 生死與奪의 權을 가지어 嚴然히 東三省 의 王인 槪가 有하다 東三省 諸 機關 中에 僅히 審判廳만 이 中央政府 司法 省의 直轄로 督軍의 指揮를 밧지 아니한다 하나 向日 奉直戰爭 때에 敗하야 中央政府의 逮捕狀까지 바든 張作霖의 統治範圍 外에 잇는 審判廳이 更히 何言을 하리요 予ㅣ는 奉天에 着하자 灰色 무명옷 입은 軍人이 銃을 메이고 다니는 것과 黑色 무명의 警服을 입고 擔銃警戒 하는 警吏를 보앗노라 그리 고 모든 官衙公署가 不完全하나마 二十世紀에 안저서 所謂 統治者 잇는 國 家의 體面을 보히도다 鼠賊도 防備하려니와 滿洲廣野의 唯一한 名物 馬賊 까지 嚴討한다 하며 더욱 張 將軍이 第四 太太(妾)를 얻은 후에는 全力을 다 하야 馬賊을 討伐한다 하도다 그러나 이와 가치 馬賊을 嚴討한다는 張作霖 은 誰이뇨 曾히 馬賊의 首魁로 東三省에 橫行하든 其人이라 그리고 二十世 紀인 今日에 오히려 이와 가튼 一 個 綠林豪兒가 政權을 左右한다 함이 豈 히 一 怪事가 아니랴 此가 鴨綠江을 근너선 後 中國에서만 어더 보는 꿈과 가튼 수수격기로다 그러나 歷代의 帝王이나 蓋世의 政治客 革命兒 中에 讀 書兒가 적은 것을 보면 思가 半을 過하리라 彼 張作霖은 實로 東三省 一帶 에서 生死與奪의 權利를 가젓슬 뿐 아니라 中原 全幅에서 直隸督軍 吳佩孚 와 覇를 爭하는 軍閥의 巨頭라 幸인지 不幸인지 年前 奉直戰爭에 失敗한 以後에 中央政府로부터 東三省巡閱使의 職을 免하고 逮捕令까지 바닷스나 手下 十萬의 兵을 擁한 彼는 聽而不聞하고 滿洲 一帶에 한 판을 차리고 안 저서 또 다시 奉直戰爭을 하려는 中이다

朝鮮人槪況

閑話는 休說하고 奉天에 來往한 우리 朝鮮人을 四 種으로 分할 수 잇스니 第一 大多數는 年々히 侵入하는 日本移民 때문에 田地의 小作權을 被奪하고 祖先의 古墓와 鄕關田園을 도라보며 눈물을 뿌리고 나온 生活 困迫의 農民이요 其二는 國이 亡하되 山河는 猶存하야 凄凉한 廢墟에 禾々한 麥穗들 참아 볼 수 업서 慷慨의 志를 抱하고 飄然히 滿洲의 野로 근너선 國權回復黨이요 其三은 政治犯이나 其他 犯罪로 朝鮮 안에 잇슬 수 업는 亡命客이요 其四는 滿洲의 內情은 詳知치 못하고 滿洲에 가서 무슨 一攫千金을 하려든 投機商人 又는 挾雜輩이라 此ㅣ 엇지 滿洲 一帶 뿐이리요 南北 滿洲에 와잇는 우리 朝鮮人의 大部分이 擧皆 此 四種에 屬할지라 然이나 經濟 上으로 何等의 保護가 無하야 樂歲에 終年苦하여도 오히려 朝夕의 運命이 어렵거든 더구나 旱災와 中國 官憲의 往來와 日本 官憲의 討伐과 馬賊의 掠奪을 번가라가며 當하는 그들의 情景이 果然 如何하리요 滿洲 一帶에 와잇는 百餘 萬의 同胞는 萬死의 中에서 一生을 維持한다 하여도 過言이 아니다 그러나 予는 此 滿洲를 朝鮮人이 進出할 唯一한 活路라 하노라 三面이 海로 環하고 生産이 缺乏한 朝鮮半島에 虎狼보다도 무서운 彼 東拓의 移民 政策은 不幾年에 朝鮮 全國의 土地를 席捲하고 말 터이니 將來 朝鮮人이 滿洲를 捨하고 何로 往하랴 兼하야 滿洲는 土地가 肥沃하고 生活費가 低廉하며 幸히 中國人이 水田 農事를 不知하니 此 時를 當하야 朝鮮 內地의 人士는 좀 더 此 方面에 着眼하기를 바라노라 現在 奉天에 와잇는 一千五百의 朝鮮人 中에는 그래도 水田 經營으로 成功한 幾 個 農家 以外에는 모다 生活이 困難하며 第一 奇怪한 것은 朝鮮人의 娼妓를 다리고 와서 朝鮮料理를 開業한 사람들만이 日中 兩國人에게 歡迎을 바다 相當한 業績으로 二三 萬 圓의 蓄財가 有하다는 것이다

萬里長城과 傳說

火車가 山海關을 지낼 때에는 날이 임의 저물고 市街에는 電燈불이 반작인다 때는 마참 奉直戰爭 再開의 說이 잇서서 山海關 城 밧근 奉天軍 山海關 城 안은 直隸軍이 結陣하야 彼此 睥睨하는 中이다 車에 오르고 내리는 사람의 얼골에도 一種 烈風이 떠도는 듯하엿다 火車가 驛에 다으니 車窓 밧게는 武裝한 軍人이 往來하며 居留民 保護를 爲名하고 日英米 各國 軍士들도 駐屯하엿다 한다 夜色이 沈沈하야 一世의 英雄 秦始皇이 蒙古族을 抗拒하든 萬里長城을 보지 못한 것은 予의 一大 遺憾이엇다 또 이 山海關에는 萬里長城을 中心으로 幾多의『로만스』가 잇스니 그 一 二를 紹介하면

秦始皇이 亡秦者는 胡也라는 豫言에 겁이 나서 萬里長城을 싸아놋코 二世 三世로 至于 萬世를 기다리다가 二世에 亡한 것은 史證이 昭然한바이어니와 數千 年의 歲月을 지나 淸太祖汗이가 明國을 드리칠 때에 山海關이 難攻不落이 되엿는대 當時 山海關을 守直하든 明將 李自成이 明朝에 不滿을 抱하고 淸胡와 內通을 하야 堅壁不出하니 淸陣에서 間諜으로 아라본 즉 李自成이 戰意는 업스나 城門을 自進하야 열지는 아니할 터이니 城壁을 깨치고 드러오라는 意이라

이 말을 드른 淸陣에서는 城壁을 깨트리고 드러가는대 城壁 中에서 意外에 一 石刻秘記가 나왓다 거긔 삭이기를『胡不百年』이라 明書하고 그 엽흐로 秦 丞相 李斯 書라 하엿다 原來 迷信을 重視하는 그네들 더욱 遠攻途中에 在한 汗은 驚異의 眼을 떳섯다 더욱 盜賊이 제 발이 저리다는 格으로 自己가 胡인 關係로 더욱 가슴이 뜨끔하엿다 그리하야 畢生의 智慧를

내이어 『修德이면 萬々世』라고 大喝하니 그럿케 영절스럽든 石刻에서 땀이 흘럿다는 것이요

又一은 山海關에서 十餘 里를 떠난 곳에 잇는 姜女墳이란 것이니

姜女는 陝西 美人이라 그 美艶한 얼골은 鄕人讚美의 的이엇섯다 芳年 十八에 情郞과 作配하야 지금으로 치면 『스윗홈[05]』을 이루엇는대 不意에 郞君이 萬里長城에 夫役을 가서 積年이 되여도 不歸하니 姜女는 春花秋月을 시름 업시 보내며 可憐한 空閨를 직혀 苦待々々하여도 아니 오니 할 수 업시 客地에 잇는 그에게 옷이나 좀 내가 지어다 입히리라 하고 月夜孤雁의 聲을 聞하며 정성것 옷을 지어가지고 不遠千里하고 其 夫의 役所를 오니 其 夫는 病死한 지가 오래이엇다 그리하여 姜女는 向城痛哭하고 自殺을 하엿는대 죽을 때에 말하기를 『돌이 무겁고 단々하기 때문에 城을 싸흐며 城을 삿키 때문에 우리 郞君이 와서 죽엇스니 내가 죽거던 돌이 되되 무겁지 안코 단々하지 안은 돌이 되여 徹夫의 恨을 表하리라 하고 죽엇더라 죽은 屍體를 後人이 收葬하엿더니 그 墓가 업서저서 맑은 물이 흐르는 우물이 되고 우물 가운데는 水面으로 큰 돌이 이상스럽게 떠잇다는 것이라

혈마돌이 姜女의 怨恨은 아니며 水가 姜女의 눈물은 아니리라마는 誇張

---

05 "스윗 홈": sweet home - 편자 주.

하는 中國人의 一 傳說로도 興味는 잇다

正陽門 前의 喜劇

　山海關에서 잠이 들엇다가 깨여보니 塘沽 — 新荷 等의 火車站을 지난다 天津이 얼마 아니 남앗구나 하며 昨日에 알게 된 關爾라는 朝鮮人을 차즈니 벌서 行具를 整理하여가지고 문턱에 나서서 언제 한번 차즈라 自己는 애스터호텔에 잇노라 한다 惜別의 情이 不無하엿다

　午正이 채 못 되어 北京 正陽門에 到着하엿다 黃塵萬丈이란 말은 本國에서 글자로 보앗지만은 실상 當하여보니 北京의 몬지는 可謂 黃塵萬丈이다 때가 덕지々々하게 무든 얼골과 해여지고 떠러진 옷 몃 백 년이나 아니 닥갓는지 누런 덕게가 안진 니빨을 헤 버리고 아라드를 수 업는 외마듸소래를 지르며 도라다니는 『쿨리』(중국 로동자)의 꼴이 눈에 보힌다 버들고리짝을 『쿨리』가 메이고 停車場 밧그로 나간다 말 한 마듸 모르는 나는 엇지할 지 몰랏다 그러나 本國에서 無責任한 친구가 淸國은 人力車꾼까지 英語를 한다는 말을 듯고 몃 마듸나마 아는 英語가 꽤 밋엄성이 잇섯다 그러나 그 서투른 英語가 도로혀 大失敗를 招致하는 動機이엇다 나의 짐을 가지고 가든 로동자에게 一 角을 주니 저의 말로 적다는 듯하다 나는 다시 一 角을 주니 그자는 우스며 英語로 『一 角만 더 주면 洋車(人力車)는 그냥 태여다 주마 내가 人力車 主人이니 내게 一 角을 달나』고 한다 나는 或 乘客의 便宜를 爲하야 그리나 보다 하고 一 角을 더 주고 나의 가는 곳을 말하니 人力車가 아우성 떼가차 달녀들어 圍之三匝을 한다 돈 바든 者가 指示하는 대로 人力車를 타니 그자는 人力車군에게 무슨 말을 이르는 모양이다 나는 正陽門 밧게 잇는 興華實業銀行을 간다 하엿는데 그자들은 人力車를 끌고 正陽門 안으

로 드러간다 於心에 怪異적어 『興華實業銀行을 너희가 아느냐』 하고 무른
즉 이놈이 능청스럽게 안다고 한다 이때 뒤도 더럽게 생긴 洋車軍이 둘이나
洋車를 미러준다 나는 必然 그놈들이 돈을 또 달날 줄 알고 쓸데업스니 가라
고 련해

『니듸부야오⁰⁶』『々々々』

하고 쫏치니 이놈들은 그 더러운 니빨과 때 무든 얼골을 들고 실々 우스며

『장괘슴마부야오⁰⁷』(돈 만흔 양반、무엇이 일업서요)

한다 그러자 어는 좁은 골목으로 드러가더니 人力車를 쉬이고 뒤 밀든 놈이

『께오、첸⁰⁸』(돈 내시오)

나는 興華實業銀行으로 가면 주마 하엿다 勿論 앗가 준 것도 잇지마는 그
자가 덧붓치기로 왓스닛가 何如間 가서 얼마 주어야 하리라 함이다 그리자
보니 앗가 나의 짐 나르든 『쿨리(赤帽格)』가 엽헤 와서 英語로 돈을 주라 한다

『얼마나』

쿨리 『투 딸라(日貨 四 圓)』

나는 不知中 英語로 『도적놈』이라 하엿다

그랫더니 그자는 딴 곳으로 다라나고 구덕이가치 모혀드는 한판에 박은
듯한 콜리가 數十 놈 모혀든다 그리더니 맛치 장마통에 개고리 울 듯 音樂會
에 合唱하듯

『께오、첸、께오、첸』

하고 악마구리 끌 듯한다 나는 필경 그 짐 나르든 쿨리(赤帽)에게 속은 줄

---

06 "니듸부야오": 중국어 "你的不要"(너는 필요 없어) - 편자 주.

07 "장괘슴마부야오": 중국어 "掌柜, 什么不要?" - 편자 주.

08 "께오, 첸": 중국어 "给我钱" - 편자 주.

아랏다 그리고 一角을 주엇다 그래도 안 된다 二角을 주엇다 그래도 안 된다며 몃 십 분 간이나 나는 그놈들과 승강이를 하다가 巡警에게로 가려 하얏스나 간 사이에 그 도적놈들이 行具를 가지고 다라나지나 아니할가? 몇십 분 간이나 그놈들의 입에서 나오는 구린내를 맛트며 싸오다가 필경 大洋 一元을 끄내이어 내던지니 그놈들은 땅에 떠러진 돈을 집어서 一時에 보며 『씨』하고 딴 人力車를 가라 태이어준다 또 人力車를 갈아탈 때에

『웨 돈만 밧고 人力車를 가라태느냐? 그대로 가자』

한즉 그놈들은 서투른 영어로 『그 돈을 우리가 줄 터이니 당신은 안 내이어도 관게치 안타고』 한다

얼마를 가서 人力車를 내리기에 보니 『中法實業公司』이다 나는 『이곳이 아니니 다른 곳으로 가자』 한즉 또 손을 내어밀며

『돈 내이라』

『가거던 주마』

어이가 업다 그 다음에 간 곳은 中華實業銀行이다 『아니다 또 딴데로 가자』 그 다음에 『興華實業銀行』에를 가니 맛나려든 친구가 업다 또 그 친구의 住宅을 차저가니 下人 두 명이 나와서 그 친구가 없다고 冷然히 拒絶한다 나는 筆談으로 金自重 氏를 맛나려는대 언제 오느냐 무른즉 『午後 七時에 나온다』고 한다

나는 엇지할가 할 때에 어대서 電話가 왔는대 金自重 氏가 우리 留學生運動會에 가서 하는 電話이다 나에게는 實로 絶處逢生이다 金 氏에게 直接 電話를 하고 運動場으로 가게 되니 타고 온 人力車군이 또 돈을 달난다 할 수 업시 二角을 주엇다 이 失敗談을 明記함은 讀者 中 처음 오는 이는 將來 特別注意하야 속지 말기를 바람이다 大洋 一元 三角이면 北京에서 約 二日間 專用 人力車를 雇傭할 수 잇다 그리고 停車場에 내리어 直時 洋車를 타지

말고 좀 나와서 洋車를 타되 去處를 言明하고 삭전을 確定한 後에 타는 것이 좃켓다 予도 그리려든 것이 停車場 赤帽 쿨리에게 속은 것이다

中國人으로 速變

北京 到着의 當日은 맛침 北京에 在留하는 우리 朝鮮學生運動會이라 百餘 名의 우리 留學生은 太極旗 下에 모히어 오래 싸히고 싸힌 客懷와 또 그무슨 感悔를 푸러보려 하엿다 予는 金自重 氏와 함끠 終日 運動 구경을 하고 夜에는 旅館으로 가게 되엿는대 먼저 北京에서 有名하다는 第一宿館으로 갓더니 主人은 지금 日本政府에서 中國에 交涉하야 朝鮮獨立黨을 取締하는 中이다 朝鮮人을 재이면 主人이 귀치 안으니 未安하지마는 다른 旅館으로 가달라는 것이다 予는 아모 關係 업슴을 여러 번 말하엿스나 終乃 듯지 아니한다 우리들은 旅館 門을 나서며 『旅館에서도 못 자는 것은 朝鮮人 된 罪로구나』하면서 苦笑하엿다 그러고 金臺旅館이라는 곳에 가서 눙청스럽게 『나는 中國 某地 主人이라』고 來客名簿에 쓰고 僅僅히 一夜를 쉬이엇다

돈 밧는 中央公園

그 이튼날부터 早朝에 昨日 運動場에서 맛난 李德榮 君이 訪問하얏다 君은 予가 京城에 잇슬 때부터 熟面인대 意外에 昨日 運動場에서 다시 맛나니 同是洛陽人의 感懷가 不無하얏다 이어서 金自重 氏도 來訪하엿슴으로 三人은 닭고기 너흔 淸國국수와 고기양념 너흔 包子[09]로 배를 불리우고 北京

---

09 "包子": 만두 - 편자 주.

唯一이라 할 만한 中央公園으로 向하얏다 公園이라 하면 市民을 爲하야 만드러 노앗스닛가 의례히 市民은 누구든지 入園할 資格이 잇슬 터인대 이 公園은 한번 入園에 二 角 식을 내이게 하나니 그 理由는 만일 無料入園을 許하면 北京城 中에 二十萬 以上의 勞動者(쿨이)가 모다 드러와서 紳士淑女도 와서 休息하지 못하게 됨으로 이러한 規定을 베푼 것이라 한다 園中에는 芍藥이 滿開하고 연못에 푸른 물이 細波를 이루엇스며 여긔저긔에 잇는 뻰취에는 이곳에 와서 처음 보는 淸人의 男女學生이 안젓다 男學生은 시푸루둥ㅅ한 내리다지 두루막을 입엇스나 女學生은 흰 저고리(조선 녀자의 저고리보다 길어서 저고리 뒤섭이 잔허리를 덥는 것)에 거믄 비단치마를 입고 活潑히 다니는 모양은 매우 아름다웟다 公園 中央에는 戰勝記念碑가 눈에 띄이니 이것은 中國이 歐洲戰爭에 참례하고 講和會議가 된 後에 세인 것이라 實地 戰線에 兵卒 一 名도 不送하고 戰勝國에 들엇다고 戰勝國인 체 하고 戰勝記念碑까지 세운 것은 中國人을 爲하야 좀 面皮 듯거운 所行이라고 아니할 수 업다

北京의 皇宮 求景

公園을 다 본 뒤에 北京皇宮이란 것을 보게 되엿다 北京皇宮은 淸太宗이 瀋陽으로부터 遷都한 後 二百餘 年을 所謂 帝王이 起居하든 곳이다 奉天의 그것보다 規模가 宏大하고 九重宮闕이라 하야 九重의 門이 有하다 宮殿 庭苑에는 어듸든지 荒草가 茂盛하다 우리 三 人은 다 가치 淸朝 勃興 後 歷代 帝王의 當年 榮華를 黙想하고 우섯다 歲月이란 것은 모든 것을 滅亡식힌다 同行 李 君은 우스며 이놈들 이것 지어놋코 하든 일을 좀 생각해보자 강낭밥을 하여 놋코 오랑캐 노래를 하며 깃버하겟지 予가 『웨 강낭밥은』 『그럼 그

놈들이 웬 이밥을 먹을 땅이 잇단 말이요 우리나라가 참 금수강산이지』金君은『그러나 그놈들에게 우리 祖上네가 叩頭를 하얏서요』李君은 다시『이後부터는 決斷코 우리는 남의 束縛을 밧지 아니할 터이지 한번 覺醒하얏스닛가』金氏는『그리고도 小中華에 정신이 팔니엇다오 못생긴 것들 ― 고만 文化의 征服을 바닷구려』하고 痛嘆해 한다 이런 會話는 鴨綠江을 건너선 후에 우리나라 靑年을 맛날 때마다 한결가치 듯는 부르지짐이다

天翁의 幸福處

二十一日 夕陽에는 在北京 有志 諸氏를 차젓는대 十餘 年 동안 故國江山을 離하야 晝宵로 애쓰는 그들의 面影을 보고 予는 一種의 感激을 늣기엇다 翌日에도 金自重 氏와 共히 天壇과 地壇을 보게 되니 天壇은 所謂 天子가 一年 一 次 邦國을 爲하야 天에 祭하든 곳이다 正陽門 外 天橋 南 十 里許에 在하다 周圍에는 牆垣을 싼코 中央에 巍々한 圜丘壇이 잇스니 靑瓦 又는 黃瓦로 이인 殿閣이라 屋宇 內에 드러가니 天井이 甚히 놉하서 처다보면 眩氣가 날 地境이다 天翁도 一 年 一 次 此處에서 所謂 天子라는 것에게 饋餉을 밧앗는가 하면 淸族을 子로 둔 天翁의 生活도 幸福이라 할는지? 그 다음 繼續하야 地壇을 보게 되니 그것은 安定門 外에 在하며 周圍가 七百六十五 丈이요 殿閣 以外에 五嶽 五鎭 等의 石座가 有하나 大槪는 天壇과 大同小異하다 其日 夕陽에 다시 中央公園에 가니 男女 入場者가 實로 數萬 名이라 或 家族同伴으로 或 親友同伴으로 或 情人同伴으로 茶樓 前 뻰취에 안저서 或 차도 마시며 或 飮食도 먹고 喧譁하는 모양이 宛然히 大宴會席을 排設한 感이 有하더라 予는 金 君과 中央公園에 왓든 紀念으로 湖畔에서 撮影하고 도라갓다

車室 內의 怪變

二十三日에는 淸朝가 凋落할 때에 妖傑 西太后가 人民의 膏血을 뽑은 海軍費를 傾하야 만드러노흔 萬壽山 離宮을 보려 하얏스나 促急한 行裝이 此를 許치 아니한다 總統府 內나 보려 하얏스나 此 亦 來客의 關係로 中止하고 忽忽히 午後 二時에 正陽門을 떠나게 되엿다 金自重 君은 驛頭까지 나와서 親切히 引導하얏는대 車中에서 又 一 怪變을 當하얏다

때는 맛참 津浦鐵道 臨城驛 附近에서 土匪가 汽車를 襲擊하고 多數한 西人을 人質로 拉去한 後로 中國政府에서는 범보다도 무서운 西人의 交涉에 可謂 倉皇罔措할 때다 外로는 中國을 萬國이 共管한다는 말이 流行하고 內로는 土匪의 再襲이 有할가 하야 上下의 空氣가 險惡하며 車內에서도 무서워서 몃칠 동안 火車를 보내지 못하야 北方에서 南方으로 가는 길이 끊허젓다가 二三 日 以內로 官軍을 派送하야 守備하고 時間을 變更하야 僅 一日 一次 津浦線 車가 有할 뿐이다 車室 中에는 官軍이 多數히 탓는대 原來 여러 날 기다리는 乘客이 踏至하야 車室이 甚히 複雜한 中 官軍의 行悖가 滋甚하다 予도 坐席을 엇지 못하야 彷徨 中 官軍이 안진 곳의 물건을 치임으로 因하야 金自重 氏와 兵丁 사이에 言爭이 되얏는대 末境에는 暴行을 加하는 것을 겻혜 잇든 商人들이 말리어 겨우 鎭靜식히엿다 其 當場에 所謂 憲兵이란 것은 兵丁의 無理한 暴行을 보면서도 視若尋常 하니 軍紀의 懈弛는 其 極에 達한 모양이다 金 氏가 兵丁에게 마질 때에 予가 말리려 한즉 金 氏는 마지면서도 눈짓을 하여 겻혜 오지 말라는 뜻을 보히니 予가 말린대야 効力도 업슬 뿐 아니라 予까지 마질 念慮가 잇는 까닭이라 깁히 金 氏의 고흔 友情을 感謝하야 둔다 金 氏는 多年 北京에 滯留하야 中國語가 流暢하고 淸人의 心理를 昭詳히 아는대 이와 갓흔 일을 當하거던 말 한 마듸 모르는 予가 엇지 하랴 하는 不安이 이러난다 逢變한 金 氏는 微笑하며『中國은 無警察狀態이

요 秩序가 極히 紊亂하며 더욱 下等 兵丁은 개와 갓흔 것이니 足히 가려 말할 것이 못되지요 中國人의 孔子 갓흔 이가 겨우 우리보다 나을가 합니다 車中에서 注意하십시요 兵丁에게 當한 일은 가려 말할 것이 못됩니다 보아하니 吳佩孚의 兵丁인 모양인대 내가 만일 吳佩孚에게 마젓다 하면 國會議員을 利用하여서라도 問題를 이르키겟스나 兵丁에게 當한 일은 말하기가 창피하니 그대로 두고 거리에서 개에게 물린 세음 잡지요』하며 亦是 웃고 만다

北京槪觀

北京은 中國 直隸省의 北方에 在하야 一名은 燕京이라 하고 人口 百三十萬을 包容한 大都會이요 中國의 首府이라 此는 書傳 禹貢의 冀州之域이요 周 時에는 幽州에 屬하고 戰國 時에는 燕國이엇스며 秦 時에는 上空洛陽郡이라 하엿고 漢 時에는 廣陽郡이 되엿섯고 唐 時에는 范陽郡이 되엿섯스며 宋 時에는 燕山이 되엿고 遼 時에는 南京이 되엿스며 金 時에는 中部가 되엿다가 明 永樂年間에 此에 都하고 北京이라 하엿스며 淸 時에도 그대로 此處에 都하엿다가 因하야 中華民國의 首部[10]가 되니 中國 政界와 學界의 中心地라 總統府를 爲始하야 何如間 中國 四百餘 州를 統轄한다는 官衙公署가 櫛比하고 學界로는 中國 新思想界의 中心勢力인 北京大學 外에 三十餘 處의 官私立學校가 有하다 汽車를 正陽門 驛前에 나리면 냄새나는 푸른 옷 입은 사람의 雜踏은 形言할 수 업시 複雜하다 停車場 밧글 나가면 十餘 人의 男女거지가 初行의 旅客에게 行下를 求한다 行下도 順順한 말로 求하는 것이 아니라 朝鮮서 春秋季 淸潔 할 때에 몬지 터는 총채 가튼 채로 洋服

---

10 "部"는 "都"의 오식 - 편자 주.

뒤에 몬지를 떠러가며 이상스러운 소래로 哀呼한다 瞥眼間 이런 일을 當하면 매우 疑訝하게 된다 그러나 이것은 中國 到處에서 볼 수 잇는 것이다 만일 이들의 情形을 불상히 녁이어 몃 푼의 돈을 주면 忽然 數十의 乞人의 包圍를 맛나고 貪慾無常한 그들은 可謂 秦之求無己로 돈을 强請한다 애초에 잡아떼일 수 밧게 업는 것이다 그 다음은 도야지 꼬리 가튼 머리꼬리를 가지고 황금니(닥지 안은 니)에 때가 누덕이가 된 洋車軍의 무리이다 彼等에 對한 자세한 統計는 알 수 업스나 城內 城外의 洋車(人力車)軍이 大約 十萬 內外이라 電車가 업는 北京 市街에는 彼輩가 到處에 橫行한다 누구든지 洋車를 탈만한 사람이 지나가면 얼마든지 모혀들어 금시에 數十 名의 떼가 된다 만일 가는 곳과 차삭을 明確히 定하지 아니하면 目的地에 간 후에는 얼마든지 차삭을 더 달라고도 조른다 그러나 그들에게 조금이라도 柔順한 모양을 보히면 益甚하다 만일 좀 눈이라도 크게 뜨고 호령을 하면 금방 숨이 죽고 만다 이에 對하야 警察은 何等 取締가 업다 市街에는 所謂 蒙古沙漠의 (몬지가 날너 와서 朝鮮에서 봄에 잇다금 보는 土雨가 아니 오는 날이 별로 업고 한참만 다니면 얼골과 옷이 몬지투성이가 되고 만다 車에서 내리자 눈에 닥치는 것이 北京 南大門 格의 正陽門이다 그 巍巍한 建築은 行人의 歎賞하는 바이다 市街地는 正陽門 外 西南沿 一帶를 除한 外에는 別로 볼만한 것이 업슬 뿐 아니라 좁은 골목에 드러가면 개천과 便所에서 새여나오는 냄새가 코를 찌른다 大道에도 몬지가 발이 뭇치며 濛濛한 몬지는 처음 간 사람에게는 코에서 흙내가 날 디경이다 市街는 어두어가고 수레는 요란히 다니며 飮食집에서 더운 김이 흘러나오고 멀리서는 풍악소래가 들닌다 나는 이것을 다 삭아진 古都의 風物이라 하리라

在留同胞의 狀況

그 外의 할 말은 이다음 中國人을 한데 묵거 말할 때로 미루고 北京에 와 잇는 우리 同胞의 狀況을 紹介하려 한다 時勢를 憤慨하는 志士와 靑年 外에는 大部分이 學生인대 本國에서는 一種의 憧憬으로 外國만 가면 工夫가 잘 될 줄로 아나 及其 北京을 오면 우리나라 中學 卒業生으로도 英語와 漢文의 關係로 中學 三 四 學年에 入學하기도 不能하다 한다 이리하야 自然 物情 다른 外國都市에서 좃치 못한 方面으로 흐르기가 쉽다 한다 北京은 勿論 어대든지 外國 留學하려는 諸氏는 아못조록 갈 곳의 事情을 아라보고 萬事를 準備한 後에 떠낫스면 좃켓다 그럿치 아니하면 憧憬과 現實이 符合치 아니하야 落心하기도 쉽고 또 貴인 金錢과 歲月을 空費하게 되기 쉬웁다 中國 留學에 關한 말은 이후 機會가 잇는 때에 쓰기로 하고 北京에 在住하는 우리 同胞 中에는 生活이 어려운 사람이 만타 그것도 그러할 것이다 山 설고 물 설은 他關에서 아모 經濟나 政治의 保護가 업시 엇지 生活의 安定을 어들 수 잇스랴 本國에서 每月 얼마식 갓다가 쓰는 사람 이외에는 朝夕이 困窮한 사람이 만타 이리하야 別々 喜悲劇이 만히 이러나니 우리는 무슨 方途로든지 職業의 길을 주지 아니하면 아니 되겟다 이것이 些少한 일 가트나 우리 民族의 對外體面 上 큰 關係가 잇는 것이다 이 方面으로 北京 在留朝鮮人의 金融機關으로 中朝人 合辦의 興華實業銀行이 有하다 그러나 此 亦 資金의 缺乏으로 經營이 如意치 못하다 한다 끗흐로 北京에서 우리 民族의 벗인 朴容萬 氏와 徐曰甫 氏를 여러 가지 關係로 面接치 못함은 一 遺憾이엇다

벽돌로 싸흔 淸人의 집들을 도라보며 三四 時間을 와서 天津에 當到하니 날이 임의 저물고 수 업는 電燈이 어두운 밤에 무서운 눈동자가치 노려 뜨고 잇는 듯하엿다

中國에 드러선 以後로 『쿨리』의 邪行과 兵丁의 暴行을 번가라 본 나의 눈

에는 中國에 對한 初印象이 좃치 못한데다가 臨城土匪事件 以後로 此 津浦線을 旅行함은 모든 乘客에게 一種의 冒險가치 생각되며 여러 乘客의 얼골에는 恐怖와 寂寞을 表徵하는 쓸々한 빗이 나타난다 『콜리』의 떠드는 소래와 天津의 夜景도 무슨 將來의 不安을 말하는 兆朕가치 보힌다

天津에도 朝鮮娼妓

天津站에서 浦口行을 타자면 一 時間 以上을 기다려야겟슴으로 予는 홀로 天津市街를 彷徨하엿다 좀 時間의 餘裕가 잇스면 이곳에 와잇는 親友를 차저서 引導를 바다 求景을 골고로 하고 십헛스나 忽々한 旅裝과 貧弱한 旅囊이 此를 許치 아니한다

天津은 人口 一百五十萬의 大都市로 中國 商業界의 屈指하는 곳이다 이곳에 와잇는 朝鮮사람은 大約 二百餘 名인대 其中에 學生이 三十餘 名이요 其外는 商業에 從事하는 中이며 奉天을 지날 때에도 『朝鮮사람 經營의 實業이 旺盛치 못한 것을 恨하는 同時에 朝鮮娼妓가 外國人에게 歡迎된다』는 말을 쓴 일이 잇거니와 天津에도 佛租界에는 朝鮮娼妓가 만타 한다 日本의 某 殖民政治家가 말하기를 未開拓地를 開拓하러 가려면 먼저 계집을 갓다노아야 發展이 된다고 하엿다더니 殖民政治이니 무엇이니 하는 말에 상관 업는 朝鮮人들의 偶然히 하는 일이 日本人의 所謂 植民地政策에 符合乎 아 咄々

同行人의 同情談

夜 八時 半에 天津車站에서 車를 타고 不安한 旅程을 떠낫다

떠날 때에 濟南까지 간다는 一 中國人 同行과 泰安府까지 간다는 一 米國人 同行을 맛낫다 中國人은 元來 濟南사람으로 일즉이 日本 明治大學에 留

學하엿다 하며 米國人은 宣敎師로 오래동안 泰安府에 와서 잇섯다 한다 孤寂한 旅情에 彼等을 逢하여 不少한 慰安이 된다 彼等 兩 人이 國語는 다른 사람들이나 予가 朝鮮人인줄 안 後에는 不期面目會로 一致하게 海內와 海外에서 朝鮮人이 獨立運動을 爲하야 犧牲됨을 感歎한다

十一時가 지나서 寢臺에 누으니 火車는 캄캄한 밤을 突破하고 작고 다라난다

泰山은 실상 小山

車가 晏城車站을 지날 때에 날이 훤ㅡ하게 밝더니 濟南府를 지날 때에는 활짝ㅡ밝앗다

泰安府車站이 갓가워올사록 予는 平素에 한번 보기를 願하든 泰山을 보려 하엿다 그리하여 엽헤 안즌 西人에게 頻々히 泰山이 어대에 잇슴을 무르니 彼는 微笑하며 『매우 갓가워 온다고』 한다

俄而오 彼는 몬지 내리는 속에 線路 左便으로 보히는 한 검으스름한 山을 가르치니 이 山이야말로 우리나라 兒童走卒까지 아는 泰山이다 그러나 나는 아모리 눈을 씨스며 자세히 보아야 그 山의 크기가 京城의 北岳만밧게 아니하여 보인다 드든 말보다는 大段히 貧弱하다

그러면 이와 가치 적은 山이 엇지하야 中國에서는 詩人의 詠題가 되고 衆人에게는 큰 산의 象徵이 되고 甚至於 魯人 孔子는 此 山에 登하야 『登泰山而小天下』라는 말까지 하게 되엿는가 하는 疑訝가 생긴다 그러나 여긔에는 여러 가지 理由가 잇다 天津으로부터 이곳까지 오는 곳에 實로 漠々한 廣野이라 山을 맛나면 人事를 할 지경이다 이와 가치 山에 주린 彼 中國人들은 모처럼 보는 泰山을 끔직하게도 讚美한 것이다 만일 이 山을 朝鮮에 갓다노

흐면 아모러한 價値가 업슬 것이다

小하다 孔子의 眼目이여! 이러한 적은 山에 올라보고 天下를 적다 하였으니 …… 만일 彼로 하여금 『히마라야』山이나 적어도 朝鮮의 白頭山에 올라보게 하엿드면 무슨 感歎詞를 發하엿슬고!

病後에야 健康의 價値를 알고 돈을 취하러 가보아야 돈 貴한 줄을 안다더니 果然 中國에 온 後에야 朝鮮의 山川이 錦繡江山인 것이 더욱 늣겨진다 그와 가치 山에 주리는 彼 中國人이 우리나라 金剛山의 絶勝을 듯고 『願生高麗國、一見金剛山』을 부른 것도 無理는 아니라 하겟다 아닌 게 아니라 泰山에 울나서면 東으로 黃海가 보힌다 한다 그러나 그것으로써 即時 『小天下』라 한 것은 中國人 一流의 誇張이 아닌가 한다

擔銃 兵丁의 警戒

이러한 생각을 하는 동안에 車는 泰安府를 지나고 泰山은 자최를 감추엇다

車가 曲阜站을 지날 때에 孔子廟의 古蹟廣告만 보고 내려 보지 못한 것은 一 遺憾이엇다

泰安府에서 彼 西人 宣敎師는 내리고 一 名의 新客이 드러왓다 彼는 中國人 石 某라는 者로 英語를 解함으로 自然 消寂이 되엿다

臨城事件 以後로 車室마다 兵丁이 二 人식 擔銃警戒 하고 車가 官橋車站과 臨城車站사이를 지나갈 때에는 廣野 中에 드믄々々 擔銃한 兵丁이 느러섯다

나는 이 넓고 넓은 廣野 — 가마니 바라보면 조름이 올 듯이 平和스러운 廣野에 웨 — 銃을 메이고 警戒하는 殺風景을 演하는가? 鬪爭이 人生의 本能인가?

日本 菓子까지 排斥

車 中에는 又 二 人의 中國商人이 올낫다 彼等은 모다 三十 未滿의 靑年으로 一人은 漢口 某 基督敎 經營의 大學校를 卒業하엿다 한다

彼는 英語로 中國의 現況을 말하고 朝鮮人의 自由를 爲하야 血戰함을 感歎한다

彼는 『現在 四十 以上의 中國人은 大槪 頑固하야 中國 固有의 因襲에 저저잇슴으로 지금 中國靑年들은 全速力으로 彼 等의 堅陣을 突破하고 新文化 建設에 努力 中이라 하며 아울러 中國의 新靑年과 朝鮮의 新靑年은 將來 握手하고 東亞大陸에서 幷進하야 나가기를 바란다고 한다

그리고 朝鮮 靑年의 血戰을 누루기에는 日本의 强力이 不足畏라고까지 斷言하며 매우 興奮한다

予가 行裝 中에서 日本 菓子 몃 개를 꺼내 먹으며 彼 三 人에게 勸하니 三 人은 一齊히 固辭하며

『貴下의 뜻은 바드나 우리 中國人은 日本 것을 쓰지 아니하고 日本 것을 먹지 아니하기로 盟誓하엿슴으로 먹을 수 업다』

는 말이라 予는 北京 와서 家々戶々에 日貨 排斥의 官宣紙를 붓친 것을 보고 이제 車中에서 또 그 말을 듯게 되니 무슨 무거운 생각이 내 가슴을 누르며 不知中 赤面이 된다

日本의 不信을 痛論

事의 是非는 何如間 彼 等은 徹底한 誠意가 잇다 꾸준한 實行力이 있다 바람 부는 대로 물결치는 대로 아침에 이러낫다가 저녁에 식는 우리 사람들의 일과는 霄壤의 差가 잇는 듯하엿다

彼 靑年은 語를 繼續하야

『우리는 日本人이 우리와 同文同種인 줄 아노라 몇 千年 間 歷史的 關係가 잇는 줄도 아노라 또 將來 滔滔히 侵入할 西勢를 막으려면 東亞의 有色人種이 聯合하여야 될 것도 아노다 그러나 日本은 거트로는 美名을 느러노흐며 內心으로는 虎狼 갓흔 侵略策을 가지엇다 貴國 朝鮮에 對하야도 처음에는 誠意로써 開發하여준다 하다가 漸々 其 毒牙를 進하야 畢竟 倂呑하고 마랏다 中國人은 지금 貴國이 그러케 된 것을 一種의 殷鑑을 삼아 日本人이 何如한 美名으로 속이려도 絶對로 속지 아니하겟노라 卽 第二의 韓國이 되지 아니하겟노라 同文同種이 아모리 조와도 同文同種이닛가 攜手共榮하자 함은 可하거니와 同文同種이닛가 殖民地 되는 것도 참아라 奴隸의 地位도 참고 견듸어라 하는 論法은 絶對로 바들 수 업노라』

하고 激論한다

江南의 初夏 景致

이런 말을 듯고 잇는 동안에 해는 西天에 너머간다

廣野 저편에 보히는 落照는 멀니 天際를 붉게 물드리고 길 일흔 듯한 갈가마귀 떼가 中天에 徘徊한다 或은 당나귀도 或은 말도 밧을 갈든 農夫들도 저물기 전에 일을 더 하려는 듯이 외마듸소래를 꽥々 지르며 애를 쓴다

푸른 깁을 편 듯한 廣野에 農家에서 새여나오는 炊煙이 실안개를 이룬다

그리 만튼 몬지도 차々 적어진다 이곳부터는 江南이다

江南 初夏의 景色은 過히 흉하지는 아니하다

人海 中에 浦口驛에 내리어 監檢하는 警官에게 명함을 주고 배를 탓다 船中에는 乘客과 『쿨리(일꾼)』 사이의 爭論이 到處에 잇서 배 안이 떠들석하다

大抵 中國쿨리는 삭을 定하지 아니하면 삭전을 얼마든지 달라고 조르는 것이 常例이다

予는 彼 靑年의 引導로 아모 승강이 업시 배에 올낫다 浦口와 南京 사이는 마치 日本의 下關과 門司 사이와 가치 一葉의 江水가 흐른다 兩便에 잇는 두 都市에 꼿가치 찬란한 電燈이 어두운 江上에 빗취어 매우 壯觀이요 등불만 반작이는 적은 배가 베틀(織機)에 북 드나들 듯 往來한다 배가 南京에 닷자 곳 서늘한 江風을 쏘이며 花園호텔로 드러가서 저녁을 맛치엇다

이 旅館은 南京의 有數한 旅館으로 그 일홈과 가치 려관 안에 花香이 도는 花園이 잇다

그윽한 中國式 花園을 잠간 구경하고 몃칠 疲勞한 몸을 寢牀에 더젓다

—『東亞日報』, 1923년 6월 10일~8월 5일, 5회 연재

上海의 녀름

金星

「쾅」 하는 소리가 나가면서 밤한울에는 자지빗 꼿이 핀다. 그러고는 그 꼿닙들이 하나식 두흘식 떠러져서 별장가 가듯 쏜살가티 大氣 속을 달아나면서 다시 「보지직」 소리를 지르며 파 — 실 오래기들을 수양버들 가지 느리우듯 실실히 느리우고는 마츰내 누러우리한 연긔로 化하야 어둠 속에 스러진다. 그러면 그 우흐로 또 우흐로 멀리 반작이는 별들이 바록바록 웃고 잇다. 이 「쾅」 하는 소리가 들닐 때마다 數千의 군중은 일꺼번에 고개를 쳐든다. 따라서 「와 —」하는 괴이한 驚嘆의 소리가 밤 공긔를 울니운다. 밤은 서늘하고도 더웁다. 간 곳마다 줄줄히 느려노흔 일류미내이쉰[01] 아레로 사람의 때가 웃고 떠들며 허늑인다. 찬란한 옷들을 두르고 평안이 머리 숙인 형형색색의 꼿들이 피인 花園 안 풀밧 우흐로 男女는 쉬임을 어드려 모혀든다. 파 — 라케 보드러운 짬띄 우헤 안저 불란서 國歌의 장엄스런 선률에 귀를 기우리면서 女子들은 부채질하고 男子들은 맥고모자로 활활 붓는다. 누런 빗술로 물드린 大地、술、狂亂、버들나무、群衆、無心 그속에서 外國人들

---

01 일류미내이쉰: illumination. - 편자 주.

이 춤을 춘다. 라팔 불고 북 치고 바이올린 그어주면 열락과 술에 얼근히 취한 男女들이 쌍쌍히 붓잡고 다리를 웃줄웃줄 하면서 舞蹈場을 헤매인다. 문밧 無線電信局에서는 끈침업시 「찌르륵 찌르륵」 하면서 世界 各處에서 모혀드는 소식 줄 것은 소식을 바다드리고 내여보낸다. 그러나 군중은 그거슨 생각지도 안는다. 형형색색의 다른 나라에서 온 사람떼들은 다 제각긔 제 생각대로 이 밤을 새우려 한다. 會館 현관 우혜는 世界各國 旗가 바람에 펄넉거리면서, 즐김, 원망, 싀긔, 탐욕, 동정 등의 눈으로 그 아래를 방황하는 군중을 나려다보고 잇다. 가는 곳마다 三色旗가 춤추고 잇다. 「축복 바든 불란서사람들아 마음껏 즐겨라」 하는 속삭이가 어대선가 울녀온다. 새벽 긔운이 떠돌건만 군중은 아직도 행락의 만족을 엇지 못햇나 부다.

이것이 七月 十四日 밤 불란서공원 안 일일다. 남의 땅에 와서 無知한 土人들을 속히고 위협하야 一年내내 슬컷 빼앗아다가 그들은 이날 하루에 질탕치듯 놀라본다. 自由、平等、博愛를 말 놉히 부르면서 남을 학취한 돈으로 잘들 논다.

七月 七日과 七月 十四日은 上海 年中行事에서 빼여낼 수 업는 귀중한 날을 말치 안흘 수 업다.

七月 七日은 北美合衆國 獨立記念日일다. 이날 미국사람 全部가 아츰 한 곳에 모혀 간단한(約 三十 分 間) 式을 지낸다. 國旗에 對하야 最敬禮、獨立宣言書의 랑독、祝電의 公佈、領事의 式辭、祈禱로 式을 마친다. 오후에는 포마챵[02]운동쟝에서 뻬이스쏠경긔와 미국인학교 학생의 연극이 잇다. 저녁에는 불노리、밤에는 술과 딴쓰가 잇다.

---

02 포마창: 跑馬場(경마장). 이 글에서는 1862년에 설립된 'SHANGHAI RACE CLUB'을 가리킨다 - 편자 주.

七月十四日은 佛蘭西革命紀念日이다. 아츰에는 式과 가장행렬이 잇고 오후에는 불란서공원에 모히여 가진 작란을 다 한다. 물싸움、나무잡이、줄다리기 등. 밤에는 회관 압마당에 줄과 딴쓰와 게집이 잇다. 廣塲에서는 活動사진을 놀린다. 불란서공원은 不夜城을 이루고 法大馬路⁰³는 사람으로 꽉 맥힌다. 中國服이나 日服을 닙고는 一年 내내 公園에 못 들어간다. 불란서공원에 들어가려면 반듯이 洋服을 닙어야 한다. 그러나 七月 十四日 하로만은 大公開이다. 中服을 닙엇건、日服을 닙엇건 마음대로 그날 하로는 들어가 놀 수 잇다. 그러나 밤에는 入塲料를 조곰 밧는다. 佛人들은 밤새도록 춤을 춘다. 요새는 中國人、日本人들도 더러 그 춤에 석겨 춘다. 밤새도록 불노리를 게속한다.

上海의 녀름은 몹시 더웁다. 普通 百 度 內外일다. 정 더운 날은 一百十五 度까지 올나간 일이 잇섯다. 內服만 걸치고 가만히 방안에 안젓서도 땀이 좔좔 흘너나리는 때가 만타. 밤에 자려고 자리에 누으면 가슴이 턱턱 막히고 등골에서 땀이 졸졸 흐르곤 한다. 오후에 거리에 나가 거르면 콜타르 칠한 행길이 믈큰믈큰하고 反射하는 太陽熱이 홧홧 얼골에 처밧친다. 엇든 때는 손님을 태와 끌고 비지땀을 흘니며 다라나든 人力車夫들이 길 가운데서 日射病에 들녀 폭폭 꼭구라지는 때가 만타. 또 더욱이 괴질이나 창궐할 때이면 시재 人力車를 끌고 가다가도 中路에서 꼭구러저 죽는 勞働者들도 만타. 그러면 그 人力車를 타고 가든 白人種은 벌덕 나려서서 혀를 가로물고 죽은 불상한 死體를 발길로 한 번 툭 차고 저 갈길을 간다. 그리면 순사가 와서 시테를 치운다.

---

03 "法大馬路": 상하이 프랑스조계지 내의 주요도로의 명칭, 현재의 진링둥루(金陵東路). "馬路"는 "대로"의 중국어 - 편자 주.

불란서공원 나무그늘 아레로는 아츰부터 서양애기들을 이끌고 中國人 혹은 日本人의 아마04(乳母)들이 모혀든다. 天眞스런 아해들이 하로 종일 모래작난 하면서 놀고 잇스면 그 뒤 울타리 안에서는 저녁마다、 그 애들의 어머니 아버지가 테니쓰를 치며 논다。 맥끈한 풀밧 우헤 下人 식혀 줄 쳐놋코 식컴언 휘쟝을 돌나친 후 래켓트05를 번득인다。 그러면 이 땅 主人의 아들은 땅 빼앗기고 옷 빼앗긴 채 여긔 와서 掠奪者들의 뽈 집어다 주는 심부럼을 해주고 어더먹고 잇다。

불란서공원 안에서 사진긔게 들고 비슬비슬하는 東洋사람들을 보면 그것은 곳 日本人인 줄 알고 나무그늘 아레서 교외에 洋服 웃져고리 버서 걸고 안저 낫잠 자는 東洋人은 보면 朝鮮人인 줄 알아내인다。 공원 안에 잇는 구락부 뜰에는 매일 밤 自働車가 꽉 드러찬다。 그러고는 그 안에 란간방에는 선풍긔와、 군악과、 술과 게집이 잇다。 불란서사람들은 밤들기까지 거긔서 춤을 춘다。 그러면 우리나라 젊은이들이 흔히 구락부 울타리 밧게 교의를 갓다 놓고 안자 겨오 새어나오는 군악소리에 귀를 기우린다。 더욱이 요새는 露國人이 갑자기 만허저서 젊고 불상한 아라사 게집아해들이 한 무리식 밀녀와서 울타리 밧 풀밧헤 들나서서 멀 — 니 구락부 안헤서 흘너오는 바이올린 줄의 노래를 맛초아 天眞스럽게 춤을 추며 도라가는 것을 흔히 볼 수가 잇다。

우리나라 사람은 대개 다 法界 안에 잇슴으로 공원에를 간다면 거의들 불란서공원에 간다。 그럼으로 法界 안에서 우리나라사람들끼리 그냥 「公園에 간다」 하면 그것은 벌서 불란서공원을 意味한다。 그러나 大戰 以后로 여디 업시 영락된 독일공원에도 만히 간다。 處女들과 小學生들은 스케 — 트(박

---

04 "아마": 중국어 "阿媽" - 편자 주.

05 래켓트: 라켓 - 편자 주.

휘 달닌 것) 타러 쎄멘트塲으로 靑年들은 풋뿔 차려 草塲으로 老人들은 나무그늘 아레로 이러케 만흔 우리나라사람들이 적적한 독일공원 도라보는 이 업는 독일공원에 모혀든다.

「中國人과 개는 들어오지 못한다。」 이것이 황포탄 萬國公園 문간에 써붓친 패쪽일다. 녀름의 만국공원은 有名한 것이다. 잇따금 압강으로 떠도라다니는 화륜선들이 식컴언 연긔를 푹푹 끼언처주는 것이 괴롭기도 하지마는 그래도 거긔가 강변이여서 바람도 조곰 잇고 공원 장치도 교묘하고 하여서 사람이 만히 모여든다.

녀름날에는 아모때고 만국공원에를 가보면 뻘언 수건 쓰고 누 ― 런 양복 닙은 턱석뿌리 씨 ― 크사람(印度人)들이 나무그늘 아레마다 둘너안저서 하로 종일 트램프(노름의 一種)를 놀고 잇는 것을 볼 수 잇다. 그러고 뎜심 때쯤은 日女 갈보들이 추악한 몸즛을 내두르면서 공원 안을 거니는 것을 만히 볼 수가 잇다. 그러나 저녁예만 되면 공원은 그만 사람으로 긋득 채와지고 만다. 도로혀 복잡하다는 英大馬路[06]나 四馬路[07]보다 더 복잡하게 된다. 좃차서 만국공원의 녀름은 이 世界 어대보다도 더 똑똑한 世界縮圖의 感을 준다. 本來 上海는 世界人의 市라는 말이 잇다. 그러나 녀름날 저녁의 만국공원은 그야말로 공원 일흠 그대로 萬國人의 集合處가 된다. 千 坪 內外 되는 上海서도 아주 좁은 이 萬國公園 안에서 우리는 世界各國 사라들을 다 볼 수 잇고 世界 各國 방언을 다 드를 수 잇는 것이다. 밋상 멀끔한 美國人、화게

---

06 "英大馬路": 상하이 영국조계지 내의 주요도로의 명칭, 현재의 난징루(南京路). - 편자 주.

07 "四馬路": 상하이 개항 초기 건설된 주요도로, 현재의 푸저우루(福洲路) - 편자 주.

내두르는 서뎐[08]이나 노위[09]사람, 엉댕이 내두르는 불란서 女子, 졈잔을 빼는 英國 아해들, 생글생글 웃는 혼혈아들, 사람을 녹이게 아름다운 포도아[10] 여자, 쟝화 신은 아라사 勞働者, 하오리 닙고 게다 끄는 日人, 洋服 닙은 中國人, 內服 저구리만 닙은 印度 문직이꾼들, 니빨 색캄한 安南人의 떼, 둥글한 모자 쓴 土耳古[11]人, 턱썩뿌리 猶太녕감, 또록뜨록 하는 波斯人, 가이써[12]수염 기른 獨逸人, 뚱뚱한 和蘭 女子, 어청어청하는 朝鮮人, 키 적은 이태리사람, 神父처럼 생긴 애급사람들이, 제각기 제 나라 衣服 혹은 제 나라 式의 洋服을 닙고 가지각색의 방언을 주절거리면서 형형색색의 거름거리로 공원 안이 떠들썩해진다. 적어도 녀름날 저녁마다 몃 시간 동안식만은 이 만국공원에서는 아모런 民族的 差別, 國際的 嫉視가 업시 「人類」라는 同一한 形態 밋헤서 世界萬國 사람이 다 가티 질기는 것이다. 午后 다섯시부터는 每日 中央音樂室에서 上海市政廳洋樂隊에 奏樂이 잇다. 그리고 통상 밤새로 세시까지는 공원이 비이지 아니한다.

上海의 녀름은 길다. 六月 中旬으로부터 九月 中旬까지는 그저 물쿠어내인다. 그레 돈 만흔 富者들이나 大學敎授들은 靑島, 목칸山[13], 山杭州 等地로 避暑를 간다. 그리고 그냥 上海 잇는 사람들도 白人의 多大數는 事務室

---

08 서뎐: 스웨덴 - 편자 주.

09 노위: 노르웨이 - 편자 주.

10 포도아: 포르투갈 - 편자 주.

11 土耳古: 터키 - 편자 주.

12 가이써: 카이저 - 편자 주.

13 "목칸、山杭州"는 "목칸山、杭州"의 오식. "목칸山"은 막간산(莫干山)의 중국어 발음 - 편자 주

에나 家庭에나 커 — 다란 선풍긔를 놋코 저녁이면(특히 土曜과 日曜에) 家族이 自働車를 모라 黃浦江가으로 도라 멀 — 니 吳淞으로 산보를 나간다。 그러나 녀름이 되야서 더 괴로워하는 것은 工場 속에 勞働者들이다。 더웁고 내음새 나고 좁은 工場 안에서 하로 三十四 錢 밧는 生活費를 위하야 每日 十二 時間 以上을 바람 한 번 못 쐬이고 땀을 흘니는 小女가 數萬 名이 된다。

中國은 人種이 만흔 나라인 것은 누구나 다 잘 안다。 녀름날 저녁에 中國人 거리를 보지 안흐면 中國의 人口가 얼마나 만흔 것을 상상하기 힘들 것이다。 녀름날 저녁 어쓸햇슬 때에 上海 中國人거리를 巡回하면 누구나 다 놀나지 아니치 못한다。 中國사람들은 누구나 다 저녁을 먹은 후에는 참대로 만든 조고만 椅子나 또는 둥그란 나무椅子들을 집 압 길가에 내다 놋코 버틔고 안저서 담배를 피우면서 떠드러내인다。 이것은 中國人에 한 風俗이다。 그래 녀름날 저녁 엇쓸할 때는 市街 左右는 사람으로 城을 싸하놋코 만다。

上海跑馬場은 上海居留 外國人의 녀름 오락쟝□다。 그 널븐 마당을 제각긔 때여 맛하가지고 저녁마다 미국인은 베·이스·뽈、英國人은 크·리켓이나、꼴푸、日本人、印度人 等은 테니스를 놀고 또는 때때로 英國人의 競馬大會가 열닌다。 蘇州路와 新公園 압 해水浴場이 잇서서 젊은 西人男女들의 노리터가 되고 有名한 競馬場의 所在地인 江灣 압헤는 今年에 새로히 上海서 第一 큰 오·픈·에어、르[14]水泳池를 만드러노핫다。 그러나 이 죠흔 설비들은 모다 白人들이 白人들 自身을 위한 것이고 그 땅의 主人인 中國人을 爲始하야 그 밧 東洋사람들은 그들의 잘 노는 고 유쾌하게 지나는 거슬 구경하는 것으로 一種 變態的 쾌락을 엇고 잇는 것이 사실이다。

上海서 녀름에는 흔히 各 學校 夏令會와 夏期講習會가 열닌다。 그러면 東

---

14 오픈에어, 르: open air - 편자 주.

支那 各 地方에 잇는 靑年男女學生들은 구름갓치 모혀드러、講論、工夫、說敎、演說、水泳 테니스、野球、夜會 等으로 즐긴다. 그리고 特히 우리나라 留學生으로 二三 年 前에 組織된 華東韓國學生聯合會가 年來로 七月 上旬에 上海서 開催된 것이 또한 上海의 녀름行事 中 닛지 못할 일의 하나일 것이다.

上海 안에 잇는 數十 處에 劇場은 또한 녀름 동안에 업슬 수 업는 노름터일다. 극장의 설비는 대개 완전하야 써늘하게 하로 저녁을 즐기기에 매우 덕당하다. 西洋人들은 도한 로우윙클럽[15]이 이서서 大小의 數十 뽀ー트를 설비하야 저녁마다 황포강 우헤 강바람을 쏘히러 나아간다. 그러나 본래 즁국은 물이 너무 흐리여서 우리나라에 서강에 나가 노는 것 만한 흥취는 엇기가 힘들 것이다.

上海의 녀름을 말할 때 우리 朝鮮사람으로는 닛지 못하고 소홀히 하지 못할 큰 行事가 잇다. 그거슨 곳 八月 금음에 上海 法界 엇든 모퉁이에서 數百의 朝鮮人이 모히여 눈물을 흘리고、가슴을 치며 비분감개한 演說을 하고 간절한 묵도를 올니는 밤이 잇는 것이다.

上海의 녀름을 생각할 때 이를 또한 니져부리지 말고 닛지 아니하여야 할 거시다.

上海의 녀름에는 現 社會制度 아레 잇는 온것에세 不合理가 드러잇다. 上海의 녀름은 엇든 게급에게는 놀기 죠흔 시절이다. 그러나 또 上海의 녀름은 다른 한 게급(多數의 人을 포함한)에게는 病死、땀、눈물、코레라、페스트、不景氣를 가져오는 惡魔인 것을 가슴에 더 한 번 색여볼 필요가 잇는 것이다. (終)

—『開闢』, 第38號, 1923년 8월

---

15 로우윙클럽: rowing club - 편자 주.

杭州 西湖에서

東谷

◇ 風打浪打의 나의 放浪

오래동안 南國의 海上에 나그네 노릇 하던 나는 癸亥 七月 十三日 아츰에 北陸으로 도라갈 旅裝을 收束하다

내가 中州에 逋逃한지 임이 五 個의 春風秋雨를 지낸지라 나의 素性이 名山大川의 間에 잇슴인지 又는 世波의 逆流에 風打浪打로 放浪의 生涯에 맛을 들음인지 모르나 晉陽의 鄕國을 떠난 지 임이 十有五 年에 七八의 星霜을 京師에 旅食하고 이여 笈을 東瀛에 負하야 江戸의 風晨雨夕에 때로 鄕雲을 望하야 覊懷의 그 依할 대 업슴을 頻嘆하면서 일로부터 宇宙의 間에 任其所之하야 나의 行蹤을 無常에 맛길가 하얏다 其後 時勢의 變遷은 또한 나의 몸을 中原의 大陸에 실어다놋케 되다

伊來 十有五 年 間 天之涯 地之角에 無常히 獨往獨來하는 동안 素來로 放浪의 性도 잇섯지만은 더구나 覊旅의 生涯를 오래하게 되며 또는 世運의 萬態는 더욱 나의 疎狂의 癖을 도와 名山大川과 勝區佳境에 나의 맘을 만이 牽引하얏다 그리하야 辛酉 夏에 東三省을 一周하야 過去의 我 祖宗의 遺趾와 大野 大江 大山의 間에 名勝의 景을 探하고 松花江의 長流를 順하야 黑龍江으로 「쉬을가」江(俄羅斯 아무르州에 在)에 이르러 西比利大陸을 足下

184 '한국근대문학과 중국' 자료총서 **❽**

에 두고 西으로 들어가 「우랄」山의 高峯을 바라보면서 世界最大湖의 名이
잇는 「바이갈」湖畔에서 나의 幽懷를 暢敍한 적도 잇섯다 그러나 伊來 中州
에서 오래동안 羈旅의 生活을 하난 가온데 내가 幼時에 經學 배울 때에도 中
州 西湖의 名과 姑蘇城外寒山寺에 夜半鐘聲到客船이라는 詩句만 읽고도 깁
히깁히 蘇杭의 勝景을 憧憬하얏거니와 幸히 中州의 南國에 나의 몸이 자조
寄跡케 되는 것은 實로 天假其便이요 또는 世事의 無常에 吐할 수 업는 耿
孤의 懷를 한번 勝景의 山間에서 寫吐하야볼가 하얏다 그러나 까닭업시 悾
惚한 이 몸은 그 勝景의 山河를 每樣 咫尺의 間에 두고서도 忽忽히 空過한
적도 잇스며 들지 못한 적도 잇섯다

　一年 有餘를 燕京의 古都에 蟄伏하야 잇다가 今番의 南行도 實로 偶然의
中에 잇섯스나 個中에 幾分 南國의 美를 한번 探看하야보랴는 意味를 가지
엇다 世事는 每樣 적고 큰 것을 勿論하고 뜻대로 안 되는 것은 人間으로서
避할 수 업는 바인지는 모르나 去冬에 海上으로 올 때에는 三春好景은 꼭 蘇
杭의 勝地에서 보내려 하얏는데 그럭저럭 海上의 띄끌 속에서 九十春光을
속절업시 다 보내고 今番도 實로 事實에는 그 可能함이 적은 此行이 잇게 되
엿다 비록 때안이 炎夏 六月이지만은 名區無節時라고 夏에도 그 景은 또한
本來의 面目은 죡음도 일치 안이하얏슬 것이다 그런데 如何커나 此行이 잇
게 된 것은 나의 平素에 만이 渴求하던 바의 結果이겟지만은 一便에 開闢 君
이 만이 此行을 도웟다 하지 안을 수 업나니 먼저 感謝를 들이고자 하며 詩
到金剛不能詩라고 나의 拙文으로써 듯기만 하야도 말할 수 업는 所謂 天下
之勝이라는 蘇杭의 勝景을 엇지 그 萬一이나 描來한다 하리오 다만 나의 片
想으로 나마 開闢 君의 그 盛意에 謝意를 表코자 하노라

　同 癸亥 七月 十三日 아츰에 北向의 旅裝을 收束하면서 首途로 杭州 西湖
로 가기를 內定하고 伊來 四 年 間 遁逃의 裡에 行止갓치 하야 風雨의 夜에

旅榻을 共히 하던 나의 志兄 劉 先生에게 此意를 告하얏다 志兄은 原來 謹愼持重에 富한 어른이라 快히 答치 안으면서 以後를 約하자 한다 나 亦是 志兄의 此意를 先히 窺破하얏슴으로 預先히 告치 안코 臨行에 急促만 하야 보리라 하얏다 그러하야 多辭로써 告勸하면서 吾儕가 이 가튼 危難의 時에 奚暇에 尋花問柳하고 登山臨水하리오만은 數年 以來의 流離顚倒한 鬱懷를 한번 此機에 暢敍하야 보자고 하얏다 志兄도 此에 同感치 안을 수 업는지라 臥榻에 일어나이여 遊杭의 途에 登케 되다 海上의 雨는 黃梅의 節에만 이르면 實로 無日不雨인데 이때는 임이 數旬 동안을 長霖이 支離하얏는지라 이날도 장마 끗헤 가는 비는 부슬부슬 나리는데 北站으로 나와 滬杭鐵路에 우리 二 人이 몸을 실으니 맛치 띄끌世上에 버서나 他鄕으로 가는 듯한 氣分이 생긴다

△ 吳姬越女의 餘音

支離하게도 오던 비는 우리의 湖行을 도음인지 구름은 漸且로 大野原頭의 樹梢를 넘어 天際에 버서지고 霽色이 돌며 光風이 인다 臨行時에 志兄 劉 先生은 비오는 것을 만히 念慮하는 故로 나는 自然의 功을 다 肯定하는 語調로 斜風細雨에 湖上에 노는 것도 한 趣 中의 趣라고 하면서 맛치 개는 것을 보고 이는 確實히 우리의 杭行은 그 因緣이 잇슴이며 霽後의 湖上은 더 말할 것도 업스리라 하고 兩人은 微笑로써 相對하얏다 車는 無邊大野에 長蛇갓치 疾走하는데 意中의 西湖가 그 어대인가 하야 자조자조 車窓에 머리를 둘너 眺望하얏다 南國의 美는 元來 蘇杭 兩 省을 일칼는 데라 鐵路 沿邊의 山河物色은 자못 淸幽코 또는 繁華함을 자랑하는 것 갓튼데 더구나 霽後의 新面目은 一幅의 畫圖를 그려낸 듯하다 車를 벌서 三四 驛을 지나 新橋를 이르럿는데 野 中에 흐르는 諸道의 小流에는 新魚가 出游하며 千里沃野

에 靑錦를 깐 갓가티 벌여잇는 水畓에 香稻는 갓득 차잇다 논두덕 우며 조그마한 삿갓과 雨蓑를 둘으고 軟莎芳草애 소 먹이며 소등에 안자 草笛 부는 牧童은 참으로 自然의 寵兒인 것 갓해 보이며 그 소래 들어 알지는 못하야도 아마 吳姬越女의 한끗 자랑하던 餘音인 듯하다 無常의 世事에 空自忙하게 돌아단이는 吾行 二人으로써 보면 자못 昔時 玄德의 嘆을 免치 못하겟다 新橋로 붓터 松江、楓涇 等地의 一帶는 全히 無邊大野에 稻田이 橫[01]比하얏 잇다 松江의 大野를 세 갈네 네 갈네로 논워 흐르는 淸流는 灌漑의 源을 이여 이의 富源을 가지게 되는 貌樣인데 참으로 江蘇의 富裕가 다 여긔 잇지 안이한가 該 楓涇은 江蘇와 浙[02]江 兩 省의 分界處인데 山河는 依然히 秀美한 中 該驛에 當到하자 海上으로부터 오래 그립던 山이 멀리 그의 雄姿를 들어낸다 나는 山國의 人이라 山 바라보기를 실혀하지는 안는다 그러나 無邊大野에 眼界가 툭 터진 것을 恆常 爽快히 알며 조와함으로 中州의 大陸이 자못 나의 氣性에 마즈나 넘우도 山 보기에 주리엇는지라 大野 中에 웃둑 솟아 別로히 秀麗한 것 갓지는 안으나 霽後에 산듯한 그 遠影은 만히 나의 眼界를 늘인다 벌서 江蘇地界를 넘어 杭州의 勝景을 가진 浙[03]江으로 들어오게 되니 探勝의 懷는 幾分 노이는 듯하다 浙[04]江은 中國全名勝三十處 中에 六處를 혼자 가진 곳이라 그럼으로 山河의 秀美가 他省보담은 勿論 나은 貌樣인데 이곳저곳 조그마한 山들이 벌여잇는 것 보아도 名勝이 생게날 것을 記憶할 수 잇겟다 이로부터 嘉善 嘉興 等地로 들어서니 이곳저곳 삐죽삐죽 소슨

---

01 "橫"은 "櫛"의 오식 - 편자 주.

02 동상 - 편자 주.

03 동상 - 편자 주.

04 동상.

山이 나의 一行을 마저 勝區로 引導하는 것 가튼데 멀리 보이는 杭州의 莫干山이 더욱히 西湖의 갓가워짐을 알뵌다 그리고 平原廣野에 빈 땅 업시 갓득 들어선 것은 뽕나무이라 이것만 보아도 錦屬이 만히 産出되는 것을 알겟스며 淅[05]人의 專業이 繭絲業인 줄을 可히 잠작하겟다 莫干山과 西湖의 避暑客을 갓득 실은 車은 벌서 筧橋에 이르러 莫干山으로 가시는 손님들은 내리워보내고 바로 杭州城坫으로 갈라는데 驛名表를 본즉 艮山門 拱宸橋 兩 驛만 지내면 곳 杭州이다 車는 이여 一聲 汽笛을 吐하면서 杭州驛에 到着하니 때는 正히 下午 三時 四十分 頃이다 上海로붓터 杭州 里數는 三百五十 里 假量인데 特別快車(急行)로 가면 四五 時이면 갈 수 잇고 慢車는 六 時 假量이다 滬杭間에는 快慢 輛 車가 每日 六七 次인데 우리는 慢車를 탓기 때문에 同日 午前 九時에서 發한 바 同 三時 頃에 到着하고 본즉 여섯 時間 쯤 되는 貌樣이다

△ 西湖 第一味의 龍井茶

오래동안 憧憬을 더하던 東南의 全美인 杭州에 到着하고 보니 맛치 그리던 愛人을 마난 것 갓다 該 驛에서 西湖로 가자면 한 八 七 里 쯤 되는데 行裝을 가지고 驛前으로 나가니 湖邊에 잇는 旅館 接客人들은 언제 본 것 갓치 반갑게 우리 一行을 마저 西湖로 引導하야 준다 빨니 가는 包車를 催捉하야 「快快的」「어서的」 하면서 於焉間 湖邊으로 오니 멀이 霽後에 새 단粧을 곱게 하고 나온 듯한 三面의 靑山을 등에 진 西子의 맵시 잇는 얼골이 一 언듯 나의 눈압헤 보인다 水天이 相接한 彼岸의 자즌 안개 속에 산듯산듯 보이는

---

05 동상.

風槕帆 布帆은 아지못게라 나 갓튼 探勝客을 실은 배이겟지 언듯 旅館의 正門에 이르니 멀이 온 손임을 반갑게 맛는 뽀이들은 얼는 나의 行具를 밧아들고 二層 樓上으로 引導하야 한 潔淨한 房을 내여주면서 洗手물을 가저오며 獅子峯頭에 따가지고 烟霞洞 虎跑泉에 씨서내여 精製한 西湖 第一味의 龍井茶 一 盃를 밧비 딸아 勸하면서 어데서 오섯는가고 慇懃히 뭇는다 나는 선듯 東三省 吉林 사는 사람으로 避暑하려 왓다고 答햇다 「好 好」 멧 번 하면서 나간다 該 旅館은 西湖 新市場의 湖濱에 位置하얏는데 看板은 淸泰第二旅館이라고 붓첫스며 堂上堂下 房間이 數百餘이요 未嘗不 高等 旅館인 貌樣이다 나의 定한 房의 一泊費는 一 元 四 角이요 飮食은 隨意하야 사먹게 한다 나는 빨이 洗手를 한 後 龍井 一 盃를 마신 後에 香烟을 피워 들고 旅館 樓上 正廳으로 나가니 西湖의 外湖 全境은 眼下에 다 開展되야잇다 나는 자못 歡悅의 語調로 劉 先生의게 이러케 조흔 好景을 안 보고 더 무엇하랴 하고 말을 건니엿다 劉 先生은 빙글 우스면서 누가 안이랴 하얏는냐고 하신다 爲先 湖山의 槪景을 領略하고 西子의 面目을 審識한 後에 房으로 들어가서 鷄子湯麵 一 碗하고 遠年花彫 一 斤을 가저와 點心을 畢한 後에는 車에서 困疲함도 이저버리고 바로 旅館 正門으로 나가니 卽 外湖의 正面이라 此에 沿湖하야 小公園이 잇슴으로 小憩하면서 참으로 한번 놀 만한 곳이라고 劉 先生의게 말을 건니고 兩 人이 小話한 後에 곳 市街로 나갓다

　海上에는 아즉껏 그 霖雨가 오는지는 모르나 여기는 初晴의 日氣가 매우 艶艶한데 爲先 空氣가 매우 乾燥하야 海上의 그 무덥덥하게 띠우는 低氣壓의 더위는 도모지 볼 수 업스며 매우 輕快한 氣分을 늣기겟다 나는 劉 先生의게 이 갓튼 好景에 好友가 더 업는 것이 甚히 遺憾이요 더욱히 艶侶를 携來치 안은 것은 참으로 恨 되는 바이라 하얏다 劉 先生은 微笑를 띠우면서 君은 每樣 그런 豪狂語를 만이 한다고 한다 곳 照相館으로 가서 西湖風景圖

三十餘 張과 西湖全圖 一 幅과 西湖指南 一 冊을 사가지고 商品陳列館으로 가서 棕梠杖 二 個를 呼買하야 一 個는 劉 先生의게 들엿다 그리고 市面을 一回한 後에는 旅館으로 와서 明日 船遊할 事를 相議하고 西湖指南冊에 잇는 道程에 依하야 探訪하기로 하다 勝遊는 惟時促이라는 말과 갓티 時間은 벌서 六 時間이다 旅館 正廳으로 나오니 夕陽山頭에 느진 안개는 漸且로 湖面을 덥허오고 暝色은 遠村에 侵生하야 오는데 探勝에 興을 겨워 돌아오는 船遊배는 三 行 兩 行으로 或은 山際로 或은 島嶼가으로 돌아온다 아즉 고만 두어라 구타여 勝을 探하고 佳를 求할 것 무엇인가 西湖의 勝景은 임이 나의 眼中 腔中에 갓득 차잇다 이갓티 서로 보는 바로 자랑하고 잇는 동안 뽀이는 夕飯을 안 차시겟느냐고 뭇는다 어서 가저오라 하야 遠年花彫酒 一 斤에 淸淡한 竹筍菜에 醉興이 자못 陶陶하다 이여 市街에 또 나가 西湖의 物産이 그 무엇인가 물어보기도 하며 暫時 間 散步하다가 돌아와 小春 兄에게 이 消息을 알외고 이 갓튼 勝景은 혼자 보기 앗가워서 午後 照相館에서 산 그 西湖風景畵를 부처 들이려고 싸놋코는 明日의 忽悠를 預斯하고 西子의 神으로 더불어 或 夢中에나 만날가 하야 甘睡를 耽하다

△ 西湖에 배 띄우고

翌朝 七時에 이러나니 아츰 안개는 아즉 거치지 안이하고 幾分 雨意가 잇는 듯하다 그러나 비 오면 비 오는 대로 날 조흔면 조흔 대로 그 景은 그대로 보리라 하고 市街에 곳 나가서 이날 잔득 먹고 잔득 잘 놀 準備를 하여가지고 들어오니 劉 先生은 이제야 이러나는지라 나는 우스면서 이런 勝景을 두고 엇지 늦게 잣심닛가 하고 어서 湖邊으로 나가자고 하얏다 그때에 반夜에 와서 배 타라고 懇請하던 舟子가 와서 배를 타라고 한다 舟價가 幾何뇨 하고

물은 즉 全日에 一元 五 角이라 한다 선듯 늘[06]어도 그 싼 것은 말할 것도 업고 참으로 中州의 物博工賤한 것을 알겠다 곳 湖濱으로 나가 배에 오른즉 맛치 畫中에 안즌 것 갓튼데 四圍의 諸景은 그때 보던 것만 하야도 다 쓸 수 업고 初晴의 湖面은 비단결 갓트며 前山의 霽容은 尙今 안개 가온데서 半쯤 낫타낸 것이며 湖中에 列在하야 無數한 山亭水榭 그것만 暫間 써노을 수 밧게 업다 舟子 제 말이 十年 西湖에 모르는 데 업슨즉 次第로 잘 紹介하야 주마 한다 西湖는 至小라도 十日遊는 하여야 한다는데 今番의 此行은 不得已 兩之日 밧게 許諾이 안 될 貌樣이라 이것도 劉 先生은 今日 하루만 船遊하고 곳 돌아 갓다가 以後를 期約하자고 한다 그럼으로 나문 日字는 또한 빗만 보기라도 蘇州에서 費치 안을 수 업슴으로 함부래 西湖의 最上景이 멧멧인지 그것붓터 보자고 舟子의게 囑付하다

　그리하야 爲先 十景붓터 보려 하는데 舟子가 말하기를 杭州之景은 在西湖하고 西湖之景은 在之潭印月이라는 말이 곳 글인 그 好文章을 외우면서 草絲波紋 上에 順風에 돗을 달고 배를 쓸쓸 저어 印月로 向하려 하다 此에 同日의 본 바의 景을 쓰기 前 爲先 西湖의 槪說을 暫間 써 두어 叅考에 供하여야 하겠다

　杭州는 現 浙[07]江省 首府요 秦 隋 唐 以來로 한 勝區로 擅하얏스되 唐 以前에는 實로 寂然無聞이엇섯는데 唐 李泌 氏가 비로소 開拓하야 湖流를 通하게 한 後로 東波 居易 等 大詩人이 杭州에 謫宦케 되는 同時에 湖中에 二長堤를 築하고 名區의 갑슬 알며 名區의 勝景을 錫名해냄으로 因하야 西湖의 名이 비로소 大著케 되고 其後 宋高宗이 都를 臨安에 建케 되고 淸聖

祖 康熙가 屢次 此에 來遊케 됨애 所謂 天下의 勝이니 하는 소리가 나게 되야 人人의 稱道하는 바가 되다 西湖의 名은 錢塘湖 高士湖 西子湖 等의 諸名이 有하나 그 地面이 城西에 在함으로 通稱 西湖라 하나니 湖周는 三十餘里(我里 近 四十 里)이요 三面이 環山이요 谿谷이 실갓치 이여 點綴되야 잇는데 그 下에는 百道의 淵泉이 모히여 湖가 되야 水深은 不過 幾尺이요 水色은 甚히 말그며 그 가온데 각금각금 옷독옷독 소슨 孤山 더욱 湖面의 支柱 갓해 보힌다 山前은 外湖가 되고 山後는 內湖가 되야 西으로 蘇堤(東波築)에 互聯되며 堤 以內는 裡湖라 하는데 全湖 面積이 略 十六 方里라 伊來 數千年 來로 古蹟이 만이 兵禍에 업서지고 자조자조 變遷이 無常하얏스나 淸聖祖 康熙 來遊 時에 이르러 蘇白 去後의 一時 壯觀을 復興하얏던 貌樣인데 洪秀全亂에 또한 焚毁되고 其後 지금은 西湖工程局을 置하야 날노 修理하야가는 中이라 한다 그리고 名士 富人의 別庄 高士 侯客의 墳墓가 多數를 点하게 되고 이즘에는 西人의 洋屋 別庄도 날노 興築되야간다 云云

　배는 新市場碼頭로붓터 古城을 끼고 돌아 西湖의 全水源口인 湧金門 겻흐로 가서 西湖十景의 一인 柳浪聞鶯으로 向하다 宋時에는 柳浪橋가 淸波門外의 卽 今 該 址에 잇던 것인데 卽今은 考할 수 업스며 現在는 十景의 一로 其 名만 遺케 되고 무삼 勝蹟은 끼처잇지 안타 배 中에 잇서 엇듯 그 遺址만 바라보아도 當時에는 한 佳麗의 地인 줄 알겟다 뒤으로는 雉堞을 負하고 압흐로는 方塘에 臨하야 春三月 好時節에 柳絲의 翠浪이 翻空할 때에 黃鳥는 그 사이에 睍睆하야 畵舫 笙歌로 더불어 서로 和答할 제 그 景을 可히 量할 수 업섯슬 것이다 배는 곳 三潭印月에 이르러 石橋에 매여두고 들어가니 該潭은 外湖와 裡湖의 中間에 한 小島처럼 形成되야 潭內에 들어서면 다만 該潭의 境內뿐 眼前에 開展되고 隱然히 한 島國처럼 되얏다 第一潭으로 붓터 第三潭에 至하기까지 九曲石橋가 노엿는데 그 製造가 美術品으로 되얏슬 뿐만이 안이라 構造가 자못 莊嚴하다 第一潭에 들어서 第二曲橋 中間에 小亭이 잇는데 靜觀이라는 扁額이 붓처 잇스며 그 左面에는 先賢祠가 잇는데 辛亥革命 時 殉士 黃字義[08] 等 三 人의 祠[09]이라 그 楹聯에, 三傑倡民權日月更新革命導源遺種子、一龕字祀典湖山洗淨後仇報饗慰遺臣[10]이라는 글이 쓰여 잇다 다시 감돌아 第二潭에 들어서니 압흔 靑山이요 뒤는 竹林이요 又 其下는 蓮花가 아즉 盛開하지는 안엇스나 數十 朶 紅英이 心懷의 娟嬋함을 늣기겟다 다시 第三潭에 이르니 蘇堤는 對岸으로 하고 裡湖를 到臨하야 小閣이 잇는데 正中에 三潭印月 四 個 大字를 刻한 大石碑가 서잇스며 該 閣 扁聯에는 「我心相印」 四字가 쓰여 잇스며 前臨한 그 裡湖 中間에 맛치 우리나라 墓地에 山石 해 세운 石高[11] 貌樣으로 不製의 塔이 三角形으로 列로 하야 잇다 三潭印月이라 함은 月光이 映潭할 때에는 三 石塔으로 논우워 비추우는 故로 此를 名함이라 한다 此는 東波가 建造한 것인데 明 成化 後에 毁滅되얏다가 淸 康熙 時에 復建되얏다 한다 舟子의 말과 갓티 西湖의 景은 다 此潭에 잇다 함이 實로 虛言이 안이다 湖心에 獨在하야 廣濶한 面積을 가지고 그 안에도 九曲之潭이 잇서 竹林 蓮花가 자못 高士의 氣像을 가젓는데 나는 때안인 아츰에 왓는지라 달은 보지 못함이 甚히 遺憾이나 遊子들은 尙未到하고

---

08 "字義"는 "宗義"의 오식 - 편자 주.

09 '先賢祠'는 명조(明朝) 말엽의 충신 황종희(黃宗羲) 등을 기린 사당으로 원래 이름은 '彭公祠'였는데 '辛亥革命' 때 '先賢祠'로 개칭하였는바 이 부분의 설명은 저자의 오기로 보아진다. - 편자 주.

10 "三傑倡民權日月更新革命導源遺種子, 一龕字祀典湖山洗淨後仇報饗慰遺臣"은 "三傑唱民權日月更新革命導源留種子, 一龕崇祀典湖山洗淨複仇報享慰遺臣"의 오기 - 편자 주.

11 "高"는 "亭"의 오식 - 편자 주.

潭內는 靜寂이 吾等 一行만 맛는다 아츰 안개는 자옥하고 蓮葉 上에 玉露가 珠環하야 湖神의 곱은 態度가 此에 現하는 것 갓다 萬一 夜蘭人靜하고 明月이 當天할 때 孤艇을 흘노 저어 이곳에 이르면 宇宙의 眞趣와 自我의 本面目을 可히 볼 것 갓다

이로붓터 淨慈寺에 이르러 南屛晚鐘閣을 보고 運木古井에 이르러 佛家의 怪話 ― 該 寺를 創建할 때에 木材가 업슴으로 住持僧이 禱佛한 바 木材가 該 古井으로붓터 層出不窮하야 그 집을 다 짓고 남게 되야 尙今 井裡에 一木이 在하다 云한다 그럼으로 小燈을 下하야 본즉 果是 一 木材가 豎立하야 잇다 그로붓터 雷峰塔에 이르러 小憩하고 夕興寺로 돌너 崎嶇한 山路에 徘徊하며 古人의 跡을 한번 追覺하야 볼 때에 참으로 吊古의 感이 업지 안타 南屛晚鐘 이름만 들어도 南屛山 深秋夜에 그의 말근 鐘소래의 한 번이면 塵世의 迷劫을 깨칠 듯하얏스리라 그뿐 안이라 昔時에 佛寺의 宏大가 말할 것 업섯슬 것이요 信男信女가 朝暮로 絡繹하얏슬 것인데 而今엔 때로 遊子의 자최뿐이요 貧僧 貴人이 該 淨慈寺와 夕照寺에 殘在하야 잇는 貌樣이다 그러고 該 雷峯塔은 宋時 造로 임이 數千 年을 지냇스되 尙今 그 形姿를 가지고 잇는 것은 當時에 얼마한 工役이 들엇는지 알 수 업다 赤煉瓦로써 建造하얏는데 至今도 그러한 조흔 벽돌을 求키 업렵다 한다 이러한 價値 잇는 古物을 그대로 風雨에 멕겨두는 것은 甚히 遺憾이다 그런데 後塔은 그 밋치 비엿다고 舟子가 傳하며 발노 굴너보니 참으로 쿵쿵하는 것이 빈 것도 갓다 그 벽돌은 却邪의 物이라 하야 愚民덜이 날노 와 주어갓다 한다 얼마 안 잇스면 넘어질는지도 모르겟다 十景의 電峯夕照[12]라 하는 것은 斜陽反照가 後塔으로 비치워 다시 夕照寺 正面에 反照됨으로써 寺名도 夕照라 하는 것 갓다 다시 水邊에 내려

---

12 "電"은 "雷"의 오식 - 편자 주.

와 배를 타고 蘇堤로 들어가 蘇堤春晚을 바라보앗스나 이때는 봄이 아니라 한갓 荷芳草上에 서늘한 湖上의 夏風이 구수하게도 부러온다

◇ 嶽王廟에 발을 멈추다

이여 裡湖로 들어가 花家山에 올나 花港觀魚를 차젓다 此에 康熙의 親筆로 쓴 石碑가 섯는데 우리도 이에서는 香茗 一 盃를 買飮하고 燒餠 幾 個를 사서 고기를 먹이며 昔日 觀魚人의 後跡을 발바볼 적 참으로 錦鱗玉尺이 펄덕펄덕 뛴다 劉 先生은 「고기 잡아 柳枝에 뀌여들고 石橋 邊으로 내려가 고기로 술을 밧궈 杏花濁醪에 한번 醉해 볼까나」 하는 舞曲歌를 興에 겨워 부른다 이에 다시 中流에 둥실둥실 떠 아츰에 預備한 술을 부어먹고 岳王廟로 이르다 兵[13]王廟는 從來로 西湖의 한 勝景으로 칠 뿐만 안이다 萬古貞忠人의 墓임으로 西湖에 足跡를 印하는 者는 누구나 다 이에 반드시 이를 빠줏지 안는다 後廟는 南屛山 後麓의 全部를 点하야 잇는데 古時에는 各代 帝王이 鉅帑를 내여 廟院을 修理하야 萬民瞻仰의 準이 되게 하얏스며 距今 四 年 前도 浙督[14] 盧永祥 氏가 各省 各人의 寄付로 十五萬의 巨額을 내여 다시 重修하야 樓臺高閣이 實로 湖州의 壯觀인 듯한데 正門에 들어서니 前淸 時 閔浙[15] 總督 李衛 氏의 碧血丹心이라는 匾額이 붓텃고 中門에 들어가 岳飛의 眞影을 奉安한 正室에 이른 즉 盧永祥 氏의 쓴 偉烈純忠이라는 匾額이 잇고 그 外에 畫棟 업시 붓터잇는 것은 各省 名士들의 보낸 楹聯들이다 나 亦時 平素에 岳

---

13 "兵"은 "岳"의 오식 - 편자 주.

14 "浙督"은 "浙督"의 오식. "浙督"은 "절강총독" - 편자 주.

15 "閔浙"은 "閩浙"의 오식. "閩"은 福建省의 약칭 - 편자 주.

飛의 人格에 만은 仰慕를 가진 者이며 더구나 當時 祖國의 存亡이 頃刻에 잇는 그 때의 그 精忠을 다하야 그 몸을 犧牲함은 더욱 우리의 模範이라 하겟다 그로붓터 岳飛墳所에 이른 즉 墓는 圖形의 大石製墳으로 되얏스며 그 左邊에 從忠僕의 墳까지 잇다 나는 그 압헤 이르러 머리를 숙이여 將軍의게 절하지 안을 수 업스며 將軍의 精靈에 나의 所禱하는 바도 不無타 하겟다 墳所에 물너나 正面으로 蒼蒼의 古柏 二 株가 聯立하야 잇스며 그 階下에는 秦獪[16] 李[17]氏 萬候 等 諸奸을 鐵像으로 만들어 목에 鐵絲를 매여 萬代 그 罪人임을 標한 貌樣인데 秦獪[18]를 가둔 鐵絲 前에 「不投石」 不小便의 碑가 붓텃다 그것만 보아도 萬人의 唾棄가 이에 더할 것 업다 世의 諸奸 諸惡은 반드시 그러케 되고야만 할 것이다 나는 그 墳所로붓터 다시 後正殿으로 들어가서 岳飛 將軍이 眞影 압헤 默默히 말업시 가장 哀願의 色을 가지고 또한 깁히 注視하야 보앗다 舟子는 배를 맨지 久矣라 頻頻히 上舟키를 來促한다 이에 배에 올나 蘇堤를 겻헤 두고 杏花村 向해 갈 제 院風荷[19]의 石碑가 멀이 荒草中에 보힌다 舟子의게 물은 즉 가을에는 한번 볼만하니 지금은 蓮花도 업스며 또는 亭樹도 업스니 고만 杏花村으로 가서 點心을 자시라 한다 배를 杏花村 前 柳樹枝에 매여두고 임이 預備하얏던 食物을 내여 먹으면서 바람을 臨하야 술 한 잔 따를 적에 實로 말할 수 업는 懷抱는 腔中에 갓득한데 다만 昔時 東坡가 蘇堤를 싸아두고 六橋의 煙柳를 攀折하면서 蘇堤의 斜陽芳草 삿붓삿붓 발버가며 歸路에 杏花村 香醪 한 잔에 그 醉興을 다하던 것……而今

---

16 "獪"는 "檜"의 오식 - 편자 주.

17 진회의 부인은 李氏가 아니라 王氏인 바 이 부분은 저자의 오식인 듯 - 편자 주.

18 동상 - 편자 주.

19 "院風荷"는 "曲院風荷"의 오식 - 편자 주.

의 만이 聯想된다 詩人의 趣味는 別로히 이 가튼 新生面을 여도다

杏花村의 全景을 獨占한 壺春樓에서 麥酒를 사서 渴을 解하고 汾陽山庄을 단이여 西冷印社에 이르다 該 社는 昔時 丁上左 吳隱 等 人의 創建한 바인데 孤山의 第一景을 占하야 一步一亭 二步二榭의 無數한 小閣이 岩石을 依支하야 잇서 泉石이 甚히 淸幽하다 勝景은 無限好한데 偶然히 一時의 興을 못 이겨 景을 찾는 손임의 時間은 매우 짧다 그리하야 엇듯 보고 西湖公園으로 들어가니 此는 古時 淸 康熙 乾隆의 行宮遺址라 그 樓臺 泉石은 勿論 西冷印社에 비길 바이 안이다 登高第一亭에 오르니 西湖의 全景이 眼下에 展開되다 日氣는 晩陽에 甚히 덥은 故로 내러와 圖書館 等 各 名人祠를 얼풋 보고는 배에 올나 孤山으로 向하야 故 林和靖 處士의 高遊處인 放鶴亭은 참으로 鶴去人亡의 歎을 未免하겟고 孤山의 梅花는 西湖景의 第二에 讓치 안는 것인데 梅節이 간지 오래 茂林만 깁숙할 뿐이라 該 亭 左邊 一 小亭이 有한데 것트로 보기만 하야도 매우 淸雅하야 보힌다 그럼으로 배를 그 亭下에 멈으라고 하고 劉 先生과 손을 잇그러 該 亭에 오르니 六모의 小石亭인데 正面에 康有爲의 쓴 雲亭 二字扁이 붓텃다 들으매 上海 許奏雲의 生壙地라 한다 劉 先生은 此 亭에 올나 西湖第一景이 한번 머물러 가자함으로 배에 실은 모든 食物을 가저와 亭 內에 備置한 卓上에 벌여 두고 大白을 기우리면서 至今것 求景한 諸景을 審識하고 石床에 倚臥하야 無韻詩 無曲歌를 마음대로 을푸는데 許 氏의 自挽한 聯을 본바에 참으로 마는 同感을 가지겟다 該 聯曰「斯世何所之 幸得傍孤山寒梅岳墳忠柏、此心無所戀卻未捨錢江夜月珠浦鄕雲 岳墳忠柏[20]」이라 하얏다 劉 先生과 再三 읽기를 마지 안으며 나는 말하기

---

20 "斯世何所之 幸得傍孤山寒梅 岳墳忠柏, 此心無所戀 卻未捨錢江夜月 珠浦鄕雲"는 "斯世竟何之 幸得傍孤嶼梅花, 此心無所戀 卻未捨錢江夜月 珠海鄕雲"의 오기 - 편자 주.

를 참으로 高士의 口氣가 잇다고 하고 萬一 나도 自挽을 쓴다 하면 그에 지내지 안켓다고 하얏다 於焉間 日은 西으로 내리고 南屏山頭에 暮雲은 돌아와 晩鐘의 소래를 들을 때가 되야온다 더구나 前山에 잇는 白雲庵의 盤聲은 나의 多年 羈旅의 懷를 자아내며 人生의 無常을 알읜다

◇ 滄浪之水濁兮 可以濯吾足

이여 醉興을 타 倦步로 十里荷汀에 내려와 滄浪之水淸兮 可以濯吾纓이요 滄浪之水濁兮 可以濯吾足이라는 偶然히 입에 나오는 感慨의 辭를 외우고 내 幸히 世間에 이룸이 잇스면 晩年의 閑日月을 此間에 보내리라는 어름풋한 夢想을 하고 實로 斯世에 無所之라 數間의 茅屋을 此間에 두고 世上事 다 이저버렷스면 하는 생각이 울둑울둑 내닷는다 南屏山 머리로 次次 넘어가는 해를 바라보고 晩風은 쓸쓸 晴湖의 錦紋을 일으키는데 舟子를 불너 갈 데로 가자 어데가 그 好景이냐? 舟子는 선듯 答하되 西湖의 好景은 거진 다 알외엿나이다 지금은 湖心亭으로 단여서 平湖秋月을 橫斷하야 저 건너 南高峯 北高峯의 雙峯柳雲을 바라보신 後에는 杏花村으로 다시 樓外樓에서 西湖醋○魚의 맛을 보시고는 白堤로 오르사 至今 눈은 업지만 斷橋殘雪을 求景하소서 그리고 夜景은 다시 와 全湖의 一面을 泛泛中流 指定 업시 돗대를 저어 얼마 동안 逍遙하시다 가는 歸路에 就하소서 하는지라 나는 가장 興에 겨워 너 마음대로 任其所之하렴으나 하얏다 나는 배등에 醉顔으로 비스듬이 누어 遠峯의 蒼翠와 茫茫한 小波에만 아무 所料가 업시 凝思하고 잇섯슬 뿐이엇다 小項에 배는 湖心亭으로 닷게 되는데 外湖의 正心에 位하야 참으로 湖心을 獨占하야잇는데 이에서 그 歲月을 보내면 俗凡을 듯지 안케 될가 이여

平湖秋月로 이르려 一瞥한 後에 秋女俠²¹의 墳墓를 特訪하야 墓前에 이르러 나의 來意를 表하얏다 香를 埋하고 玉을 奠한지 十年이 不過한데 滿庭荒草는 寂無人이라 吳芝瑛 女士는 秋俠의 故友로 故人의 秋風秋月愁殺人의 詩句를 依하야 墓左에 風雨亭을 지어잇는데 敗瓦頹壁은 그 거둣는 者이 업음을 嘆치 안을 수 업다 다시 墓傍에 잇는 西湖의 만은 物語를 가진 錢塘名妓 蘇小小의 墳前에 이르러 雙峯의 暮揷雲을 바라보다가 樓外樓에 이르러 饌魚에 맛을 붓쳐 한잔 갓북 醉한 後에 배에 올나 캄캄한 中으로 배를 저어 西子의 夜容까지 다 보앗다 이에 歸路에 登하야 旅館에 이르니 때는 十時 頃이라 興에 넘친 疲困한 몸은 旅館에 몸을 비기자 이여 睡鄕으로 들어가 翌朝 八時까지 잔득 자고 이러낫다

이날까지는 더 西子의 손임이 되어야 할 터인데 劉 先生은 俗事에 끌이여 歸裝을 催促한다 나는 不得已 도라갈 準備를 하지 안을 수 업는데 참으로 섭섭키 限量 업다 天地의 間에 無事히 往來하는 나의 行蹤으로써 後期를 엇지 期約하랴 西子와 그 因緣이 이스면 無事他日에 或 이 勝區의 淸福을 누리게 되는지! 이가티 倥傯한 此行이나마 蘇州의 名勝을 今時라도 보지 안을 수 업슴으로 다시 蘇行의 途에 登하려 함에 劉 先生은 海上으로 곳 가겟다는 것을 挽留하야 拱震橋로 나와 蘇班船에 몸을 실어 錢塘江에 배를 저어 隋煬帝의 판 南通의 運河로 내려 漸次 寒山寺 모퉁이로 蘇州의 勝景을 보고 古時 吳王의 잘 놀든 遺址를 찾게 되겟다

—『開闢』, 第39號, 1923년 9월

---

21 "秋女俠": 중국 근대 초기 여 혁명가 추근(秋瑾, 1875-1907) - 편자 주.

臺灣、福州를 단여와서

延專教授 盧正一

六花는 紛々하고 朔風은 凜々한 嚴冬이 왓습니다. 安逸閑客으로는 南溟 萬里의 孤島에 避寒하야 芭蕉열매를 맛보려고 할 季節이 오며 閩江 驪山에 移寓하야 登山臨流의 遊興을 享樂할 當節임니다. 아 — 그러나 避寒遊客의 幸運兒는 아니엿습니다. 우리 父兄끠서는 嚴하시기도 무척 嚴하섯습니다. 南山을 向하는 樵夫에게처럼 등에는 무거운 지게를 질머지시고 右手에는 正直의 棍棒을 들려주섯스며 입에는 公平의 피리를 물려주시며 福州 旅行을 命令하섯습니다.

臺灣 旅行 中國 福建省 首府 福州가 今番 旅行의 目的地이엿스며 東亞總 會에 朝鮮美監理敎 平信徒代表로 出席視務가 使命이엿습니다. 그러나 甚한 損失 업시 機會를 지어서 臺灣이라는 곳을 알고 십헛습니다. 多少間 不利한 事情을 犧牲하여가지고 素志를 遂行하엿습니다. 基隆港과 臺北『首府』에서 四五日 留하는 동안 來訪하는 新聞記者들에게 臺灣 及 關係 各地의 事情을 聽取할 수 잇섯습니다.

臺灣 넷날에는 南溟萬里의 孤島로서 멀니 隔하야 往復이 杜絶되엿든

FORMOSA(美島)이엿지마는 日淸戰役으로 局面이 一變하야 福建省에서 分離되여 日本의 領地가 된 後로 門司 基隆 間에 三 晝夜 航海의 交通이 열니게 되엿슴니다. 今日에는 全 住民 約 三百六十萬 人 內(生蕃을 除하고)에 日本人住民이 十五萬 人 以上에 達한다고 함니다. 目下 臺灣의 狀態는 産業 教育 交通 及 衛生 等의 進步가 前에 比하야 雲泥의 差를 生한다 함이 事實인 듯함니다.

臺灣의 産業으로 말하면 本來 熱帶에 位置하고 또한 土地가 肥沃하며 氣候가 濕潤하야 林業 農業은 勿論이며 水産 鑛業 工業 等도 極히 有望하야 將來 日本의 寶庫로 看做함이 無理가 아닌 듯함니다. 總督府 教育施設에는 專門 程度로는 醫學校와 工業學校가 잇고 其他 林業 商業 等의 學校는 中等 程度에 不過한다 함니다.

臺灣의 人情風俗은 生蕃部落을 探險치 못하얏스니 生蕃의 生活은 알 수 업거니와 基隆과 臺北에서 본 것으로 推想하면 言語 衣服 居住 其他 一般 生活方式이 南方 支那人 福建人과 大差가 無하며 特히 婦女들의 머리 裝飾은 福州 風俗과 同一함니다.

司法機關 이에 對한 消息을 들엇슴니다 大正 八年 律令 第四號에 依하야 臺灣總督府法院條例가 改正되얏다 함니다 地方法院 及 高等法院으로 分하고 高等法院에 覆審法院 及 上告部를 設하얏다 함니다. 其實은 總督府가 時勢의 進運에 伴하야 人權尊重을 爲하야 二審制를 改正하야 三審制로 한 것이라 함니다. 그러나 三審制의 形式은 成立되얏스나 三審의 實이 無함으로 因하야 臺灣人들이 上告部를 指하야 『支那芝居』라 稱한다 함니다. 이로써

보건대 亦是 臺灣에도 有名無實이라는 痛罵의 聲이 업지 아니한 것을 살필 수가 잇습니다.

臺灣의 經濟狀況은 朝鮮의 經濟界에 比하야 正反對의 地位를 維持한다 합니다 日本人 間에는 『不景氣』 金融恐慌 等의 不安한 狀態에 잇스나 臺灣人 間에는 經濟的 地盤이 鞏固하야 何等의 動搖도 업다 합니다 財産所有額으로 말하드래도 臺灣人 間에 日本人 富豪 以上의 財産을 所有한 者가 不少하다 합니다. 今番 震災救濟에도 臺灣人은 五十萬 圓을 寄附한 富豪가 잇다 합니다.

島人의 思想取締 警官의 偏狹한 見解와 邪推는 極히 神經過敏的이라 합니다. 島人知識階級의 人士들로 하여금 反 總督府의 思想을 激成케 하는 一大 原因으로 認定치 아니할 수 업다 합니다. 臺灣 官僚들의 頭腦에 亦是 島人이라는 觀念이 잇는 까닭에 偏狹頑迷한 取締를 한다 합니다. 今番 震災救濟 當時에도 日本 內地에서 發賣하는 新聞을 臺灣에서는 發賣를 一切 禁止햇다 합니다.

目下 臺灣議會運動의 中堅人物인 蔡培華 氏의 經歷을 보면 偏狹頑迷한 思想取締의 一例를 確認할 수가 잇습니다. 氏는 總督府師範學校 出身으로 公立學校 訓導로 奉職하며 政治界에 趣味를 가젓섯다 합니다 일즉 同化會設立運動에 贊同하야 宣傳論說을 試하얏섯는데 그의 言辭가 官僚의 忌諱에 觸하야 即時 諭旨免官을 當한 蔡 氏는 意外의 事에 大醒하야 東京 留學을 斷行하얏다 합니다 其後로 臺灣自治運動의 主唱者가 되얏다 합니다.

最近 吳鬧寅 氏의 事件이란 것이 잇는데 亦是 臺灣 官僚의 神經質的 邪推의 一例라 하겟습니다 吳 氏도 亦是 公立學校 敎員으로 總督府 便의 有力한 人이엿든 것을 不拘하고 一次 文化協會에 投書한 것이 官僚의 忌諱에 觸하

야 免官放逐을 當한 後에 更히 警察 監視의 壓迫이 엇지나 甚하든지 上海로 避身하야 目下 何等의 運動을 計劃 中이라고 합니다 地方僻地에서라도 新聞 雜誌 等의 購讀者는 殆히 要視察人에 編入하야 各樣의 壓迫은 不可形言이라 합니다 寡婦의 서름은 寡婦가 안다는 셈으로 實로 同情의 淚를 禁할 수 업슴니다 只今 當局者는 帝國延長主義 下에서 大臺灣論을 高調하야 南支 南洋政策的 施設에는 臺灣을 中心으로 아니할 수 업다는 見地로 大正 五年부터 對岸施設에 着手하야 學校 病院 新聞을 經營하얏스며 諜報機關으로 留學生制度를 設하야 上海 以南 各地에 警部 或은 巡査를 配置하얏스며 一般 日本人 及 臺灣民에 關하야서는 駐在領事를 總督府의 兼任 事務官으로 任命한다 함니다 現在 事實로 보면 病院은 警務局 衛生課 學校는 內務局 學務課 留學生은 警務局 高等係 新聞은 警務局 及 總督府 官房에 分屬케 하얏다 합니다 中國의 排日風潮가 벌서 四百餘 州에 彌漫하야 容易히 緩和키 難한 事는 勿論이여니와 特히『文化事業』政策이 施設되는 南部 中國 各地 即 福州 廈門 等地에 排日熱이 猛烈한 現狀은 實로 그 文化事業政策의 性質如何를 暴露식히는 事實이라 하겟슴니다.

　排日運動의 中心은 血氣旺盛한 學生團이라 합니다 小學校부터 中學校 專門學校는 勿論 女子學校까지 修身 國語 地理 歷史 等 殆히 모든 敎科書에 排日的 記事를 滿載한다 하며 甚至於 日常使用의 曆書에까지 排日文句를 書入한다 합니다.

　從來 幾千 人의 臺灣籍民 等이 學生團에 對抗하야 排日運動을 壓伏하여왓다 하나 그들의 盡力에 對하야 何等의 認報가 업슬 뿐 아니라 領事館으로부터는 下層籍民이라는 侮蔑的 待遇를 밧게 되고 支那人에게는 亡國奴로 取扱을 바드며 日本人에게는 支那人과 同一히『장꼬로』라는 虐待를 밧게 되엿다 함니다 아々 臺灣人도 불샹하지 안슴닛가

以上은 但히 余가 觀察한 事實과 探問한 實例를 簡單히 擧한 데에 不過합니다

實로 日本의 帝國延長主義를 爲하여서는 臺灣을 領有한 것이 多幸이라 아니할 수 업겟습니다. 幾十 萬의 生命을 犧牲해서라도 臺灣을 領有할 價値가 잇슬 것임니다 臺灣을 領有함이 곳 南方中國 南洋을 領有햇다는 것을 意味함니다. 要害의 臺灣을 領有한 때에 南方中國 南洋에서 排日氣勢가 激動케 된 事實은 實로 日本을 爲하야 가업슨 感을 禁치 못할 것임니다. 帝國延長政策으로 腐心努力하야 遂히 臺灣의 領有를 實現한 偉動者들의 亡魂이 今日 南方中國과 南洋에서 現行하는 爲政者들의 態度와 誠意를 볼 때에 응당 눈물이 흘을 것이외다

約 一 世紀 동안이나 白人들에게 蹂躪을 밧아오는 南方中立[01]과 南洋에 雄大한 事業을 樹國할[02] 수 잇스며 白熱的 歡迎의 奉仕를 供할 수 잇는 好機運을 가진 日本으로서 엇지 如許한 現狀을 惹起하는 데 至하얏슬가요?

同種 同文同敎라는 日本보다 異種 異文 異敎에 屬한 歐美人들이 反히 大勢力을 博할가요? 目前의 小利만을 捨할 뿐 아니라 當面의 大利까지 抛棄하며 大犧牲을 不惜하고 遠大한 勢力을 扶植함과 小利와 卑慾에 汨沒함과의 差異가 表象됨이라 할 수 밧에 업슴니다.

日本은 아즉까지도 好機會를 가젓다고 하겟습니다. 雄計가 잇다 하면 英雄다운 氣槪를 發揮하기에 過히 늦지 아니한 줄로 確認함니다. 目下 臺灣 全島에 自治의 氣運이 漲溢한 이때에 日本이 率先하야 自治 或은 自治 以上의 무엇까지라도 快許하야 臺灣으로 하야금 臺灣人의 臺灣으로 施設을 完成하

---

01 "立"은 "國"의 오식 - 편자 주.

02 "國"은 "立"의 오식 - 편자 주.

야 日本의 雄大한 看板으로 南方中國과 南洋을 對한다면 南方中國과 南洋에 日本의 崇高한 國威를 振할 수 잇을 것임니다。

─『東亞日報』, 1923년 12월 10일

南滿을 단녀와서

ㅅㅅ生

南滿은 近來에 우리 同胞들의 적지 안은 企望을 引起하는 地方이다。 나는 五 年 前에 그 곳에 한 번 遊覽한 일이 잇섯다。 今年에 또 한 번 단녀왓다。 그런데 그때 어든 感想과 이번에 어든 感想은 全然히 갓지 안하얏다。 그것은 그리 怪異한 일이 안이다。 나는 나의 姓名까지도 그때와는 판판 다른 사람으로 갓섯다。 世事와 人心은 限업시 變遷 流轉함을 알 수 잇섯다。

西非利亞 風塵을 등에 지고 吉林 城門을 當到하든 때는 바루 今年 三月 三日이엿다。 기다리든 親舊들과 握手 團圓하야 前後 經綸을 서로 니약이하며 數日을 지내엿다。

十二日 아츰에 나는 夢湖 ㅊㅌ 兩 氏와 作伴하야 盤石縣 方面으로 向하얏다 모든 歡喜에 狂跳하는 萬地群生은 봄노래를 끈임업시 불은다 어름、눈 녹은 들은 四澤에 가득하고 푸른 한울가의로 불어오는 맑은 바람이 귀밑을 싯처지나는데 馬蹄와 車轍에 밟히고 짓치고 한 진흙길로 한 거름 두 거름 跋涉하는 人生이야말로 可憐 可笑하얏다。 그러나 『人生의 봄은 오직 人生의 손으로뿐만 드러내는 것이지!』 이러케 自決한 意識으로 모든 環境의 허우적거리는 것을 排除하고 前進 又 前進하얏다。

十六日에는 蛤蟆河子에 到着하얏다 이제 뒤를 돌아보면 五 日이라는 時

間에 二百十五 里의 距離를 지내엿다 이것은 未開明한 人類의 조흔 成績이라 할 수 잇는 일이다 발밋이 부르트고 氣脉이 부들녹진하다。 우리가 寄宿한 집은 洪○○ 氏 집이엿다 그는 매우 땃듯한 同情으로 우리 一行을 붓드러 하루 동안을 더 休息하게 하얏다 그가 우리에게 준 一 節의 詩가 잇섯는데 그만 잘 記憶하지 못하게 된 것은 적지 안은 遺憾이다 내가 그의 詩에 和한 것은(詩라 할는지 綴字라 할는지,)이리하엿다。『幸逢良友兼逢春、一夕談論意更新。可笑當年失敗客、安知後日成功人。風驅殘雪增寒氣、日到晴天脫俗塵。萬事想來都是夢、暫憑詩句弄吾眞。』

　十八日 아츰에 우리는 또 떠낫다。二 日만에 呼蘭集廠子에 到着하얏다、곳 目的地에 安到하얏다、여기에는 林庄 氏가 잇섯다、그는 南滿에 主人翁이라 할 만한 이엿다。우리는 여기에서 五 日 동안을 歡呼趣飮 中에 지내엿다、이 世上에 모든 근심、걱정、즐겁、우숨이 오래 막혓든 사람과 사람 새이에 永遠히 닛지 못할『義網』을 떠노앗다、하로는 林庄 氏가 이러한 詩로서 나에게 보인 일이 잇섯다。『運命初頭甲子春、天心世事一時新。燕雲護送屠龍客、渤海來尋扛虱人。溪破殘水呈釼築、山留點雪洗埃塵。除非實力無他術、種得眞因結果眞。』이것은 前日에 蛤蟆河子에서 지은 나의 글을 和한 것이엿다。

　여긔에서 또 한 가지 나의 心頭에 深刻히 印留하야잇는 것은 當地에 잇는 天道敎 宗理師 金應植 氏와 同 敎人 洪永植 氏의 眞摯한 同情과 熱烈한 사랑이다、더욱이 金應植 氏 夫人의 그 慈祥한 마음으로 그 무슨 不足함이 잇는가 하야 限업시 안탑가워하는 誠意의 流露함은 正히 나의 心身을 이끌어 한 울나라로 들어가게 하는 感이 잇섯다。

　二十四日에 ㅊㅌ 氏와 나는 吉林으로 돌아오게 되얏다。夢湖 氏는 거긔에 떠러저잇섯다、우리가 지팽이를 들고 떠나는 때에 東邱 氏(林庄 氏 令胤)와 夢湖 氏는 아래와 가튼 離別詩를 써 준 일이 잇다。『握君正在憶君時、節

節聯翩事又奇。千里行裝餘尺釖、一天風雨玩牀棋。窮山雪積春猶動、遼海雲橫月若遲。待到澄淸圓會日、記留玆韻快吟詩。』이것은 東邱 氏의 作이엿다、또 夢湖 氏의 詩는 이러하엿다、『卽有其人必有詩、深謀何幸入神奇。浮生空惱蹢躅路、世事宛如錯落棋。風雨懷鄕千里遠、溪山送客一筇遲。幕忘平昔慇懃約、欲說中心更贈詩。』

이러케 情다은 親舊들을 내버리고 오로지 단둘이 돌아오는 것은 말할 수 업시 섭섭하엿다 其實은 그러지 안을 수도 업는 일이엿다。ㅊㅌ 氏와 나는 다시 當地에 사는 우리 同胞들의 情況을 거듭 니악이하며 괴로운 다리를 이끌고 하염업시 돌아온다。나는 그들의 준 詩를 한 번 읽고 또 외이고 하다가 이러케 和한 일이 잇엇다。『浮生逢別定無時、或出尋常或出奇。世事惟除三尺釖、人心何奈一枰棋。山冰初解溪聲大、岸柳方舒日影遲。春雪霏霏南滿路、堪忍困憊誦君詩。』

一週日만에 우리는 다시 吉林 城 안에 들어왓다、路中에 散漫無聊한 苦惱는 南滿 同胞의 情景을 한 번 回想하는 때에 씰은 듯이 업서젓다、이것 뿐은 大幸한 일이다。그러나 事實은 나의 暫時的 苦惱가 長久한 苦惱에게 征服된 것에 不過하다、나는 南滿 地方에 漂流하는 우리 同胞를 爲하야 헤아릴 수 업는 눈물을 흘니엿스며 엇든 때는『이것이 다 우리 同胞람!』하고 차내버리고 십흔 때도 잇섯다、그러나 나의 마음은 더욱 더욱 悲傷하야진다、나는 안다 侵略的 資本主義의 迫害를 못 이기여 扶老携幼、男負女戴하야 萬里異域을 向하야 떠나든 그들의 目的地가 여기엿든 것을、事實 그들의 豫想은 虛妄한 것이 안이엿다、山水、氣候、地質 모든 것이 農作에 適宜하다、內地에서 消費하는 꼭 가튼 資金、꼭 가튼 勞力으로 二 倍 三 倍의 收積을 어들 수 잇다。그러나 異常하다 中國人의 勢力에 눌니여 氣運에 밀니어 엇지 할 줄을 모르고 밤、낫 苦生이다、그들의 입에는 쌀밥이 들어가지 못하다、이들의 몸에는 무명옷도 발나맛는다、그들은 中國집 한 間을 빌어서 數三 戶 食口가 捿息한다、이것이、우리가 京釜、京義線 鐵路 沿邊에서 朝夕으로 오든、一生의 怨恨 忿怒를 가슴에 가득 품고 無聊히 쫏기여 나오는 우리 同胞들이다!

以上에서 말한 것은 다 못 經濟荒으로 생기는 悲慘한 狀態이다、이것보다도 더 무서운 思想荒으로 생기는 精神的 모든 懊惱、苦悶、憂鬱 等의 不安定한 狀況은 맛치 茫漠한 大海에서 東西를 未辨하는 水夫와 가튼 感이 니러난다 그들의 四圍에는 雲風怒濤가 둘러친다 그들은 黑暗한 恐怖에 뭇첫다、그러나 아주 異常한 것 하나는 잇다 그것은 곳 그들의 그 不安定한 心理의 奧底에 一個 共通의 敵이 잇다 이 敵과 熱鬪 奮鬪하는 中間에 번쩍이는 光明 이곳 그들의 前途를 啓示하는 指針이 될 것을 나는 밋는다。여기에서 나는 各自의 即成한 偏見(思想의 一端)을 버리고 一種의 中心思想을 만드러내기를 바란다。

우리 同胞가 南滿 地方에 드러온 지는 아직 二十 年에 不過하다、그러닛가 北滿이나 俄領에 比하면 만흔 遜色이 잇는 것도 當然한 일이다、그리고 原來、赤手空拳으로 드러와서 接足이 困難할 것도 免치 못할 事實이다。그러나 너무도 이러케 散漫、不安한 狀態에 陷한 것은 참말 抑鬱、忿恨한 일이다、여기에서 우리는 우리들의 自體에 잇는 缺陷을 反省할 必要가 잇는 줄 안다、좀 낡은 말이지만 『人必自侮而後人侮之。』란 말을 暫間 생각해보는 것도 無益한 일은 안일 것이다。우리들 自體의 缺陷이란 무엇이냐? 나는 이러케 對答하고 십다

첫제는 各 個體의 實力缺乏이니 自己의 資金도 업고 常識도 업는 사람으로 문득 言語 風俗이 逈殊한 異族과 接觸하게 됨을 따라 처음으로 欺侮와 損害를 受할 것은 자못 避치 못할 일이다、그럼으로 或 多少의 資金을 가진 사람으로 中國人의 土地를 定期租得 한 것이라도 그 期限 內에 地主는 任意로

地租를 無理하게 增加하는 弊가 不少하다。萬若 諾從하지 안 하면 그저 빼앗기는 수도 업지 안하다。이러케 家屋 農場 等이 一定하지 못한 故로 해마다 流離하는 情景을 볼 수 잇다 그러하야 그해의 所得은 모다 移運하는 費用에다 쓰러넛코 만다 하야도 過言이 안이다。따라서 益年의 慘苦는 免치 못하는 것이다。

둘재는 社會的 生活의 缺陷이니 우리 農民은 大槪 十 里에 한 집 五十 里에 한 집 또 百 里에 만큼 한 집 이러케 各散分離하야 相愛互助하는 機緣을 엇지 못하는 것이다、이러한지라 識見이 固陋하며 事理에 暗昧하야 自然、그 無情한 中國人의 侵害를 抵禦할 수 업시 된다 이러한 不祥은 乃至 自己의 子孫까지 同一한 悲運을 遭遇하게 한다。永遠히 中國人의 農奴 노릇을 하게 한다。이것은 그들에게 相當한 社會的 教育을 施할 수 업는 까닭이다。

이 두 가지 外에도 한 가지 큰 缺陷이 잇다、그것은 國家的 後援이 업는 것이니 이것이 업는 國民으로 外國에서 生活을 圖謀하는 데는 形言할 수 업는 怨痛이 따라단닌다、우리들의 生命、財産은 오로지 우리들 各個가 自保自護하는 外에는 아무런 道理가 업는 것이다 이것이 우리 中國人들과의 均等한 發展을 策할 수 업는 最大의 缺陷이다。그러면 엇더케 하여야 잘살 수 잇을가? 次第로 討論할 問題가 된다。

第一은 될 수 잇는 대로 여러 사람이 合資하야 土地를 買收하자。아무리 돈이 업다 하더라도 처음으로 드러오는 이는 그래도 一二 百 元은 가지고 온다。그러나 그들 中에는 各自가 精細한 考察이 업시 여긔저긔 着手하야 失敗하는 이가 不少하다。그러닛가 될 수 잇는 대로 만흔 사람이 合資하야 相當한 土地를 買收하야 共同耕作을 하기로 하며 또 一面으로는 資金이 업시 每年 流離하는 同胞들을 救濟하는 策을 講할 것이다。

第二는 模範的 施設에 努力하자 이 우에서 말한 바와 가티 되면 自然 한

部落이 이루워질 것이다、朝鮮사람의 新村이 建設될 것이다 여긔에서는 우리가 自治的 生活을 營爲할 수 잇스며、따라서 教育이라든지、産業이라든지 모두가 中國人民으로 하여금 模範하게 하도록 할 수 잇슬 것이다、여기서는 中國 官憲과 相當한 交涉으로써 生存의 保障(防禦 土匪 等)을 어들 수 잇는 것이다 그리하야 우리 朝鮮의 文明을 發揚하도록 할 것이다、이것이 곳 一面으로 外侮를 禦하며 一面으로는 自榮을 圖하는 急務인 줄 안다。

이러함을 따러서 나의 말한 最大의 缺陷이라는 것도 無難히 排除할 수 잇는 것이다 이것은 이와 가튼 모든 일을 企圖할 때에 이 우에서 말하야둔 바 우리들의 鬱憤 苦惱한 心底에 깁히 숨어잇는 共同의 그것과 熱鬪할 意를 닛지 안 하는 데에서 이루워질 것이다 그리하야 그 戰意는 戰術로、戰術은 實行으로 이러케 邁進하는 때야 되는 것이다。이것은 또 우리들의 共通한 中心思想의 訓育과 試練이 必要함을 말하야 둔다。

나는 南滿에 사는 우리 同胞의 情況을 目睹하고 참다 못하야 이러케 語弊한 두어 마듸로 써 南滿에 게신 同胞들의 一考를 乞하는 同時에 內地에 게신 農村運動의 人士들에게 遠念이 잇기를 바라는 意味에서 이 글을 草한다。

— 『開闢』, 제49호, 1924년 6월

滿洲旅行記

春海

— 文藝雜誌가 되여서 時事에 關連되는 것 其他 問題에 接觸지 못합니다 記行文도 안이요
뒤범벅이 되엿스며 또 紙面의 關係로 자세히 쓰지 못함을 미리 諒解하시고 보와주소셔 —

八月號를 쉬이니 틈도 나고 哈爾賓에서 누가 前부터 오라고도 하고 一週
年 記念號 祝賀廣告도 募集할 兼 雜誌代金도 바더볼 兼 朝鮮文壇을 南北滿洲
에 宣傳도 할 兼 구경도 할 兼 何如間 兼字가 만히 包含된 目的을 가지고 떠
낫다.

八月 一日 午前 七時 車로 南鮮으로 向하는 曙海 君을 作別하고 나는 午前
八時에 北行車를 탓다.

餞送하려 나온 春江의 섭섭해 하는 눈을 처다보는 동안에 車는 멀니 굴너
왓다. 그래도 서울을 떠나자니 섭섭하다. 다만 二十餘 日 間의 離別이지마
는 막상 떠나자니 마암이 좀 異常하다. 아모 자랑할 것 업는 서울 알뜰살뜰
한 재미를 우리에게 주지 못하는 서울 물고 찟고 배곱하 울고 걱정근심과 不
安에 해매고 애타는 우리三 分 一사람이 사는 서울 불상한 서울이다. 그레
도 내 서울 우리 서울이니 떠날 때 섭々한 것도 定한 理致겟다.

이것저것 모르는 車 다만 갈 길을 規則的으로 責任的으로 突進하는 貴여

운 車는 애오개 굴을 지나 新村驛에 다다럿다 閑暇하고 아름다운 村이다 숩 속으로 延禧校舍와 洋屋들이 보인다 굴 하나 隔한 이곳에는 서울의 復雜을 볼 수 업는 조용한 꿈나라가 노혀잇다.

길을 떠나는 날은 비오는 것보다는 晴明한 날이 얼마나 興趣를 도드난 지 알 수 업다 그러나 퍽 더웁다 車 안에 사람들은 끝낸 사람들처럼 뚱 — 하니 안저서 부채질만 할낭~ 한다.

나는 부채질 하는 것보다는 乘降臺에 나가 쏠니는 바람을 쏘이는 것이 보 다 더 自然스럽고 보다 더 雄大하다는 뜻으로 나가셔 서늘한 바람을 가삼에 담뿍 안엇다. 果然 시원하다.

開城을 가는 동안에 들판은 水害로 因하야 廢墟가 되엿다 벼는 다 물에 쓸니고 썩어 잡버젓다.

이 荒廢한 들 가온대 갓금 밋침것처럼 웃둑~ 서々잇는 욱어진 나무숩이 爽快도 하고 보기 실타면 보기도 실타 차미막 밋헤서 놀든 색깜한 빨가동이 아히들이 車를 보고 쫏차오는 것을 나는 손짓하여 불너도 보며 심々푸리를 하엿다 旅行은 혼자는 못할 것이다 심々하다 그러나 自由스럽다 혼자 노래 부르고 冊 보고 空想하고 자고 맘대로 할 수 잇는 것은 여러히 旅行하는 것 보다 낫다 開城 近處는 蔘舖로 덥혓다 一年에 收入이 四百萬 圓이라니 만키 도 만타.

開城에 나렷다 人力車를 불너 타고 城內를 드러갓다 停車場 압혜 滿鐵公 園을 바라보면서 따리아꼿은 滿發하고 속은 못 보나 것흐로도 훌늉한 景致 를 가진 公園이다 開城支社長 全興島 氏를 만나 더운 인사 水災니야기 雜誌 니야기 開城 形便을 대강 問答하고 市內구경차로 떠낫다 市街를 一週하는 동안 가장 늣긴 것 누구나의게 늣겨질 것은 우리사람의 勢力이 큰 것이다 大 和町의 日本人市街는 윗딴 데 좁은 골목에 끼여서 不成貌樣이다 漸々 亡해서 他處로 뺑손이를 치는 모양이란다 日本人도 開城 와서는 붓적지를 못하는 모양이다。

中央會舘을 爲始하야 各 學校 各 會社 善竹橋를 대충~ 보고 一般은 支社에 委任하며 後日을 期하고 午後 三時 車로 떠낫다 開城서 여러 해ㅅ만에 中學時代의 同窓인 徐得範 氏를 만나 만흔 厚意를 바덧다 내가 탓 것은 荷物車가 되여서 몹시 지리하기 한량 업다 停車場마다 가서는 갈 길을 니져바린 듯이 정신 놓고 서ㅅ잇다 瑞興驛에서는 京城行 急行車와 交換을 하다 시원스럽게 다라나는 車다 언듯 보니 텅 부인 一等車에 웬 사람이 혼자서 누워잇다 보기에 꽤 심ㅅ한 모양이다 돈 만히 주고 심ㅅ하고 불상하게 뵈엿다 이 近處는 豊年이다 밧농사 논농사 다 잘되엿다 沙里院驛에 車가 달 때 나는 갑ㅅ하여 풀랫폼에 나갓다 意外에 朱耀翰 氏가 엇던 女子와 서ㅅ 니야기를 한다 반가히 인사한즉 그 女子를 내게 紹介한다 아럿다 將來 朱 夫人이다 첫印象의 「怜悧」 그것이다 요한 氏의 幸福을 속 깁히 祝賀하엿다。

平壤 가는 동안은 요한 氏와 니야기하느라고 지리한 줄을 몰낫다 平壤은 어두워서 나렷다 金東仁 氏가 마주 나와서 氏의 案內하는 旅舘에 드럿다。

그 잇흔날 各 書舗와 某々 諸氏를 訪問하느라고 해를 보냇다 平壤은 여러 번 간 곳이 되여서 구경할 데는 업다 何如間 漸漸 發展되여가는 모양이다 그 잇흔날은 金東仁 氏와 大同江에서 밤까지 船遊하엿다 그 景致는 귀가 압흐도록 떠드난 것이니 서투룬 붓대로 다시 드렵힐 必要가 업다。

八月 四日 새벽 다섯時 車로 平壤을 떠낫다 이제 정말 目的地인 哈爾賓까지 直行할 豫算이다 다른 곳은 오다가 들일 터이다。

아츰이다 新義州에서 떠나 鴨綠江다리에 車는 요란한 소리를 내며 건너간다 國境을 넘어간다 우리의 땅을 떠나 다른 나라의 땅으로 드러간다 넓은 鴨綠江에 붉으스름한 물은 천々히 威嚴스럽게 흘너간다 東洋에 자랑인 鐵橋

는 中央에는 汽車ㅅ길 左右에는 人道로 宏壯한 다리다 安東縣이 멀니 뵈인다 뒤에는 山이요 가로 퍼진 길다란 市街다 江가에는 數千의 船隻이 櫛比하여 큰 港口와 갓다 車는 나를 딴 나라에 갓다노앗다 稅關 官吏가 行裝을 調査하고 붉은 土筆노 票를 해주워 待合室로 나왓다 中國사람판이다 日本人 朝鮮人 뒤범벅이 되여 떠든다 그저 中國人이 만이 눈에 띄운다는 것 外에 外國이란 感想이 그리 나지 안는다 애써 딴 나라에 왓따는 氣分을 좀 만히 늣겨보랴 하엿스나 釜山서 배 타고 下關 나릴 때와는 다르다 왜 그런고 하니 停車場에 重要 驛夫는 日本人이요 停車場 압헤는 日本人 新市街요 朝鮮人도 만코 해서이다.

勿論 中國人 市街地를 드러가면 外國의 氣分이 날 터이지만 —— 時計는 한 시간 늦게 곳처야 한다 即 우리나라 열한시를 安東縣 나리면 열時로 곳처야 한다 한 時間 쯤 기다려 午前 十一時에 奉天行을 탓다 한참 가노라니 정말 中國 即 異國氣分이 나오기 始作한다 色다른 建物이며 보이는 사람이 모다 푸른 옷을 닙엇다 建物이라야 개와가 좀 다른데 朝鮮 개와보다 잔 것으로 총々히 비늘처럼 해 일고 완고하게 벽돌이나 흙으로 지엿고 或 草家가 잇스나 그것은 朝鮮처럼 둥그스름하게 거칠게 하진 안코 엇더케 개와집처럼 깍근드시 맨츠름하게 해 일엇다 논은 업고 밧뿐인데 모다 수々와 옥수々와 콩 그런 것이다 山이나 들은 即 自然은 조곰도 다를 것이 업다 아조 自然까지 획 달러젓스면 異國 風情이 새틀 터인데 그럿치 안타.

언제나 思慕하는 벌판 大曠野가 나오나 하고 車窓 밧글 내다 보와도 疊々한 山뿐이다 나는 落心을 하엿다 아마 이 山들을 넘어야 曠野가 잇고 鐵路 沿線에는 업나 하고 失心이 된다.

車 안에는 中國人으로 꼭 찻다 보퉁이를 들고 떼를 지여 드러온다 한 마듸 모을 말을 귀가 아푸게 떠든다 맨 男子요 女子는 드물다 車 안에는 乘警

이라고 中國 警官이 한 사람 타고 왓다갓다 警備를 하는 모양이다 停車場마다 中國 軍人과 警官이 만히 뵈인다 그러나 다 허리가 굽우러지고 洋服은 큼직하게 해 닙어 格에 맞지 안는데다가 脚絆 아래 淸鞋를 신고 척 느러트리고 阿片장이처럼 누리퉁夅한 얼골에 精神氣 하나 업시 멍 ― 하니 서잇는 꼴은 勞働者랄지 病者랄지 섭々하지마는 한 손 접어 볼 수박게 업다 나는 中國사람의게 好感을 가지랴고 애를 쓰면서도 우리도 未開한 나라지만은 그 未開한 꼴을 보면 구역이 나올 것 갓고 웃는 것 갓해서 맛치 내ㅣ나라 사람이 모욕을 當하는 것 갓흔 붓그럼과 不安이 생기는 것을 抑制치 못하겟다 좀더 軍人들도 또렷또렷하고 굿세여 보엿스면 하는 안타가움이 생기기를 마지 안는다 그러나 隱然한 부러움도 禁치 못하엿다 정신 노코 창밧글 내다보고 안젓는데 四方에서 「투드럭탁 々々々々 하는 소리가 요란하여 고개를 돌려보니 죽 ― 안즌 中國人이 부채를 폇다 접엇다 하는 소리다 열 사람이면 아홉은 그 짓을 하고 잇다 부채는 호벌인지 붓치지는 別노 안코 검두룩 「투드럭딱」 하고 여기저기서 마치 장단 맞추는 것처럼 하고 잇다 부채는 굉장히 큰 것인데 팔도 안이 압흔 지 오래동안 그 야단이다 그것도 보기가 꽤 거북살스러웟고 그들의 느릿느릿한 氣品을 엿볼 수가 잇다

蘇家屯부터는 그립든 曠野가 始作되엿다 奉天까지 가는 동안 山을 볼 수가 업시 끗업는 벌판이 노혓다 펀한 벌판에 모든 곡식은 푸른 물결을 치며 일넝거린다. 빈 벌판에는 소떼 말떼 양떼 도야지떼가 散々히 잇다.

아 …… 滿洲벌판에서 양 치는 空想을 하며 그리워하든 것을 눈으로 볼 때 車에서 뛰여나려 그 벌판을 헤매고 십흔 衝動이 니러낫다.

夕陽의 고흔 붉은 놀은 그 벌판 그 즘생들의게 빗최엿다 얼마나 아름다운가. 저녁때 奉天을 나렷다 말을 몰나 할 수 업시 日本飲食店에 가서 저녁을 사먹고 主人의게 人力車軍을 불너 市街를 한번 죽 ― 구경식키라고 일너달

나고 하엿더니 中國 車夫는 어딘지 四面八方으로 끌고 단닌다 갓금 거름을 멈추고 車夫는 손으로 가리치며 메라고 說明을 하는 모양인데 한 마듸 모르겟다 그저 아러들은 체하고 「에ㅅ」하며 고개를 끄덕이엿다 말 모르니 사람 참 갑ㅅ해 못견듸겟다 不可不 中國말을 배와야겟다는 決心이 몃 번 나는지 알 수가 업섯다 밤의 奉天市街는 휘황찬란할 뿐이다 어딘지 가닌가 굉장한 집들이 느러섯는데 무슨 書舘~이라고 써서 붓첫다 이애 中國의 書店은 宏壯하고 만타 하고 惑心을 하며 보는데 웬 女子들이 만코 수선~하며 冊은 뵈이지도 안는다 車夫는 또 무에라고 중얼거린다 알 수가 업다 한참 도라단니며 가마니 눈치를 보니 中國 妓生이 잇는 料理店이다 나종에 드르니 書舘이라고 부른다 한다 나는 우슴을 참지 못하엿다 書舘! 참 이상야릇한 일흠도 붓첫다.

時計를 보니 아홉시가 지낫다 밤 열시 車에 長春行을 타야할 터인데 여기가 어딘지 이제붓터 停車場에 가면 時間이 될 지 걱정이 생기기 始作한다.

車夫는 오래 단니면 돈 만히 밧을 터이니 땡잡엇다 하고 구경 조흔 데로만 끌고단니며 흘니는 모양이다.

으슥하고 어둔 골목에 드러갈 때는 무시무시하엿다 나는 停車場으로 가자는 意味 表示를 엇떠케 하야 조흘 지 몰나 혼자 퍽 煩惱를 하엿다.

英語나 아나 하고 말해도 모루고 日本말을 해도 모루고 하필 숫내기 中國人을 만난 모양이다.

「스테숀」을 작고 連發하여도 모른다 할 수 업시 人力車에서 나려 手帖에다가 車 다니는 길을 그리고 汽車를 그리고 停車場 집을 그리고 「쾌ㅅ」하며 손짓을 하엿다 그제야 알고 사람 조흔 우슴을 우스며 발니 모라다가 奉天驛에 대줄 때 나는 시원하엿다 밤 열시 車로 나는 奉天을 떠나 長春으로 向하엿다 밤에는 冊을 보다가 잠이 드럿다.

나는 車 안에서 日本人을 하나 붓잡어가지고 몃 마듸 緊要한 中國말을 물어 외엿다 이제는 人力車라고 맘 노코 다닐 만하게 되엿다 奉天의 자세한 것은 도라오는 길노 민다 아츰 일곱時에 長春에 나려서 人力車 타고 휘 — 도라와서 午前 열한시 車를 타고 哈爾賓을 向해 떠낫다 長春의 니야기도 오다가 들일 터이니 그때로 민다 長春서브터는 러시아 車다 車掌 驛長 모도가 露國人이다 車는 三層으로 되엿는데 몹시 튼〻하게 멘들고 사람이 過히 만치 아느면 다 눕게 되엿다.

朝鮮의 三等 寢臺車와 비슷하다 여기 車는 四等까지 잇다 나는 점심을 먹으랴고 食堂車로 드러갓다 찬란스럽게 꿈여논 食堂이다 朝鮮에 다니는 食堂車보다 훨신 낫다 그 잘 뀌며논 갑인지 飮食價는 엄청나게도 빗싸다 朝鮮의 동갑은 된다 하기는 料理맛이 다르다 露國 料理는 생전 처음이요 맛츰 시장도 하든 판이라 가저온 것은 모조리 할터먹은 세음이다.

長春서 哈爾賓까지 아마 七八 百 里나 될 터인데 山은 업고 벌판이나 땅! 朝鮮에서 땅란리가 나고 땅 貴해서 애쓰고 땅 업서서 가난한 그 보배의 땅이 여기는 엇지 그리도 만흔가 하나님을 저주하는 생각 모든 것을 원망하는 생각이 치민다 입만 딱 버리고 욕심이 나서 심술 사나운 눈을 흘겨 그 기름지고 넓은 벌판을 실증도 내지 안코 작고~ 처다보앗다 처다본들 무엇하리요 우리나라사람도 여기 와서 農事하는 이가 만타고는 하지만은 內容이 넘어도 貧弱하다 富者는 여기다가 農場 經營하기를 실혀한다 그러나 日本人은 발서 南北 滿洲에 큰 農場을 만히 가젓다.

今年에는 大豊이 되여서 滿洲에 우리 손으로 지은 쌀이 五萬 石은 收穫이 되리라고 한다 그러나 그 곡식과 그 돈이 우리사람의 배를 불니는 것보다 남의 배를 불니는 것이 만흔 것은 섭섭한 일이다.

長春서 哈爾賓 가는 동안은 露國人의 村落이 만타 그들의 勢力이 相當하다 나는 中國人을 볼 때마다 불상한 생각이 치밀어 못 견듸겟다.

제해는 다 남의게 뺏기고 우둑허니 구경만 하고 서서 보는 것이 가엽기 한량 업다 鐵道 其他 모든 寶庫를 제 맘대로 못하고 두 손길 마조 잡고 잇는 꼴은 볼수록 同情이 간다 그러고 미웁다.

哈爾賓이 갓가워온다 夕陽에 빗긴 할삔이 멀니 뵈인다 벌판 저 — 편 끗헤 저녁 煙氣가 휘々 돈다. 반갑고 나는 엇전지 깃벗다 다른 데 들일 때보다 더 한 깃붐을 늣것다 아마도 目的地인 最終點이라는 心理 作用인 듯도 하다.

哈爾賓? 停車場?에 나렷다 나는 安東縣서 電報를 노앗기 때문에 여러시 나와슬 것을 豫期하고 이리저리 기웃거리나 아모도 업다 좀 안되엿스나 기다리다가 곳 馬車를 타고 道外에 사는 趙寅元 氏 宅을 차저갓다 나와 同故鄉 사람으로 어려서부터 親하게 지내엿는데 十餘 年을 서로 보지 못한 그리운 이다 나는 그를 兄이라고 부른다.

趙 兄 집에 드러설 때 모든 食口는 놀낸다 내가 安東서 한 電報는 밧지 못하엿다고 한다 長春까지 電報가 와서 거기서는 普通郵便으로 車에 실어 哈爾賓으로 보내면 또 朝鮮民會를 거처 오는 故로 日字가 걸녀 그럿타고 한다 果然 내가 哈爾賓 온지 이틀만엔가 電報가 사람은 잘 와잇느냐고 問安하러 겨오 슬금～ 왓다.

新聞에도 떠드럿지만은 새로히 朝鮮民會長 된 金守 氏가 와서 哈爾賓 니야기를 대강 드럿다 中國 朝鮮式으로 調和한 저녁을 달게 먹고 나서 밤 깁도록 趙 兄과 그 夫人과 여러히 그리운 故鄉니야기 雜談에 醉하엿섯다.

哈爾賓에서 열흘이나 잇섯는 고로 날마다 順序 대로 쓸 것 업시 통트러 쓰랴고 한다.

哈爾賓은 新舊 市街로 난호와 新市街를 道裡라고 하야 露國人을 中心으로 하고 各國人이 居住하며 舊市街를 道外라고 하야 中國人이 居住한다 戶

數 人口 其他 모든 것이 京城에 四五 倍는 크다 哈爾賓市 西便으로는 松花江이 길게 흘너 景致도 조흐려니와 크나큰 汽船도 드러와 交通도 至便하다 松花江 海水浴場은 찬란하게 꿈여노코 男女가 몰켜다니며 질탕하게 노는 것도 露國人 氣風을 말한다 그들은 아못턴 잘 논다 몹시 사치도 하다 어드나 그럿켓지만는 더욱 哈爾賓의 露國人 形便을 보면 貧富의 差異가 너머도 甚하다.

서울서 보는 로시아빵 ~ 하고 다니며 또 억개에 세두니 담요을 메고 다니는 露國人은 양반이다 거지떼가 여기저기 몰켜다니고 그 가난에 주림에 시달니는 露國人 男女老少가 길에 널넛다 그와 反對로 極度에 호화로운 形容키 어려운 사치한 露國人을 만이 볼 수가 잇다 더구나 本國의 紛亂통에 富豪들이 만히 몰켜 나와 먹고 뛰놀고 하는 품은 밉쌀스럽고 부러웁다 하로밤은 엇던 호텔 食堂에 밤 열두時나 되어 가본즉 露國人 男女가 몰켜와서 굉장한 飮食을 各各 차려 노코 먹으며 音樂을 마추워 男女가 끼고 춤을 추는데 그 아름다운 옷! 눈이 부시다 땐쓰를 하다가는 먹고 먹다가는 땐쓰 하고 즐겁게 뛰며 놀며 하기를 밤을 꼭박이 새운다 날마다 그러케 한다고 한다 그러고 길에 지나가는 數百數千의 女子옷을 보면 거이 하나도 갓튼 것은 업고 다 — 各々이 다 다 조흔 옷들이다 그들의 사치를 애써 紹介하고 십지 안치마는 何如間 그들은 잘산다 그들은 즐거운 生活을 한다 우리 生活은 거지 중 上거지다.

哈爾賓에도 돈의 勢力은 亦是 猶太人이 가젓다 猶太人의 經營인 츄림商會는 東洋에 第一일 것이다 露國、日本、中國、英、米、佛、各國의 크나큰 商店과 會社가 웃둑웃둑 서々잇다 섭섭하나 朝鮮人의 것은 업다 왜 이리 우리는 가난하고 불상한고 그들의 큰 勢力 밋헤서 기를 못 펴고 솟곱장란 하듯이 무엇을 오물~할 뿐이다 滿洲의 朝鮮人 阿片商은 外國人 壓倒할 만하다 小賣 卽 煙管의 심부름은 우리사람의 꼿다운 靑春 女子들이 한다 돈을 버러야 自己 亦是 阿片 먹고 다른 데 쓰고 밤낫 오그랑 장사다 몃 有志가 阿片禁止運

動을 하는 것을 볼 때 感謝한 눈물을 흘넛다.

金剛 氏는 阿片論을 編纂한다고 내게 말할 때 나는 그를 고마운 눈으로 여러 번 처다보왓다 哈爾賓의 거리는 모다 돌로 까럿다 馬車가 다닐 때 말굽이 돌에 다서 나는 요란한 소리는 시원스럽다 人力車는 너머 만어서 정신이 업고 乘合自動車는 露國人 經營으로 電車 대신으로 四方에 通하여스며 갑도 몹시 싸다 電車는 各國의 競爭으로 施設이 못 되는 모양이다 거리의 사람 다니는 품은 宏壯하다 큰 거리 ~는 사람의 往來로 꼭 차서 잘 다닐 수가 업다 點心 때는 一齊히 가게 문을 닷고 午後 두時에 門을 여러놋코 밤에도 또 門을 닷는다 日曜日에도 꼭 닷는다 規則的이다 거리의 나무 밋헤는 椅子를 노아 다니다가 맘대로 쉬게 되엿다 物價는 朝鮮보다 빗싼 것도 잇지만 大槪 싸다.

洋服、구두、自動車 等屬은 朝鮮의 半갑도 못된다 道外는 中國村이 되여 좀 더럽다 飮食店에 파리는 소름을 끼치게 한다 그들의 生活도 亦是 貧富의 差異가 甚하다 하로에 十 錢이나 二十 錢 가지고 生活하는 勞働者들이 몹시도 만타 그러나 人力車군이나 엇더한 勞働者의 주머니를 보든지 몃 圓 式은 의례히 常備金으로 가지고 잇는 것을 볼 때 感服지 안을 수 업다 中國 軍人들의 橫暴는 분이 날 만 하게 至毒하다 백성의게 無理한 行動을 만히 한다 馬車 타고 돈 안이 내기 飮食 먹고 안이 내기 함부로 제골에 틀니면 따리고 부시고 야단이다.

無法天地다 그들도 언제나 정신을 차릴 지 기마킨다.

하로는 滿洲 監理教 監理司 裵亨湜 氏의 晩餐招待를 바더 氏의 宅을 차저 갓다 金應泰 牧師도 반가히 만낫다 滿洲 宣教事業은 前에 比하면 만흔 進步가 이스나 元來 不安定의 生活을 하는 우리사람들의게 宣教하기도 難點이 만타고 苦心을 하는 모양이다 教會는 男女 五十餘 名式 모히고 엡윗靑年會 婦人會가 잇서 教會을 돕는다.

哈爾賓의 우리 團體는 民會가 잇고 敎會가 잇고 英實學校가 잇고 ○○○ ○○○○가 잇고 그 外에도 적은 團體가 만타 그들의 勞力을 깁히 感謝한 다 하로밤은 趙寅元 兄과 그 夫人 安貞元 氏와 가치 露國人 經營의 公園을 每 人 九拾 錢式의 入場料를 주고 드러갓다 音樂堂 압헤 가서 안젓다 全部 西洋 人의 男女가 雲集하엿다 오케스튜라가 始作되는데 樂士는 五十餘 名이다 잘 들을 줄은 몰나도 굉장히 잘한다는 것은 늣겻다 音樂堂은 地球를 四分으로 쪽 갈너 한 쪼각을 세운것 처럼 되엿다 떠들다가도 音樂하는 동안은 쥐 죽은 듯이 정숙하게도 침묵을 직힌다 果然 常識 잇는 이들이다 아름다운 奏樂은 한참이나 게속한다。 나는 소름이 쪽々 끼치는 感動을 그 奏樂에서 만히 밧 엇다。

나는 나 혼자 듯기에는 거북하고 未安하도록 조왓다 우리사람의 生活의 너머도 無味乾燥함을 깨닷는 同時에 머리가 숙어지며 맘이 죳치 못하엿다 奏樂이 잠간 끗치고 三十 分 休息이된다 안젓든 그들은 一齊히 니러나 어듸 로 간다 우리도 니러나 그들의 뒤를 쫏차갓다 이편 噴水池가 잇는 데로 그 들은 쌍々히 女子와 끼고 니야기하며 죽 一 行列을 지여 體操하는 것처럼 그 噴水池를 돌고 또 돌고 점두룩 그 짓이다 아마 散步요 밤 네리랴는 작난인가 보다 우리도 그 뒤를 따라 멋 업시 몃 박휘를 돌고 보니 싱겁고 다리도 압허 다른 데 가서 안젓다 그들은 奏樂이 다시 始作될 때까지 뭉게뭉게 前後 도착 이 업시 돌고 돈다 이와 갓치 밤 깁 도록 音樂을 듯고 噴水池를 돌다가 헤여 저서 또 땐쓰를 하려 간다

아못턴 잘들 논다 그러나 내게는 所用업다 하는 생각박게 나지 안는다 安 泰厚 氏와 나는 自働車로 大直街 一帶를 구경하려 갓다 여기는 조곰 언덕진 놉흔 地帶인데 富豪들의 住宅、各國、領事館이 잇다 찬란한 거리다 거기서 한참 가면 極樂寺라는 中國절이 잇다 民國 十三年 七月에 建築한 것인데 新

式으로 굉장하게 꿈여노왓고 개와는 푸룬 물 金물을 드려 찬란스럽다.

佛像이나 其他는 朝鮮과 別로 다르지 안타.

거기서 조곰 더 가면 各國人、共同墓地가 잇다.

各々 땅을 논화 울타리를 치고 돌 노쇠로 무덤을 곱게 단장하엿스며 나무와 꼿을 무덤 엽헤 심어노코 죽은 사람의 寫眞도 틀을 잘 해서 거러노왓다 朝鮮人의 共同墓地도 한편에 잇서 나는 한참이나 정신 놋코 처다보왓다 數千 數萬의 무덤 엽흘 걸어가며 人生의 덧업슴 나도 쉬히 저럿케 되고야 말 것을 생각할 때 숨흘을 못 참엇다 그리고 땃뜻한 故國을 떠나 고생사리 하다가 멀고먼 ― 이런 윗딴 벌판에 主人 업는 무덤 속에 뭇친 同胞의 情景을 生覺할 때 끗업시 슯헛다.

이 外에도 구경한 것을 쓰자면 限量 업스나 그만두겟다 또 속々드리 구경도 못 한 세음이다.

구경도 專門的으로 하야지 나처럼 하여서는 구경이 아니다 볼일 보러 다니고 訪問 其他 할 일이 만허서 事實 틈도 업다 그리고 무슨 일을 가지고 가서 맘 노코 구경할 수도 업다 다음에 다시 한 번 가서 자세히 구경하겟다는 생각으로 나는 섭々히 哈爾賓을 떠낫다 구경을 꼭 하여야 할 것도 만흐나 그대로 떠난다 哈爾賓 잇는 동안 裵亨湜、金應泰、金守、金剛、金漢奎、金圖河、趙寅元 諸氏의 만흔 도움을 밧고 괴로움을 끼친 것을 여기서 다시 感謝를 드린다.

八月 十四日 午後 三時 車로 哈爾賓을 떠나 밤에 長春에 나렷다 旅館에서 외로운 잠을 자고 아츰에는 盧聖學 氏의 案內로 諸氏을 訪問하엿다 長春은 하룻 동안 머물너서 볼일만 보앗쓸 분이오 구경은 못 하엿다 長春에 잇는 우리사람의 形便은 조흔 편이다 貿易商 精米業이 大部分이다.

長春브터는 日本人 勢力이 宏壯하다 朝鮮과 別로 다를 것이 업다 그중에도

滿鐵의 事業은 놀낼 만하다 아못턴 그들은 怜悧하고 敏活하다 盧聖鶴、金東晩、尹時南 諸氏의 厚意를 感謝한다 밤에 나는 長春서 떠나 그 잇튼날은 開原과 鐵嶺에 잠간~ 나려 도라단니다가 十八日 아츰에는 奉天驛에 나렷다.

奉天은 長春보다 훨신 크다 停車場도 몹시 複雜하다 驛前 넓은 마당에는 自働車、人力車로 꼭 찻다 그리고 턱 나오면 中國旅館 案內者가 엄청나게도 느러서서 소리를 빽々 지르며 야단이다 정신을 차릴 수가 업다 옷 압자락에는 무슨 棧이라 써 붓첫다.

旅館의 일흠인 모양이다 그리고 人力車、馬車夫들의 소리 지르는 것도 정신을 찰릴 수가 업다 아모턴 벅적~ 停車場을 드럿다 놋는다 人力車가 奉天市만 해도 一萬 臺 以上이 된다니 어지간할 것이다 그래선지 갑도 무던히 싸다 朝鮮서는 人力車꾼이 왜 그러케 거만하고 배가 부른지 알 수가 업다 鐘路서 停車場까지 五十 錢이나 六十 錢 아니면 아니 간다.

四十 錢을 준다면 실타고 쑥 드러간다 그런데 中國서는 十 里 가는데 十 錢서부터 二十 錢이면 네々 하고 간다 그들은 여간해서 손님을 놋치지 안코 덤빈다 熱心 잇는 勞働者들이다 公民 — 羅景錫 氏를 오래간만에 만나 萬般 指導를 밧엇다 崔聖模 牧師는 맛츰 大連 가서 못 만낫다 羅 兄과 人力車 타고 諸氏를 訪問하며 따라서 구경도 하엿다 그러니 구경답지 못할 것은 事實이다 여기도 新市街 舊市街로 난호여서 差異가 만타 朝鮮料理店은 奉天에도 꽤 만흔 모양이다 여기 와서는 그 장사가 꽤 돈을 버는 모양인데 그들이 外地에 와서 日人、中國勞働者들의게까지 시달님을 밧는 것은 보기에도 너머 慘慘하다 朝鮮人 손님이 오면 女子와 정분이 나기 쉽다고 主人은 실혀한다 人力車 타고 지나갈 때 洋服은 입어슬지언정 갓흔 나라 사람인 모습을 아를 때 그들은 밋친 듯 날뛰여 반가워하며 부른다 그들의 心情을 살피면서 휙々 지날 때 눈물겨운 感興을 밧지 아을 수 업다.

滿洲에는 노름이 퍽 流行되여서 奉天에 有志 諸氏는 노름禁止團을 組織하여 活動을 開始하랴고 羅 兄은 人力車 타고 단니면서도 그 趣旨書 憲章을 맨드느라고 奔走하다.

一 年 間 애써 농사지여 노름에 다 톡々 터러 업시하랴는 그들의 前程은 분할 만치 불상하다

奉天 쯤 해도 建物들이 相當하다 宏壯하게 뵈인다 公園도 만흐나 西小邊門 中國公園 안에는 별 이상야릇한 노름노리가 만타 數百의 포장 친 小屋에서 興行하는 소리 演劇 古談 원숭이노리 칼춤 占 치는 것 何如間 듯도 보도 못한 괴상한 것이 만타 그러고 구경군도 相當히 만타 遊民 浮浪者가 원체 人口가 만허선지 수두룩하게 만타 말은 모르나 그들의 몸짓 소리를 빽々 지르는 것 이상한 樂器를 울니는 것 모도가 野蠻 原始를 想像케 할 만콤 幼稚한 장란이 만타 그러나 나는 그들을 부럽다고 하고 십다.

아직도 그들은 녜전 것을 保存해 가지고 즐겨한다 즐겁게 하는 노름노리의 種類가 엄청나게 만흔 것은 感服할 일이다 우리나라에는 우리나라 사람의 손으로 우리를 즐겁게 하는 노름노리가 몃 個나 되는가 녜전 노름노리를 그대로 保存하여 우리의게 뵈여주고 즐겁게 하는 것이 무엇이 잇는가 녜전의 노름노리는 形跡도 업서 살어저버렷다 지금의 朝鮮사람 노름노리는 아못 것도 안이다 이러한 구경터도 入場料를 밧지 안는다 아모나 서서 구경하도록 되엿는데 그들은 공으로 구경을 하지 안코 반드시 돈을 던저준다 그들의 순박한 마음을 엿볼 수 잇다.

張作霖이 잇는 奉天에는 軍人도 만흘 게다 벌판에 白馬을 축혀 타고 달니는 中國 軍人 나팔 불고 行進하는 그들의 勇姿를 볼 때 나는 全身에 소름이 쪽 끼치는 이상한 感想을 것잡을 수가 업다 奉天도 떠나자.

羅 兄과 그 夫人의 多情하게 해주는 저녁밥을 먹고 奉天을 떠낫다.

十九日 아츰에는 安東驛에 나렷다 朝鮮에 다 왓다는 感想이 니러난다 과연 그립다면 그리운 朝鮮의 山과 들이 환히 바라뵈인다 저기는 내 나라 내 땅이다! 할 때 반갑기는 반갑다 …… 거리에 朝鮮사람도 횟득~ 만히 뵈인다 食前 댓바람에 누구를 찾기도 실코 하야 人力車를 타고 中國人市街까지 한 바탕 도랏다.

「수박 것 할기」라는 것은 이번 내 旅行을 두고 한 말이다 人力車 타고 구경을 다니니 무슨 톡슉한 구경이 되리요 아츰을 사서 먹고 미리 편지를 해두엇든 테라 金雨英 氏를 차저갓다 山꼭닥이 景致 조흔 데다 그 夫人인 一 붓대는 퍽 녯ㅅ적브터 잡든 羅蕙錫 氏는 날마닥 기다렷다고 반가히 마저준다 初對面의 인사를 맞추고 나니까 金 兄이 엇지 알고 館에서 나려왓다 六七 年 前 京都에서 맛나든 氏는 조곰도 變하지 안엇다.

金 兄은 다시 事務를 보러 가고 羅蕙錫 氏와 그 뒤에 公園으로 구경 갓다 滿洲에 公園 中에는 安東公園이 第一일 것이다

무엇보다 놉흔 山 밋이 되여 自然의 美가 조타 羅 氏는 늘 여기 와서 畵布와 동모해 논다고 한다 滿洲 오지 오래간만에 女人과 만나서 니야기는 꼿을 피엿다 滿洲라는데는 모도가 그러케 생겨선지 文藝에 趣味를 가진 이가 적다

政治 經濟 時事에는 趣味가 만흔 모양이다 羅 氏는 글 쓰는 것보다 그림 그리기에 精神이 팔닌 모양인데 나는 熱誠것 글쓰기를 勸햇다 그 效驗이 잇슬는지? 女流文士는 귀한 고로 …… 羅 氏 집에서 닭 잡어 점심 먹고 金 兄과 安東縣 有志 諸氏를 訪問하고 文壇을 宣傳하엿다 저녁 때 安東縣을 떠낫다 오다가 新義州 平壤 沙里院을 잠간 들녀 八月 二十一日 밤 京城에 다시 도라왓다 이번 滿洲에도 吉林 撫順 大連 또 北京까지 들니랴고 하엿스며 西鮮에도 大槪 들니랴고 하 것인데 서울 일이 急하야 섭々히 그대로 오고 後ㅅ機會로 미룬다.

엇잿든 急行列車式 旅行이니 旅行記도 急行列車式이라야 할 것이다 거기다가 서투룬 붓대가 加入되엿스니 말이 아니다.

微弱하나마 文化宣傳도 되여슬 터이고 나도 만흔 有益을 이번 旅行에 바닷다 發表키 어려운 敎訓 感想도 적지 안엇다 旅行은 사람을 자라게 하는 것이라고 밋는다 할 수만 이스면 만히 도라단녀야 할 것인대 우리의게는 돈·맘·事情 여러 가지가 어려워 旅行을 못 한다.

이것이 우리를 옴추라트리고 압푸로 나가지 못하게 되는 멧 가지 原因도 되리라고 밋는다.

우리는 기 심란하도록 여기저기 발을 내듸〻고 活動을 하여야 할 것이다 좁은 朝鮮에만 모혀잇스면 안이 될 것이다.

特히 우리는 中國의 땅을 자조 가볼 必要가 잇다.

우리의 갈 길은 南北滿洲 벌판이다 함부로 아모나 가기만 하면 무엇하리요 資力 잇는 사람 뜻 잇는 사람이 가야 할 것이다 내 눈에 가장 强한 印象으로 지금것 남은 것은 滿洲 벌판의 落照다 푸른 벌판에 五色이 찬란한 夕陽이 곱게 물듸린아 …… 그리운 벌판! 그 벌판에 소떼 양떼 말떼 도야지떼를 몰고 다니는 사람들! 내 눈에 날마다 선히 뵈인다 그 벌판에서 指導者 업시 돈에 勢力에 밀녀 가진 고생사리 하는 불상한 동포의 모양이 눈에 작고 나타난다 우리와 因緣 깁흔 滿洲! 滿洲야! 또 다시 볼 때까지 잘 잇거라.

— 끗 —

—『朝鮮文壇』, 제12호, 1925년 10월

南滿洲行

興京에서 李敦化

第一信
一. 國境을 넘는 感想

興京 同胞의 부름을 입어、滿洲旅行을 떠낫슴니다。序文은 고만둡니다。
國境을 넘든 이약이부터 始하겟슴니다。五月 二十日 앗츰이외다 車는 新義
州에 떠낫슴니다。安東驛을 건너서자、「여긔가 外國이로구나!」하는 精神이
들앗슴니다。

外國이라니 엇던 것을 外國이라느냐 하고、새삼스럽게 注意를 하얏슴니
다。注意바람에 엇전지 外國 가태 보임니다。첫재 時計를 곳처노아야 한다
하야、乘客은 누구나 時計를 빼여들고、열 시를 열한 點으로 고침니다。다
음은 朝鮮人 乘客이 업서지고 中國人 乘客이 갑작이 만하지는 光景이며、服
裝 다른 巡査가 車間으로 왓다갓다 하는 것이며、車掌의 用語 가운데서 中
國말을 듯게 되는 것이며、外界의 市街 光景이라든지 家屋制度가 달라지
는 것 等임니다 이것이 外國이라는 것임니다。사람의 작란으로 나온 네 나
라와、내 나라라는 것임니다。自然에게는 아모 內外가 업슴니다。山은 놉
고 몰은 흘으고 가마귀 울고 깟치 짓고 꼿 붉고 나무 푸른 自然의 光景은 조
곰도 朝鮮과 다른 것이 업슴니다。車 안에는 黑衣國 사람이 가득 찰 뿐이오、

白衣國의 朝鮮사람은、나 外에 상투장이 老人 한 분뿐입니다。老人의 말을 드른 則、사는 곳은 咸鏡道 德源郡이고、姓은 趙요 이름은 欽明이라 하고、가는 곳은 哈爾賓이라 합니다。老人의 三寸 되는 이가、哈爾賓 엇던 農村에서 살다가、今年 봄에 作故가 되엿는데、그 家屬을 더리러 가는 길이라 합니다。老人은 긴 담배때에 長壽烟을 비비여 피우며、濟世安民의 策을 이약이 합니다。孝悌忠信、仁義禮智가 그의 治世策의 中心입니다。듯기 시른 이약이지만은、그래도 동무라구는 한 사람뿐인 故로、薄薄酒도 勝茶湯으로 隨問隨答이 제法 잘 되얏습니다。그러는 시간에、車는 奉天 갓가히 온 모양입니다。일음 조흔 鳳凰城도 눈결에 지냇고、景致 조흔 本溪湖도 꿈속가티 지냇음니다。여긔에 한 가지 톡톡히 말하야둘 것이 잇슴니다。그는 무엇인고 하니、나는 平素에 滿洲라 하면、一點 山이 업는 無邊大野로만 想像하엿든 것이、그 想像은 완통 落題가 되엿슴니다。安東縣서 石家子驛인가 吳家屯驛인가 하는 곳까지가 二十六七 個의 停車場을 지냇는데 里數로 말하면 六七 百 里나 되는 먼 距離가 왼통 山水로 얼키여잇음니다。自古로 傳하야오는 遼東 七百 里 벌판이란 것은 어느 便에 붓헛는지、아직까지 그림자도 보히지 안이함이다。山 뚤코 물 건네고 하는 것이、完然히 三防幽峽과 다름이 엇슴니다。車는 渾河驛에 다앗슴니다。여긔서부터는 果然 큰 들입니다。朝鮮서 보지 못하든 大野입니다。渾河驛은 奉天停車場에서 겨우 한 停車場 새인데、이곳서 撫順가는 車를 갈아타게 됩니다。車에 나리자 반가히 마자주는 이는 奉天 開關支社 兼 朝鮮日報支局의 일군인 金義宗、咸麟石 兩 君이엇슴니다。千里他鄕에 逢故人、퍽도 깃벗슴니다 撫順까지는 金義宗 君과 同行이 되엿슴니다。

二、撫順서 興京까지의 이약이

渾河驛에서 撫順까지는 겨우 여섯 停車場입니다。時間은 두 時間 가량이 엿구요、밤는 열시나 된 모양입니다。撫順驛에는 永昌泰 主人인 田平秀 氏가 일부러 마자주엇습니다。

二十一日은 撫順서 묵게 되엿음니다。撫順은 누구나 다 아는 바와 가티 石炭으로 東洋에 有名한 곳입니다。撫順에는、市內에 朝鮮人 戶數가 約 二百 戶 假量이 되는데、다 가티 一定한 業이 잇고、또한 生計가 넉넉한 形便임니다。伊日 夕은 當地 基督敎靑年會 主催로 講演이 잇섯는데、當日은 雨天이 되어서、通行이 大段히 不便하엿지만은、每 戶 一人 假量의 聽衆이 잇섯슴을 보면、넉넉히 兄弟들의 同情을 알 만합니다。石炭 캐는 求景을 나섯습니다。石炭 캐는 法이 두 가지가 잇다 하는데、하나은 石金 캐는 方法대로、땅굴을 뚤우고 땅속으로 멧百 尺 멧千 尺으로 들어가게 될다 하며、다른 하나은 露天掘이라 하는 것인데、땅깍지를 것흐로부터 헷처가지고、比較的 엿게 뭇친 石炭을 캐여내는 方法입니다。나의 求景한 것은 露天掘입니다。기리가 한 二 町 假量 되는 널은 웅덩임니다。石炭 캐는 모양는、마치 石階層 모양으로 層臺 層臺의 石炭階를 지어가지고、그 우에 밀 鐵路를 노코、엽헤 잇는 石炭을 흙ㅣ 파드시 파가지고、밀 鐵路에 실어가지고 감아앗득하게 처다보히는 乘降機로 된 밀 鐵道에 실어、고처 電氣鐵道에 옴겨、石炭倉庫로 옴겨가게 됩니다。다음은 坑夫의 形便임니다。數千으로 헤일 만한 中國人 坑夫들이 웃통을 버서 붓치고、밀 鐵道에 매여달려、乘降機에 올우나리는 모양은、참으로 危險하고 可憐하여 보임니다。그러나 그들의 雇價는、하로에 겨우 五六十 錢이라는 적은 額數람니다。오늘날 社會가 얼마나 缺陷인 것을 體驗하며、또는 勞働問題라는 것이 무엇인 것을 實證하고저 하면、이러한 光景을 實地로 接觸하여야 할 것임니다。撫順 바닥에 二 層 三 層 四

層 雲霄를 찔를 만한 大建物이며、또는 그 가운데 안저 珍味를 먹고 美人을 안고 歌舞를 질기는 저들의 資本主의 호강은、알고보면 彼等의 數千名 되는 勞働者의 핏땀으로 쏘다진 剩餘價値를 搾取하는 무리가 안이고 무엇임니까. 아 — 蒼天아.

撫順서 떠낫슴니다. 興京縣 가는 길입니다. 興京은 撫順서 北으로 가는 곳입니다. 스무잇튼날입니다. 탄 것은 中國馬車임니다. 여러분 馬車라니까、속지 마시오. 이것은 馬車를 탄 것이 안이라、馬車體操를 하는 것임니다. 안이 馬車勞働임니다. 허리가 굼즉하엿기에 견디여 백엿지、萬若 西洋婦人의 허리 가트면、불너지기가 十常八九가 될 것입니다. 이것은 馬車가 大段히 不便하다는 우슥엣 말임니다. 馬車만 그러 것이 안이오、馬夫의 行事가 馬車보다 더 甚합니다. 나는 特히 朝鮮衣服을 입고 말을 모르는 까닭에、놈들이 알아듯지도 못할 말로 「꺼울이[01]」「꺼울이」 하고 비웃는 빗치、顯著히 보임니다. 너는 나를 웃고 나는 너를 웃으니、彼此에 損害될 것은 업다만은 엇전지 마음속이 좀 不安한 것은、內地에서 듯기를、滿洲地方에는、馬賊이 非常히 出沒한다는 일임니다. 加之而 渾河서 떠나 撫順까지 왓든 金義宗 君은、不得已한 事故로 同行이 되지 못하엿고、다만 동무라 하는 兩班은、原籍이 寧邊 사람으로 滿洲에 온지 十年이나 된다 하나 亦是 中國말을 잘 通치 못하는、白衣農民 한 사람뿐임니다. 매여달고 치면 안 맞는 사람이 업다고、不安하거니 未安하거니 할 것 업시、갈 길은 갈 수 밧게. 興京地方에 들어서는 다시 山이 높하짐니다. 朝鮮 山川과 거의 다를 것이 업슴니다. 게다가 中春方節、늘어진 버들 속으로 黃鶯의 벗 불우는 소리며、먼 山 푸른 빗 속으로 凄凉히 울어 보내는 布穀의 소리는 아무리 丈夫의 肝腸이라도 스

스로 思鄕曲 한 마대를 부르지 안을 수 업섯습니다.

□

沿道에서 본 中國人의 風俗임니다. 撫順에서 終日토록 온 것이 겨우 七十里밧게 오지 못하고、 첫날 밤으로 들어 자게 된 것이、 中國人의 馬房客主임니다. 들어가는 길로 客房이 어댄가 하고、 기웃기웃 차자 보앗스나、 사람이 잘 만한 곳은 도모지 보이지 안습니다. 가티 가는 상투쟁이 同胞가 「웨 이리 올나오시지요、 이것이 客房이라오」 하는 바람에、 한번 다시 놀내지 안이할 수 업섯습니다. 中國人의 집 形便이 엇던 것인가、 족음 적어봅시다. 爲先 大門이란 것을 들어서면、 數百 匹 車馬를 매는 널은 마당이 잇고、 다음에는 舍廊門도 되고 안房門도 되고 벽門도 되고 무슨 門으로든지 이름 붓칠 만한 門으로 들어서면、 첫재 보이는 것이 밥 짓고 반찬 만드는 廚所가 中央에 露骨로 되여잇고、 廚所 左右 便으로、 긴 걸상모양으로 놉히가 普通 椅子 假量 되는 長房間이 늘어잇는대、 아모 門도 업시 그대로 되야잇스며、 天井에는 壁도 하지 안이한、 草葺의 색깜안 검엥이가、 수수이삭 모양으로 늘어졋습니다. 不潔이라니 말이 나가야 不潔 不不潔을 말하지요. 馬場의 말똥이 廚房의 飮食과 結婚이 되야잇고、 마당의 몬지가 자리 우에 몬지와 接吻을 하고 잇슴니다. 게다가 노전 자리는、 열 조각 스무 조각으로、 懸鶉百結도 오히려 誇張의 말이 안입니다. 웨 그리 야단인지요. 數三十 名의 馬夫軍들의 「호호디[02]」「부호디[03]」 하며 들네는 소리며、 使喚軍녀석들의 소리 놉히 주절거리

---

02 "호호디": 중국어 "好好嘀"(좋아) - 편자 주.

03 "부호디": 중국어 "不好嘀"(안 좋아) - 편자 주.

는 光景은、實로 千兵萬馬가 敵軍을 突聲하야 나아가는 形便과 갓습니다。

食事가 되얏습니다。 나는 馬夫와 가티 안저、배는 곱푸되 먹기 실은 밥뗑이를、두어 번 집어 먹노라니、馬夫 中에서 霹靂 가튼 꾸지람 소리가 남니다。 말을 알지 못하는 나는、무슨 영門인가 하고、가만히 살펴 보앗더니、젯간에도 飮食 먹는 버릇이 틀렷다고 야단이랍니다。 朝鮮 習慣에는 獨床을 하기 때문에、먹든 짠지 조각을 돌우 床에 노핫다 먹든 버릇을、無意識으로 그 버릇이 나간 것입니다。 건너便 床에서 또ㅣ 霹靂 치는 소리가 남니다。 그것은 다른 緣故가 안이라、나와 同行하는 상투쟁이 同胞가、五六歲 되는 딸년을 다리고 가는 길인데、路費가 不足하야、밥을 한 床만 식엿는데、딸에게 밥 한술을 멕이다가 使喚軍한데 들켜 야단 봉변이 난 것입니다。 中國 客主에는 제 밥을 남을 주게 되면 主人에게 損害라 하야、그것을 嚴禁하는 것이、맛치 監獄의 罪囚가 밥을 서로 논아먹지 못하는 法則과 한가짐니다。 아 ─ 人間이냐 짐승이냐、이러고도 萬物의 靈長이라는 自信도 업습니다。 다만 돈입니다。 돈、돈、돈、돈이면 그만입니다。

이튿날 일입니다。 馬車에서 보노라니、길바닥에 나히나 限 四五歲 假量 되는 어린 아해의 尸體가 折半 끈어저잇는 모양을 보앗습니다。 馬夫들은 조흔 求景이 낫다고 서로 주절거립니다。 웃고 떠듭니다。 알고 보니 이것은 中國人의 惡習으로 나온 못된 버릇입니다。 滿洲 中國人의 風俗에는 사람이 죽으면、널에 너허 山 밋이나 或 들판에 그대로 놋는 惡習이 잇스며、더욱이 容恕치 못할 큰 惡習이라 할 것은、七歲 以下의 어린이가 죽고 보면、집거적에 싸서 나무 우에 달아매여둔다 합니다。 그런즉 솔강이란 놈들이、먹을 것이 생겻다고、그 屍體를 차고 달아나다가 무거워 땅에 떨어트리고 보면、犬群이 달녀들어 인제는 내 차례라고 서로 물고 뜻는답니다。 只今 본 이 아해의 屍體도 그러케 된 原因이라 합니다。 아 ─ 사람의 迷信이란 것은 이러케 酷毒합니다。

□

　馬車는 五 臺가 나란히 하야 가게 되엿습니다。 거의가 다 中國사람입니
다。 萬綠叢中一點紅、 그 中에는 얼는 눈에 뜨이는 中國 靑年 한 사람이 보힙
니다。 아마도 北京이나 外國 地方에 遊學하는 靑年 가태 보엿습니다。 三 四
日이나 한께 가는 길이라、 둘이 다 말은 모르나、 彼此에 靈犀는 비치워、 한
번 말을 실컷 하야보앗스면 조켓스나、 그는 엇절 수 업고、 어느날은 큰 고개
를 넘다가 幾十 里 假量 步行하게 되야、 서로 筆談이 始作되엿습니다。 筆談
의 要領이 이러합니다。 靑年 말만 쓰겟습니다。「最近 日本의 內情이 엇더합
니까」 하고 뭇습니다。 다음은「奉直戰爭 時에 張作霖이가 日本과 密約한 條
約이 잇슨 듯한데、 貴下가 或 其 內情을 몰으심니까」 하고 무릅니다。 또는
「將來 世界大勢가 엇지 될 것 같습니까」 하는 等의 政治的 問答입니다。 이만
하면 그 靑年의 뜻이 엇더한 것을 알 수 잇습니다。 乃終에 알고 보니、 그 靑
年은 中國의 一 靑年士官인 崔春園이라는 有志엿습니다。 崔 氏는 그날 点心
때에、 午餐 한 턱을 내고、 朝鮮人의 ○○思想이라든지 또는 朝鮮에 天道敎
形便이라든지 하는 여러 가지 무릅이 잇섯습니다。
　小學校에 暫間 들엇든 이약입니다。 어느날 点心참에 마츰 그 엽집이 小學
校이기로、 學校 求景을 갓섯습니다。 生徒는 限 百餘 名 假量 되여 보이는데、
門에 들어서자、 어엽브고도 貴여운 少年들이 서슴업시 나의 소매에 매여달
녀、 學校 求景을 期於히 잘 하야 달나는 筆談이 나옵니다。 나는 그 瞬間에
外國에 왓다는 感想을 이것습니다。 어린이란 神聖한 것입니다。 어린이에게
는 內外가 업습니다。 웃는 짓이라든가 뛰고 노는 것이라든가、 팔목을 잡고

다른 아해보다 나와 먼저 말하야달나는 아양이라든가 하는 것이, 조곰도 朝鮮少年과 다름이 업슴니다. 다만 다른 것은 말과 衣服입니다. 나는 少年의 손목을 번가라 잡으며、머리를 끄덕끄덕하니까 少年들은 조하라고、손목을 잇글고 校室로 들어감니다. 校室 안에 걸상 노흔 法이라든지、漆板 건 法이라든지 하는 것은 萬國의 通例라 거긔에 다른 것이 업고、壁 우에 孔子 孟子의 畫像과 關壯謬 岳武穆의 畫像을 걸엇슴니다 그리고 敎訓이라 하야 「整潔」 二 字를 크게 써 붓첫스며、다음은 勿曠課 勿喧嘩이라 하엿슴니다.

◇ 興京 이약이

나흘만에 陵街라 하는 곳에 왓슴니다. 陵街서 興京 고을이 四十 里라 함니다. 陵街 이름이 陵이라는 글字를 붓치게 된 것은、理由가 잇슴니다 이곳은 淸朝 愛新覺羅 氏의 發祥地인 故로、이곳에 陵을 封하고 宮殿을 지여둔 것입니다. 陵街에 接하야 老城이라 하는 곳이 잇스니、이곳은 淸朝 한아바지들이 部落의 酋長으로 잇슬 때에 城을 싸코 雄圖를 꾸미든 곳임니다. 陵에는 朝鮮 가트면 依例히 松林이 잇을 것이지만은、滿洲에서 松林을 보기는、흐린 날에 별보기보다 어려운 일임니다. 그럼으로 陵이라 하는 곳에도 連抱의 潤葉樹가 鬱蒼하야、所謂 열 나무 건너 별 하나 보기가 어려울이만치 되야잇는 곳임니다. 「胡地無花草 春來不似春」이라는 古詩로 보면、이곳에 正말 美人 王昭君의 시집 온 胡地인지는 아지 못하나、左右間 그러타 하고 보면、이 詩는 너무도 胡地를 蔑視한 것임니다. 花草는 比較的 드물망정、春은 亦是 春임니다. 綠蔭 芳樹 무르녹은 봄빗체、鶯의 聲 布穀의 聲 和暢히 自然을 노래하는 멋은、아무리 馬上旅行의 客이라도、한 盞을 기울녀. 客懷들 풀 만합니다. 슬푸다、年年歲歲花相似 歲歲年年人不同、陵街의 大公園은

古今이 다를 것이 업겟지만은、愛視覺羅의 當時의 榮華는 어대서 차자볼 길이 잇스랴。아서라 마라라、人生은 無常이다。無常은 苦이다。苦는 創造이다。人生은 樂으로써 未來를 創造하는 것이 안이오 苦로써 將來를 開拓하는 것이다。王昭君은 苦로써 成功한 美人이다。萬一 當時의 王昭君으로 하야금 漢宮의 一 小妾으로 늙어 죽엇드면 後世에 뉘가 그의 이름을 알 수 잇스며、또는 그의 事情에 同情할 거러[04]가 어대 잇겟느냐。

□

□□□부터는、한 새 朝鮮을 發見한 感이 잇습니다。陵街 於口에를 자바들자、數十 人의 同胞가、나를 마잣습니다。陵街 在留하는 兄弟 밋 興京서 四十 里나 되는 遠距離를 일부러 마저준 玄昌浩 李鐘殷 李秀榮 權桂洙 鮮于斌 姜永雨 趙雄杰 諸氏 等의 苦行은、너무 未安하야 견딜 수 업섯습니다。陵街 여러분의 맛잇는 午餐을 어더먹고、興京 서울로 돌어오게 되얏습니다。興京市 諸氏의 熱烈한 마즘을 밧고、스스로 同胞感의 熱淚가 흐름을 깨닷지 못하엿습니다。여러분 興京 이약이를 좀 仔細히 들어보시오、들어볼만한 일이 만습니다만은、여러 가지로 끄리는 데가 만하서、될 수 잇는 것만 記錄함니다。

□

興京이란 곳은、地圖로 보면、南쪽은 撫順 桓仁이오 東쪽은 寬甸縣이오

---

04 "러"는 "리"의 오식 - 편자 주.

北쪽은 通化縣과 柳河縣이 接하야 잇는 곳임니다。實로 南滿洲 北部의 中心이라 할 수 잇슴니다。地勢가 이러코 보니、이곳은 日本人의 勢力이 밋지 못하엿스며、그에 따라 朝鮮人의 移住가 만히 잇서、興京 附近만으로도 約 四千 戶의 同胞가 잇다 함니다。興京 邑內는 總 戶數 四千餘 戶 假量에 우리 同胞의 居住者가 겨우 九十 戶 假量인바、大部分의 業은 精米業이 一等이오。其餘는 小賣商과 飮食店임니다。그러고 보니 四千 戶의 大多數가 絶對 農民인 것은 말할도 □습니다。農事 하는 方法은 大槪가 水田을 經營하고 잇스며、水田은 中國 領土인 關係 上、全部가 小作農이어서、中國人의 橫暴가 적지 안타 함니다。

移住의 年齡으로 보면、數十 年 前에 들어온 이도 만치만은、半數 以上은 大正 十年 內外이며、原籍地로 말하면 이곳은 地勢 上 平安北道가 갓가운 故로 北道 親舊가 全部를 占한 모양임니다。

□

인제는 ○○團의 이약이를 始作하겟슴니다。누구든지 興京에 들어서 먼저 觸感되는 일은、興京이 ○○團의 根據地이란 것입니다。○○團의 歷史가 이에서 發源되엿고、現今의 活動地帶도 또한 이곳이 中心 될 만하야 잇슴니다。그래서 들어서는 길로 異常히 들리는 것은、某 士官 某 士官하며 某 軍人 某 軍人이라는 稱呼가、朝鮮에서 主事라는 稱呼와 가튼 通例로 듯게 됨니다。참으로 別天地입니다。朝鮮 안에 同胞로는、夢想不到할 天地입니다。現今은 完全히 自治制度가 組織되야、○○團의 行政命令이 徹底 且 組織的으로 施行이 된다 함니다。

○○團의 歷史가 엇지 되야 나려왓는가 하면、距今 約 十五 年 前에는 이

곳에 처음으로 扶民團이라는 團體가 始作되엿는데、이것이 韓民族自治의
嚆矢이라 합니다. 扶民團이 變하야 세 가지 團體로 되얏스니、李鐸을 領首
로 한 韓族會이며、趙孟善을 領首로 한 獨立團이며、安炳讚을 領首한 靑年
團이 잇게 되엿습니다. 그 後에 韓族會는 軍政署로 改造되고、다시 光復軍
總營 光韓團 特務部라는 團體가 일어나게 되엿스며、又 別로 上海假政府의
支部 格인 督辦部가 잇게 되엿음니다. 距今 約 四 年 前까지는 以上의 諸 團
體가 軍政署 光復軍總營 獨立團 統軍府라는 名辭로 分立되엿든 것이、時代
의 推移에 因하야 統義部라 하는 一 機關으로 統一되야、만흔 活動을 繼續하
야 오다가、最近에 와서는 또 그를 徹底的으로 統一키 爲하야、正義府가 생
겻다 합니다. 正義府가 된 뒤에는 民心이 一層 그리로 集中될 뿐 안이라、自
治的 行政이 完全 且 敏速히 施行된다 합니다. 그러나 아즉도 遺憾되는 것
은、參議部라는 一部分이 合一되지 못하야、그로서 大端 섭섭한 일이라 합
니다.

□

　正義府에서 自治하는 區域은 南滿洲 全體를 目標로 하는바、時在 完全히
正義府에 所屬된 戶數가 四萬餘 戶에 達한다 합니다.
　正義府의 組織은 行政部 民事部 軍事部 財務部 學務部 生計部 宣傳部 法
務部의 八 部로 되엿스며 各部에 委員長 一人이 잇서、그를 指導하고、委員
長 以下에는 主任委員 及 委員이 잇서 일을 보게 된다 합니다.
　地方行政은 엇더한가 하면、百 戶에는 百家長이 잇고 千 戶에는 總管이

잇서、正義府와 聯終[05]이 되어잇슴니다. (最近에는 地方애도 委員制로 變하엿다 함) 모든 것에 人選하는 方法은 百家長은 百 家의 推薦으로 되고、總管은 그 區域의 代表가 選擧하게 되며 그리하야 正義府委員은 別로히 議員選擧區가 잇서、一 區 一 議員이 選出되어、無記名投票로 委員 全部를 選擧케되는 制度이며、그리하야 委員長은 委員들의 互選으로써 된다 함니다.

□

正義府 所屬의 人民들이 正義府에 밧치는 義務는 納稅義務 兵役義務가 잇는 바、納稅는 一年 春秋 兩期에 淸貨 六 圓이며、兵役義務는 志願者로써 軍籍을 備置하야 두엇다 함니다.

教育은 百戶 以上에는 반듯이 一 校를 두어、强制教育을 實施한다 하며、産業은 生計部의 所管인데、一切 産業 向上을 生計部의 指導로 되야간다 함니다. 交通은 甚히 敏速하야、急한 일이 잇고보면、以前 舊韓國時代의 파발모양으로、이 村에서 저 村에 傳하고 저 村에서 또 이웃 村에 傳達하게 하야、비록 數百 里의 遠距離라도 容易히 消息을 通하게 된다 함니다.

그런데 第一 질색되는 일이 하나 잇다 함니다. 그는 中國 軍人의 橫暴라 함니다. 元來 正義府의 軍事部에서는 아모조록 中國人에게 對하야 歡心을 사고저 하나、저들 中國 軍人이란 것은 도모지 眼中에 돈 밧게 업는 무리어서、돈을 爲하야는 엇더한 일이라도 敢行한다 함니다. 그래서 中國軍이 屢屢히 ○○軍를 襲擊하야 彼此 交戰이 잇게 되는 바、저들 中國軍이 ○○軍을 襲擊하는 理由는 아무것도 업고、오즉 ○○軍의 武器를 奪取할 目的이라

05 "終"은 "絡"의 오식 - 편자 주

합니다。

中國은 中國 軍人의 일이 그러할 뿐 안이라、中國 官廳의 行事가 또한 그
러하다 합니다。돈만 잇스면 重罪人이라도 無罪放免이 될 수 잇고、돈만 업
스면 一時拘留짜리도 멧 달 苦生이 例事라 합니다。한번 訟事에 官營代書料
가 六七 圓이 들고、時間이 幾日이라도 虛費가 되며 한번 갓기는데 房貰까지
잇다 합니다。完然히 舊韓國時代의 弊政과 恰似하다 합니다。안이、그 以上
으로 沒廉恥라 합니다。

滿洲名物 馬賊의 消息은 엇더한가 하면 이곳은 馬賊의 巢窟地는 안이나、
그러나 馬賊의 出現이 頻繁하야、到底 安心할 수 업다 합니다。내가 興京애
들어가는 날도、馬賊이 興京 市內에 들어、中國人 富豪 三 人을 拉去하엿고
또 오늘 消息에도、어느 곳에서 中國 學生 멧 名을 붓잡아 갓다 합니다。

□

滿洲에 게신 同胞들이 內地에 잇는 兄弟에게 懇切히 要望하는 條件이 잇
슴니다。다른 것이 안이라、거저 有爲의 人士와 밋 資本家들이 만히 들어
와 달나는 말입니다。兄弟들의 말을 드르면、이곳이 昨年까지도 內地 兄弟
의 出入이 困難하엿다 합니다。그 理由는 그때까지도 黨派熱이 甚할 뿐 안
이라、或은 偵探의 嫌疑로 或은 不良子의 橫行으로 하야、實로 初來의 人士
로는 去來가 甚히 不便하엿지만은、인제는 正義府의 政策도 變更될 뿐 아니
라 不良分子도 一掃하야버리고、또는 正義府의 警戒도 周密하야、퍽 安全하
야젓스니、이제로부터는 內地의 同胞를 어대까지든지 歡迎하야、內外가 文
化 上 聯絡 産業 上 聯絡을 取하야、나가려 한다 합니다。그럼으로 이번 나
를 이러케 懇切히 마저주는 것은 同胞感도 同胞感이련이와、그 實은 內外聯

絡의 實을 들고저 하는 衷心으로 나온 것이라 합니다.

第一 急務가 敎育界에 人物 缺乏이라 합니다. 學校는 洞內마다 잇스나, 敎育者가 不足하야, 到底 施行이 困難하다 합니다.(未完)

第二信
興京으로 旺淸門

興京에서는 四 日 間 묵는 동안에 講演이 세 차례 잇섯고 興京 同胞들의 歡迎잔치가 세 번이나 되엿습니다 興京縣 바닥에는 우리 同胞가 만치 못하야 겨우 九十 戶밧게 되지 안이하나 그 附近 村落에는 數千 戶가 붓허잇는 고로 거긔에 따라 우리 同胞들의 經營하는 精米所가 두 곳이나 되고 商店이 잇고 飮食店이 생기게 되엿습니다 宗敎로는 基督敎가 잇고 天道敎 宗理院은 새로히 되야 매우 發展의 希望이 잇서 보임니다 興京 市民의 招待 興京靑年 會의 招待 等 만흔 感謝를 바닷스나 여러 가지 事情에 걸려 누구누구라고 이름은 들 수 업스되 거저 南滿洲 同胞라 하면 永遠히 잇지 못 할 紀念의 歡迎을 밧앗습니다 그러한 일은 南滿洲 全體에서라는 말이외다 汪[06]淸門에서도 그러하엿고 三源浦서도 그러하엿고 撫順 奉天이 모도 한가지외다 그런데 兄弟들이 나를 그러케 歡迎하는 所以는 다른 緣故가 안임니다 內地에서 일부러 차자준 同胞兄弟의 義를 表하는 것임니다 나를 歡迎하는 것 안이라 內地 同胞를 歡迎하는 것임니다 故國을 사랑하는 神聖한 感情에서 나온 것임니다 千里他鄕에서 故人을 맛낫다는 感想이 안이라 萬里他國에서 故國을 그리워 하는 感想에서 나온 일임니다 實로 그 中에는 感慨無量한 여러 가지 意味가 包含한 歡迎임니다 同胞들 中에는 大部分이 먹을 것을 求하야 들어간 農民 이엇스나 異鄕에 가고 보니 特히 생각나는 것이 내 나라라는 感情이 非常히 發達한 것임니다 게다가 일부러 永遠한 大志를 품고 멀니 鴨綠江 건너선 兄弟들도 적지 안이하야 그들의 語調와 노래 中에는 大部分이 「風瀟瀟兮易

---

06 "汪"은 "旺"의 오식 - 편자 주.

水寒」의 燕趙慷慨의 뜻을 품고 잇습니다 이것은 滿洲同胞 全體가 내에 對한 歡迎의 感想이 그러하다하는 말입니다.

旺淸門에 들어갓습니다 六月 一日 夕陽에 들어습니다 中國 學生服을 입은 百餘 名의 어린이가 十 里나 되는 먼대까지 마즘을 나왓습니다 中國服에 朝鮮말을 쓰는 어린 同生들의 마즘을 밧고 나서는 무엇이라 말할 수 업는 설음이 솟아 아모 말도 업시 旺淸門 朝鮮村을 들어섯습니다. 旺淸門에는 同胞들의 移住歷史가 가장 오랜 곳이외다 距今 二十 年 前 田泰化라는 兄님이 처음으로 이곳에 와서 土地를 사가지고 水田 만들기를 始作한 것이 南滿洲 水田 歷史의 嚆矢가 된다 합니다 이곳 朝鮮人村에는 朝鮮사람의 私有地가 만흐며 그리하야 제法 朝鮮人의 村落을 일너노코 朝鮮 制度의 家屋에서 朝鮮 風俗 내음새를 내고 살아가는 品이 朝鮮 內地와 조곰도 다름이 업습니다 이튼날에는 그곳 朝鮮人學校 東明學校 主催로서 講演을 하게 되엿습니다 十 里 二十 里로부터 講演을 드르러 일부러 차자온 同胞까지 잇섯습니다

旺淸門으로 三源浦까지

이로부터 漸漸 奧地로 들어가게 됩니다 實地로 들어서면서 一層 注意할 일은 馬賊의 所聞입니다 먼저도 말한 바와 갓치 興京에 들어서는 날 馬賊이 中國 富豪 한 사람을 잡아 갓다는 所聞을 드럿더니 旺淸門에 들어오는 날도 馬賊이 그곳 富者집 學生 한 사람을 잡아갓다 합니다 大槪 滿洲의 馬賊이란 제法 大膽한 놈들입니다 엄청나게 官軍服을 입고 市街地에 堂堂히 出入하다가 미리 偵探하야 두엇든 富者들 맛나면 六穴炮을 나여대고 威脅으로 잡아가게 됩니다 馬賊에게 잡혀간 사람이면 반듯이 돈을 내지 안이하면 안 되게 됩니다 萬一 期限이 되야도 돈을 보내지 안 하면 처음에는 귀를 벼혀 그 家

族에게 보내고 그래도 내지 안이하면 다음은 팔이나 발을 벼혀 보낸다 합니다 大段히 暴惡한 刑罰임니다 그러나 한 가지 安心되는 일은 馬賊이 조선사람에게는 돈이 업는 것을 아는 緣故임니다 돈 업는 것이 馬賊에게는 幸福임니다 朝鮮사람에게 무서운 것은 馬賊이 안이오 官軍이라 합니다 官軍이란 작자들은 本來가 良民으로 뽑힌 正當한 軍人이 안이오 馬賊에서 잡아 온 무리들이 太半인 까닭에 이것들은 金錢 多少를 勿論하고 핑게만 잇스면「뚤이탄」[07]이라 이름하야 가지고 侵害를 한다 합니다 馬賊의 所聞을 一一히 물어가면서 旺淸門을 떠나게 되엿슴니다 旺淸門에서 하로 길을 걸어서 깁흔 山谷에 들어섯슴니다 아모조록 朝鮮 同胞의 집에서 자는 것이 便利한 點이 만하서 農夫에게 물어가면서 朝鮮 農家를 차자 갓슴니다 압헤는 논이 잇고 뒤에는 山이 잇는 寂寞한 兩三 家의 農村이엇슴니다 同行하든 親舊들의 活動으로 百家長을 차자 黃雞 一首를 사노코 木頭菜나물에 山菜국을 만들어 노코 맛잇게 잘 먹엇슴니다 개구리소리 들네는 속에 一夜의 安息을 어덧슴니다 主人의 形便을 물어보니 平安北道 義州사람의 딸과 慶尙北道 永川사람의 아들과 婚姻이 되야 丈母 되는 늙은이를 家長으로 하고 滋味잇는 살님을 하고 잇슴니다 旺淸門에서 떠난 지 三 日만에 三源浦를 다달앗슴니다

　三源浦를 다 왓슴니다 이곳은 柳河縣 所屬이외다 三源浦라는 말을 드를 때에 異常한 感想과 緊張한 氣分이 돔니다 그것은 다른 緣故가 안이라 南滿洲自治本府가 그곳 어느 附近에 잇는 緣故임니다 이것을「社會」라고 別名을 지어 적으려 합니다 먼저 달에 쓴 말을 다시 거듭하게 됨니다 社會는 다만 하나임니다 昨年까지도 여러 團體가 논이여 잇든 것을 只今 와서는 아조 統一이 되야가지고 完全한 統一機關이 된 것임니다 일부러 이곳까지 왓다가

---

07 "뚤이탄": 중국어 "獨立團"(독립연대) - 편자 주.

南滿洲 統一機關인 社會 求景을 못해서야 될 수가 잇나 하는 구든 決心을 가지고 아모조록 그들을 맛나보려 한 것이외다 三源浦에 到達하든 이튼날입니다 엇든 조고만한 村落을 차자갓슴니다 가운데 조고마한 山이 잇고 山을 둘너 朝鮮家屋이 보기에도 靜寂하게 하나 둘 兩三 五六이 나라니 하야잇는 그 가운데 社會機關이 백혀잇슴니다 먼첫 달에 말한 바와 가트니까 다시 重疊할 必要가 업고 다만 具體的 事實 한 가지를 적어보겟슴니다

本來 南滿洲自治制로 말하면 三一運動 以前까지는 재미스러운 살림살이가 되야오다가 三一運動이 닐어나자 大討伐이 되게 되엿고 그에 따라 朝鮮內地나 南滿洲 各 都會에 허여저잇든 挾雜軍 賭博軍 阿片장사 갓흔 무리들이 機會를 따라 쓰러 드러가게 되엿슴니다 하여서 純粹한 農民의게는 不少한 害惡을 주엇든 것입니다 이로 조차 南滿洲에 對한 惡評이 朝鮮 內地에 宣傳하게 되엿슴니다 同胞相爭이란 말도 이에서 생기게 되엿고 돈 잇는 사람은 살 수 업다는 말 官吏는 居接할 수 업다는 말 갓갓 것이 도모지 이에 따라 나게 되엿슴니다 그래서 南滿洲自治制度는 無限한 勞苦를 써가면서 그것을 退治하야 버렷슴니다 只今에 와서는 모든 것이 安全하게 되야서 住民은 自治的 社會를 짓게 되고 社會는 住民의 向上發展에 힘껏 用心을 하는 中이라 함니다

社會로부터의 住民에게 實施하야오는 經濟 政策의 하나인 公農制는 이러함니다

公農制는 녯날 周나라 때에 井田法과 갓치 百 戶 사는 洞內나 或은 幾十 戶가 合하야 公田 一日耕을 맛게 되엿슴니다 그래서 幾十 戶가 合하야 지여노흔 公田의 穀食은 社會가 맛하가지고 그것을 處理하게 된다 함니다 그 處置하는 方針은 社會가 農民에게 共公金融機關으로 쓰게 됨니다 大概 滿洲에 가잇는 農民의 第一 窒塞되는 일은 中國의 高利貸金業입니다 안이 高利貸穀

業者입니다 農民에게 春窮 때에 一 斗 假量을 꾸여주엇스면 가을에는 四 五倍 되는 穀食을 바다낸다 합니다 그래서 社會는 이 害毒을 막기 爲하야 爲先昨年부터 公農制를 設한 것이 첫해로 相當한 効果가 나서 萬餘 圓의 收益이되엿다 합니다

다음은 戶鷄制입니다 戶鷄制라는 것은 每 戶에 雞 一 首를 내게 하야 그돈을 몃해든지 모와가지고 株式 制度를 만들어 中國人의 土地를 永買하야朝鮮사람의 永居計劃을 하는 것입니다

社會運動으로는 靑年運動이 亦是 볼 만합니다 첫쟤는 韓族勞働黨이라는것이 設立되엿는데 發起人이 四百餘 名이나 되며 會員이 現在 一千五百 名假量이고 目的은 「勞働群衆을 啓發하야 新生活을 期圖함」이라 한 것이며

다음은 三源浦에 잇는 담을黨靑年會입니다 그 亦是 韓族勞働黨과 倂行하야 同一한 趣旨 目的을 가지고 힘잇는 活動을 하야가는 中입니다。

一言而蔽하면 三源浦라는 곳은 南滿洲 朝鮮人의 中心 勢力을 가진 곳이라 할 수 잇는데 나의 본 바로서 말하면 大槪 將來의 希望이 洋洋하리라 밋을 만한 点이 여러 가지 中에 우에 마란 바와 갓치 住民이 社會를 밋고 社會가 住民을 善히 引導하는 것이라든지 또는 社會에 잇는 主腦者들이 寬厚長者의 風이 잇는 것이라든지 住民 全體가 純厚質朴하야 조곰도 都市的 挾雜性이 업는 点이라든지 한 것이 모도가 實로 新興의 氣勢를 뵈이는 듯합니다

三源浦에 到着하든 날부터 그곳에는 大運動會가 잇서 朝鮮 學生과 中國學生 數千 名이 和氣融融한 아래서 運動會를 맛추게 되엿고 나 亦是 運動會를 利用하야 簡單한 人事講演이 잇게 된 것은 永遠히 니즐 수가 업습니다

三源浦서 떠날 때에 社會 어른들의 懇切한 送別과 또는 三 日 間에 各 團體로부터 주신 여러 가지 付托은 아즉도 니즐 길이 업고 다만 눈에 암암한暗淚가 흘을 뿐입니다 三源浦에서 이틀 만에 北城山子라 하는 海龍縣의 大

市街에 와서 그곳 基督教의 主催로 講演이 잇섯고 北城山子서 나흘 만에 開原停車場에 나왓고 그리하야 奉天에 到着하는 날로 奉天青年會와 밋 朝鮮日報 開關支社에 게신 여러 어른들의 만흔 感謝와 歡迎을 밧고 보니 무엇이라 다시 엿줄 말슴이 업고 다만 이 簡單한 紙面을 通하야 爲先 人事말을 올닐 뿐이며 後機를 기다려 할 수 잇는 대로 南滿洲事情을 同胞에게 올니려 할 뿐입니다

— 『開關』, 第61號, 第62號, 1925년 7월, 8월

大連行

本社特派記者 朴瓚熙

車中의 一夜

大連이라 하면 우리 國境에서도 陸地로 數千 哩를 隔한 곳이라 이 길이 初行이라 함은 오히려 當然하다고 생각할 수 잇다 그러나 京城서 國境까지 即 鐵道沿線을 通하야 京義線의 三分의 二 以上을 처음길이라 하면 누구나 그 井中의 개구리 生活을 비웃지 안을 사람이 업슬 것이다 그럿라[01] 나는 얼마 아니 되는 朝鮮 全土에 내 발길이 들어간 것은 不過 몃 군대가 아니 되엿다 東北으로 京元線은 議政府까지가 第一 멀니 간 것이오 湖南線은 一步도 드려놋치 못하엿스며 京釜線은 日本 다니는 德分에 몃 번 지낫슬 뿐이엇다 그리고 이번 이 길에 몃 번 다녀 본 곳은 開城이엇고 沙里院울 지나 載寧까지 가본 것은 아주 最近 數日 前 일이 잇슬 뿐이다 나는 이와 갓흔 움 속 生活을 하야왓기 까닭에 이번이 旅行은 나 個人에게는 그 만치 意味잇는 것이엇다

◇ … 적어도 朝鮮의 南北을 貫通한 釜山 義州 間울 踏破하게 된 것 둘재로 國境을 넘어서 南滿洲 널분 들판의 大氣를 呼吸할 수 잇는 同時에 多數의

---

01 "라"는 "타"의 오식 - 편자 주.

同胞가 居住하는 生活上 그 中에도 우리나라의 先輩志士들이 此를 睹하야가면서 晝宵로 活躍하는 狀態를 多少라도 알어볼 수가 잇다는 希望 셋재는 鮮滿에 亘하야 操弧[02]界의 大部分이 參加하하야 적어도 政治 經濟 社會 各 方面의 重要 問題를 討議함으로 말미암어 우리 生活의 多少 接觸되는 點이 잇슬가 하는 企待 이러한 것이 이번 길을 밟으랴는 나의 가삼을 鼓動하엿다 이러한 생각을 가지고 旅館집을 떠나게 된 것은 午後 十時 十分 頃이엇다 九十度 七 分이나 되는 溫度가 終日토록 長安사람을 찌는 듯이 들복든 더우도 夕陽驟雨 一過 後에 그러케 서늘하달 수는 업스나 終日토록 沈鬱한 低氣壓에 呻吟하든 사람을 蘇生시키는 듯이 느진 봄 덥도 서늘도 안은 아참 氣分 가튼 二十二日 밤이엇다 行裝을 단속하야가지고

◇ … 京城驛『풀랫홈』에 슨 것은 正刻 前 五分이엇스나 沙里院까지 同行하자고 約束한 朱耀翰 君은 아모리 기다려도 오지 아니하고 意外에 朝鮮日報의 李相喆 君을 맛나게 되엿다 李 君은 亦是 나와 가치 大連記者大會에 가는 길이닛가 한 車에 가치 타게 되는 것은 매우 반가운 일이나 만일 朱 君이 이 車에 時間이 늣는다 하면 그는 中國 南京에 갓다가 明春이나 돌아올 사람이라 作別치 못한 것이 큰 遺憾이엇다 一 分 二 分 지나는 時間은 건저저 汽車의 떠나기만 재촉하고 잇슬 즈음에 稀微한 電燈빗에 멀니 보이는 三等車臺 엽헤 누구를 찾는지 彷徨하고 섯는 것이 아마도 朱 君에 틀님이 업섯다 두 주먹을 부르쥐고 달녀갓스나 그때의 焦燥한 생각에는 別로 발이 빠른 것도 갓지 안엇다 한 거름 두 거름 갓가이 갈사록 確實히 朱 君은 朱 君이엇다

◇ … 아! 소리를 질으면서 爲先 내가 탄 車室로 案內하자마자 汽笛소리는 場內를 울니엇다 다만 얼마 아니 되는 四五 分 동안에 그만한 活劇이 잇

---

02 "弧"는 "瓠"의 오식 - 편자 주.

섯든 것이엇다 車內에는 朝新 副社長 權薄 君이 十六七 歲 된 令孃과 同伴하야 亦是 大連記者大會에 參席하겟다 함으로 우리의 一行은 全部 六 人이나 되엿다 會議의『푸로구람』行程、旅館 等屬을 議論하고 나서는 彼此에 疲困도 하고 時間도 거의 午前 한時가 갓가워오매 不言中 꿈세계를 일우게 되엿섯다 이러케 달게 자든 잠을 깨우는 사람도 잇섯다 그것은 잠이 들은 후 不過 한 時間 未滿의 일이엇다 그런데 그는 日人도 아니오 中國人도 아니오 勿論 朝鮮사람도 아니엇다 얼골은 길죽스럼하고 키가 휘청휘청하는 四十 內外 假量 되여 보이는 술 취한 사람이엇다 혼자 무엇이라고 소리를 치며 車內를 橫行하는 까닭에 잠자든 사람의 거의 全部가 모다 그 사람의 소리에는 잠을 깨지 안을 수 엄섯다 如干한 車掌의 注意도 안무 効力이 업슬 뿐 아니라 車票를 提示하라고 아모리 請求하야도 업다고 더욱 더욱 소리만 질넛섯다 그는 車票를 갓지 안은 듯도 하엿다

◇ … 그래서 여러 사람은 興味를 가지고 하나식 둘식 모혀들어 車 안 한복판에 진을 치고 서로 말을 붓처보앗스나 그의 말하는 것으로는 도모지 어느 나라 사람인지 分別할 수 업섯다 勿論 술이 취한 사람이라 語鈍하기는 하나 日語는 日本사람 그대로 朝鮮語는 朝鮮사람 그대로엿다 그런데 그 醉中에도 여러 사람이 이러케 모혓스니 妖魔術을 하겟다 하고 一錢 銅貨를 請하야 자기 팔뚝 살 속에다 늣는다는 것이엿다 그 사람이 아모리 注意해보아야 속는 줄 알면서도 속고 말엇다 結局 當局者의 說明을 듯고 본즉 팔뚝 살 속에 늣다는 돈이 모다 귀속에 박여잇는 것을 알고는 모다 拍掌大笑 이 喜劇이 긋친 뒤에 나는 다시 덥허 누르는 잠을 견지지 못하야 그대로 누엇다가 얼마 아니하야 다시 잠을 깬즉 벌서 朱 君은 沙里院驛에서 내려버리고 업섯다 술 쥐정군도 어느 驛에서 내렷는지 그도 업서것다 다시 時計를 끄내고 본즉 마음에는 暫間 잔 것 갓햇스나 벌서 午前 五時 頃 東方이 훤하야지는 때엿다

大連까지

◇ … 汽車 굴너가는 소리가 瞥眼間 『우루루루』하는 것은 大同江鐵橋를 지나는 二十三日 午前 五時 半 頃이엇다 漢江의 第一鐵橋와 第二鐵橋의 사이와 갓치 鐵橋 이꼿에서 저꼿까지 지나는 사이에는 沙場이 잇서 물이 두 줄기로 흘너내려갓다 아즉 그다지 발거오지 안키 까닭에 平壤 市街는 家屋의 輪廓만 稀微하게 뵈이는데 다만 細雨에 저즌 電燈이 耿耿할 뿐이엇다 恒常 憧憬하든 大同江! 그 古蹟名勝! 이러한 곳을 거저 지나는 나로서는 섭섭하기 그지업섯다 大同江의 上下를 마음껏 올너 내리고도 십헛고 古都에 둘너싸인 纖細한 氣分까지도 探索하고 십헛다 그러나 나는 그러케 하고 잇슬 수는 업섯다

◇ … 僥倖이 도라오는 길에 이만한 機會를 엇기 된다면 그것은 참으로 天助神佑라고 할는지 千萬意外의 일이라 할 수밧게 업슬 것이다 어느듯 汽車는 北으로 北으로 疾走하엿다 그 사이에는 騎兵의 衝突로 有名한 定州도 잇고 淸川江 邊에 寂寞하게 떠잇는 帆船도 잇섯스며 耶蘇敎가 繁昌하고 三一運動 以來로 此種의 事件이 頻發하기로 有名한 宜川도 잇섯다 往年 寺內 總督 時代에 所謂 尹致昊事件이라 하야 西鮮 一帶의 팔팔한 志士 百三十餘 人이 慘酷한 惡刑을 當한 것도 中心地가 亦是 宜川이라고 생각할 때에 나는 제절로 몸에 소름이 끼첫다 大體로 山이라고 할만한 高山도 없고 오즉 나즉한 丘陵과 丘陵이 起伏한 사이에는 方方谷谷이 落村이 在點한 것을 보앗다 南道에서 보는 것 가튼 山頂이 밝간 禿山은 別로 稀少하고 五 六 年 生의 松林이 漸漸 만하젓다

◇ … 그래서 차차로 鴨綠江 邊에 갓가워지는 氣分이 濃厚하엿다 汽車는 얼마 아니하야 新義州驛을 거처서 鴨綠江에 臨하엿다 朝鮮에서 第一 크다는 江이라 京城 新龍山에서 鷺梁津을 건느는 漢江 갓튼 것은 勿論 比較도 안 되

엿다 山谷에서 山谷으로 협착한 鐵路를 지나 나오든 오래동안 單調한 것이 이에서 破裂되는 感이 잇섯다 江上에 航行하는 多數의 帆船은 眼光의 닷는 곳까지 아물아물하게 뵈엿다 新義州의 新市街로 河港을 象徵하는 運漕店、倉庫 等이 羅列하엿다 大河라는 것은 참으로 快感을 주는 것이엇다 나는 車窓으로에서 겨우 바라보기만 하엿지만은 이대로 멀니 上流를 올너가면 얼마나 조흔 일일가 하고 생각하엿다 아마도

◇ … 이 上流의 白頭山까지 가기에는 一 個月 以上이 걸닐 것 갓햇다 이쪽 江岸에 淀泊하기도 하고 저쪽 江岸에 繫留하기도 하면서 오래동안을 흘너 내려오는 筏列을 생각만 하여도 空想에 싸인 나의 가삼은 주저넙게도 詩的이엇다 鐵橋 엽헤는 그리 널지도 안은 人道橋가 잇서 中國式 馬車 人力車가 頻繁히 徃來하엿다 只今은 大部分의 商人이나 或은 遊覽客의 便宜들 돕는데 不過하지만은 三一運動을 前後하야 이 다리가 얼마나 朝鮮사람에게 意味 깁흔 關門이 되엿슬가 그리고 그 反面에 總督府에서 軍隊 警官을 集中하고 가장 頭痛거리로 생각하느니맛치 우리 朝鮮사람에게 얼마나 苦痛을 주엇스며 멧 百의 人士가 이에서 犧牲이 되엿슬가 생각하면서 無限히 感謝하기도 하고 어대까지든지 怨讎스럽기고 하엿다

汽車는 瞬息間에 朝鮮을 등지고 安東縣에 到着하엿다 簡單히 稅關의 檢查를 맛친 後 郵便局까지 나가게 되엿다 驛頭에 나서자 中國式 馬車 二人乘의 人力車가 還至하야 무슨 소리를 하는지 길을 가로막어가면서 직거렷다 勿論 馬車나 人力車를 타란 소리에 不過하겟지만은 한참 동안 부댁기지 안을 수 업섯다 一帶水를 隔한 中國 땅이지만은 그만치 中國 氣分이 濃溢한 것이엿다 그러나 停車場에서 郵便局까지 距離는 不過 三四 町이지만은 그 中에 第一 注目되는 것은 日人의 勢力이엿다 街道에 羅列된 大小의 商店이 日語로 쓴 看板이거나 그럿치 안으면 日人의 經營하는 會社 等屬이엿고 中國

人 經營이라고 할 만한 집은 겨우 三四에 不過하엿다 中國人市街는 舊市街라 하야 한便 모통이에 잇다 한다

◇ … 그런데 安東縣은 鴨錄[03]江의 筏木 까닭에 開拓되엿다는 歷史도 별로 오랜 곳이 아니엇다 淸時代에도 그 처음에는 全然 外地로 廢業하엿든 곳이엿다 그러나 그 上流에는 大森林이 잇서 거긔에 손을 대면 엇더케든지 得利를 할 수가 잇다는 見地에서 黃海 海岸 大孤山에 流筏繫留所가 되고 그것이 上流의 大東溝로 옴기고 日淸戰爭 後에 다시 江을 遡한 百 里許 卽 現在 安東縣에 河港의 任[04]置를 占하게 된 바 汽車가 通하고 漸次로 物貨의 往來가 頻繁하야 今日의 盛을 보게 되엿다 한다

◇ … 安東縣은 누구나 印象이 깁흔 곳일 것이다 國境을 지나 異域의 첫 市街요 稅關 官吏가 乘客의 所持品을 檢査하는 곳이오 朝鮮보다 時計를 한 時間式 늦게 計算하는 까닭에 汽車가 時間을 맛치기 爲하야 八時 半에 떠날 것을 九時 半에야 겨우 떠나는 곳이다 中國사람이 頻繁히 往來하는 곳이오 巡査의 服裝은 日本 陸軍 服裝 비슷한 곳이다 오락가락하는 細雨는 車窓 琉璃에 방울방울이 부듸처 구름 속에서 흘너나오는 斜陽이 빗칠 때마다 燦爛한 光彩를 나타냇다 沈盍한 車內에서 窓도 열지 못하고 비를 원망하는 乘客들도 이 金石가치 빤작어리는 光彩는 頌賞치 안을 수 업섯다 汽車는 漸次로 山谷間으로 疾走하엿다 異常한 山을 겨우 지나면 다시 그 압헤 奇怪한 岩山이 닥치고 燧道를 지나면 또 燧道가 얼마든지 繼續하엿다

◇ … 單調라 하면 매우 單調하다고 할 수 잇스나 山國에서 生長한 나로서는 平原을 旅行하는 것보다도 滋味가 잇섯다 적어도 각갑症은 나지 안엇

---

03 "錄"은 "綠"의 오식 - 편자 주.

04 "任"은 "位"의 오식 - 편자 주.

다 燧道가 되기 前에는 이 汽車는 山에서 山으로 올너 내려서 겨우 數 里 동안에 만흔 時間을 虛費하엿든 것이엇다『엇잿든 그때에는 日露戰爭 때에 使用하든『레루』를 사용하엿슴으로 매우 困難하엿다 얼마를 가든지 다 갓흔 山이 잇섯다』고 그때에 지나본 사람은 이러케 말하엿다 이 말을 듯고 본즉 燧道를 지날 때마다 石炭 煙氣를 맛기 실혀서 코를 내들우면서도 그것이 도리혀 얼마나 輕便하고 時間을 단축시키는 것일가? 이 사이에는 明代에 城壁을 設置하고 戍兵을 常駐식힌 通遠堡와 日露 日淸 兩 戰場이엇든 摩天嶺、朝鮮街道의 터(址)를 가지고 잇는 連山關 等이 잇섯지만은 모다 平凡하엿다

◇ … 그리고 그 中에 景致가 조흔 것은 鳳凰山 附近이엇다 千山이 重疊하야 幽邃한 氣分은 업스나 左右 奇巖絶壁에 松林이 蒼鬱하고 그 사이에는 紫色『싸리』꽃이 點點히 피어서 매우 華麗하엿다 山頂에는 高句麗 時代의 城墟가 아즉도 남어잇는바 이것은 永樂帝 百八 城의 하나일 것이라고 한다 汽車가 鷄冠山驛에 停車하엿슬 때에 三等車에서 下車하는 두 사람이 잇섯다 한 사람은 恰似 우리나라 시골서 날 굿는 날 老人들이 흔이 가지고 다니는 집행이를 집고 또 한 사람은 한 二十 年 前까지 朝鮮 官邊에서 刑器로 使用하든『착구』를 차고 잇섯다 그러나 朝鮮서 使用하든 것은 廣이 六七 尺이나 되는 통나무에 罪人의 兩足을 끼워서 一定한 場所에서 他處로 一步도 移動치 못하게 構造한 것이오 이것은 鐵로 速步를 制御하기 爲하야 構造한 것이엇다 그래서

◇ … 그 거름 것는 것도 안쫑다리가 마음에는 빨니 것자 하면서도 다리를 잘 옴겨놋치 못하고 恒常 그 자리에서 허우대는 것이엇다 이것이 罪人을 拘束하는 刑器오 부지깽이 갓흔 집행이를 집고 뒤에 따러슨 것이 中國 軍人이라는 말을 들을 때에 나는 적지 안은 늣김이 잇섯다 鷄冠山에서 橋頭까지는 매우 景致가 조흔 것이다 그것은 말하자면 朝鮮式의 溪谷이 展開하야 淺

綠山水라고 할만한 곳이엇다 溪谷은 그다지 깁다고도 할 수 업고 또한 奇峭라고도 할 수 업섯다 그러나 處處에 垂柳가 裊裊한 것이라든지 溪淵마다 潺潺한 물이 멧 겹이나 골을 짓고 흐르는 게라든지 確實히 山巒 中에 한 繪畵帖을 展開한 것 갓햇다 더욱이 安東縣서 여기까지 汽車의 『레루』는 오래동안 燧道를 나와서는 그 溪谷에 副하고 溪谷에 副하야서는 또 『레루』에 入하엿슴으로 나는 그동안 車窓에서 내다보기를 마지 안엇다 그러나 橋頭驛으로부터 以北은 茫茫한 平原이엇다 大洋을 航行하는 것 가치 조고마한 丘陵도 업시 眼光의 닷는 것은 구름과 連接한 곳이엇다 高粱의 赤穗는 一面 毛氈을 편 것 가치 限없이 展開되엇다 遼東七百里라고 말만 들은 것은 即 이곳이엇다 汽車가 奉天驛에 到着한 것은 細雨가 霏霏한 午後 七時 半 頃이엇다 大連行 汽車를 乘換하기에는 아즉도 한 時間의 餘裕가 잇슴으로 行裝을 赤帽에 附托한 後 李 君과 同伴하야 市街를 求景코자 驛頭에 나섯다 미처 驛前 廣場을 지나기 前에 瞥眼間 엽헤서 손을 내밀고 눈짓을 하면서 무슨 소린지 두어 마듸식 하면서 압길을 가루막는 것은 十二歲나 된 西洋 女兒이엇다 나는 언뜻 생각에 奉天 附近에는 密賣淫女가 만타더니 或은 그러한 데를 案內하랴는 意味인지

◇ … 그러치 안으면 旅館 案內者이거니 생각하엿다 그 비를 마저가면서 一 町 以上을 따라왔다 그러나 말은 通치 못하고 하도 갑갑하다가 露西亞 乞人이라는 것을 깨닷고 一金 五 錢也를 주엇더니 반겨서 答禮하고 돌아간다 空然히 한참 동안 내 魔術에 내가 걸닌 것도 우수웟지만은 西洋 乞人을 본 것도 처음이오 돈울 준 것도 처음 일이엇다 비가 끗치지 안는 故로 얼마 아니하야 곧 停車場에 돌아가 大連行 車內에 들어누엇다 한잠을 실컷 자고 깬 것은 二十四日 朝 大連에 到着한 때엿다

大連에 到着되든 二十四日 이날이 即 滿鮮記者大會의 第一日이엇슴으로

곳 大會場인『아마도호텔[05]』에 臨하게 되엿다 大會 參加者 全數가 百三十三人 中 朝鮮人으로 參加한 者가 三 人、中國人으로 參加한 者가 二十八 人 其他는 全部 日人인바 大連을 中心으로 그 附近의 營口、遼東 等地는 勿論이오 멀니 哈爾濱、吉林、盛京 等地에서도 參加하야 그 中에도 吉林 新共和報의 趙奉璋 女史는 이 大會의 惟一한 女記者로 一般의 視線을 끌엇다

◇ … 主催 側을 代表하야 內海 君(電通)의 簡單한 인사가 잇슨 後 議長으로 滿洲日日新聞 社長 小山巾大六 君이 昇席하야 開會를 宣한 것은 午前 十時 半 頃이엇다 兒玉 關東廳 長官을 비롯하야 安廣 滿鐵 總裁代理、大連民政署長、商業會議所 會頭 等이 祝辭를 述한 後 宣言과 決議를 한 것은 如左하엿다

宣言書

只今이야말로 人類의 反省으로 말미암어 世界的으로 平和促進에 努力하고 人類共同福祉의 增進을 圖하고 잇다 이 機會에 吾人 操弧[06]者는 言論의 公正을 取하야 産業隆興을 輔長하고 時代의 傾向을 利導하야 不斷의 活動에 依하여 그 天職을 다하기를 期함

---

05 아마도호텔: 야마도(大和)호텔의 오식 ― 편자 주

06 "弧"는 "觚"의 오식 - 편자 주

決議文

一、吾人은 滿鮮 交通 機關의 完備를 促進하야써 滿鮮 産業의
隆興을 輔長하기를 期함

한 後 錦織晃(滿日) 君이 發言을 求하야 이러한 滿鮮記者大會는 朝鮮과
滿洲의 産業 發展 上 又는 朝鮮、中國、日本의 三 民族 共存共榮上 絶對로
必要하다 함을 前提로 吾人은 滿鮮文化의 向上을 助成하야써 全 人類 共同
의 福祉를 增進하기를 期함

右 決議함을 提出하야 아모 異議 업시 可決한 後 石原(京日) 君이 發言하
야 曰 이러한 滿鮮記者大會는 朝鮮과 滿洲의 産業發展上 又는 朝鮮 中國、
日本의 三 民族 共榮 上 絶對 必要타 認함으로 此를 每年 一 回式 開催하자
고 提議한 바 大連에서만 開催할 必要가 無한즉 場所를 指定치 말고 必要에
應하야 開하자는 反對가 만핫스나 多數決로 本案을 可決하고 權義 君(朝新)
이 發言을 求하야 緊急動議를 提起하니 그 意味는 이러하엿다『滿洲에 잇는
朝鮮人은 七十萬 乃至 百萬이라 하나 이러한 多數가 一定한 生業을 엇지 못
하고 四方에 杜遊하야 一日에 粟飯 一 器를 求得하기가 難할 뿐 아니라 近
日에 至하야 中國 官憲의 取締가 嚴重하야 到處에서 迫害를 當하는 狀態이
라 이것을 保護하고 救濟하여야 할 地位에 잇는 日本 官憲으로서 도리혀 不
逞鮮人이라는 別名을 붓처가지고 함부로 壓迫을 加한다는 말을 들울 때에
吾人은 全 人類의 한 사람으로 또는 正義人道에 立脚한 한 사람으로 到底히
이것을 黙過할 수 업는 것이다』하고 또 말을 이어서 日本人의 朝鮮人視의
錯誤를 摘拔한 後 左와 如히 提議하엿다

吾人은 滿洲에 잇는 朝鮮人의 生活의 安定策을 講究키 爲하야

日中 兩國의 當局이 緊急適切한 處置를 取하기를 希望함

　　그런데 一部에서는 이러한 意味는 決議文 中에 包含되엿슴으로 別로 따로 決議할 必要가 업다고 反對하엿스나 贊成者가 壓倒的 多數이엇기 까닭에 그대로 可決되고 이어서 中國 記者 側에서 무엇인지 提議하겟다고 發言을 求하엿스나 時間이 促迫함을 憑藉[07]하고 閉會를 宣하니 零時 三十分이엇다 그래서 이 大會의 議事는 이로서 맛치게 되엿는바 大視하면 主催者 側의 第一 念慮하는 것은 中國 側 或은 朝鮮 側에서 突然히 難題를 提議하야 會場이 紛紜하면 結局 大會가 不成에 終할가 함이라 그럼으로 宣言이나 決議文 中에 될 수 잇는 대로 細目을 廢하고 太目을 揭하야 人類愛이니 共同福祉이니 하는 廣漠한 文句로 何者에게던지 適用되도록 하고 더욱 露骨的인 것은 中國 側이 提議코자 하는 것을 絕對로 廢하야 各個의 要求를 表示치 못하게 한 것이다 그럼으로 主催者 側에서 보면 이것이 大成功일는지 모로나 一般는 그만치 遺憾을 늣기지 안을 수 업섯다

宴會席의 談話

　　◇ … 『푸로그람』으로 말하면 二十四日 午後에는 博覽會를 求景하랴는 것이엇스나 點心때부터 쏘다지는 비가 午後 三時 四時가 되야도 끗치지 안키 까닭에 博覽會를 巡覽할 수는 업스니 會場 內에 잇는 中國 演劇이나 보라 하야 案內하는 馬車로 劇場에 臨하엿스나 雨勢가 漸加하야 臨時로 建築

---

07 "藷"는 "藉"의 오식 - 편자 주.

한 『빠락08』 天井에서는 古木 밋헤서 비를 避하는 것 가치 帽子에 洋服에 굴근 방울이 뚝뚝 떠러젓다 벌서 한便 壁에는 『開演不能』이라는 종의쪽이 붓터잇고 杉野 大連市長은 이 사람 저 사람 압헤 가서 굽실굽실하면서 『大連은 元來 降雨가 적기 까닭에 지붕에다가 그리 注意를 하지 안엇더니 이 地境이 임니다』 하면서 熱心으로 諒解를 求하엿다 『아모리 臨時라 할지라도 이만한 비에 견디지 못하여서야』 하는 不平도 잇섯지만은

◇ … 그보다는 當場에 衣服이 젓는 것이 困難하고 모처럼 보랴고 好奇心을 끌든 中國 演劇을 보지 못하게 된 것이 遺憾이엇다 不得已 一同은 解散하게 되야 李 君과 가치 旅館에 돌아갓다가 밤 七時에 大連勸業博覽會 幷 同協贊會 聯合招待會에 出席하게 되엿다 會場은 千勝館이라는 日料理屋인데 그다지 크지는 아느나 깨끗하고 아담한 淸快한 집이엇다 相對하야 안즌 것은 謀 日紙 編輯者라는 S 君 近 五十 한 中老人이엇다 내가 朝鮮사람이라 하닛가 自己의 抱負를 陳述할 조흔 機會나 맛난 듯이 日鮮融和이니 共存共榮이니 하고 그러한 日人의 恒用하는 語句를 잇는 대로 다 끄내놋는 듯하엿다 日鮮融和와 共存共榮이라는 말은 서로

◇ … 水火不相容의 關係를 가진 것이라고 要素를 찔너 말하엿지만은 酒氣가 더할수록 長廣舌을 吐하는 데는 참 질색이엇다 그러나 이 問題를 가지고 그 固陋한 사람과 長時間 論議하는 것은 도리혀 得策이 아니오 저 사람의 말을 막는 데는 話題를 變하야 質問하는 수밧게 업다고 생각하엿다 『滿洲에서 日本사람이 이만한 地盤을 닥게 된 것도 모다 滿鐵의 힘이라니 事實임닛가』 『에 — 그럿슴니다 엇잿든 滿洲에 잇는 사람은 滿鐵에 한 번 哀願을 하다가 만일 듯지 안는 때에는 그러면 歸國을 한다고 함니다 이러케 되면 滿鐵은

---

08 『빠락』 - 바라크(baraque), 막사 - 편자 주.

엇절 수 업시 이리저리 돈을 周旋하야주는 狀態입니다 滿鐵이 잇스닛까 우
리도 이러케 살어나가게 되지오

◇ … 滿鐵은 그러닛가 母子의 關係는 업다 할지라도 生命을 救하야준 大
恩人가치 생각합니다』 그리고 또 말을 繼續하야『大連쯤은 그래도 獨立生活
을 하는 사람도 잇지만은 저 村落으로 들어가 보면 한 사람이라도 獨立하야
生活을 하는 사람이 업습니다 大體 日本사람은 遠大한 計劃이라거나 튼튼한
意志가 업는 것을 엇더케 함닛가』 이러케 말할 때에는 벌서 自民族의 缺點을
悲觀하야 조금 興憤된 모양이엇다『그런 까닭에 滿鐵에서 돈을 얼마를 쓰든
지 생각하는 대로 成績이 올나가지 안습니다』時間이 지나갈수록 이곳저곳
서 제各其 大氣焰을 吐하고 妓生의 往來는 次次 頻繁하야젓다 언으 宴會에
서든지 보는 것가치 主人 側의 數十 人은 順次로 돌엇가면서 酒杯를 勸하노
라고 奔走하엿다 勿論 내 압헤는 오는 사람이 다 반듯이 한번식은 政治 問題
를 끄집어내가지고 淺薄한 朝鮮觀을 力說하엿다 나는 平素에 日本에 잇는
日本사람과 朝鮮에 잇는 日本사람이 달으다 하엿지만은

◇ … 滿洲에 와본즉 滿洲에 잇는 日本사람도 日本에 잇는 日本사람과 달
으다는 것을 깨달엇다 同時에 나는 하날을 울어러보고 혼자말로 부르지젓
다『아 — 하날이시어! 朝鮮에 滿洲에 퍼저있는 數十萬 日人에게 自覺의 힘
을 주소서 그래서 하로밧비 資本家의 使驅를 버서나게 하소서 그때에 비로
소 共存共榮이라는 말이 名實共히 意義 잇고 價値 잇는 標語가 될 것이라는
것을 깨닷게 하야주소서!』하고 나서 생각해도 스스로 우수운 일이엇지만은
언으듯 나는 이러한 信徒的 祈禱를 한 것이엇다 이 밤의 宴會는 나에게 快樂
을 주는 것이 아니라 苦痛을 주는 것이엇다

大連 市街

大連은 一八九八年 露淸 兩國 間에 締結된 追加條約으로 因하야 租借된 土地이라 처음에는 靑泥窪라고 稱하든 一 寒林에 不過하엿스나 露國이 東亞 經營의 急을 깨닷고 一八九九年에 咄嗟 間에 起工하야 東洋 屈指의 良港을 建築하랴 하엿다 그러나 其後 一九〇三 ─ 一九〇四年 日露戰爭으로 因하야 日軍이 此를 占領하고 곳 軍政委員을 派遣하야 軍政을 布하는 同時에 大連이라 改稱하고 滿鐵이 中心이 되야 모든 施設에 全力을 注한 新 港口이엇다

◇ … 全 市街는 大廣場、敷島廣場、千代田廣場 東廣場、西廣場 等 大小 圓形의 廣場을 中心으로 放線의 大街路를 射出하고 거기에는 幾多의 大小路 가 蛛網狀으로 經緯交配하고 잇다 그런데 此 中 가장 廣大하고 優秀한 것은 大廣場이라 日本橋에서 東南 間 街道를 一直線으로 貫通하면 막다튼[09] 곳이 即 圓形大廣場이라 周圍가 三百餘 間이오 園內에는 芝草 우에 綠樹花卉라 藤棚의 配置가 整然하매 外廊에는 大連民政署、通信經理局、商業會議所、市役所、朝鮮銀行 『아[10]마도호텔』 等 大建物이 圍繞하야 一大 偉觀을 呈하고 잇다 그리고 그 廣場에서 山縣通 大山通、後藤通 等 大街路가 四方으로 헤저 잇다 大連港의 埠頭는 山縣通을 東便으로 直通하면 不過 五 六 町 되는 곳에 잇섯다

◇ … 日本橋에서 反對 方向 即 北便으로 向하면 所謂 露西亞町이라 露西 亞時代에 極東總督이 잇든 家屋과 官廳 等이 아즉도 莊嚴한 面影이 남어잇

---

09 "튼"은 "른"의 오식 - 편자 주.

10 "아"는 "야"의 오식 - 편자 주.

는바 이것이 即『다루니[11]』의 中心地이엇다 한다 그러나 只今은 滿鐵 社長의
社宅이 되고 獨身者의 大山寮도 되어 閑靜한 空氣가 漲溢하엿다 그리고 現
今 大連市의 中心地오 가장 繁昌한 日本橋 越便이 도리혀『다루니』時代에는
寂寞한 一 村落에 不過하엿다 한다

◇ … 그런데 全市를 通하야 道路 建設、施設 모든 것이 朝鮮에서는 勿論
日本 어느 都市에서도 이만치 完全한 곳은 發見치 못할 것이다 建築物에 對
하야 大正 八年부터 建築 規則이 發布되야 新 建築物은 煉瓦造、石造(공그
리르[12]) 耐火壁構造 外에는 絶對로 許可치 안는 까닭에 市內의 一部를 除한
外에는 어느 街路를 지나든지 煉瓦造 石造의 四 五 層 家屋이 櫛比하엿다
道路는 殆히 全部가『세멘트』를 깔엇스며 人道와 車道 사이에는 반드시 胡
藤과 白楊을 並植하야 茂盛한 枝葉이 끗업시 連接한 것도 一大 美觀이엇다

◇ … 汽車로 大連을 旅行하는 사람은 市街의 萬蓋를 보기 前에 먼저 큰
工場과 數 個의 煙突에서 쏘다저 나오는 煤煙을 보게 된다 天動 갓흔『엔
진』의 音響을 듯고서는『아! 이곳이 大連市로구나』하는 곳이 即 沙河口工
場이엇다 工場에 屬한 面積은 五十五萬 四千三十 坪으로 그 中 工場敷地가
二十七萬 七千二百餘 坪、社宅敷地가 二十七萬 六千八百三十 坪、他에 將
來의 擴張에 充當하기 爲하야 十八萬 七千六百六十八 坪의 空地가 잇다 한
다 그리고 建物이 五十 棟、坪數가 二萬 二百四十餘 坪이오 職工數가 日本
人 一千三百六十三 名 中國人 一千四百九 名 其他 雇員 事務員을 合하야
三千三百三十 人이라 하면 누구나 그 工場이 如何히 큰 것을 알 수 잇슬 것

---

11 "다루니": 러시아점령시기 다롄(大連)의 러시아어 명칭, "大連"은 "다루니"의 중국어 음역에
서 온 지명 - 편자 주.

12 "공그리르": 콘크리트 - 편자 주.

이다

◇ … 事務員 갓흔 사람이 압헤 서서 이편저편을 모다 案內하야주엇다 日本서도 砲兵工廠 가튼 것을 보왓기 까닭에 그다지 처음 보는 사람과는 갓지 안엇스나 機械의 宏壯한 것과 設備의 雄大한 것은 한참식 서서 치어다보지 안을 수 업섯다 벌건 鐵이 녹어낼이는 鍛[13]冶의 壯觀은 참으로 一行을 驚歎식히고 말엇다 다음에 우리는 製材工場、客車工場에 案內되엿다 汽車의 車臺를 맨드는 데도 이만한 手工이 드는 것인가 하고 나는 생각하엿다 나는 그 製材로부터 客車가 되야 나가는 順序를 보고 여러 가지를 알엇다 『벵기[14]』는 『벵기』工具는 工具대로 一一히 分業으로 되야나가는 것을 나는 적지 안은 興味를 가지고 보왓다

東洋第一의 埠頭

二十五日 午後 一時 頃에 記者團 一行은 滿鐵 本社에 集合하야 小憩 後 自働車로 大連埠頭에 赴하엿다 埠頭事務室은 큰 建物이엇다 거긔에는 鐵道 管轄에 屬한 庶務、海運、陸運、車務 工務 等 五 課에 分立되고 그 業務로는 船舶荷役、鐵道荷役、發着、倉庫營業 그리고 荷主의 負擔이 없는 火災保險이 附屬되엿스며 從業員이 二千 以上이 된다 한즉 如何히 規模의 큰 것을 알 수 잇다

◇ … 爲先 一行은 『에레베다[15]』로 이 事務室 六層 上 望遠臺로 案內되엿

---

13 "鍜"는 "鍛"의 오식 - 편자 주.

14 "벵기": 일본어 ペンキ(페인트) - 편자 주.

15 『에레베다』: 엘리베이터 - 편자 주.

다 埠頭 갓흔 建物이 倉庫가 貨物連接線이 汽船의 굴근 煙筒이 푸른 물로 染色한 듯한 碧海가 손바닥에 논 것 갓치 보엿다 市街도 보이고 市街를 圍繞한 丘陵도 보엿다 그리고 第一、第二의 埠頭에 汽船이 往來하는 狀態와 港內에 小蒸氣船의 往來하는 狀態가 眞實로 東洋 屈指의 港口라는 생각을 나는 머리속에 깁히깁히 印象이 백히지 안을 수 업섯다 우리 一行을 기다리고 잇든 埠頭事務室 調査部長이라는 M 君의 說明에 依하면 引繼 當時의 大連港의 狀態는 露國時代의 計劃이 아즉 그 半에도 達치 못하야 殆히 볼 만한 것이 업섯스나 滿鐵은 大體로 露國의 計劃을 踏襲하는 同時에 旣成 部分의 改善修築 並 未成工事에 對하야 適應의 進涉[16]을 圖하고 或은 新規의 方途을 案出하야 着着 그 工事를 進行하기 까닭에 現今의 防波堤는 東、北、西의 三으로 分하야 그 기리가 總計 一 里 一 町 餘에 及하엿고 港口는 東北으로 約하야 展開되야 東港口(이것이 主港) 北港口(帆航 及 小蒸氣用) 西港口(同前)의 三으로 分立되야잇다 繫船岸壁은 第一埠頭가 二五二五 尺、第二埠頭가 四四二四 尺、第三埠頭가 四四〇〇 尺이라 한다

◇ … 水深은 最干潮時에 三〇 尺을 示하고 其他 陸上設備로는 給水 設備、給炭 設備、荷役 設備、倉庫 等이엇고 他에 野積保管場 十二萬 坪이 잇다 한다 그리고 荷役勞動者는 大槪 華工(처음에는 苦力이라다가 苦力은 蔑視하는 말이라 하야 只今은 이러케 부르는 것)인바 平均 一日의 出動數는 六千 人 乃至 八千 人이오 秋期에 入하야 일이 煩雜할 때에는 一萬 二千人까지 出動하게 된다 한다

◇ … 그런데 이 華工은 福昌公司라는 一種 請負會社가 一手로 此를 引受하야 要求가 잇는 대로 應하게 되엿다 한다 그런데 이 華工은 大豆(其他 雜

---

16 『涉』은 『陟』의 오식 - 편자 주.

穀) 一 袋라는 百五十 斤의 무거운 重量을 메고 一日에 約 九 時間 乃至 十一 時間을 勞働하면서도 別로히 不平을 말하지 안는 것은 무엇보다도 無智한 것이 第一 原因이겟지만은 元來 다 溫順 且 實直하야 自己의 職責을 自覺하 고 誠心誠意로 勞働에 從事하는 까닭이라고 說明者는 이에 더 口調를 넙혀 가면서 勞働力을 搾取하는 데는 好機會를 엇은 듯이 得意揚揚하고 말하엿다

◇ … 荷役은 大槪 岸壁荷役이오 補助役에는 冲荷役도 업는 것은 아니나 그것은 極小部分이라 한다 그리고 船舶의 出入할 際에 岸壁을 損치 안키 爲 하야 一千 噸 以上의 船舶에는 强制水先制를 取케 하고 잇스나 水先案内料 라는 것은 밧지 안코 岸壁使用料도 徵收치 안는다 한다 그리고 다만 出入할 때에 使用하는 小蒸氣船 其他 費用으로 發着手數料를 取할 뿐이라 이 點으 로만 보아도 東洋의 港口에서는 어대서든지 他의 類를 볼 수가 업슬 것이라 한다

◇ … 東洋 第一의 大連港이라는 말만 듯든 나로서는 一一히 그 說明을 들을 때에 참 感心치 안을 수 업섯다 그 施設의 苦心한 것 物材를 豊富히 쓴 것、埠頭의 宏大한 것、五五八萬 七六〇〇 噸이라는 巨數를 一年 間에 運 搬하는 것、이만한 實質이 잇서 가지고 비로소 이만한 名聲이 잇는 것을 깨 달엇다 同時에 그 廣大한 滿蒙의 平野의 平野에서 産出되는 産物(石炭과 大 豆)이 또한 그만한 世界的 産物이 日夜로 海外에 搬出되는 것을 想像하엿다

星浦와 博覽會

埠頭를 一巡한 後에는 조금도 쉴 새가 업시 곳 星浦를 가게 되엿다 우리 一行을 실은 自働車는 市街의 한복판을 뚤코 疾走하엿다 거의 市外에 隣接 한 곳에 赤煉瓦의 三四 層 大建物이 山麓에 櫛比하엿다 『저것은 大連中學 저

것은 商業學校』라는 說明을 듯고 비로소 『學校의 設備도 이만치 完全히 하야 노왓구나』 하는 생각이 낫지만은 이러한 大建物은 京城 언으 곳에서도 發見치 못하든 것이엇다

◇ … 自働車는 어느듯 市外를 나와서 西南向으로 進行하엿다 平坦한 道路에는 눈이 부시는 듯이 夕陽이 내려쬬여서 훈훈한 地氣가 全身에 掩襲하엿다 한편에는 二三 人 만어야 五六 人式 태운 電車가 軌道 우를 徐徐히 徃來하고 中國 馬車가 한두 채式 뵈엿다

『星浦는 아즉 머럿슴닛가?』

『예 ─ 얼마 안 남엇슴니다 全距離가 約 一里 許이닛까요 그런데 老虎灘이라는 곳은 時間關係로 못 보실 듯함니다만은 亦是 大連의 名勝地로 星浦에 지지 안는 훌융한 곳임니다』

『그러면 星浦와 老虎灘은 어대가 더 좃슴닛가?』

『다 趣味에 딸어서 달켓지오 老虎灘은 徒崖 中에 잇고 星浦는 沙濱이닛가 그러나 말하자면 星浦가 몸을 편히 쉬고 精神을 가다듬는 데는 낫다고 할는지오?』

◇ … 정말 同乘者의 말한 것 갓치 그러케 멀지는 안엇다 나는 海水의 連接한 듯한 곳에서 낙시질하는 漁夫를 보왓고 얼마 아니하야 平平한 丘陵 저便에 碧海가 나타는 것을 보왓다 次第로 綠陰 中에 싸여있는 西洋風의 別莊을 二 棟 三 棟 지나자 自働車는 公園의 入口 가튼 곳에서 停車하엿다 一行은 公園을 이쪽저쪽 散步하게 되엿다 바다에 빗쵠는 夕陽은 波濤와 갓치 부서저서 秋天의 星群갓치 빤작어리고 四五의 島影은 繪畵帖을 편 것 갓치 點點이 떠잇섯다 背後의 富士山麓이 連接하야 曲線이 遲緩한 山과 山에는 靑松이 둘너싸히고 그 아래에는 靑、赤煉瓦가 海濱에 臨하여 듬을게 보는 景色이엿다

◇ … 그런데 이 星浦는 그前에는 黑石樵[17]라는 一 寂寞한 村落에 不過하 엿스나 明治 四十二年에 滿鐵이 此를 開拓하야 今日까지 이만한 施設을 하 엿다 한다 그리고 只今은 上海、北京、哈爾濱 等地에서 外國人들이 일부러 避暑次로 來遊하야 시원하게 한여름을 보낸다 한다 一行은 『야마도호텔』 別 館에서 小憩 後 곳 大連市로 回程하야 博覽會에 臨하게 되엿다

◇ … 博覽會 會場은 大連市의 中央인 西公園의 一部와 電氣園遊地의 全 部가 此에 充케 되야 西公園에 屬한 部分을 第一會場이라 하고 電氣園遊地 에 屬한 部分을 第二會場이라 하엿다 第一會場의 面積은 約 四萬 坪이오 第 二會場의 面積은 約 一萬 六千 坪임으로 合計하면 約 五萬 六千 坪이나 되고 總 經費가 四十萬 二千四百餘 圓이라 한즉 그 敷地에 잇서서 그 經費에 잇서 서 決코 他 博覽會에 遜色이 업는 大博覽會이엿다 그리고 第一 — 第五의 本 館을 비롯하야 機械館 美術館 等屬과 밋 二十餘 種의 特設館이 配設되야 各 種各樣의 特色을 나타낸 여러 建物은 場內에 雄立하엿다

◇ … 一行은 爲先 第一 第二 本館을 비롯하야 順次로 各 館을 求景하엿다 어느 博覽會에서도 보는 바와 갓치 各種 物貨가 琉璃匣 속에서 燦爛하게 羅 列되야 三 列 或은 四 列로 整齊되엿스나 國際的 都市라는 大連博覽會로서 는 넘어도 國際的 物貨가 稀少하고 日本냄새가 濃厚한 것이다 그리고 臺灣 館이나 朝鮮館이라는 것은 日本人의 주체라고 끌어다놋는 것이지만은 여긔 도 빠지지 안코 建物은 臺灣式 朝鮮式으로 엇더케 엄을거려노왓다 하지만은 元來 海物 莞手工品 人蔘 藤手工品 等 멧 種類가 안 되는데다가 그나마 殆히 大部分을 古物商店에 古物 늘어놋툿이 함부로 粗雜하게 늘어노아서 朝鮮을 紹介한다는 것보다도 朝鮮의 羞恥를 廣告한다는 것이 오히려 適切하엿다

---

17 "樵"는 "礁"의 오식 — 편자 주.

◇ … 臺灣館은 朝鮮館보다도 優良하다면 그 程度를 알 만할 것이다 그런데 이 博覽會 施設 中에 가장 볼 만한 것은 第二會場인 電氣園遊地이엇다 灣鐵 出品이라는 滿洲 一帶의 模型圖는 規模의 巧妙한 것과 洞名 停車場 穀物産地 山脈의 分布 汽車의 往來 모든 것이 緻密하게 配置되야 一瞥에 滿洲 全般을 알 수 잇섯다 나는 이곳에 한참 동안이나 時間 가는 줄을 모르고 잇섯다 나뿐이 아니라 누구나 이곳에 와서는 한참식 섯다 가는 것이 常例라는 것은 案內者의 말이엇다

旅順의 戰跡 (1)

◇ … 旅順은 文宗 咸豊年間에 英佛兩國聯合軍이 北京을 侵略한 以來로 淸國 政府는 港灣防備의 急을 깨닷고 北洋大臣 李鴻章의 奏請에 依하야 軍港으로 定한 것이 即 이곳이다 그래서 그 後로는 年年히 砲臺를 增築하고 防備를 嚴히 하야 戰艦 二十餘 隻을 駐屯케 하엿섯다

◇ … 그런데 一八九四년 日淸戰爭의 結果는 馬關條約을 締結케 되야 一坦 遼東半島는 全然 日本의 所得이 되엿스나 露(帝國時代) 獨、佛 特히 露國은 此를 東洋의 大勢力을 扶植하는 熔爐로 알고 海蔘威와 서로 相應하야 太平洋 上의 覇權을 掌握하리는 野心을 가지고 馬關條約에 干涉하야 日本은 不得已 此를 還附하지 안을 수 업게 된 것이 即 一八九六年 十月 頃이엇다 日本人의 所謂『千載의 恨歎인 이질 수 업는 三國의 干涉』이라는 것도 이것을 말함이다

◇ … 그 後로 露國은 『가시니』條約[18]에 依하야 南滿洲鐵道의 敷設權을 得

---

18 "가시니"條約: 1896년 청과 러시아 사이에 체결된 '러청밀약' - 편자 주.

하는 同時에 高索騎兵 掩護 下에 各地各處에 軍隊를 駐케 하야 時期의 到來만 기다리고 잇든 바 맛참 獨逸이 그 宣教師의 殺害를 口實로 膠州灣을 占領하자 露國은 一八九九年에 旅順 大連의 租借條約을 締結하야 關東州에 對한 慾望을 채웟섯다 그래서 露國은 『쓰알』大宰相이 一代의 心血을 注하야 巨億의 國幣와 一國의 生死를 賭하여 가면서 旅順으로 하야금 露國 海軍의 唯一한 不凍港으로 太平洋艦隊의 가장 安全한 淀泊場으로 施設築城에 注力하야 遂히 難攻不落의 旅順, 東洋 一大 要塞의 旅順을 着着 完成하야나갓다

◇ … 그러나 天運은 決코 此를 露國에만 許하지 안엇다 帝國主義的 國家의 反復되는 弱肉强食의 原則은 傍若無人한 露西亞帝國主義者의 野慾만에 放任하기를 許하지 안엇다 三國干涉으로 目的을 達치 못한 新帝國主義 日本은 陸海軍의 軍備와 武器를 充實히 하야 機會만 窺視하엿다 朝鮮 獨立을 保障한다는 馬關條約도 어느듯 살어지고 陸軍의 駐屯과 內政干涉 等 勢力 扶植에 汲汲하여 一念 露國 擊破의 準備에 忙殺하든 바 그의 衝突이 即 一九○四年 二月부터 二百 數十 日 동안이나 繼續하게 되엇다 陸軍은 朝鮮을 經由하야 東滿 一帶로 海軍은 黃海를 經하야 旅順으로 自由로 活動한 것을 보면 馬關條約이란 얼마나 價値잇는 것을 알 수 잇다

그래서 二萬의 無辜한 生靈을 犧牲하고 다시 露國으로부터 奪取한 것이 即 旅順이엇다 모든 力과 모든 意志와 모든 恨을 埋葬한 것도 旅順이오 人間의 虛榮과 嫉妬와 爭鬪의 活悲劇이 演出된 것도 이 旅順이엇다 이러한 旅順을 求景하는 機會를 엇게 된 것은 나에게 無限한 光榮이엇고 적지 안은 參考材料이엇다

◇ … 午前 八時 頃 大連驛에서 우리 一行을 실은 汽車는 西南向으로 疾走하엿다 周水子로부터 支線에 入하야 夏家河子가 잇고 얼마 아니 가서 營城子가 잇섯다 이 附近 全體가 日露戰爭 當時에 活悲劇을 演出한 곳이지만은

特히 이 營城子는 日本第三軍의 終端兵站部가 設置되엇든 곳이라 只今도 그 混雜한 狀態가 想像되지만은 現在는 全혀 閑靜하야 어느 때 그러한 光景이 展開되엿든가 하리만콤 寂寞한 싀골 停車場이 되고 말엇다

◇ … 龍頭停車場을 지나서는 山脈을 橫斷하는 汽車의 速力은 눈이 眩暈 하리만콤 빨넛다 山谷을 지나고 溪流를 지나서는 半歲 동안이나 慘憺한 光 景을 몯 하엿다는 姜家屯部落도 뵈엿다 松樹山角의 大屈曲을 휘휘 둘너 川 邊을 조차 한참 동안이나 疾走하엿지만은 그래도 旅順 市街는 아즉 影跡도 뵈이지 안엇다 이것이 即 旅順의 天候인 所以이라 舊 市街는 白玉山을 隔하 야 越便溪谷에 蟠居하엿든 것이엇다 그리고 벌서 이곳은 旅順停車場에서 얼 마 안 되는 곳이엇다 汽車의 速力이 漸漸 減하야『플래트폼』에 닥친 것은 午 前 九時 頃이엇다

旅順의 戰跡 (2)

旅順驛頭에 기다리고 있든 馬車에 二 人式 分乘한 一行은 案內者를 先頭 로 白玉山빗탈 굽은 길을 徐徐히 올나갓다 아참 볏 쪼이는 山허리에서 허덕 어리는 말(馬)이 가엽기도 하엿지만은 山頂에 올나가기까지에는 手巾이 다 젓도록 땀을 흘넛다

◇ … 運動場 갓흔 널분 마당 건너편에는 陸海軍 二萬 餘의 生靈을 埋葬 하엿다는 招魂詞[18]가 잇고 五六 間 떠러진 곳에 二百十餘 尺이나 되는 表忠 塔이 놉히놉히 空中에 소사잇섯다 資本과 軍閥과 官僚의 一部 階級의 野心 을 채우랴는 戰爭은 忠君이니 愛國이니 하는 漠然한 槪念 下에 一般 民衆을 弄絡하고 瞞着하는 데는 이러한 塔이나 碑石이나 墓閣 갓흔 것을 設置하는 것이 그네의 恒用 手段이엇다 港灣은『빠나나』쪽을 업허논 것 가치 長方形

의 碧海가 老虎尾半島에 圍繞되어 露西亞時代에는 東口 西口가 잇섯다 하나 只今은 西口를 全然 埋立하고 東口만 남어잇섯다 『저 狹窄한 곳이 閉塞戰隊 의 福井丸이 敵艦의 猛烈한 砲擊에도 屈치 안코 豫定한 位置까지 到達하엿 슬 때에 投錨爆沈 하려 하엿스나 맛참 그때에 敵艦 魚形水雷艇이 福井丸의 船腹에 命中하기 까닭에 一片의 肉塊를 냄기고는 沈沒하엿습니다』하고 案 內者는 말하엿다

◇ … 從[20]崖와 港灣에 包圍된 旅順의 舊 市街 —『스뎃셀[21]』과『콘토라쳉 크[22]』의 當時 住宅을 只今도 保存한 舊市街가 確實히 손바닥에 논 것 가치 뵈엿다 나는 한참 동안 서서 四方에 들이닥치는 日軍 까닭에 命運이 切迫하 엿든 當時의 狀態를 想像하야보왓다 必然 그때에는 火彈이 저 地平 구석구 석이 飛來하엿슬 것이다 或은 艦端에 或은 大地 上에 或은 樹木에 炸裂되야 黃白煙을 뿜엇슬 것이다 여긔저긔서 火炎도 일어낫슬 것이오 그 속에 잇든 人馬는 勿論 魂飛魄散하엿슬 것이다.

◇ … 只今의 旅順은 全然 遊覽地가 되고 말엇다 벌서 難攻不落의 要塞도 아니오 艦隊 所在의 軍港도 아닐 뿐 아니라 遼東半島의 一港으로서도 次次 로 그 存在를 疑心할 地境이엇다 『東鷄冠山堡壘을 巡覽한 後 午後 一時까지 關東長官邸에 到着하라는 命令인즉 速히 도라다녀야 하겟다』고 一行을 催促

---

19 『詞』는 『祠』의 오식 — 편자 주.

20 "徔"는 "徒"의 오식 - 편자 주.

21 "스뎃셀": 러일전쟁 시 뤼순(旅順) 러시아군 사령관 아나톨리·미하일로비치·스테셀(Анато лий Михайлович Стессель, 1848 ~ 1915) - 편자 주.

22 "콘트라쳉크": 러일전쟁 시 러시아 제7사단 사령관 로만·이시드로비치·콘트라첸코(Рома́н Иси́дорович Кондрате́нко, 1857 ~ 1904) - 편자 주.

하는 案內者를 딸어서 舊 市街로 向하엿다 衰頹한 氣分과 寂寞한 空氣가 漲
溢한 舊 市街를 거처 한편 끗 不潔한 中國街를 지나서는 山과 山이 兩方으로
切迫한 凸凹道를 우리는 進行하엿다 馬車 우에 감안히 안젓서도 제절로 땀
이 흐르는 正午의 酷炎이엇다

　　◇ … 이 사이에는 敎場講[23]、上講[24]이라는 작은 村落이 잇섯스나 道路는
要塞에 가는 通路인 까닭에 露西亞人이 새로 開拓한 모양이엇다 岩石을 쩌
개고 徒崖를 문어서 苦心한 形跡이 完然히 뵈엿다 그 山과 山 사이의 狹隘
한 길을 松林 속으로 約 二十 町 假量 가서 堡壘을 破壞한 듯한 곳에 到着하
엿다 岩石이 異常스럽게도 灰色을 띄고 粉碎되여 一面에 點點이 헛터저잇
는 곳이 即 堡壘일가 當時에 日本軍이 占領하지 못하야 애쓴 곳이 저곳일
가 그만치 宏壯하게 宣傳되든 地中戰이 저러한 狹隘한 區域에서 進行되엿슬
가 『나는 只今까지의 생각은 地中戰이라 하면 一 里나 二 里를 地中을 鑿掘
한 것 가치 알엇스나 到底히 그러케는 할 수 업는 일이로군! 이 堡壘을 奪取
하기 爲하야 굴을 穿鑿한 데 不過하군』 이렇게 생각을 하면서 나는 案內者에
끌녀서 지금은 殆히 原形도 認證키 어려운 堡壘 中에 들어갔다

旅順의 戰跡 (3)

　案內者는 이 堡壘를 들어가면서 說明을 하기 始作하엿다 『여긔가 奪取하
기에 大段히 苦心한 곳임니다 艱辛히 긔거름질을 처서 穹窖內로 들어가랴
하나 前面이 斜板形이 되야 곳 射擊을 當하는 까닭에 日本軍이 얼마만치 犧

---

23 "講"은 "溝"의 오식 - 편자 주.

24 동상.

牲이 되엿는지 不知其數임니다 그래서 到底히 이라다가는 할 수 업다고 생각하고 곳 땅을 파기 始作하엿스나 露軍이 땅을 파는 소리와 日軍이 땅을 파는 소리가 彼此에 들녓다는 곳이 即 여긔임니다』

◇ … 案內者는 一步 二步 穹窿을 더 들어가면서『여긔까지 파 들어간즉 露軍은 一齊히 銃眼을 내밀고 한 사람이라도 뵈이기만 하면 곧 射殺을 當하는 形便이엇슴니다 日前에도 이 堡壘戰에 參加하엿든 사람의 말을 들엇스나 自己도 얼마나 죽엇는지 모를 地境이라 하엿슴니다 엇잿든 兩軍이 不過 二間의 距離를 두고 對抗한 것이 오래동안이라닛가오…』

◇ …『그러나 맛침 露軍 間에 大動搖가 잇섯슴니다 그것은 그 攻擊 中에『콘도라쳉크』將軍이라는 新軍 中에도 가장 信望을 가지고 잇서 그 將軍 한 사람으로 말미암어 露軍의 勇氣가 一層 더하야젓다는 그 重要한 사람이 十二月 十五日 戰爭에 이 우에서 戰死하엿슴니다 그럼으로 露軍은 義氣가 매우 沮喪이 된 까닭에 十二月 十八日의 大爆發도 할 수가 잇섯담니다』 이것을 純全히 營業的으로 하는 案內者는 藥行商□의 廣告 演說갓치 힘도 안 드리는 말을 술술이 잘하엿다 그러나 넘어도 機械的인 까닭에 듯기에 매우 支離하엿다

◇ … 一行은 다시 小峰을 넘고 山빗탈을 지나서 二○三高地에로 案內되여 當時 日軍이 露 艦隊를 射擊하엿다는 重砲와 그를 紀念하기 爲하야 세웟다는 石碑 엽헤 갓가히 갓다『即 이 山을 奪取하기에 大段한 힘이 들엇슴니다 처음에 露軍은 여긔에는 別般 防備를 하지 안니 하고 — 손가락으로 가르치며 — 저 山에다가 좀 防備를 하엿스나 漸漸 日本軍이 水師營을 占領하고 물밀듯이 몰녀드는 까닭에 露軍도 여긔를 뺏겨서는 안 되겟다 하고 그때부터 이 山에 防備를 始作하엿다 함니다』

◇ …『그러나 次次로 日軍의 右翼이 이 山을 目標로 第一師團 及 後備步

兵 第一旅團이 進軍하야 九月 十九日부터 十一月 二十九日까지 約 八十日間을 이 山 하나 까닭에 惡戰苦鬪 한 것입니다 바로 저便 山비탈까지 日軍이 襲來하야 모다 山에 납작납작 업대려잇섯스나 조금이라도 머리를 들면 곳 彈丸을 맛는 이것이야말로 白兵戰이엇습니다 그래서 確實히 十一月 二十九日이라 記憶합니다만은 日軍 第一師團의 一 分隊가 이 골작을 잇틀만에 겨우 올나와서 占領하엿다 합니다』

◇ …『그러나 이 山을 지키고 잇든 露軍은 日軍의 攻擊이 하도 猛烈한 까닭에 一時는 山下로 내려갓섯스나 이 山을 奪取되여서는 큰일이라는 號令이 내리기 까닭에 松樹山 東鷄冠山 各處에서 一齊히 砲彈을 發射하게 되야 日軍의 一 分隊는 한 사람도 남지 안코 모다 戰死하엿다 합니다 그래서 一旦 露軍의 手에 歸하게 되엿스나 到底히 不可能하리라는『빨직구[25]』艦隊의 東洋 航海가 實現하게 되야 엇더케 하든지 日軍은 旅順을 陷落하지 안으면 아니 되엿고 旅順을 陷落하는 데는 엇더케 하든지 이 山을 占領하야 港內에 숨어잇는 露軍 艦隊를 全滅하지 안을 수 업다 하야 이번에는 一 箇 師團이 이 山에서 犧牲을 當한다 할지라도 占領하여야만 되겟다는 決心으로 惡戰苦鬪한 結果 九日 만에 겨우 여긔를 占領하게 되엿다 합니다』

◇ …『그 後로는 日軍은 二十八 柵의 重砲를 이곳에 設置하고저 老虎尾 半島와 黃金山의 砲臺 下에 숨어잇든 露軍 艦隊를 擊沈시켯슬 뿐 아니라 要塞를 占領치 안으면 엇잘 수 업든 旅順의 舊 市街에도 彈丸을 보낼 수가 잇섯습니다 그리고 露軍 司令長官『스텟셀』이 降伏이라는 不得已한 決心을 하게 된 것도 이 二〇三高地의 重砲의 威嚇이 그 先驅가 되엿다 합니다』案內者는 이럿케 긴 說明을 하엿스나 當者가 日本사람이엇기 까닭에 日軍에 有

---

25 "빨직구": 발틱(Baltic) - 편자 주.

利하엿던 것만 말하는 것은 遺憾이엇스나 그것은 할 수 업는 일이라 생각하엿다

◇ … 이러케 恐怖스럽고 悲慘하고 惡毒한 戰爭의 이약이를 들으면서도 증말 切實한 戰爭 當時의 늣김은 맛볼 수가 업섯다 누구나 모다 우서가면서 한 滋味잇는 이약이로 밧게 듯지 안엇다 說明을 듯기 爲하야 熱心으로 따러다니든 夫婦 間인 듯한 他 一行도 別로 悲憤한 態度는 아니엇다

所謂 秘密協定을 알기까지의 苦心 (1)

이번 旅行에 가장 意義 잇고 가장 價値 잇는 것은 그 所謂 秘密協定의 內容 探索이엇다 朝鮮總督府의 警務局長인 三矢 氏 와 東三省의 王인 張作霖 氏와(뒤에 알고 본즉 張作霖 氏와 締結한 것이 아니엇지만은) 무슨 짓을 하야놋코 이것을 秘密協定이라 하는가 을타 三矢와 張作霖 氏와 締結한 것이닛가 日本人에 關한 것도 아니오 中國人에 關한 것도 아닐 것이다 그리고 三矢는 總督府 警務局長의 地位에 잇는 사람이닛가 滿洲에 잇는 朝鮮사람의 取締 … 그것보다도 所謂 武裝團의 取締에 關한 것이라는 것쯤은 누구나 推測할 수 잇섯든 것이다

◇ … 그러나 武裝團을 取締한다면 如何한 方法으로 如何히 取締하랴 함일가 하는 것은 아즉도 未知의 問題라 疑雲이 重疊하야지는데 딸하서 百萬에 갓갑다는 在滿 同胞의 安危에 對하야 뜻잇는 사람은 누구나 苦心焦思하지 안을 수 업는 重大한 問題이엇다 그럼으로 나는 專心專念 이 秘密協定 探索에는 만흔 時間과 모든 努力을 提供하기에 조곰도 躊躇치 안엇다 그것은 新聞記者로서 成功하겟다는 野心 ─ 新聞記者로서는 가장 不適任이라고 自認하는 ─ 이잇다는 것보다도 忌憚 업시 말하자면 新聞社에 對한 責任感

이엇다 大連、旅順을 旅行할 때에도 이 생각은 恒常 念頭에서 떠나지 안엇다 滿洲에 對한 知識이 가장 豊富하리라는 各 新聞記者에게도 機會 잇는 대로 問議하여보왓고 滿鐵 社長 關東廳 長官을 비롯하야 알만한 方面에는 모다 問議하야보왓지만은 結局 徒勞에 歸하고 말엇다

◇ … 勿論 大連에서 이 協定의 內容을 探索하랴는 것은 아니엇다 滿鐵 社長이나 關東廳 長官이 이것을 안다할지라도 朝鮮人인 나에게 綻露시킬 理가 萬無하고 거기 모엿든 新聞記者가 알고 잇다 하면 일즉이 發表하고 말엇슬 것이라는 것도 깨닷지 못한 것은 아니엇다 그러나 區區하게 엇어들은 말을 綜合하는데 딸아서 問題의 範圍와 程度에 對한 『힌트』를 엇는데는 確實히 效果과 잇섯다 『이만하면 아모리 官憲 側의 防禦가 巧妙하다 할지라도 이 말은 이 方面으로 저 말은 저 方面으로 總突擊을 開始할 때에는 엇잘 수 업시 吐露하게 되거니』하는 생각을 가지고 奉天에 到着한 것은 언으날 아참 자욱한 濃霧가 아직 개지 안은 때엇다

◇ … 나는 奉天驛에 내리자 곳 人力車로 K 君을 訪問하기로 하엿다 K 君은 奉天에 滯在한 것이 그다지 여러 해가 된 것은 아니지만은 奉天 事情에 仔細한 唯一한 親友이엇다 나는 爲先 大連行의 用務를 말한 後 張作霖 氏이나 王永江 氏의 會見 方을 問議한즉 『잘 알 수는 업스나 張作霖 氏는 遼陽 本第에 갓다 하고 王永江 氏는 長子의 婚事로 因하야 今明 間 金州 本第로 간다 하엿슨즉 兩人이 共히 不在일는지도 모르나 何如間 이 兩人을 맛나랴면 日本總領事의 紹介를 맛는 것이 가장 捷徑』이라고 말하엿다

◇ … 이 말을 들은 나는 적지 안은 失望을 하엿다 『張作霖、王永江 兩人을 다 못 맛난다면 나의 目的이 全혀 雲消되고 마는구나』… 그러나 會不會는 情勢의 不得已한 일이오 總領事라도 맛나보와야 하겟다 하고 곳 人力車를 재촉하야 總領事館으로 向하엿다 杉浦라는 總督府 事務官을 通하야 總領

事에 名刺를 傳한즉 來客이 잇스니 暫間 기다려달나는 要求이엇다 應接室에
案內된 나는 여러 가지로 생각하엿다

◇ …『船津 氏(總領事)가 秘密協定의 內容을 잘 알고 잇거니 … 그는 적
어도 總督府와 中國 官憲과의 聯絡을 取하야주엇슬 것이오 協定된 結果
를 適用하는 當路者이다 모를 理가 萬無하리라 언으 程度까지 探問을 하야
볼가? 그러나 아서라 그는 官吏이다 日本政府의 官吏이다 秘密協定이라는
『秘』字만 말하여도 中國高官에게 紹介를 엇자는 初旨도 達치 못하리라 問
題의 解決은 中國 側에 求할 수밧게 업다』

◇ … 이럭저럭 三十 分 以上을 기다리게 되엿슴으로 다시 催促한즉『大
段히 奔忙 中이니 要務를 먼저 傳達하야주거나 正히 必要가 잇다면 明日에
會見하자는 것이엇다 이것으로 말미암어 하로가 遷延되는 것、헛되히 오래
동안 기다린 것이 매우 憤하기도 하엿지만은 그의 힘을 빌자는 나로서는 아
모 抗辯도 못하엿다 북바치는 感情을 참고 그대로 後期를 기다릴 수밧게 업
섯다

所謂 秘密協定을 알기까지의 苦心 (2)

食前부터 總領事館으로 公館(總領事의 官邸)으로 電話를 걸어보왓다 面
會할 時間을 約束하랴는 것보다도 船津 氏의 在不在만 알엇스면 充分하엿
다 그러나 總領事館에서는 公館으로 公館에서는 總領事館으로 彼此에 責任
을 轉嫁하는 曖昧한 回答 뿐이엇다

◇ … 이것은 分明히 會見을 回避하랴는 策略이라고 생각한 나는 瞥眼間
머릿속에서 여러 가지 생각이 往來하엿다『總領事에 맛나랴는 紹介를 또 누
에게 엇어 볼가? 그럿치 안으면 禮儀를 차릴 것 업시 總領事館에 그대로 뛰

여가 볼가? 그러나 今日이 土曜 明日이 日曜、再明日이 日本 天長節祝日이라 今日의 虛送이 即 三日 間의 虛送이다 今日 中에 多少의 曙光이라도 뵈이지 안으면 이러케 長時日을 奉天서 보낼 必도 업다』하고 곳 總領事館으로 向하엿다

◇ … 門番이 무엇이라고 구덜거리는 것도 못 들은 체 하고 그대로 들어가서 總領事室『도아』를 열고 名刺을 傳하엿다 마주 처다보이는 冊床 압헤 五十 前後나 되여 보이는 中老人이 그다지 조치 못한 氣色으로『너 엇재 約束도 업시 왓느냐』할 듯이 名刺을 보는 듯 마는 듯 書類를 가지고 뒤적거리다가 自己도 엇잘 수 업섯든지 그 日人다운 矮少한 體軀를 움지겨서 圓卓 압흐로 나온 것은 한 五 分 동안이나 지난 때엿다『만일에 突然히 訪問한 것을 憤慨하면 ……』하고 念慮하엿스나 그는 조금도 그러한 氣色이 업시 質問하는 대로 잘 對答하여 주엇다 그리고 그는 滿洲에 잇는 朝鮮사람의 生活이 安定치 못한 過失、武裝團 活動의 不可하다는 것도 力說하엿지만은 나는 그의 말을 反駁하랴는 아모 말도 아니하엿다

◇ … 모든 것을 黙過하고 讓步하고 오즉 機會만 기다리든 나는 張 氏와 王 氏의 面會할 意思를 빗추어보왓다 그러나 K 君의 말한 것과 갓치 兩人이 共히 不在하다 함으로 交涉署長(外務大臣)을 말한즉 爲先 그는 要務를 물은 後 ─ 勿論 무슨 일이 잇는 것이 아니라 單純히 面會하자는 것이 目的이라는 意思로 對答하엿다 ─『中國 高官이란 容易히 面會를 許치 안는 것』『더욱이 新聞記者라면 斷然코 拒絶할 것인즉 나(船津 氏)의 紹介가 何等 効力이 업노라 아조 斷念하라』는 最後의 宣言을 바덧다

◇ … 그리고 그의 말하는 것이 決코 紹介의 勞를 廢하는 것이 아니라 도리혀 나의 努力하는 것이 哀惜하다는 態度를 確實히 看取하엿다 그러나 奈何오 交涉이 되는 데까지 進捗하야 볼 수밧게 업다 하고 何如間 紹介하야 주

기를 再三 懇請하얏다 船津 氏는 여러 가지 對答하기 괴로웟든지 『그러가지면 紹介를 하야두겟스나 面會하는 時間은 彼邊에서 回答이 잇는 대로 알녀주겟스니 旅館에 가서 기다리라』는 말이엇다

◇ … 시원치는 못하나 紹介하야준다는 데 一縷의 希望을 가지고 도라온 나는 쓸쓸한 旅窓 아래서 電話 오기만 기다렷다 午後 二時 內로 寄別하야주겟다는 것이 二時、四時가 지나도록 아모 말도 업슬 때에 나는 亂麻 갓흔 心事를 抑制할 수 업섯다 모든 計劃을 抛棄하고도 십고 電話를 하야주겟다는 總領事를 몹시 咀呪하야보왓다 그러나 某 新聞社에서는 五百 圓까지의 費用은 이 秘密協定 探索에 提供하여도 無妨하다는 氣勢를 새삼스럽게 想像하고 본즉 容易히 抛棄할 수도 업섯다

◇ … 만일 第一策이 失敗에 歸하면 第二策 第三策이라도 講究치 안으면 아니 되겟다는 決心으로 爲先 O 君을 訪問하기로 하얏다 O 君은 奉天에 居住한 것이 十六七 年、中國의 信任을 엇은 惟一한 朝鮮人이오 더욱이 奉天省 次長 王廷浩(?) 氏와는 結義兄弟 하고 親密한 交際를 하는 터이라 O 君을 通하야 秘密을 아자 하고 곳 訪問하엿다 君은 初對面이지만은 여러 가지 事情을 諒解하고 선선이 許諾하며 翌夕에 再會하자는 것이엇다 그러나 또 나는 이것으로만 滿足할 수 업섯슴으로 回程에 다시 某 新聞社 特派員인 C 君을 訪問하고 問題의 共同 探索을 請하엿다 C 君은 日人이나 이 問題에 적지 안은 興味를 가지고 百方으로 努力하엿스나 好結果를 엇지 못하엿다고 考慮 中이엇슴으로 나의 發議에 對하야 滿面喜色을 띄우고 質問하엿다

◇ … 그러면 第一로 總領事의 紹介라는 것이 回答은 업섯스나 아주 絶望할 것는 아닌 것 第二로 O 君의 努力 如何에 잇서서는 그것도 多少의 希望이 잇는 것 第三으로 生素한 奉天에서 혼자 活動하느니보다는 O 君과 共同動作을 하는 것이 매우 有利한 것 이 三者 中 何者이나 實効를 得할 수 잇거니 하

는 漠然한 希望이 多少 自己에게 慰勞가 되엇다

所謂 秘密協定을 알기까지의 苦心 (3)

　공교히 日曜日이라 日中 官公署가 모다 쉬는 터임으로 누구를 訪問하든
지 徒勞일 줄 알엇스나 總領事館에 如何한 回答이 잇는지 焦燥한 마음은
그대로 하로를 보낼 수가 업섯다 總領事의 公館(官邸)으로 멧 번이나 電話
를 하엿스나 畢竟 通話치 못하고 午後 三時 頃에 期於 公館을 訪問하야 비
로소 『交涉署長이 其 翌 月曜 午後 二時頃에 會見하자는 通知가 왓다』는 것
을 알엇다

　◇ … 已徃 紹介를 하겟다는 誠意가 잇스면 이만한 것은 電話로라도 알녀
줄 수가 잇는 것이 안인가 二日 間이나 끌면서 애를 태우게 할 必要는 어대
있나? 하는 反感도 잇섯지만은 그것보다도 無如絶望狀態에 있든 『總領事의
紹介』를 엇게 된 것이 적지 안은 歡喜이엇다 問題를 半成功이나 한 듯하엿다
그러나 나는 이것으로 滿足할 수 업섯다 交涉署長을 面會한다는 그것이 卽
問題의 解決이 아니라 日本 官憲과 갓치 亦是 極秘에 부치고 回答을 避하면
모든 希望이 烏有에 歸하고 말 것이다 그럼으로 豫定한 計劃에는 一層 더 不
斷의 注意를 하지 안을 수 업섯다

　◇ … 奉天省 次長 王廷浩 氏에게 그 秘密을 알어보자든 O 君은 約束 대
로 夕陽에 맛나보왓스나 『農業에 從事하는 사람이 그러한 政治談을 둘어 무
엇 하는가』 하고 도리혀 叱責만 當하엿다 한다 그리고 某 新聞社 特派員인 O
君[26]도 맛나보왓스나 別로 神奇한 方法이 업다 하엿다 第一、第二策이 모다

---

26 "O 君"은 "C 君"의 오식인 듯 — 편자 주.

違算이 되고 다만 한 가지 希望을 붓칠 것은 交涉署長과 直接面談뿐이다 그 밤을 지나고 其翌 午後 二時 頃까지 기다리기는 적지 안은 苦痛이엇다 時間 上으로 不過 얼마 아니 되지만은 한 時間 두 時間을 꼽어가며 기다리기에는 너무도 支離하엿다

◇ … 交涉署는 城內 小河沿 附近에 잇섯슴으로 나 잇는 旅館에서 出發한 馬車는 빨니 간다 하엿스나 近 한 時間이나 지난 午後 一時 半 頃에 겨우 到着하엿다 中國 市街이 殆히 全部가 그러하지만은 交涉署는 亦是 眞灰色이라는 것보다도 黑色에 갓가운 별놀집[27]이엇다 勿論 古風의 建物은 아니엇스나 一 官署의 出入門을 朝鮮獨立門式으로 莊嚴하게 建築하고 그 우에는 『東三省交涉署』라고 大字橫書하야 논 것이 어느 意味로 中國人의 大陸的 氣質을 象徵하는 듯하엿다

◇ … 番兵을 通하야 名刺를 傳한지 少許에 事務員 갓흔 사람에게 案內되야 二層 上 언으 좁옷한 房으로 들어간즉 年齡이 不過 二十 七八 歲 假量 되는 靑年이 流暢한 日語로 接待하야주엇다 中國人과는 길을 물어도 半벙어리 갓치 손짓을 하고 漢字를 써서 겨우 意思를 通하든 나는 日語로라도 마음대로 充分히 意思를 疏通하게 된 것이 무엇보다도 반가웟다 저러한 사람이 나의 通譯을 하게 된 것이 一種의 幸運이라고도 생각하엿다

◇ … 招鈴이 흔들니자 다시 한복판 널직한 房으로 案內된 것은 午後 二時가 조금 지난 때엇다 西洋式으로 淸雅하게 裝飾한 室內에는 安樂椅子가 二三 組나 配置되엿고 壁上에서 威嚴스럽게 내려다보고 잇는 것이 必然 張作霖 氏의 寫眞인 듯하엿다 내가 한편 椅子에 着席하자 얼마 아니하야 들어온 것이 卽 東三省 交涉署長 高淸相 氏이라 그의 丈大하고 寬厚한 容姿와 沈

---

27 "별놀집"은 "벽돌집"의 오식인 듯 — 편자 주.

重한 態度는 中國 그림에서 흔이 뵈이는 그것과 恰似하엿다

◇ … 나는 爲先 多數한 朝鮮사람이 東三省 一帶에 移住하야 中國 側의 여러 가지로 괴롬을 끼치게 된 것은 매우 未安한 일이라고 謝禮한 後 最近에 至하야 中國 側의 取締가 嚴重하야젓다는 報道가 時時로 傳하는 所以를 물엇다 ─ 勿論 맛나는 대로 곳 秘密條約의 內容 如何를 뭇고 십헛지만은 그리 하다가는 結局 龍頭蛇尾가 되고 말 듯하야 여러 가지 序論이 길어젓다 ─ 그는 絶對로 그러한 일이 업다고 否認하며 曰『朝鮮사람으로서 眞實로 朝鮮사람 行動을 하는 사람、中國에 入籍한 朝鮮사람에게 對하야는 從來와 조금도 달음 업시 힘이 밋치는 대로 極力 保護를 하는 터이오 다만 朝鮮사람이면서 日本사람의 行動을 하거나 그의 勢力을 憑藉하야 中國사람을 侮蔑하는 者를 斷然 取締하는 것은 그는 朝鮮사람이 안인 朝鮮사람이라 이것으로 말미암어 朝鮮사람에 對한 態度가 變하엿다고 보는 것은 무計가 안인가』하고 極力 辨明하는 裏面에는『日本人을 驅逐하랴닛가 自然이 朝鮮사람도 끌녀 들어간다』는 듯하엿다 話題를 轉하야 朝鮮人의 入籍問題、徵兵令이 實施될 때의 朝鮮人에 밋칠 影響(이것은 本紙 上으로 旣報하엿기 玆에 約함)과 商租權護에 對한 것을 뭇는 대로 선선히 잘 對答하여주엇다 그러나 나의 訪問한 要領은 이것이 아니다 나의 가삼에는 機會를 재촉하고 잇는 重要 問題가 躍動하고 잇섯다

所謂 秘密協定을 알기까지의 苦心 (4)

會談이 漸次 進行되매 氏는 突然히 이러케 물엇다

『君이 朝鮮사람의 資格으로 왓는가 그럿치 안으면 日本사람의 資格으로 왓는가』

『勿論 朝鮮사람의 資格으로 왔습니다』

하고 東亞日報의 精神과 그의 歷史를 說明한 後 더욱 最近 中國 全土에서 蜂起된 愛國運動에 對하여는 滿腔의 同情을 表하엿스며 中國 民衆이 一人이라도 殺害되는 것은 即 朝鮮同胞 一人의 殺害된 것과 同 程度의 憤激과 哀痛을 하엿다는 等 日人 行動을 取하지 안는 純全한 朝鮮사람이라고 辯明하엿다 그러나 氏는 다시 이러케 물엇다

『그러면 何故로 日本總領事의 紹介를 어더가지고 왔는가?』

『그것은 무슨 意味가 잇서 그리한 것이 아니라 生素한 地方에 와서 누구나 우리 新聞이 엇더한 新聞인지 내가 엇더한 사람인지 理解치 못할 것임으로 不得已 閣下와는 交際가 頻繁하리라는 日本總領事의 紹介를 어든 데 不過합니다』

하고 이어서 나의 立場을 鮮明히 하기 爲하야 여러 가지고 極力 主張하엿다

『오! 君이 그러한 사람이오』

하면서 自己가 도리여 誤解한 것을 後悔하는 듯이 새로히 나의 손을 굿게 잡엇다 이야말로 世上에서 傳하는 所謂 따뜻한 握手이엇다 中國人과 朝鮮人의 意志가 相通되는 感慨無量한 握手이엇다

『이러케 新聞記者 對 東三省 交涉署長이라는 形式을 차릴 것 업시『同志』라는 意味에서 胸襟을 열고 談話를 하자』

하는 氏의 態度는 一層 兩人의 親交를 돕는 듯하엿다 이로부터서는 말하자면 狹窄한 山間嶮路를 步行하다가 曠野의 坦坦大路를 自働車로 疾走하는 것 갓햇다 氏는 이어서 여러 가지로 質問하기를 始作하엿다『朝鮮總督府의 一般 施政、敎育 制度、産業 狀態、日本人의 移住 現狀』여러 가지를 各項에 亘하야 平素에 생각하든 그대로 對答하엿다 나는 外國人에 對하야서는 日本 社會運動者에게 이러케 朝鮮 事情을 胸襟을 열고 말한 일이 잇고 이번 氏에

게 對한 것이 처음이라고 생각하리맛치 細目에 亘하엿다 氏는『中國 處地도亦是 大同小異이다 外國人의 侵略、外國人의 壓迫이 逐日 甚酷하야 中國人의 文化的 伸張을 얼마나 阻害하고 잇는가 去番 上海事件의 一例를 擧하여도 充分하다 이것을 除去하랴는 正義의 絶叫가 全國에 亘하엿든 것이 아닌가』하며 被壓迫民族의 一般運動을 力說한 後 다시 말을 이어서

『나는 迷信的 運命論者가 아니나 國家에도 一種의 運命에 支配되는 것을볼 수가 잇다 佛蘭西의 革命、獨逸의 革命、露西亞의 革命 모든 것이 被壓迫階級의 反抗運動에 基因치 안은 것이 업다 엇던 君主 엇던 階級이 傍若無人하게 專恣專橫일 때에 누라서 그 君主 그 階級에게 그만한 迫害가 加할 줄이야 알엇슬리오만은 그의 運命에는 屈伏치 안을 수 업섯든 것이다 日本도 中國이나 朝鮮에 對하야는 優越視하고 모든 文化를 崇拜할 때에 今日의 日本이 잇슬 줄이야 누가 알엇스며 今日의 中國과 朝鮮이 이러한 處地에 잇지만은 언제나 日本에 屈伏치 안으면 아니 되리라는 理法이 어대 잇스리오 오즉運命은 不測의 變化를 일으키는 것이라고 確信한다』

모든 것을 運命 二 字에 歸結시키고마나 氏의 말하는 中에는 意味伸張한一種의 政治哲學이 깁히 胚胎된 것을 알 수 잇섯다 談話가 深刻하야지는 데딸하서 室內는 더욱 和氣가 靄靄한 듯하엿다

◇ … 넘어도 世間에서 秘密이니 무엇이니 하고 떠들어노흔 문제라『秘密協定』이란 말을 할 때에는 엇전지 속에서 무엇이 잡어댕기는 것 갓고 語尾가 分明치 못하게 艱辛히 물엇다 그러나 案外에 氏는 快然히 말하엿다 日本總領事로부터 再三 交涉이 잇섯스나 結局 不調에 歸하고 만 것 下崗 政務總監이 來奉[28]하야 여러 가지로 折衝하랴 한 것 東三省으로서 責任을 回避하

---

28 "奉": 봉천(奉天) - 편자 주.

기 爲하야 一 警務局長으로 하야금 三矢와 協定케 한 것 適用될 範圍가 極히 局限한 것 等(秘密協定의 內容은 即時 本紙 上에 發表하엿스나 當局의 忌諱하는 바 되여 發賣禁止를 當하엿슴으로 玆에도 略함)을 著著히 말하엿다

　　◇ … 그리고 『根本精神이 朝鮮사람과 殆히 갓흔 處地에 잇는 中國人으로서 無端히 朝鮮사람의 行動을 抑壓치 안을 것이다』 하고 附言하엿다 이만하면 나는 모든 것을 理解할 수 잇섯다 中國의 現在 國際的 地位와 氏의 不得已한 情勢는 도히려 同情할 만하엿다 十數 日 間이나 마음을 태우든 問題가 이러케 容易히 解決된 것도 意外의 感이 잇섯지만은 中國사람과 이다지 間隔 업시 會談하게 된 것이 무엇보다도 歡喜를 늣겻다 다시 握手를 交하고 그 意味 깁흔 座席을 떠난 것은 四時 半、實로 二 時間 餘의 長 會見이엇다

―『東亞日報』, 1925년 8월 30일~9월 21일, 15회 연재

燕京郊外雜觀

― 東洋史上에 稀有한 南口戰蹟

柳絮

　　陽曆으로 十一月 下旬 어떤 날 나는 山翁을 딸아 土地 形便 視察을 爲主하고 兼하여 南口 戰蹟 구경을 하기로 하고 北京 城外로 떠낫다。첫날의 行程은 北京城에서 西으로 二十五 里 假量 나아가서 다시 城의 北으로 돌아오기를 預定하엿다。西直門에서 우리는 人力車를 타고 萬壽山으로 가는 自動車 길을 向하여 十五 里쯤 나왔다。이곳은 海甸이라는 곳이다。여기는 얼마 전까지

살림하고
잇는 同胞

　　四五 집이 살아왔다。지금은 한 집박게 업다。이 한 집은 여긔서 農事하는 집이다。農事하는 이에게 말을 들으면 海甸에 좋은 땅 一 畝(一六六 坪)에는 中國 大洋 三十 元 假量(至今 市價에 依하여 金貨로 三十六 元 假量)을 주면 살 쑤 잇다고 한다。그러나 바로 海甸 附近에는 昨年에 燕京大學이 新校舍로 海甸에 遷移하게 되매 海甸의 地價는 그로 因하여 노파지엇다고 한

다。 우리는 海甸이라는 小 市街地를 經過하여 당나귀를 어더 타고 八 里를
西으로 더 나아가

萬壽山 녑
玉泉山 샘

　으로부터 내리어오는 淸河 물줄기를 따라 가면서 맑은 물이 내리어오는
시내ㅅ가에 經營하는 居生地를 어더 보자는 것이다。 다시 人力車를 타고 海
甸서 西北으로 十 里 박 萬壽山 뒤 紅山口라는 곳에 天主敎 修道院을 구경하
게 되엇다。 山翁은 몃 해 전에 이곳에 구경을 왓섯으나 나는 이번이 처음이
다。 몇 날 전에 일쪽이 山翁이 또 다시 修道院 구경을 왓섯으나 이번 戰爭 時
에 奉天軍의 露國 白黨 軍人이 該 院에 침입하여 搗亂을 한 故로 문직이는
閑人의 遊覽을 不許함으로 돌아가고 말앗다。 山翁은 修道院 山坡 우에 果樹
와 葡萄 栽培의 成績이 如何함을 알기 위하여 期於코 구경을 하려고 北京 城
內에서 天主敎 神父의 紹介를 어더가지고 왓다。 그리하여 오늘은 공걸음이
되지 안핫다。 山頂에는 夏期에 各處 神父들이 避暑하러 오는 修道院 집 二層
百餘 間의 大舍가 잇고 山下에는 今年부터 始作한 天主敎 師範學校가 잇다。
校舍는 亦是 二層으로 百餘 間이나 되는데 아직 峻工은 되지 못하엿다。 學
生은 아직 四十 名 假量이라고 한다。 이 修道院의 基址는 산 우 아레 다 처서
周圍 四 里나 될 듯하다。 먼저 山 우으로 올라가서

蓄水池와
葡萄田을

　구경하엿다。 山 우에 만든 蓄水池는 아마 葡萄를 가조 심을 적에 물을 주

노라고 만든 모양이다. 山 아래 校舍로 내려와서 修道院을 管理하는 佛蘭西 사람 主敎를 만나서 얼마 동안 談話가 잇섯다. 主敎는 中國에 온 지 四十 年 이나 되는 그 中國에서 늙은 老人인데 漢語는 물론 中國人과 가티 잘 한다. 山翁은 主敎를 몃 해 전에 구경 왓슬 적에 만나 본 故로 서로 面目이 잇다. 山翁은 흙이 아주 엷게 부터잇는 바위산에 바위돌을 파고 흙을 모아노코 그 우에 葡萄를 심은 것이 잘될까 疑問이 되어 主敎에게 물엇다. 그의 말은 葡萄는 땅이 乾燥할쑤록 잘된다 한다. 그러나 처음 葡萄를 심을 적에는 물을 주어 葡萄를 살게 만든 후 그 후에는 도모지 물을 주지 안 해야 된다고 한 다. 그리하여 山翁은 또 물엇다. 『米國 칼리포니아에서는 葡萄 農作 할 적 에는 물을 灌漑하는데 이곳은 어찌하여 도모지 물을 주지 안는가?』하니 主 敎의 대답은 『佛國서는 葡萄 農作에 물 주는 法은 업다고 한다. 그리고 不過 百 畝(一六六〇 坪)도 못 되는 葡萄밭에서 今年에는 열 항아리의 葡萄酒를 만들엇다고 한다. 이 修道院은 本是 경치가 그리 조흔 곳은 아니다. 그러나 산을 끼고 人工을 만히 그 우에 加하여 그래도 볼만하다. 山 우에 올라서니 아프로 멀리

北京城이
아득하게

뵈이며 여프로 萬壽山이 안고 뒤에는 昌平縣 들이 뇌어 前後의 大野가 벌 어지엇다. 그리고 昌平 들 끄트로는 또 秦山 峻嶺이 橫臥하엿다. 當日로 北 京에 다시 돌아왓다.

이튿날은 南口 視察을 하려고 다시 西直門으로 向하여 나아갔다. 西直 門 車站(停車場)에 到着하니 九時가 지났다. 九時에 떠난다는 汽車는 近 十

時가 되어도 消息이 업다. 戰爭으로 因하여 조흔 機關車는 다 軍用車에 쓰고 낡은 것을 客車에 쓰는 緣故다. 열時가 휠신 지난 다음에야 車는 到着하엿다. 大洋 一 元 五 角을 주고 南口로 가는 車票 두 장을 삿다. 이것도 戰爭 前에는 한 장에 六 角이던 것이 이번 큰 戰爭 後에 南口까지 가는 대로 一 角 五 分이나 올랏다. 南口는 北京서 九十 里 박 다섯 번째 停車場인데 京綏線에서는 큰 車站으로 치는 곳이다 山翁은 몃 해 전에 京綏線을 타고 南口를 지나간 일이 잇섯다 하나 나는 이번이 처음이다. 南口까지 普通 때에는 한 時間 좀 남짓하면 간다. 그러나 지금은 두시가 넘어야 到着한다. 車는 떠낫다. 淸華學校가 잇는 淸華를 지나고 또 淸河를 지나면 沙河車站이다. 沙河는 奉天軍이 南口를 攻擊할 적에 後防 戰線을 삼은 故로 奉天軍의 戰壕가 아직도 羅列하여잇다. 至今도 奉天軍이 이곳에 駐在하는데 營副라는 벼슬로 잇는 李 某 朝鮮同胞가 暫時로 와잇다는 말을 들엇다. 이곳서 十二 里를 東으로 가면

九龍口라
이르는 곳

이 잇다. 그곳엔 조흔 샘(泉)이 벌판에 동도롯하게 솟은 적은 산으로부터 솟아 나온다. 그리하여 四五 十 年 前에 어떤 중이 그곳에다가 절을 지엇는데 아직도 절이 그대로 잇다. 九龍口의 샘물은 水量이 커서 그것을 利用하면 벌판의 밭을 논으로도 만들 수 잇을 것 같다. 그 곳의 土價는 一 畝에 二三十 元 假量이다 한다. 우리는 몃 날 전에 한 번 그곳을 갓던 일이 잇다. 車는 昌平縣이라는 곳을 지나 近 十二時 半에야 南口車站에 到着하엿다. 車站은 南口城의 正面으로 뇌여잇고 後面에는 疊疊 秦山 峻嶺이 가로 南口라는

山口로 박게는 北으로 들어갈 쑤가 업게 되엇다. 그리하여 車도 南口로 들어간다. 軍事 上 中國의 險要地를 論하면 自古로부터 山海關 雁門關 武勝關 居庸關 等을 친다. 그런데 南口는 即 居庸關의 아페 뇌엇다. 北京을 退出한 西北軍(馮玉祥軍)은 西北을 지키기 爲하여 南口를 死守하지 안흘 쑤 업섯다. 停車場에 내리어서 巡査에게 戰蹟의 位置를 물어 안 후에 바로 車站 여페 잇는 南口飯店 東에

가장 重要한
防線인

南口 正面의 戰壕를 구경하게 되엇다. 여긔는 最後 防線인 모양이다. 그러나 一 防線 內에도 前 中 後의 三 道 戰壕를 每 十五 步쯤 間隔을 두고 팟다. 最終線 뒤에는 군인의 留宿處를 半地下室로 만들어 노코 그 아페는 指揮官의 督戰處인지 戰壕 뒤로 一 間式 드문드문 오목하게 파노핫다. 南口는 돌이 흔한 곳이라 또는 비가 와도 문어지지 안케 하기 爲하여 戰壕를 모도 돌로 싸핫는데 그 기피는 一 丈 半이나 되고 어떤 곳은 近 二 丈도 된다. 地勢를 따라 長短은 不同한데 긴 것은 몃 里式 되는 것도 잇다. 戰壕 內에는 모도 軍用電話를 걸어노코 電話로 指揮하엿다고 한다. 只今은 戰壕만 남고 모든 設備는 奉軍이 占領하자 다 折去하여 간 故로 다만 그 設備의 大略을 破壞된 物件 부스러기가 허타지어잇는 것을 보고 짐작할 뿐이다. 그리고 戰壕 아페는 電氣淘을 늘어노핫섯다. 중요한 戰壕와 留病處는 모도 『씨멘트』로 거틀 발랏섯다. 그리고 戰壕의 所用되는 基棟 가튼 것은 모도 鐵路軌를 첫는데 지금은 다 鐵道局에서 파가서 볼 쑤가 업다. 奉軍이 이렇게 堅固한 防線 아프로 總攻擊을 내릴 때는 國民軍 一 名이 奉軍 三十二 名까지 抵禦하엿다는

말이 잇다. 그러면 奉軍의 死傷數가 얼마나 하엿던 것을 짐작할 수가 잇다. 南口 車站서 八 里를 東으로 가면

虎峪村이
라는 곳이

잇다. 그 꽃[01]은 山翁이 일쪽이 土地를 視察하던 中 景致가 매우 秀麗하고 맑은 물이 흘러 가장 맘을 둔 곳이다. 그리하여 이번 걸음도 실상은 戰地 視察이 目的이 아니고 虎峪村을 한 번 더 살피어보자는 것이다. 그리하여 발을 옴기어 虎峪村으로 向하엿다. 車站에서 該 村을 가는 이 地帶는 또한 戰爭이 其中 激烈하게 되엇던 곳이다. 우리는 여긔를 지내면서 戰壕에 아직도 남아 잇는 불 달아서 놋는 舊式 大砲 두 개를 보앗다. 이것은 國民軍이 버리고 간 것이겟다. 本을 國民軍 측에서는 軍械가 缺乏이엿던 것은 事實이다. 推測하면 이따위 大砲나마 示威 格으로 썻던 것이 事實이엇겟다. 나는 길여페는 여러 가지 모양으로 深長한 戰壕를 車站 여페 것과 같이 堅固하게 잇다. 우리는 그 여플 지나면 武器 파러 다니는 아이에게서 露國式 步兵銃 刺刀를 동전 몃 닙을 주고 삿다. 아마 이것도 國民軍의 것이엇겟다. 또 어떠한 戰壕를 가보니 그 안엔 찌저진 聖經(新約全書)이 잇고 또 數업는 彈丸 각지가 널리어 잇다. 이것은 틀림업시 讚頌歌를 軍歌로 부르며 兵營 안에서도 禮拜를 보는 基督軍이라 稱號를 듯는 西北軍의 棄物이 分明하다.

傳言을 들으면 이번 南口 防備에 國民軍(西北軍)이 戰壕 等 設備에 쓴 돈이 二百五十萬 元이나 된다고 한다. 戰後에 北京 外交團이 戰蹟을 視察한

---

01 "꽃"은 "곳"의 오식 - 편자 주.

후 南口의 防禦는 歐羅巴大戰의 防禦線보담도 지지 안는다고 稱讚하고

國民軍의
偉大 工程

에 嘆服하엿다고 한다. 四 個月 동안이나 奉聯軍과 國民軍은 南口에서 相持하여왓느나 國民軍의 戰壕가 하도 堅固함으로 因하여 無數한 奉軍의 死傷을 내이고 國民軍 側에서는 戰壕 內에서 防禦만 한 故로 그리 甚하게는 죽지 안핫다 한다. 精確한 死傷人數는 雙方이 다 숨김으로 알 쑤가 업고 奉聯軍 側에서는 거진 三 師團이나 죽은 모양이다. 南口의 防禦線의 堅固는 中國의 自古 以來 戰爭의 가장 偉大한 工程으로 볼 쑤가 잇다. 日人의 말을 依하면 日露戰役 時에 露國人의 旅順防線도 南口만침은 堅固하지 못하엿다고 한다. 또 傳言을 들으면 南口戰線을 奉軍의 힘으로 破壞하다 못하여 戰爭은 점점 奉軍에 不利하여감으로 某國은 그 背後에서 精利로운 大砲를 만히 供給하여주어서 畢竟에 國民軍이 退하지 안흘 쑤 업는 砲彈의 威脅을 바닷다고 한다. 奉軍은 처음에 過去의 戰爭과 같이 步兵을 先鋒으로 하고 其後에 砲兵이 擁護하고 나아가는 方略을 쓰다가 戰壕 內에서

發射하는
機關銃丸

에 올 數업시 죽음으로 할 쑤 업시 砲兵이 先鋒으로 遠距離에서 大砲로 戰壕를 破壞하면서 步兵은 뒤에 잇다가 아프로 突衝하엿다고 한다. 우리는 어느듯 虎峪村에 到着하엿다.

虎峪村은 戰爭의 要塞뿐만 아니라 매우 아름다운 景槪를 가진 곳이다.

村 뒤는 虎峪이라는 골작이로부터 맑은 시내가 흘러내리어오며 虎峪의 山頂은 바위가 異常이게 吃立하여 뒤으로 景致를 매우 도아준다. 虎峪村은 산을 등지고 시내를 끼고 안잣다. 아페는 左右로 二 個 小山이 이어잇어 그두 산 사이로 아페 들은 환하게 내다 뵈인다. 村의 前面과 左右에는 감나무로 果園을 일우엇다. 村의 戶數는 一百八十 戶나 된다. 土地는 比較的 다른 곳보다 매우 薄한 모양이다. 그 곳에 잇는 어떠한 地主와 地價를 물어보매 三十 畝(四九八〇 坪) 周圍 되는 果園에 三百 株 감나무를 包含하고 其外의 七十 畝의 薄한 땅까지 합하여 平均

一 畝에 三

十五 元式

달라고 한다. 그러나 이 곳 地價에 依하여 公正한 금세를 내린다면 감나무가 잇스니까 二十 元 假量은 갈 것이다. 地主의 말에 依하면 三百 株 감나무에서 작년에 거둔 감이 二萬 七千 斤이라고 云云한다. 그러나 감이라는 것은 中國에 너무 흔하여 賤히 여긴다. 그리하여 주먹만큼 한 큰 감 한 개에 이곳에서는 동전 두 닙박게 아니한다. 두 닙이라야 大洋으로 算하면 半 分强이다. 한 근에 一 分式 치고 都賣하면 三萬 七千 斤이라야 不過 二百七十 元박게 안 된다. 그리하여 三百 株 감나무라야 그리 갑가는 것은 못 된다.

虎峪村엔 虎峪으로부터 내리어오는 시내물이 村 東便으로 흘러가며 또 샘물은 동리 가운대로 내리어간다. 아마 이 물이 업섯다면 薄하고 노픈 地帶에 동리가 생겻을 것이 疑問이겟다. 동리 가운대는 절깐 한 개가 잇고 동리 뒤에도 적으마한 산봉우리 우에 사람이 居處 못할 만한 작은 절이 잇다. 이 절들은 다 동리에서 세운 것이다.

이 村은 이

번 戰爭에

其中 단련을 바든 곳이다. 今年에는 戰爭 때문에 도모지 農作을 못하고 땅을 거저 묵이엇다. 于珍이가 領率한 奉軍은 이 村을 빼앗으려고 全力을 다하여 이 村의 防線을 攻擊하엿다. 그리하여 無辜한 農民도 流彈에 만히 죽엇다 — 이 곳 農民들의 말을 들으면 國民軍은 이 곳 잇다가 退할 적에 百姓의 호미자루 한 개 가지어 간 바이 업스나 奉軍은 이 곳을 占領할 때에 말·당나귀·農具 等을 말끔 强奪하여 가고 甚至於 婦女까지 强姦하엿다고 한다. 本是 掠奪 强姦은 退敗하는 軍士의 不法行動이다. 그러나 奉軍은 돌이어 凱旋한 남아에 더하엿다. 그리하여 一般 백성의 心理를 살피어 보면 國民軍 側으로 아주 傾向하는 것이 환히 뵈인다.

어떠한 時期에 어떠한 戰爭이든지 民衆에게 實際로 利益을 주어본 적은 적다. 더구나 中國의 內戰은 불상한 民衆의 運命을 재촉한다. 이 얼 마나 慘酷한 일이냐? 어찌 軍閥이 民衆을 구하여주려니 미드랴마는 그래도 아직은 다만 西北을 向하여 그들의 勝利를 빌 뿐이다.

一九二六、十二、十一

— 『東光』, 第11號, 1927년 3월

廣州를 떠나면서

柳子明

一

廣東은 中國革命의 策源地라고 할 수 잇다 乙未 秋의 義擧가 이곳에서 일어낫스며 辛亥 三月 廿九日에 兩廣督署를 襲擊하고 七十二 人의 犧牲을 낸 것이 이곳이며 孫逸仙이 六 年 間 護法運動에 세 번 넘어젓다가 세 번을 일어난 것이 이곳이며 北伐軍의 主力部隊를 養成한 것이 이곳이며 第三國際黨의 亞洲政策 根據地가 이곳이엇다

내가 이곳에 오기는 이번이 세 번째이다 첫 번은 一九二二年 겨울이니 陳炯明이 孫逸仙을 몰아내고 廣州를 占領하고 잇슬 때이엇다 둘재 번은 昨年 二月로부터 五月까지엇고 세 번째는 昨年 十二月부터 지금까지이다 첫 번에는 舊 軍閥의 威儀를 보앗다 不安과 恐怖는 全城을 支配하고 市面은 極히 蕭條零星하엿섯다 東敎塲에서 銃殺하는 光景을 目睹한 것도 그때가 처음이엇섯다 둘째 번에는 革命의 空氣가 充滿한 것을 보앗다 左右 派의 暗鬪가 非常하엿다고 하지마는 革命的 空氣는 廣州 全市를 支配하엿섯다 세 번째는 革命進行 中의 그 內部의 反動勢力이 어떠한 것인가를 보앗다 實로 敵人이라도 못할 만한 일을 敢行하는 것을 보앗다

二、廿七日의 各界大會

四月 十五日 事件 — CP分子逮捕事件 — 은 武昌 勢力 範圍 以外의 地域에서는 全般的으로 일어난 일이다 그래서 이것을 國民黨의 淸黨運動이라고 한다

四月 十八日에는 南京에서 國民政府가 다시 하나 成立되엇다 政府를 南京으로 옴기자는 問題는 革命軍이 南京을 占領하던 當時부터 떠들어오든 것이니 中央政府를 武昌에 두고서는 蔣介石一派가 政權을 支配할 수 업고 더욱이 蔣介石의 軍權이 節制되는 까닭이다 이것이 成立되는 同時에 武昌을 否認하고 南京을 擁護하는 運動이 各處에서 일어낫다

그래서 廣州에서는 同 二十七日 正午에 東敎場에서 廣東 各界가 國民黨의 淸黨運動을 擁護하고 國民政府가 南京으로 옴긴 것을 祝賀하는 大會를 擧行하얏다 農工、商 學 軍 各界를 合하야 參加한 團體가 百餘요 群衆이 數萬이라고 한다 速射砲를 裝置한 自動車로 示威하고 群衆이 『打倒共産黨』 — 여러가지 罪名을 부처서 — 의 口號를 부르면서 街路로 巡行하얏다 新聞紙를 보면 上海에서도 이런 大會가 잇섯고 福州에서도 잇섯고 南京에서도 잇섯다 한다

中國의 革命이 아프로 나아갈지 뒤로 물러설지는 目下의 重大한 硏究問題이다

三、黃花岡行

廣州에 와본 사람은 반듯이 黃花岡을 가보아야 한다 黃花岡은 辛亥 二月二十九日에 兩廣督署를 襲擊하다가 犧牲된 七十二烈士의 墓所이다 廣州市에서 東北으로 나서서 約 四 里 — 朝鮮 里程으로 — 쯤 되는 山麓에 東南으로 向하고 노혓스니 十萬 圓의 經費로 修築하얏다 하며 廣州의 一 個 公園처럼 되어서 琪花瑤草가 四季에 가득하고 觀覽人이 날마다 끄치지 안흐며 每

年 三月 二十九日이면 廣州의 市民 全體가 끌어나가서 公祭를 지낸다

廣州를 떠나기 前에 特히 黃花岡을 다시 한 번 들리어가랴고 마음을 먹엇던 것이나 총총하야 바로 떠나게 된 것이 섬섬하던 차에 마츰 배가 하루를 물려서 떠난다 함으로 이날 ― 四月 二十八日 ― 은 黃花岡에 가기로 하얏다 五 人이 作伴하야 午後 一時에 中山大學 後門을 나서서 街路를 東으로 向하고 가다가 東敎場에서 東北으로 뚤린 大路를 나서니 이것이 黃花岡으로 通한 길이다 市街를 버서나자 바로 山麓의 黃土길이다 自動車 馬車가 通할 만한 大路이다 兩側에는 榕樹 ― 가지 우에서 뿌리가 도다서 나려오는 常綠潤葉樹 ― 를 심어서 四時에 그늘을 이루엇고 日氣는 晴朗한데 氣溫은 華氏 七十 六七 度나 되어서 등이 훅근거리고 이마에 땀이 흐른다 北邙山의 許多한 無名塚을 보면서 宏壯한 美術品인 花岡石의 墓道門을 뚤코 들어가서 『세멘트』길을 數百 步 지나니 墓所路가 나온다

左便에는 『碧血黃花』『自由之魂』『自由不死』『此心壯志』『崇拜英雄』『雖死猶生』 等의 글자를 삭인 碑石이 參差하게 늘어서잇고 여긔저긔에 四時의 大砲 砲身이 노히어서 當時의 일을 追憶하게 하며 左右에는 琪花瑤草가 가득하고 熱帶種 亞熱帶種의 各種 樹木이 욱어저잇다 그 속 한복판에 約 五十 尺 平方의 石圍에 鐵欄을 둘은 그 안이 무덤이다 七十二 個의 義骨을 合葬한 곳으로 全面을 『세멘트』로 바르고 한가운데 四角錐形의 三 四 丈 되는 碑石을 세우고 『七十二烈士之墓』라고 삭엿스며 碑閣은 그 네 귀에 石柱를 세우고 그 우에는 鐘을 업허노흔 形象을 만들어노핫스니 이것은 잠든 民衆을 깨우는 『警世鐘』을 意味한 것인 듯하다 무덤 뒤에는 華岡石의 門樓를 세우고 그 우에는 七十二 塊의 靑石을 고여노핫스니 낫낫이 金字로 삭엿스며 또 그 우에는 女性이 올은 손에 놉게 불을 들고 잇는 것을 石像으로 만들어 세웟고 石樓 正面에는 孫文 敎題의 『浩氣長存』四 字가 두렷이 삭여잇다 七十二烈

土墓를 비롯하야 그 前面과 左右와 밋 그 附近에 革命에 獻身한 數多한 義士들의 무덤이 잇고 戰爭에 죽은 兵卒의 數萬 數十萬의 무덤이 附近에 잇다 이곳에 올 때마다 이 사람들의 生前을 追憶하게 되며 이 사람들의 뿌려노흔 피의 길을 밟어나아가는 中國의 歷史的 進行을 다시 한 번 살피어보게 된다

約 一 時間 쯤 지나서 다시 白雲山으로 向하게 되엇다 여긔서 左便으로 좁은 山길을 뚤코 조고만 山등을 넘어서 들어가니 兩三 家의 山村이 잇고 山村을 지나니 돌 사이로 흘러 나리는 谿水가 잇다 이 물을 딸아 나가니 山 미테 一 座 寺院이 잇스니 이것은 老子의 道院이라 다친 門이 白日에 고요할 뿐이다 俗外의 人을 놀라게 할 것이 업시 道院 뒤로 돌아 나서서 다시 谷澗에 이르러 발을 씻고 內衣와 手巾을 빨어서 太陽에 쪼인 岩石 우에 널어 말리며 或은 노래도 부르고 或은 오래동안 그리워하던 水山의 滋味도 이야기하다가 그래도 興이 다 풀리지 아니하야서 다시 山길로 올라서 能仁寺로 向하니 이것은 白雲山 中허리 洞谷 속에 잇는 절로 黃花岡으로부터 約 五 厘의 거리가 된다 들어가는 洞口에 石門이 잇스니 그 裡面에는 『佛境』이라 橫스하얏고 그 裡面에는 『回頭是岸』이라고 삭여잇스며 여긔에서 數十 步를 들어가서 『海袖』라고 삭인 小門을 들어가니 正門에 『能仁寺』라고 가로 삭여잇다 寺刹의 內外를 觀覽한 뒤에 主僧의 引導로 客室에 들어가니 茶菓를 내어놋는다 半 時間을 쉬인 뒤에 절을 나서서 東山 寓所에 돌아오니 日暮하다

四、黃浦[01]精神

中國國民黨이 北伐을 시작한 뒤로 革命軍은 一瀉千里로 江南 各地까지 乘

---

01 "浦"는 "埔"의 오식. 이 글에 나오는 "黃浦"는 전부 "黃埔"의 오식 - 편자 주.

勝長驅하고 江南 各地에 靑天白日旗가 헛날리며 到處에 民衆은 歡呼하게 된 것은 北伐軍의 『黃浦精神』을 發揮한 것이라고 한다

黃浦軍官學校는 一九二四年 一月에 國民黨第一次代表大會에서 『黨立陸軍軍官學校를 創設하자』는 決議案이 잇슨 後에 이 決議案에 根據하여 廖仲愷와 蔣介石으로 하야금 籌備하게 하야 同年 五月 五日에 五百 名의 新入生을 들인 뒤 六月 十六日에 正式으로 開學한 것이다 開學日에 孫逸仙이 親身으로 式에 臨하야 訓話한 中에는 알에와 가튼 말이 잇다

우리가 오늘이 學校를 開始하는 것은 무슨 希望이 잇는 것인가? 곳 今日로부터 革命事業을 새로 創造하랴고 하는 것이다 이 學校의 學生으로써 根本을 삼어서 革命軍을 成立하랴고 하는 것이다 이 學校의 學生으로써 根本을 삼어서 革命軍을 成立하랴는 것이다 여러분 學生은 곳 將來 革命軍의 骨幹이다 …… 中國에 十三 年 以來로 革命軍이라고 할 만한 軍隊는 업섯다고 말할 수 잇다 現在 廣東에 우리 革命黨과 가티 奮鬪하는 軍隊가 本來 적지 안타 그러나 나는 敢히 彼等을 革命軍이라고 말하지 못하겟다 …… 彼等은 得志하기 前에는 모다 와서 革命을 하랴고 한다 …… 그러나 뒤에 조금 得志하게 되면 문득 服從하야오던 모든 革命主義를 九霄云外에 집어던저버리고 一切 생각도 안느다

革命政府 미테서 가티 잇는 軍隊가 利害가 갓지 안흠으로 마츰내 倒戈相向하야 敵人이라도 하지 못할 일을 한다 …… 내가 오늘 諸君의 成敗를 맛당히 一場大夢을 삼어서 一切 回顧할 것이 업시 今日로부터 다시 革命의 基礎를 創造하야써 따로 一種 理想의 革命軍을 成立하랴고 하는 것이다 中國 現在의 軍人을 兩 派로 分할 수 잇스니 一派는 革命黨의 軍人이니 이 派의 軍人은 입으로는 革命을 贊成하나 行動은 모다 反革命이다 所謂 口是心非라는 것이오 一派는 革命黨 外에 잇는 軍人이다 …… 이제 이 學校에 五百 名이 잇

스니 諸君의 이러한 조흔 本質로 만일 참으로 革命의 志氣가 잇다면 다만 이 五百 人이 五百 柄의 銃만 가지고 다로 큰 革命事業을 한 가지 할 수 잇다 우리 革命黨은 한 사람으로써 百 사람을 접을 것을 主張한다 …… 우리는 이제야 여긔서 이 軍官學校를 시작하지마는 北方의 軍閥官僚들은 벌서부터 保定軍官學校 北京陸軍大學을 經營한 것이다 우리의 이 學校가 處한 바 여러 가지 地位가 彼等에 比하야서 差가 크니 만일 物質 方面으로 比較한다면 彼等은 『陸官發財』를 爲함이 아니면 『吃飯穿衣』를 爲하는 것뿐이다 …… 이 五百人으로써 基礎를 삼어서 우리 理想 上의 革命軍을 만들라고 한다 이 理想 上의 革命軍이얏스면 우리의 革命은 문득 크게 成功할 수가 잇다 ― 나의 一生 革命이 곳 이 責任을 負擔한 것이라 諸君이 모다 이 學校에 와서 求學하게 되엇스니 내가 諸君에게 要求하는 것은 今日로부터 이 責任을 共同 負擔하자는 것이다

이 訓話 中에서 『黃浦精神』을 차저서 알 수 잇다 그러나 이것을 다시 簡單히 要約하면 죽기를 무서워 안코 돈을 사랑하지 안코 人夫를 끌지도 안코 民家에 들지 안코 하나로써 百을 對敵하는 精神이다(不怕死 不愛錢 不拉夫 不籌餉 不住民房 以一敵百的精神)!

一九二五年 三月 十二日 北京에서 永眠한 老 革命家는 殞命 前에 黃浦軍이 東江에서 陳炯明軍을 殲滅하얏다는 消息을 들은 後에 微笑 裡에서 逝世하얏다고 한다

그러고 同年 六月 十二日에는 楊希閔 劉震寰 軍을 廣州에서 몰아내고 同年 十月에는 다시 東征을 시작하야 天險地로 有名한 惠州를 陷落식혓섯다

昨年 三月에 『黨立陸軍軍官學校』를 『國民革命軍中央軍事政治學校』로 改組하고 昨年 九月에 第四回 卒業生이 낫스며 黃浦의 卒業生이 北伐軍의 骨幹이오 基礎인 것은 事實이다

黃浦는 廣州市에서 汽船으로 約 三 時間이면 到達되는 長洲에 잇는 廣東의 一 要塞地로 長洲要塞司令部와 砲臺가 여긔 잇다

五 廣東의 氣候風土

『四時皆夏 雨則春秋』라는 말은 廣東의 氣候를 가장 簡單한 말로 要約 說明한 것이다 한겨울에도 『모기帳』이 업시는 잠을 잘 수가 업다 그러나 비가 오면 朝鮮 中部地方의 느즌 가을 이른 봄의 치위만이나 하다 四時에 풀 말은 때가 업고 꼿 아니 필 때가 업다 朝鮮사람다려 말하라면 『菊花는 九月 찬바람에 핀다』고 할 것이다 그러나 이곳에는 菊花가 봄에도 피고、여름에도 피고 겨울에도 핀다 王維의 詩에 『人間桂花落 夜靜春山空』이라는 句를 가지고 『桂花는 봄에 피는 것이 아니오 가을에 피는 것이라』하야 文藝家들의 서로 다투는 文字를 年前에 上海에서 보앗다 上海地方에서는 桂花가 普通으로 가을에 핀다 그러나 이곳에 와보면 桂花가 봄에도 핀다

廣東에는 無窮花가 만타 朝鮮사람이 許多한 꼿 中에도 特히 無窮花를 사랑하는 것은 무슨 까닭인지 모르겟다 傳說에 依하면 예전에 朝鮮에 無窮花가 만헛슴으로 朝鮮을 槿城이라 하고 딸아서 無窮花를 國花로 한 것이라고 한다 그러면 예전에 그렇케 만헛든 槿花가 지금은 엇지 그리 稀少한가? 桃李花나 杏花 梨花보다도 훨석 적지 안흔가? 自然淘汰의 法則에 依하야 차차 업서진 것이나 아닌가? 또 中國人들은 槿花를 一種의 떨어지기 쉬운 것으로 離散되기 쉬운 世情에 比한 것은 唐人詩句에도 잇는 것인데 엇지 朝鮮사람은 이것에다가 『無窮』이라는 것을 부첫는지! 六七 月부터 始作하야 서리 오면 못 피기는 一般이 아닌가!

그런데 廣東에 잇는 槿花는 眞正한 意味의 無窮花다 單葉 千葉의 眞紅 紫

色 淡紅 여러 가지가 잇고 花形도 寄[02]異한 것이 잇스나 普通으로 만히 잇는 것은 眞紅色 單葉 大形의 것이다 春夏秋冬 四季에 하로도 끈칠 새 없이 꼿이 피는 것임으로 數十 年 數百 年 乃至 數千 年이라도 나무의 壽命이 자라는 때까지는 꼿이 無窮히 繼續할 것이다 此地에서 가장 사랑하고 만히 심으는 翫賞植物 中의 하나이오 이와 가티 繼續하야 피는 꼿은 此地에서도 달리는 업는 것 갓다 이곳 사람들은 이것을 『西藏紅花』라고 한다 모르는 사람이 처음 보면 朝鮮에 잇는 無窮花와는 全然 別種의 것이라고 할는지 모르나 植物學 上으로 보아서 同種 中의 一 變種인 것은 疑心 업다 그러면 朝鮮에 잇는 無窮花가 古時에 或 西域에서나 南方에서 輸入된 것이 아닌가 하는 생각이 잇는 日本語의 槿을 『무구게』라고 하는 것은 朝鮮의 『무궁화』라는 것과 同意味의 近似한 音이다 그러나 이것은 더 穿鑿하잘 것이 업다

　廣東의 山野는 참으로 아름다웁다 四時에 生命이 가득히 찻다 柑橘 橙 芭蕉 荔枝 龍眼 橄欖 檳榔 椰樹 棕櫚 有加利 相思樹 合歡樹 木蘭類 竹類 아까시아 木瓜 樟 等의 熱帶種 及 亞熱帶種의 植物이 곳곳마다 욱어졋고 바테는 겨울에도 상추 쑥갓 甘藍 白菜가 가득하게 자란다

　廣州의 市街는 南面과 東面이 길게 珠江에 臨하얏스니 가장 繁華한 곳이 南으로 珠江에 臨한 『長堤』 一帶이다 廣東 一省의 人口가 三千萬이니 朝鮮 全人口의 一倍 半에 相當하고 廣州의 人口가 八十萬이니 朝鮮 京城의 約 四倍에 相當하다 그런데 珠江 水上에서 生活하는 人口가 廣州府 全人口의 約 十 分之 一이 된다고 한다 長堤 一帶의 水面에는 複雜한 水上部落을 일우어서 적은 배 큰 배가 陸上의 部落과 가티 綢密하게 모혀서 各各 아름다운 部落을 일우엇스며 水上에 飮食店이 잇고 蔬菜와 魚肉類의 行商이 잇고 酒肆

---

02 "寄"는 "奇"의 오기 - 편자 주.

靑樓가 잇고 警察署가 잇다 조고만 畵舫의 櫓를 젓고 다니는 것은 多數가 女子이다 봄날 夕陽에 이 언덕으로 지나면 고옵게 단장한 女子들이 늘어서서 『游河 游河』를 요란스럽게 불으는 것도 한 奇異한 늣김을 주거니와 어린아이 억개에 『멜방』을 걸고 背面으로 『도래』를 채우고 끈을 달어서 붓잡어 매노흔 것과 조곰 더 큰 아이에게는 등허리에 木枕을 달아매노흔 것도 異國風土談의 한 가지 材料가 된다 이 水上에 사는 人民을 『蛋[03]民』이라 稱하야 一種 下層階級의 人民으로 賤視하야왓다고 한다

　廣東의 言語는 全然히 北方의 말과 다른 것이나 朝鮮에서 發音하는 漢字音에는 北方音보다도 廣東音이 近似한 것이 만타 例하면 二를 『니』 三을 『쌈』 九를 『까우』 十을 『삽』이라고 하는 것이 北音에 二를 『얼』 三을 『싼』 九를 『지우』 十을 『쓰』라고 하는데 比較하야 더 近似하고 이 外에도 近似한 音이 만흐며 또 北音에는 入聲이 업스나 여긔에는 入聲이 잇다 이것은 歷史的으로 어떠한 關係가 잇는 것인지 알 수가 업다

　마지막으로 廣東의 一 名物로 土匪를 빼노흘 수가 업다 中國天地에서 土匪 ― 北方에서는 馬賊 或은 紅鬚子가 업는 곳이 업지마는 廣東의 土匪는 特히 有名하다

　上海와 廣東 間에 往來하는 汽船이 海中에서 떨리는 일이 種種 잇고 長堤까지 들어와서 學生들을 잡어가는 일이 한두 번이 아니라고 한다 이곳의 家屋制度가 얼마나 盜賊을 막기에 用意하얏나를 볼 수 잇고 村마다 砲臺가 잇고 珠江을 上下하는 큼직큼직한 木船마다 舊式 大砲가 걸린 것을 보아도 土匪가 얼마나 盛한 것을 알 수 잇다 그래서 土匪가 어떠케 偵探에 敏活한 것과 어떠케 戰鬪에 勇猛한 것과 어떠케 酷毒한 復讐를 하는 것은 廣東의 한

---

03 "蛋"은 "疍"의 오기 - 편자 주.

이야기거리가 된다 그래서 軍隊가 항상 出動하고 或은 飛行機까지 出動하지마는 土匪를 消滅시키지는 못한다 그리고 革命軍 中에도 土匪가 歸化한 것이 적지 안타(끗)

—『朝鮮日報』, 1927년 6월 3일 ~ 6월 14일 5회 연재

新中國訪問記

南京에서 朱耀翰

【一】換態한 새 南京 ─ 넷을 아는 者 더욱 感慨

十月 二十六日 新 首都에 到着

더욱이나 朝鮮 新聞記者로서 第一着으로 足跡을 남긴다는 期待와 歡喜에 두근거리는 가슴을 가지고 下關火車臺에 下車한 것은 바로 十月 廿六日 午後 八時 半이다 비록 밤중이라 하지마는 新興首都의 氣分은 雲集하는 旅館 下人들과 額燈을 輝煌히 비치면서 交徃하는 自動車의 數爻에 나타난다 昔日의 南京을 아는 者로서는 騾馬와 頹落한 馬車의 閑都가 自動車의 新首都로 一變한 것을 누구나 看取할 것이다 車안에 端坐한 客은 靑布 制服의 靑年士官이 아니면 灰色 長衫의 平民的 官吏然한 者들은 軍政交代期의 新都氣象을 表象한 것이 아니냐?

前後 六 次 兵變 屹立한 凱旋門

獅子山砲臺를 左便으로 두고 昔日의 儀鳳門 今稱 凱旋門을 들어서면 城內라 하지마는 左右에 荒地가 連接하얏스니 이는 第一革命 以後 戰後 六 次의 兵禍에 燒燼된 것이다 前徃하기 五 里許에 鼓樓에 達하나니 鳴鼓하야 全市에 時刻을 告하든 곳이다 孫傳芳時代에 公園이 되고 지금에는 測候所로 變

하얏다 이 附近부터 겨우 市街는 漸次 繁昌하다 右로 列立한 者 日本領事館、金陵大學 等이요 그리로서 漢西門까지 뻐치어 宣敎師 經營의 各種 學校、敎會、住宅이 잇다 이곳 彼 所謂 南京事件의 現場임은 물을 것도 업다

鼓樓 못 미처 右로는 元 江寧交涉署跡에 國民政府外交部가 잇고 左側으로 若干 들어가 丁家橋에 中國國民黨 中央黨部와 南京特別市黨部가 잇다 中央黨部 住屋은 元來 江蘇省議會가 안젓든 자리다

鼓樓에서 北極關[01]에 新設된 無線電信臺를 바라보며 南走하면 國民政府 工商部 內政府를 지나 國立中央大學 大學院을 右에 두고 左手에 練兵場을 건너 中央軍官學校를 바라보며 다달으는 곳은 前 督軍署、現 國民政府 及 同 行政院、軍事委員會의 住址다 正門 前 大路를 擴充하고 아스팔트를 깔은 것 도 새 感想을 주는 것의 하나다

旅裝을 풀 새 업시 國革日報 訪問

軍事委員會 마즌편에 旅舍를 定하고 旅裝을 풀 새도 업시 이름부터 壯한 國民革命軍日報社를 徃訪하니 朝鮮과 달라 朝刊新聞이라 밤이지마는 方今 編輯에 紛忙한 때다 主筆 喩育之[02] 君이 親切히 마자주엇다 來意를 告하매 벌서 滬上 報紙의 記事로 알앗다 하며 日明 六時에 中央委員 葉楚倉[03] 君을 同訪키로 約束하얏다

『새벽 六時는 일르지 안흔가』고 記者가 一驚하야 물엇슴도 無怪한 일이

---

01 "關"은 "閣"의 오식 - 편자 주.

02 喩育之(1889~1993): '무창기의(武昌起義)'(1911년 10월 10일)에 참가한 중국 근대혁명가 - 편자 주.

03 "倉"은 "傖"의 오식. 예추창(葉楚傖, 1887~1946): 시인, 국민당 관료, 국민당중앙선전위원회 주임위원 등 직을 역임 - 편자 주.

엇다 뒤에 알아보니 南京 黨國 要人은 一齊히 早朝 五 六時 頃에 起床한다. 軍官生活을 하는 蔣何馮李[04] 等은 모를지라도 一般 委員主任、部長 等의 早起는 舊 官僚의 生活과 對照하야 確實히 痛快不禁할 일의 하나이다. 要人의 大部分이 一身으로 數職을 兼하얏기 때문에 會議 또 會議、祝辭 또는 講演、求職者의 殺到 等으로 會見이 極難한 것은 記者가 뒷날에 닐어러서야 비롯오 안 것이다 考試院長 戴季陶 君의 會客時間이 火 水 兩日 午前 六時로 九時까지인 것도 記者에게는 新奇한 智識의 하나가 되엇든 것이다

早起와 狼[05]忙! 新中國의 口號

『他們[06]很忙 一』누구를 보러 가드라도 如出一口로 들리는 소리다 門衛[07]의 嘆聲이 眞인지 假인지 判斷할 길은 업스나 何如간에 『早起』와 『很忙!』은 이야말로 新 建國에 相當한 口號라 아니할 수 업다 阿片은 嚴禁되엇다 吸阿片의 習癖이 잇는 者는 國民政府 下의 官位를 벌 수가 업다 後에 發覺된 者는 即刻 免職하라는 黨의 決議가 잇다 中國人과는 떠나지 못할 것 가튼 麻雀도 嚴禁되어잇다 숨어서 하는 者가 잇다 하드라도 公共然하게는 못 한다 喩主筆의 말을 빌리면『新 政府 樹立 以來로 廢阿片、廢賭、廢娼女의 生活關係가 잇슴으로 漸進 實現할 計劃이나 前 二 者는 가장 嚴勵하게 實行 중이다』

---

04 "蔣何馮李": 장제스(蔣介石), 허잉친(何應欽), 펑위샹(馮玉祥), 리쭝런(李宗仁) 등 당시 국민당 군부 핵심요인 - 편자 주.

05 "狼"은 "很"의 오식. "很忙"은 "매우 바쁘다"라는 의미. - 편자 주.

06 "他門": 중국어 "그들" - 편자 주.

07 "門衛": 중국어 "문지기, 경비, 수위" - 편자 주.

張 氏 先鋒으로 阿片絶滅運動

廢阿片運動은 前 西北軍 第一路 司令 張之江 牧師가 先鋒이 되어 十一月 一日부터 南京서 全國禁煙大會가 열리엇다 全國 廿餘 省에서 提出된 提案은 『禁種』『禁運』『禁售』『禁吸』等 各 組로 分配되어 討議되엇다

『鴉片 營業은 絶對로 人民이 權力을 賦與한 國民政府와 兩立할 수 업다 中國의 民意는 鴉片을 不反對할 일이 업다 或 法律로서 鴉片 營業을 許하기를 主張한다거나 鴉片의 惡勢力에 降服을 表示하는 者는 다 民意의 公敵이다 鴉片에 對한 宣戰은 絶對로 妥協하지 못할 것이다 責任 잇는 政府機關으로서 自身의 私便을 爲하야 鴉片에 對하야 下旗息戰하면 그 暫久를 不問하고 다 賣國行爲라 할 것이다 禁煙의 目的을 達하고저 하면 반듯이 國民政府로서 全國이 一致遵守를 할 計劃을 探定할 것이다』云云은 先 總理의 拒毒遺訓이라 한다

【二】革舊로 建設에 迷信打破 ― 懶惰撲滅

一掃된 麻雀牌 廢娼의 三 辦法[08]

廢賭運動은 簡單하다 公安局(警察當局)의 命令 一下로 全市의 麻雀牌는 一掃되엇다 私家나 旅館이나 徹夜로 귀가 식그럽든 牌 골르는 소리가 다시는 들을 수 업게 됨은 愉快하다

廢娼은 九月 一日부터 實行에 着手하야 三 個 辦法으로 進行 中이다 大部分 娼女는 工廠으로 送入하야 作工하게 하고 可能한 者는 自由로 廢業出嫁케 하며 其他 老弱者는 救濟院에 收容키로 하얏다 이로 因하야 恐慌을 일으

---

08 "辦法": 중국어 "방법" - 편자 주.

킨 者는 勿論 娼主와 外上 노흔 金銀樓、綢緞商들이다 大概의 請願團이 廢娼 延期를 嘆願한 것도 여긔서 나온 것일 것이다

全 南京城 橫斷 迎櫬大道 營造

그 外에 卜巫星相이 거리에 冊을 벌리고 愚民을 籠絡하는 것도 一切 禁止 되엇다

新都의 印象은 말하고저 하건대 限이 업슬 것이다 下關 楊[09]子江埠頭에서 全 南京城을 橫斷하야 城東 明陵 저편에 세우는 孫中山陵墓까지는 中山路 一名 迎櫬大道의 營造는 新都 第一着의 建設計劃의 하나이다 總 工費 六十 萬 圓으로 八月 一日부터 起工하얏다 狹窄無類의 南京 舊街에서 廣 二十 間 의 新作路로 나설 때는 누구나 不知不覺 爽快함을 늣길 것이다 收用한 地面 과 房屋에 對한 報償 問題는 人民 間의 不平이 업지 아니한 모양이나 이것은 어듸나 잇는 일, 그러나 國民政府 將來 各種 建設計劃 上 參考할 만한 事實 일 것이다

革軍의 南京? 南京의 革軍?

步行하는 兵士、人力車를 탄 靑年 士官、自動車 上의 將官 等、新首都의 거리거리는 軍人으로 가득찻다 革命軍의 南京이냐 南京이 革命軍이냐 할만 치 그러나 革命軍의 全盛時機는 지나갓다고 한다 그들의 經濟가 豊富할 때 에 一躍 騰高한 南京의 生活費는 아즉도 下向할 氣運이 업다 十一月에 單衣 를 닙기는 하얏스나 그 服裝과 行動의 規模 잇고 整齊함이 前日 軍閥의 軍隊

---

09 "楊"은 "揚"의 오식 - 편자 주.

와는 天壤의 差가 잇다

　馮 將軍의 儉約이 行하야 外國製의 呢絨[10]軍服과 皮脚絆은 업서젓슬망정 灰色 木棉軍服에 前邊이 노피 처들린 軍帽를 눌러쓴 士官의 차림은 國民軍의 이름을 더럽히지 안는다

　軍人이 거리에 充滿하얏지마는 和平 氣分을 損傷하지 안는 것도 注意할 것이다 平民과 衝突이나 口論이 잇는 것을 記者는 한 번도 못 보앗다 그들의 態度에는 조금이나 驕慢自誇의 빗치 업다

　『警察은 人民을 爲한 警察』『國民革命軍은 民衆을 爲하야 싸운다』는 新標語는 決코 空談으로 들릴 수 업는 것이엇다

　靑地白字 宣傳 各處 壁을 貼沒

　宣傳標語의 盛行은 國民黨의 勝利의 가장 重要한 武器인만큼 首都의 거리거리는 靑地白字의 宣傳壁으로 埋沒되엇다

　中央黨部의 담정 全部에 建國大綱을 다 집어너흔 것을 爲始로 軍官學校 담에는 漫畵와 國民黨政綱을、國民政府 마즌便 담에는 孫文肖像을 중앙에 標語를 羅列하얏고 甚至於 屋壁과 城壁에까지 標語를 揭하얏는데 그것이 全部 靑天白日의 色을 取한 靑地白字임으로 南京은 靑色의 都市로 化하얏다고도 할 것이다

　이 外에도 無數한 宣傳포스터가 골목마다 電柱마다 부텃슴은 勿論이고 公共機關의 房屋은 一柱 一樑을 남김 업시 標語化 하얏스며 반듯이 孫 總理의 遺像 遺囑 黨旗 國旗로 裝飾하야잇다

---

10 "呢絨": 중국어 "모직물의 총칭" - 편자 주.

놀랫든 短髮風 此處에도 依然

上海에서 놀랜 短髮風은 南京에도 一樣으로 流行이다 듯건대 革命軍 入城 後 一 個月 內에 城內 靑年女子의 束髮한 者를 보지 못하얏다 하니 四千年 守舊邦의 新 面目이 躍如하지 안흔가 友를 불를 때는『同志』로써 하고『委員』兩 字가 無上의 尊稱으로 變하야잇다 마츰 旅館의 主人이 製旗業을 兼하는지라『國民革命軍總司令』旗 兩 旒를 겨우 完成하야 店內에 걸엇스니 靑天白日을 紅線으로 두르고 다시 黃邊을 加한 우에 솔을 附하얏다 三軍이 그 아페 俯伏할 旗旒를 손에 들고 만저보니 革命의 鼓動이 나의 血脈에도 뛰는 듯

【三】孫 總理의 遺訓 － 坊坊曲曲에 無處不在

南京城의 아츰 朦朧한 몬지 속

標語의 都城、軍人의 都城、門牌의 都市、宣傳의 都市、― 一括하야 革命의 都市인 南京城의 아츰은 朦朧한 몬지 속에 밝앗다.

帽子 안에 땀이 쭉 배도록 더운 大陸의 가을날이다

『革命尙未成功 同志仍須努力[11]』十九世紀가 産出한 幾多의 風雲兒 中 가장 偉大한 者의 하나로서 素志를 未達하고 北京 客寓에 長逝할 때 남긴 一句의 遺言은 至今에 全 中國 百萬 方里의 坊坊曲曲에 아니 널린 데가 업다 客廳의 對聯에도 遺囑、路上墻頭에도 遺訓、封套에도 信箋에도 遺囑이 아니면 아니 되는 모양이다 私家에나 公廳에나 썩 들어서면 正面에 依例히 中山 先生의 肖像을 중심으로 黨旗와 國旗가 交叉되고 總理 遺囑이 寫眞額에 들어

---

11 "혁명은 아직 성공하지 못했으니 동지들은 여전히 노력해야 한다." - 편자 주.

잇다 이것이 裝飾이요 禮節이요 護身符요 佛堂이요 神位다

門牌都城임도 避할 수 업는 일

또 門牌의 都城임도 百政官司가 臨時 寓居에 잇는 關係 上 이 亦是 避할 수 업는 現狀일 것이다 『國民政府』는 督軍署 자리에 『國民革命軍總司令部』는 羊皮巷에 『中國國民黨中央黨部』는 丁家椿[12]에 『司法部』는 乾河沿에 『交通部』는 沈擧人巷에 『財政部』는 蔡家花園 이야말로 散之四方이다 門牌가 만흘 것도 無理가 아닐 것이 大로는 以上의 列擧한 等屬으로 나려가면서 『中山葬禮籌備處』니 『衛士大隊第四隊』니 『公安區第幾區派出所』니 『南京市黨部第某區第何分部』 等屬에 이르기까지 大小 各種의 門牌가 잇다 門牌는 작구 새로 생긴다 記者가 잇을 적만 하드라도 큼직한 門牌 새로 생긴 것이 『國民政府行政院』 『考試院籌備處』 『行政院鐵道部』 『國民政府司法院』 『行政院軍政府』 等으로 세일 수 잇다 또 門牌는 작구 變한다 司法部과 司法院이 되고 軍事委員會가 軍政部가 되고 大學院이 敎育部가 되는 等이다

喩 主筆 案內로 張繼와 會談

廿六日 早朝 七時에 約束한 바와 가티 國民革命軍日報社 主筆 喩育之 君의 案內로 同行 金 君과 가티 標語와 門牌의 羅列을 지나서 金陵大學 後面에 잇는 葉楚滄[13]의 寓居를 訪하얏다 해도 오르기 前에 길을 떠난 우리의 期待는 葉 君이 이미 外出하얏다는 對答에 最初의 一擊을 밧게 되엇다 들으매 張

---

12 "椿"은 "橋"의 오식 - 편자 주.

13 "滄"은 "傖"의 오식 - 편자 주.

靜江**14**의 上海行을 餞送하러 下關火車臺에 나갓다 한다 歸來即時로 省政府 會議에 參席한다고、後刻 省政府에 만나기로 하고 다시 그 後面에 續한 房屋을 차자 들어가니 衛兵이 길을 막고 來意를 뭇는다 비롯오 門牌를 보니 『第三集團軍駐京辦公處』— 다시 말하면 太原 閻 總司令**15**의 出張所다 日前 入京한 張繼 君이 寓居한다 하야 會談을 試코저 함이엇다 張繼**16**는 無政府主義者로 일즉이 알리다가 國民黨 內에서는 所謂 西山會議派의 두목으로 昨年까지도 上海에 獨立한 中央黨部를 두고 잇다가 淸黨 以後 復活하야 黨國의 重任을 띄게 된 사람이다 政治會議委員으로 政府委員으로 특히 此行은 氏의 故鄕인 河北省 政務整理의 任의 띄고 北平을 向하는 途中이다 留京期가 짧으니만큼 會客도 만흔 모양、名凾을 들이고 客室에 기다리노라니 先到後繼하야 約 廿 人의 擁濟할 지경이엇다

先到客 十餘 名 네 네로、拜退

孫 總理의 遺像과 遺囑은 黙然하게 우리를 나려본다 左右 壁에는 第三集團軍의 動功 만흔 將軍들의 等身大肖像이 걸려잇다 上海에 오래 잇슨 關係로 朝鮮사람과는 往來가 자잣스니까 맛나야 주겟지 하는 것을 希望으로 기다린 지 約 十餘 分에 隣室에서 長髮을 곱게 재운 貴公子然한 氏가 나타낫다 一同은 起立하야 目禮한다 先到客 十餘 名을 圓卓에 둘러안치고 이 사람에게 一言、저 사람과 一言 『네、네、잘 알앗습니다』한 마듸로 餞送하는 活手

---

14 장징지앙(張靜江, 1877~1950), 근대정치가, 국민당 원로 - 편자 주.

15 "閻 總司令": 앤시산(閻錫山, 1883~1960), 산시(山西)에 기반을 둔 군벌 - 편자 주.

16 장지(張繼, 1882~1947), 국민당 원로 - 편자 주.

段은 政客流의 닉은 手腕이다

『時間이 업스니까 여긔서 잠깐 이야기합시다』하고 내여미는 손을 잡으니 富大한 얼굴과는 相當치도 안흔 纖手이다

東三省 同胞와 氏의 邊疆政策

氏는 커다란 눈을 두릿두릿 하면서 流暢하게 말한다 『나는 오래 前부터 朝鮮 兄弟와 接觸이 잇서오는 고로 朝鮮 人士에게 항상 敬意를 表합니다』因하야 東三省 朝鮮人問題에 語及하매

『아무 問題 업지요 朝鮮사람과 中國사람이 아주 一致融合하야 圓滿히 살아나가기를 바랍니다 勿論 까다로운 國際 問題가 發生되면 아니 되겟지마는 一』하고 意外로 邊疆政策主唱者의 本色을 들어낸다

『對 滿蒙回藏[17] 하야 昔日은 正服으로 方略을 삼앗스나 今日
은 聯合으로 政策을 삼는다』

는 氏의 邊疆政策의 暗示를 줌이 업는가 문득 생각하얏다 撮影을 請하니 『外邊이 조켓지요』하고 압장서서 나온다 氏의 出發을 기다리는 自動車가 엔진을 헐덕이며 門밧게 섯다 『아 自動車여 得意의 好表象이여』不覺間에 나는 중얼거리엇다

---

17 "滿蒙回藏": 당대 중국의 가장 중요한 위치를 가진 만주족, 몽골족, 회족, 장족 등 소수민족
- 편자 주.

【四】中央黨部 訪問 — 部、處、科 等 內部의 組織

鼓樓를 넘어서 中央黨部 訪問

喩 君을 作別한 後 轉하야 漢西門 內에 馮玉祥 氏를 叩하얏스나 『因外出不見』 하고 中國國民黨 中央黨部를 訪하얏다 鼓樓를 넘어서 下關을 向하다가 外交部 지나 支路로 들어서면 이곳이 곳 丁家構[18]요 前 江蘇省議會、現在 中國國民革命運動의 總 本營 最高指導機關인 國民黨中央本部가 그것이다 中央 正門 額에는 『中國國民黨』 五 字를 金書橫懸하얏고 左右 柱에는 『中央執行委員會』 『中央監察委員會』라고 直書하얏다 左右로 벌어진 二十餘 間의 담정에는 建國大綱 全部를 例에 依하야 靑地白字로 寫出하얏다

嚴密한 傳達員 登記簿에 記入

守衛兵이 一共[19] 有 四 名、門을 入하려 하니 누구냐고 뭇는다 볼 사람이 잇서 차저오노라 하니 右方에 傳達室이라 門牌 부친 小屋으로 引導한다 名函을 보인즉 登記簿에 住所 氏名、看何人、因何事 等을 記入하라고 한다 그도 두 장을 써서 一片은 傳達室에 두고 一片은 傳達員이 名函 아울러 가지고 압선다 이것이 南京의 搖之不動하는 『制度』의 하나인 것은 後日 解得하게 된 것이다 本館에 들어서면 會客廳이란 房이 잇고 그 안에는 傳達員의 能率과 그 行步 速度에 모든 希望을 매어단 來客이 左列右羅하야 안저잇다 下人이 잇서 茶水는 부즈런히 딸아다준다

---

18 "構"는 "橋"의 오식 - 편자 주.

19 "一共": 중국어 "모두" - 편자 주.

曾住은 省議會 堂堂 二層洋屋

省議會로 잇든 집안만큼 二層洋屋 堂堂한 바가 잇다 正面에는 圓形의 自動車路가 잇서 中央花壇에 香나무가 가득하고 廊下에는 때마츰 滿發한 菊花가 秋色을 자랑하고 잇다 外部는 全部 靑白 兩色으로 塗漆하얏고 屋頂에는 單只 靑天白日의 黨旗만이 고치어잇다 石階에 또 守衛兵의 四 名、內部에 들어서면 中央 複道를 지나처 六百 名 收容하는 大會議室이 잇다

南京서 본 中에 가장 크고 잘 그린 總理 遺像이 中央 議長席 後壁에 잇고 例에 依하야 兩 旒 旗와 遺囑全文이 잇다 二層『갤러리』도 數百 人을 容하겟고 그 琉璃窓까지 靑色을 닙힌 것이 눈에 띄운다 會議室을 빙 둘러 各 部 辦公室이 잇고 二層도 亦然하다

二層 東側으로 적은 會議室이 또 하나 잇스니 이것이 中央委員會의 集會室이다 議席이 五十八 席이오 左右 休憩室에는 中央 各 委員의 肖像이 걸리어잇다 各 議席에는 茶盃、재털이、硯、筆、紙、糊 等을 備置한 것이 實로 閑暇한 늣김을 준다

中央通訊社主 三十 未滿 靑年

現在 黨部는 秘書處、組織部、宣傳部、訓練部로 난호여 잇고 各 部에는 設計委員會가 잇스며 다시 各 科 及 各 股로 난호여 잇다 宣傳部에는 中央通訊社가 附屬되어잇다

中央通訊社 主筆 余維一 君이 親切히 마저준다 보매 아즉 三十이 차지 못하얏슬 듯한 靑年임에 不拘하고 對外宣傳의 重任을 가지고 잇다『젊은 中國』의 面目이 躍如하지 안흔가 上海 新聞界에 一人도 없다는 女記者가 中央通訊社에는 여럿이 잇는 것도 驚異의 하나이다 들은즉 中央黨部 職員 五百 餘 名 中 女子黨員이 五十餘 名이 된다고 한다 黨部 職員은 全部 胸間에 一

寸 廣 四 分 高 가량의 藍色의 徽章을 찻다 그 우에는 『中央黨部』의 四 字와
一定한 番號가 記載되엇다 이 一 個의 徽章이야말로 그들에게는 無上의 光
榮이 되는 모양이다

最高限 最低限 戀愛 不談 不求

『最高限度의 立場으로 不談戀愛 하자』

『最低限度의 決定으로 不求戀愛 하자』 이것는 革命과 戀愛를 論한 어떤
中國靑年의 結論이거니와 男女 同志 間에 戀愛는 談하는 것만도 禁制이런가
아니런가 記者는 不幸히 이를 求聞할 機會를 엇지 못하얏다

『某 先生은 아즉 계시겟지?』 傳達室 全體에 『호호』 一聲의 快笑의 餘響을
남기고 들어가는 兩 位 女子의 短髮姿態!

『幾何漂亮[20]!』 뒤에 남는 傳達人 等의 微笑 嗟嘆

【五】中央黨部 內容 — 第四全體會議 決議로 組織

特別委員 取消 現在 中央黨部

現在의 中央黨部는 今年(民國 十七年) 二月에 열리엇든 第四次中央全體
會議에서 改造된 것이다 國民黨이 一時 武漢 南京 兩 派로 分裂되엇다가 昨
年 八月에 合作하야 九月에 南京에서 所謂 特別委員會라는 것이 組織되엇
스나 이것이 時局을 收拾하지 못할 뿐 아니라 돌이어 黨務를 上下級을 勿論
하고 頭緖를 잡기 어렵게 만들엇섯다 그럼으로 蔣中正이 復職하야 第四次
全體會議를 開함에 이르러 不得已 特別委員會를 取消하는 同時에 改造中

---

20 "幾何漂亮": "幾何"는 중국어 "얼마나", "漂亮"은 중국어 "예쁘다" - 편자 주.

央黨部案을 通過하얏다 그 原案에 依하야 中央常務委員會에서 修正 組織한 것이 今日의 組織이다

改造의 精神은 那邊에 잇는가

그 改造의 精神이 那邊에 잇섯는가는 該 案 理由說明을 보면 明白하다 曰 『以前 黨部 組織을 分하야 農民、工人、商民、靑年、婦女 …… 等 部로 하야 階級的 觀念이 거의 顯著함을 未免하얏다 뿐 아니라 這樣의 分工은 黨의 工作으로 하야금 時時로 許多 不便을 發生하게 한다 (中略) 權限 方面에 諸多 衝突이 잇슬 뿐 아니라 또한 彼此 接洽 中에 許多 時間을 耗費하며 黨務의 進 行에 許多 阻碍가 發生한다 (中略) 機關 方面으로는 疊床架屋에 多生枝節 하 고 또 時時로 權限의 衝突이 생긴다 黨의 運用이 因此로 不靈하다 더욱이 妥 當치 못한 것은 階級的 界限을 養成하야 恒常 社會 上 諸多 誤解를 引起하며 階級鬪爭의 準備를 暗示하야 到處에 不良한 影響을 發生케 한다』云云 하얏 스니 引用한 末端 一句는 特히 注目을 要하는 것이다

各 部와 科 股 等 黨部 組織 大綱

이와 가티 改造된 黨部의 現在 組織 大綱은 如左하다

(一) 秘書處(分爲 文書科、庶務科 會計科、統計科、交際科、編輯科、印刷科)

(二) 조직부(特設計劃委員會 外)

1 普通組織科(分爲 指導股、登記股)

2 海外組織科

3 軍人組織科

4 編審科(分爲 法制股、編纂股)

5 調査科(分爲 情報股、編造股)

6 統計科(分爲 徵集股 圖表股)

7 總務科(分爲 文書股、保管股 收入股、事務股

(三) 宣傳部(特設設計委員會 其他)

1 普通宣傳科(分爲 黨義股、政治股)

2 特種宣傳科(分爲 農人股、工商股、婦女靑年股、海外股)

3 國際宣傳科(分爲 飜譯股、編撰股)

4 徵審科(分爲 徵集股、審査股)

5 出版科(分爲 藝術股、印刷股、發行股)

6 總務科(分爲 文書股、保管股、收發股、事務股)

7 附設機關(有 兩 種 卽 圖書館、中央黨報 及 通訊社)

(四) 訓練部(特設設計委員會 其他)

1 黨員訓練科(分爲 指導股、考核股)

2 黨務敎育科(分爲 指導股、考核股)

3 黨化敎育科(分爲 指導股、考核股)

4 測驗科(分爲 智力測驗股、敎育測驗股)

5 編審科(分爲 編纂股、統計股)

6 總務科(分爲 文書股、保管股、收發股、事務股)

一切 工作 停止 黨員 重新 登錄

이가티 中央黨部를 重新 改造하는 同時에 各 地方黨部에 對하야는 全體 會議의 決議로 一切 그 工作을 停止케 하고 中央으로부터 七 人 乃至 九 人의 黨務指導委員會를 派遣하야 黨務를 整理케 하는 同時에 一切 黨員 新 募集 을 停止하고 舊 黨員 全部를 重新 登記케 하얏다

元來는 이 登記事務를 二 個月 內에 完了하고 今年 八月 一日에 第三次全

國代表大會를 開할 豫定이엇스나 所期와 가티 進行이 되지 못한 結果 아즉 黨員登記 末了한 곳이 만흠으로 八月 十五日에 열린 第五次全體會議에서 登記期限을 十一月 末日까지 延期하고 第三次大會를 明年 一月 一日로 延期하게 되엇다 最近 다시 登記期限을 十二月 末日까지 延期한 것을 보면 一月 一日에 第三次大會가 열리게 될 것이 事實이다

【六】清黨 徹底 勵行 — 嚴重한 規律 六 條 實施

老退化分子 防止하잔 精神

黨員의 重新 登記라고 하는 것은 要컨대 清黨을 徹底히 勵行하자는 意思에서 나온 것이다 一 方面으로는 現在 黨員의 行動 傾向을 細密 調査하야 그 資格을 決定하는 外에 一 方面으로는 舊 同盟會時代의 老同志를 歡迎하려는 傾向이 잇는 데 對하야 下級 黨部에서 民國 十三年 國民黨改造時에 未 參加한 舊 黨員은 登記함이 不可하다는 原則을 固執하야 紛糾를 일으키는 中에 잇다 이로 因하야 南京特別市黨部指導委員會는 總辭職까지 하는 騷動을 일으키어 黨權 提高에 一 波瀾을 던지게 되엇다

第四全體會議 決定된 各 條項

黨權 提高에 對하야는 第四次全會에서 特히 高唱된 말로 當時 決議案을 보면

(一) 무릇 本 黨員은 何人을 勿論하고 絶對로 黨紀의 遵守를 要한다 黨紀를 犯한 者는 반듯이 黨部의 處分을 絶對服從할 것이오 何 機關 或 私人이 干涉함을 不得한다

(二) 무릇 黨員은 中央黨部의 許可가 업시는 黨內 黨外를 勿論하고 다른

政治團體를 組織 또는 加入을 不得한다

(三) 무릇 黨員은 黨章 及 一切 決議案에 違反되는 主張을 못 하며 各級 黨部는 黨綱 黨章에 違反되는 決議를 不得한다

(四) 무릇 黨員 되는 者는 반듯이 黨部의 決議 及 命令에 絶對服從할 것이다

(五) 各地 政府와 黨部가 衝突 잇슬 때는 各 上級機關에 呈明하야 共同 處理한다

(六) 무릇 黨員은 絶對로 個人名義로 黨을 代替하야 宣言을 發表함을 不得한다

南京市部 態度 國民黨 大問題

南京特別市黨部指導委員會의 態度는 第四項의 絶對服從의 原則에서 버서난 것임은 明白하니 會議로 된 問題가 國民黨의 難問題의 하나가 될 것은 疑心 업는 일이다

이 問題는 後日 詳論키로 하고 우리는 首都 求景의 길을 재촉하자니 안흐면 안 되겟다

翌日 廿七日은 即 日曜日이다 우리는 休日을 利用하야 目下 造營 中인 中山墓 及 孫 總理 迎櫬之處를 拜參하기로 하자

日曜 利用하야 馮玉祥 氏 再訪

日曜日 새벽 六時에 우리는 四根桿子에 잇는 馮 總司令 行營을 徃拜하얏다 例에 依하야 門前에서 下車하야 守衛兵에게 來意를 陳하고 傳達室로 들어가 名凾을 들이밀엇다

朧[21]海路督辦公署의 門牌를 부친 이 行營은 原來 基督敎 經營의 女學校가 안젓든 자리다 南京事變 以後 宣敎師들이 全部 撤退한 以來로 當時 破壞되

지 아니한 집은 全部 革命軍에게 占領되엇든 것이다 其後 秩序의 回復을 딸하 一部의 建物 例하면 金陵 男女大學 가튼 것은 經營者에게 還附되고 아즉 還附되지 안흔 것은 全部 國民政府 國民軍 其他 機關이 臨時로 貰房으로 어더 잇는 形式을 取하얏다 事件 當時에 破壞된 家屋은 乾河沿에서 漢西門 一帶로 가느라면 우뚝우뚝 骨格만 남아 悽慘한 光景을 그대로 뭇하고 잇다

빼랙[22]살이 僅免 洋人 家屋 貰居

또 一面으로 보면 南京에 이 宣敎會 經營 大建物들이 잇섯기 때문에 國民政府는 草家 『빼랙』살림을 僅免하얏다고 할 수 잇다 年來의 兵禍의 結果로 南京 城內에는 外國人의 것을 除하고는 大建物이 도모지 업는 까닭이다

아즉도 남어잇는 것으로 보드래도 金陵神學校跡이 最高法院이 되고 華言學堂(宣敎師의 中國語學校)이 司法部 及 農鑛部가 된 것을 爲始하야 國民黨要人들의 大小公館은 擧皆 西洋人의 住宅에 貰들어잇다 城中 禮拜堂에는 京報社가 들어잇고 金陵女子神學、外國學校 等의 훌륭한 建物은 破壞의 程度가 甚하야 所用이 못 되는 것은 아까운 일이다

【七】要人 全部 離京 — 上海、湯山에 日曜休養

湯山 休養 가서 諸氏 再次 不見

馮玉祥의 行營도 이 一例에 빠지지 안는 者어니와 比較的 작은 建物임으로 戰後 兩 庭에는 臨時로 蘆席 家屋 四 座를 짓고 衛兵들을 起居하게 하얏

---

21 "朧"은 "隴"의 오식 - 편자 주.

22 "빼랙": Baroque - 편자 주.

다 그리고도 남아서는 天幕을 친 것이 四 個나 된다

後庭에서는 마츰 衛兵 一部가 아츰體操를 하는 모양이다 灰色 綿服을 닙고 中國拳鬪術을 改良한 듯한 中國式 體操를 口令 마추어 熱心으로 하고 잇다 其間에는 黑色 中山服을 닙고 麥帽를 쓴 敎官이 尺餘의 長髮을 휘날리면서 姿勢를 矯正해주는 모양이다

아츰해가 方今 올라온다 兵士들은 밥 먹은 그릇을 분주히 씻는 者도 잇다 馮玉祥의 軍士는 伙夫(밥 짓는 傭人)를 使用 아니한다는 말이 참말인가 하얏다

傳達室의 主人도 兵丁이다 馮의 訓鍊이 잇느니만치 兵士지마는 問答이 親切하다

馮 總司令은 湯山으로 休息하러 갓는데 언제 돌아올지는 모른다는 答辯이다

要人 等 行動과 京報紙의 諷刺

湯山은 南京城에서 南行 約 七十 里許에 잇는 溫泉이다 黨國 要人이 殺到하는 訪客과 繁雜한 公務를 떠나서 一日의 休息을 求하는 데는 湯山이 아니면 上海租界라고 한다 京報 記者가 이런 말로 諷刺한 일까지 잇다

『許多黨國要人把公館、設在租界、每星期至少在滬寧道上往來一次、到機關辦公二三日、就要赴上海休息三四天、他們這樣勞碌奔波、對於職務上的籌劃、當然不能十分周密、所屬人員的精神、恐怕也不見得十分緊張、朝氣蓬勃的國民黨不免要、受一點影響、記者要求當局革除這個習慣、大家表現一點奮鬥精神』[23]

調査하야본즉 果然 此日은 蔣介石 夫婦 以下 우리가 보고저 하는 要人은 거의 全部가 上海로 가고 南京은 空殼이 되어잇다

이 어인 奇遇? 權基玉 氏 夫婦

할 일 업시 車頭를 돌리어 中山墓를 向할 새 途中에 前 西北國民軍 第二路 司令 張之江 君을 其寓에 訪하얏다 張之江 君은 俗稱 曰 張 牧師라 하니 牧師職에 잇슨 일은 업스나 神學出身이라 한다 『基督將軍』의 下에 牧師司令이 잇슴도 無怪하다면 無怪하다 馮玉祥의 代表로 南京에서 軍事委員會의 議席을 지키다가 近日 該 委員會가 改造됨으로부터 一時 軍事에 念을 斷하고 現在는 國術館 館長으로 國民政府禁煙委員會 主席을 兼任하얏다

會見을 請한即 마츰 家庭 禮拜를 보는 時間이엇슴으로 約 半 時間 기다려야 되겟다고 한다 讚美歌 소리가 흘러나오는 것이 實로 天下泰平의 感을 준다.

禮拜에 晩刻 하야 들어오는 사람이 잇는 모양임으로 본즉 이 어인 奇遇냐 女流飛行士로 이름 잇는 權基玉 女士의 夫婦다 들으매 西北軍을 딸하서 活動하다가 現在는 南京飛行場에서 몸을 부치고 잇다는바 中國을 다 털어노코 보아도 唯一한 女飛行士다 短髮 中服의 女士는 異域風霜으로 因함인지 前보다 훨신 瘦瘠한 것이 눈에 띄웟다

國軍 參加 同胞 一時는 二百餘

들으매 國民軍 內에 二百餘의 朝鮮靑年이 加入하야 一時는 武勳이 赫赫하

---

23 "당국(黨國)의 많은 요인들이 공관을 조계에 두고 매 주 적어도 남경과 상해 사이를 한번 왕래한다. 그러다보니 기관에서 2, 3 일 사무를 보면 상해로 가서 3, 4 일 휴식을 하게 된다. 이들이 이처럼 분망하기 때문에 직무상의 계획은 매우 주밀할 수가 없다. 소속된 인원들의 정신 역시 그렇게 긴장한 상태가 되지는 않을 것이다. 생기로 차 넘치는 국민당은 이로 인하여 일정한 영향을 받지 않을 수는 없을 것이다. 기자는 당국에서 이러한 습관을 혁파하여 모두들 일정한 분투정신을 보여주기를 요구하는 바이다." - 편자 주.

야 信任과 待遇가 컷다고 한다 南昌之役에 單身으로 機關槍을 操하야 孫傳芳의 大軍을 막아 危를 解하고 名譽의 戰死를 遂한 일과 가튼 것은 國民軍戰史에 大書特筆할 것이라 傳한다 不幸히 廣東事變 以後로 散之四方 하야 現在 國民軍에 殘存한 이는 十餘 名에 不過하다고 한다

八字髯 張 牧師 國術로 一 問答

未幾에 下人이 客室로 引導한다 八字수염을 길르고 후리후리 큰 키에 잘 맛지 안는 軍服을 닙은 모양은 牧師라 하겟고 날카로운 眼光과 말할 때마다 眉間이 움즉이는 것은 陸軍上將의 態라 할른지 馮 將軍이 이미 基督教를 버렷다 하니 참말인가 물은즉

『그런 일 잇슬 리가 잇소』하며 絶對 否認의 表情을 한다

뭇는 말마다 軍事 外交에 關한 일은 自己는 잘 모르노라고 고개를 흔든다 만히 이야기하야 所得이 업슬 뜻함으로 轉하야 國術館의 由來를 물으니 兩張의 說明書를 집어준다

『國術의 名義는 拳勇技擊 及 我國의 舊有 各種 武藝를 包括한 말이다』

『國術은 發揚 我等 民族精神 할 것이다』

『國術의 刀劍은 一切 不平等條約을 斬斷할 것이다』

이런 文字가 씨어잇다

要컨대 國粹主義의 部分的 發露가 國術館이 되고 國粹考試大會가 된 것이다 蔣介石이 軍官學校에서 演講할 때에 四書五經을 잘 研究하라 한 것과 同日의 思想的 傾向이다

【八】叅 孫中山墓地 ― 明星 墮落에 三 年 有半

洪楊戰[24] 後 三 年 翠亭鄉에 誕生

西曆 千八百四十二年 東洋의 老帝國이 英國 海軍에게 一敗塗地하야 十三 條의 屈辱的 條約을 매즌 것을 爲始하야 三百 年의 宗社가 기울기 始作하고 四 億萬의 民衆을 擧하야 俎上의 魚肉을 만드는 亞細亞 大分割의 演劇은 開始되엇다 그런데 洪楊의 戰이 끗난 지 三 年 英法聯軍이 北京에 들어와 圓明 園을 焚盡한 지 六 年 되는 淸 同治 五年 即 西曆 一八八六年 十一月 十二日 에 廣東 香山縣 翠亭鄉에 一 兒를 生케 하니 이 곳 孫文 그 사람이다

十三 歲에 發志 四十 넘어 逃淸

十三 歲에 洪楊의 故事를 듯고 大志를 始發하얏스며 十七 歲에 同窓生 陳 少白、尤小[25]紈、楊鶴齡으로 더불어 革命을 談하야 四大寇의 別名을 듯고 二十 歲에 中法戰爭에 中國이 大敗함을 보고 淸廷을 覆하고 民國을 세울 뜻 을 두고 以來 八 年 間 南北東西로 流浪하며 淸廷의 虛實과 長江의 地勢를 엿 보다가 廿九 歲에 日淸戰爭이 일어남을 보고 비롯오 布哇[26]로 건너가 興中 會를 創立하야 革命을 鼓吹하니 即 國民黨의 前身이라 應하는 者 비록 少數 이나 翌年에 淸國이 敗함을 보고 好機可乘이라 하야 廣州 香港에 歸하야 謀 事타가 事前에 發覺되어 十七 餘의 同志가 被捕하고 自身은 免하야 英京 倫

---

24 "洪楊": '태평천국(太平天國)의 난'(1851년 ~ 1864년)을 주도한 홍수전(洪秀全), 양수청(楊秀靑) - 편 자 주.

25 "小"는 "少"의 오식 - 편자 주.

26 "布哇": 하와이 - 편자 주.

敦에 亡命키 四 年 間 淸廷의 密計로 倫敦領事館에 冤鬼를 作할 뻔 하다가 三十五 歲 時에 義和團事件을 機會로 再擧타가 또 失敗에 돌아가고 日本、安南、美洲로 亡命生活을 한 지 五 個年 四十 歲에 비롯오 三民五權의 主義를 確立하야 內外에 呼訴한 結果 多數의 響應을 得하야 同盟會를 組織한 後 黃興、胡漢民 等 同志는 國內에서、自身은 國外에서 活動한 지 六 年 마츰내 辛亥年 十月 十日 武昌에서 擧義하야 滿淸을 推翻하고 民國을 始建하니 四十六 歲의 일이엇다

北京 行寓에서 將星은 떨어저

滿淸은 倒하얏스나 民國의 基礎 一定치 못하야 袁世凱의 솜씨에 建國의 初志는 蹂躙되어 남김이 업고 軍閥相爭 하야 全 中原을 擧하야 塗炭에 陷하게 할 새 退하야는 建國의 方略을 完成하고 進하야는 北伐의 師를 再三 起하얏스나 마츰내 志를 得치 못하고 民國 十四年 十一月 十二日 北京 行寓에 將星이 떨어지니 民衆은 업들여 慈父와 가티 思慕하고 志士는 울어러 스승으로 섬기게 되엇다

『余致力國民革命凡四十年 其目的在求中國之自由平等』『革命尙未成功 同志仍須努力』 이것이 四十 年을 一日과 가티 애쓰다가 畢竟 成果를 보지 못하고 中途에 그 事業과 同志를 남기고 간 그의 遺言이다 後繼 同志는 그 뜻을 저버리지 아니하고 一路邁進함으로 오늘에 全國統一의 大業을 成하고 遺訓을 一步一步 現實에 着手하고 그의 陵墓를 新都의 東에 營하야 偉人의 足跡을 永世에 남기려 함이다

가까이는 明孝陵이、멀리는 二千 年 古都 南京城이 발 알에로 나려다보인다 저긔 明 故宮의 녯 터전엔 破瓦가 山積하고 枯草가 휘날릴 뿐이 아니냐 말업슨 紫金山아 말 물어보자 古今의 興亡盛衰를 네 얼마나 보앗든고 울어

러보면 祭堂 正面에『天下爲公』의 筆跡도 淋漓하다

紫金山 南麓 全部 一大 公園 計劃

陵墓는 南京城 東 紫金山 之中 茅山 南麓에 營造 中이니 全體 範圍가 大略 鐘形으로 되어 廣이 五百 尺 袤가 八百 尺이라 한다 完成 後에는[27] 먼저 廣場에 니르러 車를 멈추고 石階를 올라 四十五 尺을 上하면 비롯오 中國式 簡素한 祭堂이 잇고 祭堂에 連하야 圓穹의 墓室이 잇다 祭堂 門額에에는『天下爲公』의 四 字를 懸하얏고 橫으로『民族、民權、民生』六 字를 石刻하얏스며 內部 天井은 靑天白日을 劃하고 床은 紅瓦로 깔아 滿地紅을 表하며 周圍에는 黑色 大理石에 建國大綱 及 遺囑을 刻하얏다

廣東産 靑色 磁瓦로 집웅을 덥는 中이며 周圍의 石築은 盛히 工事 中이다 浦口 對岸에서부터 닥가오는 迎櫬大道도 方今 工事 中으로 나려다보면 多數의 나귀隊가 絡繹不絶히 土石을 싯고 往來하는 것이 보인다 位置는 城을 距하기 明孝陵보다 멀고 一層 高臺에 서게 되엇다 陵의 基地를 南京에 定함은 孫 總理의 遺志에 依함이라 하며 그 圖案은 民國 十四年 秋에 五千 元의 顯賞으로 募集한 것으로 一等 當選된 呂彦直의 案을 採用한 것인데 工程費預算은 中山路를 除外하고 三十萬 元이라 한다 中山路는 預算 百六十萬 元 中華僑의 捐款한 者 百萬 元에 達하얏다 한다 陵墓는 始營한 지 이미 二 個年을 經過하얏고 中山路는 지난 八月에 開工하얏는바 明春까지에는 두 가지가 다 完成될 豫定이라 한다 紫金山 南麓은 全部를 中山陵園으로 하야 一大 公園을 建立할 計劃이라 한다

---

27 뒤에 이을 한 구절이 누락된 듯 - 편자 주.

大陸의 黃塵이 幻想을 깨트려

徘徊 數 刻에 歸路에 就하니 朝陽門(今 改爲 中山門)을 들어오면 곳 明 故宮 遺址다 處處에 아즉도 黃色 磁瓦의 碎片이 散在하얏스며 故物保存會와 委曲한 川流 及 雁橋가 廢墟의 遺色을 더욱 凄然하게 할뿐이다

더 들어오면 飛行場 格納庫가 보이고 멀리 國民政府 屋頂의 國旗가 바람에 날린다

석 달이나 가믈은 大陸의 黃塵이 行客의 눈을 찌푸리게 할 뿐이다 混雜한 市街의 騷音이 비롯오 幻想에 잠긴 나의 머리를 現實의 世界로 깨우처오는 것이엇다

【九】操瓢[28]界의 猛獸 ─ 十四 社 二十 名이 參集

新聞記者聯合懇親會에 參席

나는 偶然히 某處에서 中國 各 社의 新聞記者의 聯合懇親의 機會를 得하얏다 當夜 出席者는 中央通信社、京報、三民導報、民生報、民報、革命軍日報 等 南京 各 社와 民國日報、中央日報、申報、新聞報、時事新報、時報 等 駐京記者 都合하야 二十 名에 達하얏다 申報 新聞報는 新聞 自體가 五 六十 年의 老物이니만치 記者도 四十이 넘은 老人이엇고 그 餘는 全部가 三十 以下의 靑年이엇다 前日 中央黨部 參觀記에도 말한 中央通信社 主筆 余維一 君이나 三民導報 社長 兼 主筆 胡大剛 君이나 그 職函에 비기어는 넘우도 젊어 보이는 便이다 南京 新聞記者들은 胸間에 銀製 七寶入의 國旗型 徽章을 一齊히 다랏스니 이것은 저 變通性 업는 門衛兵과 號房 下人輩의 橫暴에 對한

---

28 "瓢"는 "觚"의 오식 - 편자 주.

自由通行券임은 勿論이다 大部分 簡單한 中國 長衣 한 벌을 닙엇슬 뿐이오 中山服이 二三 人、洋服을 제대로 닙은 사람은 中央社 記者 一 人에 不過하 얏다

本報의 一 張 紙 贊聲의 中心 돼

看色으로 가저온 本報를 一 張式 보여준즉 第一面을 펴들고 漢文글자를 주어 넑는 이도 잇다 『編輯 體裁가 잘되엇다』고 讚聲을 發하는 者도 잇다 元 來 中國 新聞記事에는 題目이 업섯다 그냥 『北京專電』『天津通訊』이라 하고 는 要電을 二號 活字로 羅列하는 것이 常例다 近者에는 그것도 進化되어 木 刻 特號도 쓰고 初號 活字도 써서 一行에 大題目을 세우는 것이 流行이나 아 즉 大陸의 粗漏함이 紙面에 가득하다 半島式 整齊한 紙面을 보고 嘆美함 이 아주 無理는 아닐 것이다 二面을 둘처보고 『寫眞이 잘되엇다』고 中國 新 聞에는 銅版 亞鉛版을 別로히 揷入하지 안는다 揷入하야도 印刷가 잘 나지 안는다 그 代身 新式 新聞은 아트紙에 美術 附錄을 가끔 發行한다

統一 成功 祝賀 訪中 本意 一言

『貴國 統一의 成功은 누구나 慶賀하는 바이다』『딸하서 貴國의 眞狀을 報 道하기 爲하야 直接 見聞 探訪케 함이다 今行의 目的은 參觀 各 機關 拜訪 黨 國要人 硏究 新設計劃에 잇다』나는 이러케 簡單히 來意를 告하얏다

滋味잇는 것은 中國 記者의 答辯이엇다 가로되

『外地의 新聞記者가 南京의 新聞記者와 聯合 會談 한 것은 今夜로서 破天 荒을 삼는다 더욱이나 朝鮮民族의 一 分子로서 南京 報界와 聯歡함도 今日 이 第一回다』여러 가지의 懇談을 交歡하얏다 그 아프로도 當夜의 一席이 所 期의 目的을 達하고도 남은 것은 通틀어 靑年 記者들의 眞摯한 同志 意識에

因한 것은 實로 感謝不已하는 바다

當夜 特히 指路格으로 同行한 金 君과 陪席한 玉 君이 나를 代하야 東亞日報 自家宣傳에 크게 奮發努力하얏슴으로 나는 낫 가려운 一事를 免避한 것은 多幸이어다 金 玉 兩 君이 다 夕日 『大韓每日申報』 記者이엇섯슴도 奇遇라면 奇遇이엇다 當時에 金 君은 十 元、玉 君은 十五 元의 堂堂한 月給을 바덧섯다고 追憶談을 하얏다 金 君은 高麗人蔘이 큰 돈덩어리라고 自信을 吐하나 아즉 옹긔장사의 꿈인 듯하고 玉 君은 三德洋行 總經理로 돈궤와 알엣배가 同時에 漸漸 불룩하야가는 모양이다 百萬 元만 되면 一 事業 해본다고 氣焰을 當하기 어려웟다

變轉無常컨과 葉楚滄²⁹의 今昔

廿九日 午前 六時 葉楚滄³⁰의 寓를 再訪하얏스나 또 外出 不見하얏다 江蘇省政府를 近近 鎭江으로 옴기게 되겟슴으로 鎭江 視察次로 새벽에 떠낫다고 方今 回家한 運轉手가 말한다 楚滄³¹ 力子³² 等이 上海에서 民國日報를 辦할 적에 外套까지 典當하든 그들이 至今은 自家用 自動車를 驅馳하게 되엇스니 興亡의 無常하다 함은 이를 가르킴인가 好漢의 身上에 多福할지어다

---

29 "滄"은 "傖"의 오식 - 편자 주.

30 동상.

31 동상.

32 "力子": 사오리즈(邵力子, 1882~1967), 중국 근대 정치가, 교육가 - 편자 주.

【十】胡漢民을 訪問 － 今後 建設方略을 質問

民國報 記者와 黨紀念週 參觀

民國日報 記者와 함께 中央黨部紀念週에 參加하다

紀念週라고 하는 것은 每週 一 回 月曜日에 各 機關마다 職員 一同이 集合하야 簡單한 孫中山記念式을 行하는 것이다 政府 各 機關黨의 各 部는 勿論이오 全國 大中小學校에까지 一齊히 施行케 하는 것이다 教徒의 禮拜와 彷佛하다고도 할 수 잇다

職員 一同이 着席한 後 口令을 딸하 一同 起立、向 國旗、黨旗 及 總理 遺像 三 鞠躬을 行하고 總理 遺囑을 奉讀、黙思 三 分 間의 儀禮가 잇슨 後 는 名人의 講演 또는 報告가 잇고 閉會한다

中央委員 代表 胡漢民 氏 演說

이날은 中央執行委員을 代表하야 胡漢民 君이 約 一 時間 半에 亘하는 報告演說을 하얏다 廣東 國音 석긴 普通話인데다가 發音이 나자서 末席에 안즌 우리에게는 明白히 들리지 안핫다

『根本과 枝葉을 混同하야서는 아니 된다 買辦階級을 打倒하려면 먼저 그 原因 되는 帝國主義를 打破하여야 할 것이다 帝國主義를 打倒 아니하면 今日의 買辦階級을 打倒하더래도 明日 또 새로운 買辦이 생길 것이다』

瘦面에 眼鏡 쓰고 明快한 論調로 江蘇省黨部의 建議書를 辨駁하는 것이 理論家로의 面目이 躍如하다 單純한 演臺에는 『마이크로폰』 一 臺가 서잇슷뿐、臺下에는 速記記者의 鉛筆이 빠르게 움즉인다 五百 餘의 聽衆은 森嚴하야 기침소리도 업다 여긔도 中服이 大部分 그러나 中山服과 말숙한 洋服도 적지 아니하다 出席者 中에는 女子도 相當히 잇스나 席의 區別 가튼 것은 업는 모양 斷髮한 머리의 뒤ㅅ모양만 보고는 男女를 區別하기조차 어렵다

省黨部 疑義를 一言之下 擊破

『目的이 업는 破壞는 改革이 아니다 그럼으로 改革의 意義는 即 建設이다 總理의 말에『破壞는 建設 裡面에 包括되어잇다 萬一 建設의 目的이 업스면 改革이라 할 수 업다』하얏다 同志들은 이 理를 밝히 알아야 한다』建設時期의 黨의 工作은『改良』이냐『革命』이냐 한 省黨部의 疑義를 胡 君은 一言之下에 擊破하얏다 그의 音聲은 漸次 熱度를 加한다

한손으로 中服 호주머니에 찔르고 句句마다 힘을 줄 때는 머리를 끄떡하는 것은 純 中國式 表情이다 草稿도 아모것도 업스되 句句가 씨 잇게 매처 나오는 것이 君의 博學을 證한다 黑色 制服을 닙은 下人이 悠然히 演臺에 올라 茶水를 딸하노코 간다

名啣를 보내어 與胡會見 約束

紀念週가 畢한 後에 名啣을 들여보낸즉 時間이 업습으로 午後 三時에 오라고 한다 午食時를 利用하야 外交部에서 執務하는 舊 同學을 맛나고 그의 新家庭에서 오래간만에 寬舒한 一 時間을 보냇다 科員이라 하지마는 月貰 九十 圓의 훌륭한 住宅에 僕婢를 二 人이나 使用하고 잇다 舍宅 外에 月俸이 百八十 圓 假量이라 한다 科長級이면 約 三百 圓 그 대신 外交部長의 月俸은 八百 圓에 지내지 못한다고 上薄下厚가 原則이라 한다

約束한 時間에 黨部에 와본즉 胡 君이 未到라고 한다 門房과 싸울지라도 效果 업슬 것은 勿論이다 海外股를 찻고 宣傳科를 차자 執務 狀況 參觀을 請하니 門房과는 달리 반가이 引導하야준다 그럭저럭 午後 四時가 지낸 까닭에 事務室들은 다 비엇다 宣傳部 總務科 宣傳科 特種宣傳科 組織部 登記科 … 次例로 지내서 會議室에 니르니 아니 왓다는 胡 君이 秘書와 密議 中인 것이 發見되엇다

風采는 微微하나 理性 透澈 喚發

우리는 新大陸 發見보다 더한 歡喜를 가지고 會見을 請한즉 暫間 기다리라는 問答이다 이러케 되면 이미 成功한 것이나 다름이 업다

休憩室에서 中央委員 諸位의 肖像 研究를 하기 約 三十 分 鍾에 들어오라는 消息이 왓다

事務室은 朝鮮 간살로 三 間이 될락 말락 한 조그만 房 西向한 窓前에는 테불이 잇고 그 外에 椅子 쏘파 兩 隅 花卉臺에는 菊花가 兩 盆、가주 理髮한 얼골에 近視眼鏡을 쓴 胡君의 風采는 그리 훌륭하다 할 수 업다 灰色 綿布의 中國服에『中央黨委員』이란 簡單한 徽章을 부치고 가느다란 손을 내밀고 握手를 請하는 이 사람이야말로 廿 年 前에『民報』를 主幹하야 改革 思想을 鼓吹하든 그 사람이오 現在는 國民黨中央常務執委이오 立法院 院長이오 戴季陶와 幷하야 現 國民政府의 指導的 理論家인 胡漢民 同志다 一字로 다물은 입과 쑥 벗어진 니마만은 그의 明晳한 對話와 함께 理性의 透澈함을 보인다

『朝鮮文字와 中國文字를 混用합니다그려』記者가 보이는 東亞日報를 一瞥한 氏 첫 마듸로 一 矢를 發한다『是』라고 對答하는 記者의 얼골은 不知中 紅潮를 呈하얏다 安樂椅子에 안즌 胡 氏의 무릅이 記者의 무릅에 거의 다흘 至境이다

打倒共産黨은 國民黨의 標語

나는 國民黨과 共産黨의 關係를 물엇다 胡 氏는 이에 對하야 躊躇치 안코 對答한다 打倒共産黨은 國民黨의 實際요 또 理論인 것은 明白히 看取할 수 잇다

『그러면 國民黨의 今後 建設은 資本主義的으로 될 것입가』

『非 資本主義로 될 것이오 極端의 資本主義는 私人의 利益만을 標準으로 뭇하는 것이오 國民黨의 民生主義는 公共의 利益을 標準으로 하는 것입니다』

『民生主義에 依한 國家經營事業은 무엇입니까』

『먼저 交通을 全部 國家에서 經營하려 합니다 交通은 諸般 生産의 基礎가 되는 것이오 또한 交通이 發達되면 農民의 苦가 적어지리라 합니다』

이 問題만 가지고도 더 뭇고 시픈 말이 山積하나 時間關係로 그만두고 話題를 돌리엇다

【十二[33]】 胡漢民을 訪問 ─ 今後 建設方略을 質問

民族의 覺醒이 統一 成功 原因

夕陽은 鮮紅의 光線을 中央黨部 會議室 壁上에 고요히 나리고 잇다 胡 君의 얼굴에는 疲困한 비치 더욱 顯著하다 早晨으로부터 演說、會議、執務에 시달린 까닭일 것이다

『統一 成功의 原因이 어대 잇슴니까』記者는 다시 물엇다

『그것은 完全히 民族의 覺醒 程度 如何에 달리엇습니다 辛亥革命이 失敗에 돌아간 것은 그때의 民衆이 民國이 무엇인지 共和가 무엇인지 몰른 까닭이지요 北京國會가 解散을 當하얏슬 때도 國民은 거긔 對하야 抗議할 줄 몰랏섯습니다 그러나 至今에는 民衆이 覺醒하얏슴으로 統一이 完成된 것입니다』

一便으로 말하며 一便으로 생각하는 君은 連方 두 손으로 表情하는 것이엇다

---

33 신문에 연재할 때 10회 뒤에 11회가 없이 12회로 이어졌다 - 편자 주

地方自治 完成 憲政時期 到來

『國民黨의 理想이 憲政時期는 몇 해나 지나면 오겟습니까』

『그것은 年限 問題가 아니지요 地方自治가 大部分 完成되고 憲法的 訓鍊이 完成되는 때에는 비롯오 憲政時期가 될 것입니다

胡 君은 黨員을 對할 때에 學生을 對할 때가티 한다는 말이 잇다 記者도 君의 親切하고도 詳細한 應對에 敎師를 對하는 感이 업지 안헛다

對外 問題로는 胡 君도 좀 唐皇

『外交 交涉에 對하야 中國은 要求 貫徹을 爲하야는 最後 手段에까지 나아갈 決心이 잇는가요』

이 質問만은 胡 君도 좀 唐皇하지 아니치 못 하는 모양이엇다 軍事와 外交當局이 그로서는 말할 수 업다는 答辯이 좀 窘塞하나 더 追窮할 必要가 업섯다

물을 만하나 時間 업서 遺憾

뭇고저 하는 問題는 아즉도 만핫다 바로 前日 發表된 國民政府宣言에 依하면 今後 行政의 大方針은

一、先決條件

(1) 社會秩序 安定

(2) 裁兵 及 財政 軍事의 整理

二、建設의 進展

(1) 政治建設 － 訓鍊 直接民權

(2) 經濟建設 － 民生主義 實現

(3) 敎育建設 ― 敎育의 科學化、普及化

라 하얏다 社會秩序 安定의 實際的 方法은 무엇인가 土匪의 中國을 警察의 中國을 맨드는 方策은 如何한가 軍隊의 統一에 對하야는 地方의 割據하는 各 集團軍을 如何히 中央에 服從케 하려는가 財政에 對하야는 關稅의 自主는 實行할 決心이 잇는가 直接民權 訓鍊의 實際는 如何 平等地權 節制資本은 如何히 實現하려는가 學生과 民衆의 政治運動을 如何히 指導하려는가 ― 이런 것은 國民政府가 스스로 提出하는 數만흔 問題의 小部分에 지내지 못한다 國民政府의 頭腦인 胡 君이니만치 記者는 時間의 짧음을 恨하지 안흘 수 업섯다 撮影을 請하니

『光線이 足할까』하며 돌이어 걱정하야준다 본즉 電燈光이 이미 薄明의 방안을 밝히고 잇다 求하는 대로 記者의 貼卷에 墨跡을 남기어준다

『붓이 낫빠서 잘못 썻다』고 주는 것을 보니까 細劃의 篆體로 그의 性格을 나타낸 듯하다

理論에 잇서는 胡 一人의 中央

現在의 南京政府를 馮 蔣 兩 人의 軍力에 蘇 浙의 財力과 吳稚暉 等의 所謂 無政府主義派의 聯立內閣이라 하면 胡 君이야말로 그 理論的 一面을 代表한 人物이라 할 것이다 黨部와 黨을 右派의 理論으로 統御할 사람은 實로 이 사람을 두고 다시 업슬 것이다 君의 近者[34] 『三民主義의 連環性』은 그 主義를 『整個[35]』 主義로 闡明하는 데 잇서 劃時期的이라 할 것이다 南京特別市

---

34 "者"는 "著"의 오식 - 편자 주.

35 "整個": 중국어 "전체의, 온통의, 통째로의" - 편자 주.

黨部 黨務指導委員會가 胡 君에게 質疑書를 보낸 데 對하야

『中央은 胡 一人의 中央이 아니오 全體의 中央이라』고 反駁한 일이 잇거니와 적어도 理論에 잇서서만 胡 一人의 中央이 되어잇다 하야도 過言이 아닐 것이다 胡 君은 때로 『보로딘[36]』을 嘲笑하고 汪精衛 君의 『沒自覺』을 嘆하고 『스탈린』의 右傾을 論하야 自己들의 右傾을 合理化하려 한다 果然 理論的으로 靑年 國民黨員을 克服할 수 잇슬까 今後의 볼만한 구경의 하나일 것이다

一貫한 右翼이 胡의 得勢 原因

國民黨 內의 思想家로는 한번 左하야보지 안흔 이가 업는 中에서 自初至終으로 中間的 右翼을 지키어내려온 것은 胡 君의 長處다 左翼 首領 廖仲愷 暗殺事件으로 因하야 廣東을 떠나게 된 그는 赤露에서 年餘를 滯留하얏다 그러나 赤露도 그의 思想을 赤染하지 못한 것은 事實이다 그가 滯留 中에 『크레스틴터른[37]』에 잇서서 中國 農民 問題를 만히 硏究하야 農民問題 『테— 제』作成에 그의 손이 만히 들엇다 하나 歸來 以後 그는 寧漢分立[38] 時에도 南京派에 屬하얏고 今番도 蔣介石의 左派提携策이 失敗되자 君이 黨의 牛耳를 잡게 된 것이다

『階級』을 捨하고 『超階級』을 唱하며 『農民의 利益』을 부르지즈며 『徹底

---

36 "보로딘": 러시아 작곡가, 화학자, 사회운동가 알렉산드르 보로딘(Александр Порфирьевич Бородин, 1833~1887) - 편자 주.

37 "크레스틴터른": 러시아어 Крестинте́рн(적색농민 인터내셔널) - 편자 주.

38 "寧漢分立": "寧"은 난징(南京), "漢"은 우한(武漢), 1927년 4월 장제스가 난징(南京)에 국민정부를 설립하여 원유의 우한 국민정부와 병립한 사태 - 편자 주.

的 淸黨』을 要求하는 그는 實로 現在 國民黨의 自由主義的 背景을 가장 잘 代表한 사람일 것이다 『非 資本主義的 建設』을 主張하는 그가 江浙[39]의 資本 家의 絶對後援 下에 維持되는 南京政府 下에서 어대까지 그 理論을 透澈할 수 잇슬른지 吾人은 三民主義가 思想的으로 立脚한 均衡의 中心을 어대로 움즉이게 하는 것이 當分間 胡 君의 一動一靜에 잇슴을 否認할 수 업다

【十三】黨의 現象 其他 — 葉楚傖 氏와 會見

葉楚傖을 訪問 세 번 만에 會見

蔣 校長 ― 卽 蔣 總司令 ― 아니 蔣 主席을 맛나기는 相當히 困難한 것을 發見하얏다 적어도 一國의 元首일 뿐 아니라 딸어서 謁見을 請하는 사람도 多數이요 身邊의 警戒도 非常히 嚴하다 우리는 特別한 辦法을 設하지 안흐면 안 될 것을 깨달앗다 葉楚傖 君을 訪問하야 세 번 만에 맛난 것은 이를 爲함이다

廿九日은 陽光이 鮮明하고 싸늘한 바람이 불어 朝鮮의 氣候와도 비길 만한 가을 아츰이다 國民軍 南京 占領 以來로 새로 開校된 金陵大學의 前庭의 庭芝는 말르기는 하얏스나 別로 傷하지도 안흔 모양 中國 古代 建築의 美를 모아 지은 大禮堂의 外壁의 漆이 낡아진 것을 바라보면서 一 牆을 隔한 葉 君의 寓를 차젓다

門前을 掃除하든 下人이 葉 先生은 省政府에 가야 會客을 한다고 한다 果然 壁上에 墨跡淋漓하게 『會客時間自午前九時至十一時在省政府』라고 뚜렷

---

39 "江浙": 장수(江蘇), 저장(浙江) 두 성(省) - 편자 주.

이 씨어잇다 雜談 除하고 名函을 올려가라고 하니 아[40]지 못하야 應한다

모든 것이 粗略 鬪士 面目 躍如

客室 — 이라고 하야 粗略한 椅子 몃 개와 圓卓 一 個 다 말라가는 菊花 一 盆 外에는 裝飾도 업고 掃除도 不充分한 一室이다 이것이 葉 君의 葉 君 된 所以일른지 기다린지 一 刻 餘에 羅絲 中服에 南京서는 어울리지 안는 馬掛를 닙은 葉 君이 쑥 들어왓다 近視眼境을 쓰고 頭髮을 뒤로 넘기엇스며 얼굴과 몸집이 다 相當히 크게 생기엇고 딸하서 목소리조차 거츨다

『여러 번 오신 것을 失禮하얏습니다』 名函만으로는 이미 知舊인 것을 표시한다 學者요 街頭에 나선 實際 鬪士의 面目이 江蘇省政府委員의 職函에 물들지 안흔 것이 반가왓다

×

記者는 國民黨에 關한 雜談을 徐徐히 始作하얏다 葉 吳[41]은 中央黨部 宣傳部長 戴季陶의 職務를 代行하는 故로 黨의 宣傳 出版을 어들 수 잇느냐 한즉 두말업시 그러타고 한다

『黨員 總數 말슴입니까』 그는 淸海口音의 普通話를 쓴다 『以前에는 約 五十萬이라고 하얏는데 上黨 以後에 重新 登記를 始作한 故로 至今은 아즉 登記未了處가 만하 正確한 數字는 알 수 업습니다 入黨 節次는 黨員 二 人 以

---

40 "아"는 "마"의 오식 - 편자 주.

41 "吳"는 "君"의 오식 - 편자 주.

上의 紹介가 잇고 區黨部委員의 通過가 잇스면 되게 되엇습니다』

黨員 가운데는 外國人도 多數

『外國사람도 黨員이 될 수 잇습니까』奇問을 發하얏다

『암 잇고 말고요 現在 米國人 黨員도 不少하고 墨西哥[42]人도 잇습니다 아마 朝鮮사람도 黃埔軍官學校 出身 中에 黨員이 만흘 줄 압니다』

『女黨員은 멧 명이나 됩니까』

『相當히 만치요』

『女黨員의 執務 能率이 如何합니까』

『亦是 相當합니다』

이래서는 問答이 아니 될 모양임으로 話鋒을 轉하야

『左派에 對한 將來 對策이 如何하오』하고 大膽히 攻擊한즉

『첫재 黨內에 派閥을 가르지 안습니다 勿論 意見의 相異는 누구나 어대서나 避하지 못할 것이요 汪兆銘 君은 忌避하고 안 한다는 問題도 或 個人으로는 그런 말을 한 이가 잇는지 몰르나 黨內에서는 正式으로 그런 討論을 한 일조차 업습니다』 하는 對答은 宣傳部 代理 部長의 資格으로 말함임은 勿論이렷다 『黨內無派閥』은 蔣介石 君의 近來의 傑作口號의 하나이다

『그러면 黨內의 內紛은 今後 업겟습니까』한 번 더 追擊 『絶對로 업지요』하면서 그의 얼에굴[43]에는 굿건한 信念의 表現이 돈다

---

42 "墨西哥": 멕시코 - 편자 주.

43 "얼에굴"은 "얼굴"의 오식 - 편자 주.

訓政時期에는 黨外에 黨 업다

『以黨治國의 訓政時期에 잇서서는 黨外에 다시 黨이 업다 國民黨은 決코 歐美의 政黨과 그 意味가 달르다 憲政時期에 니르러서는 國民黨의 作用은 變하야 人民 全體에게 治權과 政權을 내여주게 될 것이다』 葉 君의 極히 常識的인 說明에 나는 滿足할 밧게 업섯다 三民主義에 對한 最近의 學說은 胡漢民 等 『三民主義의 連環性』을 보라고 한다

×

『聯合世界上以平等待遇之民族共同奮鬪[44]』 이것은 그가 紀念으로 記者에게 준 墨跡의 句다 總司令部 參謀로 잇는 邵力子 君에게 一 片의 名函紹介狀을 써주며

『이것을 가지고 가면 總司令을 볼 수 잇겟지요』 한다

잉크로 簡單히 『請代延引介公』이라고 쓴 『介公』은 물론 蔣 總司令을 가르킨 것이다

마츰 邵、蔣 兩 位가 다 上海로 가서 돌아오지 안핫슴으로 우리는 不得已 數 日을 延滯하게되엇다

(14) 建設方略六條 — 考試院長 戴傳賢 會見

◇ ‥‥‥ ◇

---

44 "평등으로 대우하는 세계의 모든 민족을 연합하여 공동으로 분투하자" - 편자 주.

五 院 院長 中의 最年少者인 考試院長 戴傳賢은 天仇、季陶 等의 字號로
잘 알리엇다. 胡漢民 君과 가티 現在 南京政府의 理論 上 指導者이요 中央黨
部의 柱石의 하나이다 現在 國民政府 內에 數만흔 日本留學生 中에도 日本
語에 勘能하고 日本通으로 有名하다 羊皮巷 小街에 考試院籌備處라는 족으
마한 看板을 부티고 新 院의 組織에 專心하고 잇다 黑漆을 발른 純 中國式의
大門을 들어서면 正面과 左側에 圓形으로 墻壁을 뚤어낸 道路가 잇고 그를
들어서면 考試院籌備事務所의 建物이 잇고 한 門을 더 들어가면 戴 君의 寓
居다

『戴 院長 會客時間은 星期二 三 兩 日 午前 六時로 九時까지』라고 하는 破
天荒의 面會時間에 依하야 星期二 日 午前 八時에 徃訪하니 先來之客이 만허
意를 達하지 못하얏다 翌日 水曜에는 未萌에 起하야 六時에 名函을 들여보
냇다 客廳의 電燈이 아즉 殘光을 花柳테불에 던지고 잇다 方今 嗽洗를 마친
戴 君은 朝粥을 喫하면서 談話를 한다 擔銃한 守衛가 庭前을 徘徊하고 잇다.

『今後 國民黨의 建設 計劃을 듯기 爲하야 不遠千里而來하얏습니다』記者
가 뭇는 대로 戴 君은 明晳히 應對한다 鉛筆로 建設의 大綱을 圖示하야주는
것이 그의 系統的 頭腦와 親切을 나나탠다

『建設의 方針은 이미 新聞紙上과 公席의 演說에 發表된 것과 가트나 鄙人
의 意見으로는 政府가 應當 努力할 것과 人民이 應當 努力할 것 두 가지라고
하겟습니다

『人民의 努力은 다시 말하면 地方의 自治를 完成하는 것을 目標로 나갈 것인데 이 目的을 達하기 爲하야는 人才를 集中하고 工作을 集中하야 建設을 實行할 것입니다 建設을 實行하는 데 가장 重要한 工作이 여섯 가지가 잇습니다

『첫재는 平民教育을 振興하야 成年者의 識字運動 及 小學教育의 普及을 計할 것이오 둘재는 土地를 開發하야 農事의 改良과 造林 運動을 니르키어야 하겟습니다 셋재는 道路를 改善 擴張하야 交通을 整理 發達케 함이며 넷재는 地方 人民의 安寧秩序의 保障을 完全히 하기 우하야 保甲을 整頓하여야 할 것입니다

『다섯재는 合作運動(記者 注 ― 協同組合運動)을 니르키어 農民의 金融 發達을 꾀할 것이며 마즈막으로 衛生運動에 置重하여야겟습니다 以上의 地方自治이 要領에 依하야 中國의 甦生運動은 實質的 建設期에 들어가는 것입니다』戴 君의 講論은 透明하야 一點의 疑義도 許하지 안는 感이 잇다 勿論 以上의 六 條項은 建設途程에 가장 必要한 事業일 것이다 그러나 이것은 中央政府의 威力과 實力이 確立한 後에야 비롯오 着手가 可能한 것이 아닌가 여긔서 戴 君의 所謂『政府應努力之方針』이란 것이 必要한 것이다

即 모든 建設의 先決條件은 軍政의 統一과 財政의 統一、吏治의 廓淸이 되지 안흐면 안 될 것이다 戴 君의 말을 그대로 옴기자면

(一) 裁兵 及 軍政 軍令 之 統一

(二) 整理 財政 確立 豫算

(三) 整頓 吏治 實行 考試制度

의 三者는 今後 國民政府의 應當 努力할 것뿐만이 아니라 實로 그의 死活問題가 달린 것이다

『軍政의 統一은 具體的 方針이 確立되엇습니까 即 各 集團軍은 取消할 수 잇겠습니까』記者는 相當히 露骨的인 質問을 試하얏다

『勿論 圓滿히 進行 中입니다、全國 軍隊를 六十 師團으로 縮小하고 集團軍 名稱도 廢止될 터이며 軍隊의 費用도 中央으로 集中되겟습니다』戴 君은 躊躇 업시 對答한다 戴 君이여 記者도 實로 그러케 되기를 中國을 爲하야 祈禱함을 마지안는 바로다

談이 東三省[45]에 及하얏다 戴 君은 좀 興奮의 色을 보이면서 『對於東三省中國無問題但爲外國人之問題[46]』라고 하는 簡單한 한 마듸는 國民黨人의 생각을 代表한 警句다 『滿洲의 朝鮮사람에 對하야는 國民政府로서는 中國人과 죽음도 差別 업시 꼭 가티 待遇할 것임니다』面對하야서만 아닐 뜻이 誠心으로 하는 말을 듯고 記者는 感謝의 뜻을 表하지 안흘 수 업섯다

---

45 "東三省": 중국 동북의 헤이룽장(黑龍江), 지린(吉林), 리오닝(遼寧) 세 성(省), 즉 만주지역 - 편자 주.

46 "동삼성(만주)에 대하여 중국으로서는 아무 문제가 없고 다만 외국인들의 문제인 것이다" - 편자 주.

考試院의 性質을 물으매

『世界 文明國 中에는 考試制度를 아니 쓰는 나라가 업습니다 오즉 現在의 中國만은 이것이 업슴니다 녯날의 科擧라 하는 것은 그 意思는 조핫스나 考試의 方法、所考의 科目이 不適當하얏슴니다 考試院의 組織은 目下 準備 中임으로 아즉 完成되지 못하얏슴니다』

이야기하는 동안에 날은 이미 밝앗다 訪問客이 漸次로 모여드는 모양이다 우리는 不得己 辭去를 할박게 업섯다

『내가 七八 歲 때에 朝鮮말을 몃 마듸 배와 알앗섯는데 지금은 다 니저버렷슴니다』

작별에 臨하야 戴 君은 微笑를 띄면서 이런 말을 하얏다

(15) 二世 政府主席? ─ 馮玉祥 將軍의 印象記

五中全會[47] 時에 無聊의 一 個月을 南京서 虛送하다가 憤然 河南 舊巢에 돌아갓든 馮玉祥 將軍은 五院[48] 成立 以後 歸京하야 行政院 副院長 兼 軍政 副長의 要職에 就하야 軍政과 軍政과 軍令의 統一을 目標로 晝夜焦心하고

---

47 "五中全會": 1928년 8월 8일~15일 진행된 國民黨第二屆中央執行委員會第五次全體會議 - 편자 주.

48 "五院": 장제스가 난징(南京)에 설립한 국민당 정권의 조직구도, 즉 입법원(立法院), 행정원(行政院), 사법원(司法院), 고시원(考試院), 감찰원(監察院). - 편자 주.

잇다 南京政府의 問題의 人物『따―크 호르스⁴⁹』、好意로 말하면 第二世의 政府主席、다르케 보는 사람에게는 放心 못 할 陰謀家 馮에 對한 世評은 가지各色이다 崇拜家도 만흔 代身에 政敵도 만흔 모양이다

우리가 南京 到着 即時로 馮 將軍을 訪問코저 한 것은 이러한 興味 끌림이어다 그러나 일은 巧妙스러히 되어 將軍의 門을 두드리기 八 次만에야 겨우 會見을 得하얏스니 이것이 訪問 度數로는 南京서의『레코드』를 지엇다

湯山溫泉에서 돌아왔다는 報를 듯고 三十一日 午前 七時에 馮 行營을 徃訪한 것이 이미 第四次의 訪問이엇다 行政院이 正式으로 辦公을 始作하얏슴으로 그곳서 面會함이 조켓다는 秘書 戈定遠 君의 周旋으로 十一月 二日 午前 八時에 行政院 副院長 會客室에서 會見의 目的을 始達하얏다 戈 秘書의 손에 聖經冊이 떠나지 안는 것은 基督將軍의 이름을 다시금 回想하게 한다

새로 修理한 行政院의 廊에는 기름 냄새가 코를 찌른다 行政院이란 이름보다도 國民政府 後門이라 하여야 車夫의 귀에 닉은 모양이다 門前 廣場에는 軍官硏究班의 操鍊이 한창이다 軍官硏究班은 退伍한 將校들의 講習所 비슷한 것이다 會客室에는 秘書 外에 衛兵이 一 名 또 우리의 對話를 筆記하는 書記가 一 名、陪席한 나、門을 열고 들어서는 馮玉祥의 六尺偉驅는 將軍의

---

49 "따―크 호르스": dark horse - 편자 주.

名稱에 相當한 體格이다 灰色 綿布에 솜 둔 外套가 다 해어저가는 것을 걸치고 西北軍 獨特의 『캡』을 쓰고 亦是 綿布로 지은 中國靴를 노끈으로 매어 신은 우에 廣木脚絆을 친 모양은 胸間에 달린 『行政院 副院長』의 號牌가 아니더면 士卒 中의 하나로 잘못 보지 안흘 수 업는 채림이다

오즉 두 눈만은 英彩가 撥刺하야 사람을 쏘아보며 말을 할 때마다 두두룩한 두 뺨이 흐믈거린다

우리는 例대로 中國統一의 成功을 祝賀하는 同時에 東亞日報를 通하야 朝鮮사람에게 一 句의 『몃세지[50]』를 請하얏、 뭇고 시픈 말이 만흐나 時間이 促迫함이다

馮 將軍은 徐徐히 말한다 『世界 어대 民族이든지 한번 興하고 한번 衰하지 안는 民族이 업소 中國으로 말하야도 여러 번 衰하얏다가 興하얏지오 西洋 各國도 亦是 그러하오 朝鮮民族도 現今 매우 貧困에 빠지엇스나 誠心努力하면 다시 잘살게 될 것입니다 들으니까 朝鮮의 人民의 民氣가 매우 興旺하다고 하니까 머지 안흔 將來에 幸福스런 民族이 될 것을 밋고 바랍니다……허허허』

馮 將軍의 哄笑는 朝鮮사람도 잘살게 되기를 바란다는 祝福의 웃음이다

---

50 "몃세지" : message - 편자 주.

웃을 때마다 무거운 듯한 全身이 椅子 우에서 搖動을 한다

　記念하기 爲하야 記者와 가티 서서 撮影을 請하니 快히 應한다

　握手하자고 내여미는 손을 보니 南京서 自炊 生活을 하얏다는 風說도 거짓말이 아닌 證據인 듯이 農夫의 손같이 거칠다

　그는 南京의 靑年을 向하야 勤儉質素를 說敎하고 西北開發熱을 鼓吹한다 幕下의 軍卒에 對하야도 儉朴을 恒常 가르킨다 그뿐 아니라 몸소 軍卒과 가티 生活하야 模範을 보인다 그 行營의 초라함이라든가 衣服과 飮食凡節이 다 儉素의 具體化가 되어가고 잇다

　南京의 靑年士官과 學生 中에 馮玉祥 崇拜者가 만하지는 것은 이러한 까닭이라고도 한다 政府 內의 勢力은 半 以上이 馮系로 돌아갓다고 말하는 이도 잇다 아닌 게 아니라 外交部長 王正廷이라든가 李烈鈞、于右任、張之江 等이 馮系의 人物이다 于右任은 五中全會 以後 무엇을 하는지 上海에 卜居하야 움즉이지 안는다 或者는 陳公博 徐謙、甚至於 鄧演達 等과 連絡하고 잇다고도 한다 風說의 可信與否는 莫問하고 第二世 政府主席 候補의 人氣를 가지고 잇는 그는 어찌 보면 奇人이고 다시 보면 豪傑 左右間에 將來를 括目하야 보지 안흐면 안 될 人物인 것만은 틀림이 업슬 것 갓다

(15)[51] 國府의 『記念週』 — 蔣의 首唱으로 遺囑 朗讀

　　周圍 六十 里의 廣潤한 南京城은 太半이 荒墟로 되엇다 最近 戶口調査의 結果가 人口 約 四十五萬 中華民國의 新首都로 넘으나 貧弱한 感이 업지 아니하다 — 고 말하는 사람은 말할지어다 空垈가 만흔 것이 돌이어 新街路 新建築을 比較的 容易케 하는 것이 안 됨도 아니다 들으니 秋草가 荒凉한 明 故宮의 遺墟에는 未久에 國民政府의 大廳舍가 雄姿를 나타내게 될 것이라고

　　鼓樓에서 東南으로 나려다보면 市의 中央쯤에 兩 旒의 靑天白日滿地紅의 國旗가 翻揚하는 곳이 잇스니 이곳이 即 舊 督軍署 現在 國民政府 及 軍事委員會의 자리 잡은 곳으로 丁家橋의 中央黨部와 相補하야 新中國 萬政百司의 根源地요 五權憲法 建國方略 建設의 總指揮處이다 正門 前에는 其間의 『아스팔트』大路를 開하얏고 向하야 左에는 『軍事委員會』 右로는 『國民政府』의 金字橫額이 燦然하다 오즉 軍事委員會는 이미 五中全會에서 改造되엇슴으로 近近 事務를 練束하고 新設되는 參謀總部 訓鍊統監部에 그 職權을 讓與하게 되엇다

---

51 연재 순서상 16회가 맞지만 게재될 때 15회로 돼있다. - 편자 주.

國民政府記念週를 參觀하기 위하야 五日 早朝 咫尺 間인 旅館에서 徒步로 이에 向하얏다 正門 對面에는 高壁이 잇고 거긔 例에 依하야 中山肖像과 遺囑이 大書되어잇다 木造 二層의 舊 建物에다가 白布에『天下爲公』『廉潔政治』等의 墨書를 懸한 것은 殺風景의 感을 주지 아는 것도 아니다 交際科의 客廳은 해가 들지 아니하야 陰沈한 氣運이 돈다 隧道모양으로 기피 各 司로 通한 廊廳만이 深奧한 데까지 들여다보인다 向하야 左側에 簡單한 大廳이 잇스니 여긔가 記念週 式塲이다

　　瀏亮한 喇叭소리가 들린다 軍樂隊를 先着으로 政府 構內 所屬의 軍卒들이 續續 大廳으로 모혀든다 우리도 뒤를 딸하 式塲에 들어가니 庭前에는 衛兵隊가 羅列하얏고 大廳 左側에는 軍事委員會 職員 一同이 列立하고 右側으로는 搖鈴소리를 딸하 續續 모여드는 中이다 兩 機關 人員 合하야 約 五百人、낫닉은 얼굴을 살펴보니까 軍服 한 사람 中에는 何應欽、李濟琛[52]、何成濬 等이 눈에 띄우고 平服 한 中에는 譚延闓、陳罘[53]夫、古應芬 等이 보인다 海軍 正服을 한 것은 楊樹莊、陳紹寬의 一行이다

◇ …… ◇

---

52 “琛”은 “深”의 오식 - 편자 주.

53 “罘”는 “果”의 오식 - 편자 주.

軍樂소리가 울엉차게 들리는 곳을 바라보니 國民政府 主席 蔣介石 君이 들어온다 單純한 黃褐色 軍服을 닙고 키는 普通보다 큰 便이다 前날 寫眞으로 볼 때에 업든 웃수염을 깜아케 길럿스며 軍帽를 벗는 머리는 빨가케 깍것다 赤柄의 萬年筆을 웃 주머니에 無心히 꼬잣고 脚絆을 질르지 안핫다 一同에게 黙禮를 한 後에 大廳 正面에 잇는 總理 遺像으로 向하야 섯다

一 軍官의 불르는 號令을 딸하 一同이 向 國旗 黨旗 總理 遺像 遺囑 三 鞠躬을 하고 黙禮 三 分鍾을 한다

『余致力國民革命凡四十年 ……』

蔣 主席의 浙江口音은 低聲이면서도 맑다 主席이 讀 一句 하면 一同이 이에 和한다

『其目的在求中國之自由平等 ……』

이러케 遺囑 全文을 奉讀하는 소리를 홀로 黙黙히 듯기만 하는 記者의 胸中은 어찌 萬感이 交至함을 禁할 수 잇스랴 이 森嚴한 瞬間에 나의 생각은 身體를 더나 문득 過去 四十 年 間의 東亞 風雲 歷史의 페지를 來徃하다가 또 다시 東亞 百年 將來의 理想鄕을 꿈꾸는 것이엇다

繼하야 蔣 主席의 簡單한 演說이 잇섯다 赤露軍事通信員 總動員의 報道를 引例하야 政府 職員의 努力臨事할 것을 鼓舞하는 同時에 對外 一致團結과 外國의 進步에 落後치 안키를 勸하얏다

場內를 對하야는『諸位同志』로서 불르고 自稱하야는『兄弟』라고 하는 것도 새삼스러히 귀에 들어온다 말할 때마다 鼻肉이 動하는 것이 神經質로 보인다 할는지 演說이 自初至終 軟한 맛보다도 嚴肅으로써 一貫한 것도 軍官의 面目을 나타냇다고 할 것이다 그러나 嚴格한 軍官인 蔣介石은 또 下官과 士卒에게 對하야는 父兄가티 親切함이 그의 人氣 잇는 所以라고도 傳한다

이날 午後 五時 記者는 蔣 主席을 그의 公館에 拜訪하는 機會를 得하얏다

(16) 蔣介石印象記(一)

總司令을 會見하기까지

黃埔軍官學校 當時의 蔣 校長 中正 君은 北伐 開始와 同時에 蔣 總司令이 되고 現在는 蔣 主席이 되엇지만 그중 人口에 膾炙된 이름은『總司令』의 名稱이다 君의 公館조차 國民革命軍總司令部 구석 기픈대 잇다

葉楚傖 君의 紹介名片을 가지고 總司令部에 邵力子를 차즈니 快히 맛나주엇다 十 年 前 上海 法租界에서 活字와 씨름하든 民國日報 主筆의 靑年鬪士의 머리에 於焉間 白髮이 間間 석긴 것을 보니 歲月의 빠름을 恨嘆함보다도 革命의 苦節을 回憶케 함이 더욱 甚하다 總司令部 副官處 總參議의 要職에 잇서 蔣 氏의 絶對信任을 바다 그의 顧問이오 代表요 代言者로 兼하야 잇다

『上海에서 方今 돌아오는 길이외다』

邵 君은 疲困을 抑制하면서 선 채로 말한다 때는 即 十一月 二日 午後 五時 頃이다 副官處에는 벌서 夕陽이 밝아케 들이고 夕飯 準備에 奔走한 모양

이다

『總司令을 맛나려면 交際處에 가서 먼저 登記를 하시오 내가 今夕에 總司令을 맛나면 紹介를 해둘 것이니까』

邵 君의 說明에 依하면 總司令을 맛나려는 사람은 前日 그와 가티 登記를 하야두면 晚間에 總司令이 登記簿를 보고 會見時間을 定하야 通奇[54]를 한다고 한다

배와주는 대로 登記를 畢하고 돌아와 기두르노라니 就寢時가 다 될 때에 總司令部 傳令이 明日 午後 四時에 오라는 信函을 傳하야준다

三日 午後 四時 正刻에 多大한 期待를 가지고 再次 總司令部 門을 들어간 우리의 豫期는 또 틀려버려다

『總司令은 特別한 事故로 因하야 今日은 會客 할 수 업스니 未安하나 月曜日에 와주시오』라는 副官處 傳達이다 虛行하는 사람은 우리뿐 아닌 모양

『오늘 이 時間에 맛나자고 上海서부터 約束이 잇는데 웬일인가』고 어떤 老人 한 분은 邵力子에게 대들어 아모리 달래도 듯지를 안는다 두 사람이 後面으로 들어간 지 한참만에 다시 나오며 하는 말

『보시는 바와 가티 沒有法子[55]니까 再明日 다시 오실 것밧게 업습니다』

老頭子[56]도 그제는 아모 말 업시 가는 것을 보면서 分明히 어떤 『特別한

---

54 "奇"는 "寄"의 오식 - 편자 주.

55 "沒有法子": 중국어 "방법이 없다" - 편자 주.

56 "老頭子": 중국어 "늙은이" - 편자 주.

事情』이 잇는 것은 事實이다 不幸히 그날의 『特別한 事情』이 무엇이엇는지
는 後日에도 알 길이 업섯슴은 遺憾이엇다

　이러케 되어 五日 午前에 國民政府記念週에서 蔣 主席의 風姿를 瞥見하
고 同日 午後에 더욱 親咳를 接하자는 企待로 세 번재 羊皮巷 石路에 車를
몰앗든 것이다 이날도 白耳義[57] 代理公使의 出現으로 기다린 지 一 時間만에
蔣公館으로 引導를 바닷다 總司令部 總司令室을 끼고 빠저나가면 前後에 兩
個의 池水가 잇고 그 間으로 세멘트 長廊이 잇다 廊首에는 短砲를 빼어든 衛
士 兩 名이 氣着不動의 姿勢를 取하야 섯고 庭前의 芝草는 잘 가꾸어잇다
　中國式 單層 房屋이지마는 둥근 기둥에 丹靑을 발른 堂堂한 집이다 應接
室에는 簡素한 卓子가 一 個 그 뒤에 大形 暖爐가 노혀잇고 暖爐 뒤에 屛風
을 둘러 다음 房과 겨우 사이를 막앗다
　屛風 건너 妍妍한 우슴소리 나는 곳을 偸視하니 宋美齡 夫人이 一 人의
女客과 가티 談笑하는 中이다 얼른 몸에 華麗하다고는 못 할 衣裝이오 革命
女性의 表徵이랄 만치 流行인 斷髮을 아즉 아니하고 依舊의 束髮을 가진 것
이 有心히 눈에 띄운다

　從卒이 茶를 가저온다 가티 蔣을 會見하러 와 안젓는 사람이 約 二十 名

---

57 "白耳義": 벨기에 - 편자 주.

가량인데 그 中에는 日本人 두 사람과 丁抹新聞 記者라는 白人이 눈에 띄운다 同業이란 同情心이 우리 間에 即時 會話를 成立케 하얏다

『우리 新聞은 三百 年의 歷史를 가지고 世界 最古의 新聞이라』고 자랑을 한다

『朝鮮 구경을 오실 때는 第一 큰 新聞을 차즈면 우리 新聞社를 알 수 잇스리라』고 即時 應酬하얏다

壁上의 걸린『國恥地圖』와『國恥表』를 무엇이냐고 물음으로 說明하야주엇다『國恥地圖』에는 過去 世紀에 喪失된 中國 領土를 赤色으로 表示하얏고 『國恥表』는 不平等條約의 目錄이다 두 가지 다『國民政府內務部製』라고 銘을 찍엇다 從卒이 우리더러 들어오라고 請한다

(17) 蔣介石印象記(二)

眞摯하고 熱情的인 性格

커다란 洋式 事務테불을 向하야 總司令이 안젓고 左側에는 書記가 書役에 奔走하다 總司令 机 上에는 書札이 山積하다 아츰에 본 軍服 그대로의 蔣介石은 니러서서 握手로 우리를 맛는다

『오·오…… 朝鮮 京城서 왓다고 온 지 얼마나 되엇는가?』

『벌서 十餘 日 되엇습니다』

『오·오…… 벌서 十餘 日이 되엇서요 오·오·』『오·오』는 그의 입버릇이다

中國統一 完成을 祝賀하는 뜻을 陳한즉『오·오』을 連發하면서

『오늘은 客이 만하서 오래 이야기 못하는 것이 未安하다』고 再三 가튼 뜻을 말한다 멀리서 볼 때에는 왼통 嚴格 그 물건인 軍官의 威風은 가까이 對하야 親切叮嚀한 應對에 全혀 사람의 意表에 나는 感이 不無하다 眞摯일 때로 眞摯하면서도 情愛에 넘치는 對人態度 ― 이것이 記者의 바든 印象이다

軍官學校 生徒에게 慈父와 가티 欽慕를 밧고 國民黨 各 派 葛藤에 唯一한 調和者가 된 것도 蔣의 이 性格 起因함이 아닌가 하얏다

撮影을 請하매

『今日은 時間이 不足하니 下次가 어떠하뇨』하고 辭하는 것을 體面 업시 再次 要求하니

『好、我來、我來』하고 나서는 것이 또한 그의 親切을 나타내는 것이엇다

寫眞을 박힐 동안도 片紙를 뜨더 넑는 것은 그의 奔忙을 證據하고도 납는다 우리는 더욱 그의 時間을 要求할 廉恥가 업서

『한 마듸 紀念의 語를 줍시사』請한즉 暫時 黙思하더니

『是、共同奮鬪囉』

作別에 臨하야 握手로 우리를 보내면서

『再會、再會』를 連發한다 적어도 一國의 元帥에 對한 會見으로는 實로 單純(씸플)한 會見이엇다 이날의 蔣介石 君은 國民政府 主席으로서의 蔣 그 사람보다 차라리 軍官學校 校長으로의 北伐軍 總司令으로의 아니 一介의 國民黨 鬪士로서의 그이라 함이 더욱 適當하다고 할 것이 아닌가 우리는 생각하얏다

北平 中山 靈柩 前에 北伐完成을 祭告할 때에 放聲大哭하얏다는 蔣中正、 南京慶祝會 席上에서『打倒西山會議派』等 口號의 擾亂이 잇슬 때에

『너이들 입만 가지고 그런 소리 말고 前線에 나가 砲雨 미테 피를 흘려보 앗느냐』고 大聲疾呼하얏다는 蔣中正、斷乎하게 下野를 決行하든 蔣中正、終 息內紛하고 一致團結하자는 눈물겨운『告同志書』를 쓴 蔣中正、이것들은 그 가 熱의 人이요 情의 人이요 눈물의 사람인 것을 證明하는 것이다

그에 對한 區區한 褒貶을 暫時 뭇지 말라 그 또한 一世의 英雄兒임은 누가 敢히 否認하랴 胡漢民이거나 戴天仇거나 馮玉祥이거나 또는 모르거니와 汪 兆銘도 가지지 못한 特長으로 蔣 一人이 가진 것은 即 眞摯과 熱情의 結合인 그의 性格일 것이다 그가 先 總理 孫文의 雄大한『스케일』은 못 가젓다 할 망정 孫의 逝去 後 國民黨 結晶의 唯一의 基軸이 되어온 것도 그만한 長點이 잇는 까닭일 것이다

淸黨의 當面의 責任者로서 共産黨에게 가장 원망을 밧는 사람도 蔣介石 이다 或者는 그의 政治的 活動이 이미『클라이막스』를 지냇다고도 본다 그 러나 廿 歲 東京 留學 時에 奮然히 孫 師를 따르기 十年을 一日가티 하야 苦 節을 지키며 生命을 獻하야온 그로서 아즉 年齡이 五十이 차지 못하얏스니 新中國建設運動의 그의 役割이 아프로 더욱 重大할 것을 우리는 期待한다

(18) 司法院의 權限 ─ 官界의 老將 王寵惠 院長

司法院長 王寵惠는 國民黨의 老將인 同時에 北京政府의 司法總長을 지낸 일도 잇서 官界에도 老將인 것이 戴季陶、葉楚傖 等의 書生과 다른 點이다

王 君을 乾河沿에 잇는 司法部에 往訪하니 快히 引見한다 이곳은 本來 華言學堂이라 하야 米國 宣敎師의 中國語學習機關이든 것을 現在 國民政府司法部와 農鑛部가 자리잡고 잇다 修繕은 加하얏스나 破損의 痕跡이 아즉도 남아잇다 마츰 『司法部』를 『司法院』으로 改造하는 時機라 看板은 部이지마는 稱號는 王 院長이라고 불른다 院長의 辦公室은 二層 東向의 一室로 事務床과 電話、書類函 等을 노흔 單純한 房이오 圓卓 一 個가 會客用에 使用되는 모양이다

院長은 中服 長衣를 닙고 수염은 깍지 안하 蓬蓬하게 도닷스며 위로 말린 입술과 깜안 긔미가 얼굴의 特徵을 지엇다 氏도 廣東口音을 操한다 五 院長 中 戴 胡까지 合하야 三 人이 廣東 出身이다

半 時間 以上에 亘한 우리의 問答은 主로 司法制度에 關한 것이엇다 院長의 談話를 綜合하면 대개 다음과 갓다

『司法院이라는 것은 司法審判과 司法行政의 權을 兼有한 者로 外國의 司法制度와 特異한 點이 만히 잇소 卽 司法院 內에는 司法部와 最高法院과 官吏懲戒所와 行政裁判所가 다 包括이 될 것으로 一 週間 以內에 組織 發表되겟습니다 現在의 法律은 北京政府의 發表한 것을 國民黨主義에 어그러지지 안는 範圍 內에서 仍用하기로 하얏습니다마는 立法院의 成立을 待하야 一 個年 以內에 民刑商 等 各 法을 全部 起草 發表할 豫定으로 目下 그 準備에 汲汲하고 잇습니다

『中國 裁判所의 審級은 三審制를 原則으로 될 것입니다 即 初審을 地方法院이라 稱하고 高等法院 最高法院의 順序가 됩니다 初級法院이라 하는 것을 두는 것은 遠隔한 地方의 便宜를 도으려 함입니다

『各 法院의 組織은 南京 上海 等 特別市에 限하야는 今年 內로 全部 完成될 豫定이오 其他 各地에 對하야는 司法人員、經費 等 關係로 漸次 實現시킬 豫定입니다 法典의 完成과 法院組織의 完備는 文明國家로서 當然의 義務일 뿐 아니라 不平等條約을 廢除하야 領事裁判權을 取消하는 데 必要條件임으로 極力 그 完成을 促하는 中입니다

『領事裁判權 取消에 關하야는 條約 問題와 가티 目下 各國에 對하야 交涉 中인데 中國에 對하 理解가 充分하야짐을 딸하 成功될 것을 確信합니다』

平平凡凡한 話頭를 돌리어 『東三省에 對한 意見은?』하고 찔러보앗다

『勿論 原則上으로、法律上으로 東三省은 中國의 領土로 認定하는 것이지요 오즉 事實上에 잇서서 中國의 主權이 完全히 行치 못하나 于先 中國 本部의 統一 整頓을 完成한 後에 다시 方法을 講究할 것입니다』

內部 整頓을 먼저、東三省은 그다음에 — 이것이 國民政府 要人의 一致한 思想이다 그 策의 得失은 둘재로 하고 事實은 儼然히 存在한다 今後 國民政府의 對內 對外 行動을 豫想 說明하려는 者 이 心理를 考慮에 두지 안흐면 안 될 것이다

『朝鮮사람으로 中國에 入籍한 사람에 對하야 어떠한 待遇를 하겟느냐』고 記者가 물엇다

『勿論 完全한 中國사람으로 待遇할 것입니다 들으니 日本이 國籍法을 制定하고도 朝鮮사람에게 限하야는 適用을 하지 안는다는 것은 不合理한 일입니다 何如間에 中國政府로서는 入籍券을 가진 朝鮮人에 對하야는 中國의 市民으로 待遇할 것입니다』 그의 對答은 明明白白하야 秋毫도 疑養[58]을 둘 餘地가 업다

『軍政과 軍令의 統一은 成功될 可能性이 잇습니까』

『現在 各 集團軍을 通하야 裁兵을 實施하고 改編 中에 잇스니까 成功할 줄 밋습니다』 確固不拔의 信念은 國民黨 黨員의 生命이다

그러나 軍政統一의 具體的 方法에 對하야는 아즉까지도 明確한 案件을 示하는 者 업는 것을 記者는 留意하지 안흘 수 업는 것이엇다

(19) 中央軍官學校 — 兵術과 黨義를 同時 教習

中央黨部를 國民運動의 總本部라 하면 國民政府는 그 政治的 行動의 總本營이오 國民革命軍 總司令部는 軍事行動의 總本營이라 할 것이다 以上의 三機關을 前後로 參觀한 우리는 다시 中央軍官學校를 參觀하기로 하얏다

北伐의 成功이 學生軍의 德을 닙음이 만핫다 하니 黃埔軍官學校야말로

北伐大業의 基源이라고도 할 수 잇슬 것이다 中央軍官學校는 그러한 黃埔軍官學校의 後身이니만큼 우리의 興味를 더욱 끄으는 바 잇다

　　國民政府 東南으로 太平門을 멀리 바라보면서 太平橋를 건너서면 鍊瓦建物 數 座를 包括한 兵營式 地界가 벌리어잇스니 이것이 곳 前日의 督軍兵이오 現在의 中央軍官學校 及 陸軍軍官團의 所在地다 軍官團이라 하는 것은 軍官學校 畢業生 中에서 實戰에 參加하얏든 者를 다시 選拔하야 敎鍊을 加하는 곳이니 將來의 中國陸軍의 中心 士官團을 養成하는 곳이다 軍官團과 軍官學校 外에 軍官研究班이 잇는 것은 前記한바와 갓다 이外에 杭州에 잇는 軍官學校와 北京에 잇는 陸軍大學을 加하면 新中國의 軍事敎育機關을 全部 網羅하얏다 할 것이다 各地에 잇는 在來의 敎鍊機關은 全部 이를 廢止하고 中央으로 集中하게 되엇다 現在 南京에는 第五期 學生을 養成하는 中이오 杭州에는 第六, 第七期 學生을 養成하는 中이다

　　中央軍官學校 及 軍官團 在學生이 約 六千 名에 達한다 하는바 一期 二期의 精銳가 이미 太半 實戰에서 死傷하야 軍伍에 殘存한 者ㅣ 稀少타 하니 이 六千 名은 統一된 中國의 國防軍의 中堅이 될 人物들임은 틀림이 업슬 것이다 이러한 重要한 使命을 가진 그들이매 戰術과 操鍊의 訓練을 밧는 以外에 三民主義 建國方略 等의 黨義 黨綱에 對한 訓練도 不絶히 밧고 잇다 그들이 卒業하고 나가는 날은 非但 戰線의 勇力者가 될 뿐만 아니라 黨의 主義를 宣傳하는 데 強有力한 機關이 되고 軍隊의 黨化의 道具가 되는 것이다

軍官學校 外壇에는 例에 依하야 國民黨의 標語와 政治漫畵로 가득 찻다 『帝國主義』의 虎狼과 『共産黨』의 靑蛇가 中國人民을 노리고 잇는 類의 漫畵다 標語와 漫畵의 展覽會를 지내 軍官學校 正門에 名啣을 들이니 副官處의 少校(이름을 漏落한 것은 遺憾이다)가 나와서 引導하여준다 前面의 二層屋은 全部가 辦公處로 되어 經理處、訓練處 等의 看板을 부첫고 左右로 羅列한 紅鍊瓦屋은 二十八 個所의 講堂으로 되엇고 左側 後面 三 座의 二層屋은 步兵 第一連 第二連의 寢所로 되엇다 試驗으로 一室을 들여다보니 約 二十 尺 四方 되는 房에 木製 二層의 寢臺가 六 臺가 잇고 寢臺 上에는 毛布와 背囊 等이 規律 잇게 一律的으로 整列되어잇다 軍器庫에는 二千餘 柄의 步兵銃이 잇는데 全部 漢陽兵工廠의 製品이라 한다 食堂에는 校長 蔣介石의 等身大의 肖像이 걸리어잇고 食卓의 首位는 蔣介石의 자리라고 한다 여긔서 校長은 學生 一同과 親히 會食을 한다고 한다 一座의 大講堂은 目下建設 中이며 將次 兵營과 講堂도 增建할 計劃이라고 한다

軍官團은 軍官學校 西方에 接하야 原來 『馬標』라고 하고 騎兵團의 所在地로 現在에도 軍官團 中에는 一 大隊의 騎兵團이 이곳에 자리를 잡고 잇다 夕陽은 지터가는데 演習 나갓든 一隊의 騎兵이 馬蹄를 울리면서 回來하야 分列式을 行하는 光景은 緣故 업시 記者의 눈에 눈물 돌게 하는 光景이엇다 馬匹은 大槪 南方馬로 强壯하게는 생겻스나 키는 크지 못하다 그러치마는 疾走力은 相當하다는 副官의 말이다

喇叭 소리가 黃昏의 南京城을 울린다 우럴어 멀리 보면 辛亥烈士의 紀念碑가 멀리 紫金山에서 나려다보고 잇다

(20) 科學、軍事、黨義 — 新中國의 新教育方針

◇ …… ◇

國民政府 成立宣言書에 依하면 建設의 三 要領은 政治建設 經濟建設에 教育建設을 加한 것이다 그만큼 教育을 重要視하는 것이요 또한 中國의 百年之計를 생각할 때에 그를 重要視함이 當然이라 할 것이다 教育行政의 中心으로는 昨秋에 各 部를 組織할 때에 特히 大學院을 設하고 蔡元培를 院長으로 하고 全國을 幾 箇의 『大學區』에 分하야 治理하게 하얏섯다 그 後 五院制가 成立됨을 딸하 大學院은 廢止되고 教育部가 行政院 內에 設置되어 蔣菱[59]麟 博士가 部長으로 任命되엇다 細雨霏霏한 아츰 記者는 中央大學 東南便에 잇는 教育部를 訪하야 秘書 陳 君과 談話를 交하니 看板을 바꾼 同 部는 아즉 事務가 頭緒가 잘 잡히지를 안핫다

◇ …… ◇

그의 말에 依하면 國民政府 教育方針의 主眼은

(一) 科學의 提唱에 依하야 在來의 迷信을 打破하며 新建設의 技術的 人才를 養成하야 列國에 뒤떨어진 物質文明을 吸收함이며

(二) 軍事教鍊을 徹底히 하야 徵兵制 國防軍의 基礎를 養成케 함이니 將次 全國 中學 以上 學校에 軍隊教鍊을 實施할 豫定이며

---

59 "菱"은 "夢"의 오식 - 편자 주.

(三) 職業教育에 注重하야 知識階級 及 一般 民衆의 生計 問題도 解決키로 努力한다고

義務教育의 實施는 地方은 넓고 財政은 窮乏한 關係로 到底히 一時에 實行키는 어려우나 地方行政機關과 連絡하야 一定한 年限 內에 漸次 完成에 達하기로 設計書를 計劃 中이라 한다

平民教育 識字運動(即 文盲退治)에 對하야는 國民黨의 下級 黨部가 이를 事業으로 하야 實施할 計劃임으로 教育部로서는 그를 補助하는 外에 다른 道理가 업다 한다

그 中에도 우리로서 目下의 中國의 教育에서 가장 注目하여야 할 것은 黨義의 注入이다 南京에는 中央黨務學校라는 것이 잇서 黨義를 教授하고 各 小學校에는 三民主義를 教科로 編纂하야 必隨科로 教授하는 外에 每 月曜日의 總理記念週는 大中小學을 通하야 擧行하는 義務가 잇다 勿論 中等 以上 各 學校에는 반듯이 國民黨 區分部가 存在하야잇는 것이 事實이다 이리하야 三民主義는 昔日의 三綱五倫을 代하게 되고 孫中山은 孔夫子의 자리를 훨신 凌駕하게 되엇다

教育部를 辭하고 中央大學을 徃訪하니 이곳은 本來 高等師範學校로 呱呱의 聲을 擧한 以來로 變하야 東南大學이 되고 北伐 以後에는 第四中山大學이 되엇다가 다시 中央大學이라고 看板을 걸엇다 南京 首都가 確定되어 一躍 中國 學術界의 中心이 되어 北京大學의 자리를 奪한 感이 업지 아니하나

學生 一千八百 名은 아즉 적은 셈이오 그 中에 女學生이 百五十 名이라 함은
더욱 적다도 할 것이다 그러나 目下 豫算만 許하면 校舍의 大增築을 計劃 中
이라 하면 現在도 敎室이 不足하야 中庭에다 假屋을 짓고 事務를 보는 지경
이다

　法、理、農、工、文、敎育、醫、商의 八 學院으로 되고 그 위에 學士院을
두엇스며 敎授는 外國留學의 中國 才子를 全部 網羅하얏다 그들은 대개가
政府의 要職과 敎授를 兼任하얏다 하는 것도 新興 氣分을 도드는 한 가지다

　學生 間의 思想은 國民黨의 思想이 表面으로 優勢를 잡고 잇스나 一方 國
家主義、共產主義 等의 思想이 對峙하야잇고 또는 無政府主義 所謂『第三
黨』主義者 等의 類로 百花爛熳의 狀을 묻하얏다 하는 것은 最高學術府로서
는 그럴뜻한 일이라 생각하얏다

　特히 注重하는 것은 科學設備로 이미 新築한 科學館의 設備와 實驗農場
의 計劃은 만히 進行이 되엇스나 더욱 擴充 完備에 努力 中이라 하며 特히
놀랄 것은 自然科學의 敎授가 全部 中國人으로 된 것이니 그들은 다 學界에
錚錚한 名聲을 가진 이들이라 한다

(21) 孫科와 民生主義 ― 耕地農有、土地收用의 方法

　山高水麗를 자랑하는 半島 出生으로 中國 新首都의 風土氣候는 實로 견
디기가 어렵다 氣候로 論하면 山東이 朝鮮과 比等하다 하나 일즉 가보지 못
하얏고 舊都 北京이 때로 蒙古沙漠의 赤砂가 날라오는 것은 오히려 참을 만
하다 하드라도 南京의 찝질한 웅덩이 물에는 비누도 잘 풀어지지 안는다 上
水道의 計劃은 財源難으로 國民政府 들어선 지 해로 三 年이 되어가는 오늘
에도 아즉 頭緖도 못 잡앗스니 南京의 물장수도 아즉 時勢가 조흘 모양이다

그나마 웅덩이 물도 녀름 한철이면 두 달이고 석 달이고 련하야 나리쪼이는 太陽에 밧작 말라버리어 沐浴湯이 休業牌를 내부치게 되다가 가을 들어서 겨을까지는 줄줄 좍좍 나리는 비에 全市가 泥海로 化하고 만다

旅舍의 섯불리 발라 부친 조히ㅅ벽이 바람에 철덕어리는 소리에 困한 꿈을 깨니 月餘에 亘하는 電線의 故障으로 컴컴한 방안을 잇다금 電光이 번쩍하며 陰風冷雨가 끗업시 쏘다진다 昨日까지 겹옷도 덥다 하든 日氣는 瞥眼間 寒氣가 加한 데다가 兼하야 濕氣가 陰酸하게 몸을 둘러싸니 不知中 엄**60**골을 찡그리지 안흘 수 업다 그러면서도 제비가 돌아온다는 江南이라 함인지 暖房裝置가 全無하니 이야말로 雪上加霜이다

나리뿌리는 冬雨를 무릅쓰고 발 벗은 人力車軍의 신세를 지어서 頭條巷 二十號에 鐵道部長 孫科 君을 차젓다 이름 잘 짓는 中國人들이 太子派라고 別名을 부친 그는 先 總理 孫文의 令息으로 廣東市長을 지내고 武漢政府 交通部長으로 잇다가 寧漢合作 以後 佛蘭西에서 胡漢民과 携手하야 다시 蔣中正 麾下로 들어오게 된 것이다 廣東市長 때에 貯財를 相當히 하얏다고 하드니 그런지 아닌지 孫公館의 外觀內裝이 南京에서는 第一 갈 듯하다 上海로서 새로 注文한 家具가 自動車로 到着되는 모양인데 기름이 아즉 잘 마르지 안흔 客室에는 先父의 寫眞과 食卓 비듬한 大卓子밧게 아모것도 업다 英語

---

60 "엄"은 "얼"의 오식 - 편자 주.

도 完全한 米國發音이오 中國말도 廣東口音의 普通話가 明晳한『악센트』를 보인다 客室의 不備를 謝하면서 뭇는 대로 對答할 뿐 아니라 압서가면서 氣焰을 吐하는 것이 記者로서의 비위를 잘 마추어준다

『民生主義의 實現은 平均地權、節制資本의 兩大 原則에 依하야 될 것인데 이를 다시 實際에 부처 말하면 産業國營과 耕地農有가 됩니다

『産業機關 中에 獨占的 性質을 가진 모든 것과 基本的 工業이라고 하는 鋼鐵 鑛山 等의 産業은 全部 國家經營으로 할 것입니다』

君의 思想的 傾向은 아즉도 純粹한 民生主義者인 것을 알 수가 잇다 君의 所說에 依하면 土地 間 純中耕地에 對하야는 小作人의 耕作權을 確立하는 것이 急先務라 한다 現在의 小作制는 江西省 가튼 대는 收穫의 三分一을 賭租로 바치고 浙江 江蘇는 半打作 等이 되어 各地 制度가 不一한 것을 法令에 依하야 統一할 計劃이다 非 耕地인 都市의 垈地 等에 對하야는 平均地權의 方法으로 地價漲增의 一部分은 國有로 하도록 土地法 稅法을 制定하여야 하겟다

『南京 新作路 用地買收問題로 市民에게 不平이 잇다고 하니 事實인가』하는 記者의 물음에 對하야 그는 率直히 事實을 是認한다

『市政府에서 輕率히 일을 한 것이 事實입니다 이것은 먼저 現 市價에 依하야 道路用地 及 延邊地를 買收한 뒤에 道路 完成 後에 다시 左右 垈地를 팔

면 아모 問題가 업슬 것입니다 아프로는 土地收用法을 制定하야 公平한 收用을 하게 될 것입니다』

　南京에서 土地에 投機를 꿈꾸는 사람은 孫 君의 一言을 잘 記憶해 두고 投資를 함이 可할 것이다

　이야기는 外交問題 軍事問題로 輾轉한다 濟南案[61]에 對한 解決方針은 孫君에 依하건대 撤兵이 先決條件이오 그 뒤에는 共同調査委員會를 組織하야 賠償과 謝罪는 雙方이 가티 할 것이라고 主張한다 王、矢[62]交涉이 前途 아즉 多端한 것은 一言 中에서 넉넉히 看取할 수 잇는 것이다

　두 뺨이 불룩한 얼골을 仔細히 보면 先父의 姿態가 가만히 남아잇다 所聞과 가티 그의 손으로 米國의 資本을 끌어들일 수 잇다 하면 先父의 遺志를 完成하는데 貢獻이 만흘 뿐이랴 南京政府의 死活問題가 거긔 달리엇다 하야도 過言이 아닐 것이다

---

61 "濟南案": 1928년 5월 3일 일본군이 산둥성(山東省) 지난(濟南)을 습격하여 중국의 관원과 백성 17000여 명을 살해한 참변 - 편자 주.

62 "王, 矢": '지난참사(濟南慘事)' 후 교섭에 나선 국민정부 외교부장 왕정팅(王正廷)과 일본 주상하이 총영사 야다 시치타로(矢田七太郎) - 편자 주.

(22) 軟弱外交 排斥 — 青年 外交官의 怪氣焰

◇ …… ◇

　비는 그냥 繼續한다 行政院에 譚延闓를 訪한즉 國務會議로 時間이 업다고 墨跡을 一筆 하야주는 것으로 滿足할밧게 업섯다 비바람을 逆行하야 中央研究院을 訪하면 蔡子民 君이 昨夜 上海行을 하얏다고 한다

　부질업시 떨어지는 冷雨를 嫌避코저 하는 것은 아니다 그러나 事情上 우리는 歸路를 促하지 아니하면 아니 되겟다 革軍日報社 喩 主筆의 周旋으로 軍事委員會 政治訓鍊部와 中央黨部 宣傳部에 依賴하야 調査할 만한 材料는 大綱 整頓되엇다 最後의 數日을 利用하야 各種 機關을 參觀하기로 하얏다 南京特別市政府、市政廳을 爲始하야 江蘇省政府、外交部、內部、工商部、南京特別市黨部、首都反日會 等等의 大小 官公廳이 外面으로 보아서는 다 大同小異、새삼스럽게 記載할 必要도 업슬 것이다 如前한 門직이의 橫暴와 如前한 周密한 部署와、組織과、名牌와、文書와、形式의 煩多、人員의 擁濟 — 要컨대 構造만은 完成된 政府의 機關이 實效가 잇고 업는 것은 後日의 問題로 何如間 奔走히 『모 — 터』가 돌고 잇는 現狀이라 할 것이다 大官의 자리를 泰然히 占領하고 잇는 白面書生들의 熱情과 意氣만은 衝天의 慨가 보인다고 할는지 — 白髮의 老人이 墨筆을 잡고 靑年科長의 命令 下에 報告書를 代作하고 잇는 光景은 新興 中國의 典型的 光景이 아니고 무엇이냐

◇ …… ◇

登龍巷[63]에 잇는 南京特別市黨部는 中流 住宅쯤 되는 建物을 臨時로 借用한 모양으로 초라하기 짝이 업다 때마츰 黨部指導委員會가 中央黨部의 衝突로 總辭職을 한 때라 秘書 牟鎭東 君이 마저준다 職員 總數가 約 六十 名이라 하며 目下의 重要 事務는 黨員 登記인데 그것도 이미 完了가 되엇다 한다 黨員 中에는 米國人이 二 名 이오 佛國人이 一 人이라고

『指導委員會가 總辭職한 理由가 무엇입니까』記者는 下級 黨部의 態度가 中央에 不服이라는 宣傳이 어대까지 事實인가 알고저 함이엇다 牟 君은 躊躇하드니

『이미 黨員 登記가 다 끗낫슴으로 正式 黨部 成立이 順序이니까 辭職한 것이지오』하고 記者의 銳鋒을 避하는 것은 內爭을 外人에게 말함이 不利하다는 用意에서 나온 것이다

거긔서 머지 아니한 古鉢營에 잇는 首都反日會는 排日의 總本營이다 亦是 古色이 蒼然한 木造房屋에 大學生 程度의 洋服靑年들이 事務를 잡고 잇다 全中國反日聯合會 執行委員會가 開催 中으로 各其 代表가 來京 中이다 그들 亦是 學校를 마첫슬가 말가 한 靑年임은 틀림업다 年前에 全國學生聯合會의 光景이 回想되는 것이엇다

貿易專門業者를 囑託으로 하야가지고 各 都賣商의 在貨를 一一이 檢查하야 日本物貨在庫品을 登錄케 한다 登錄된 物件은 파는 것을 許諾하되 救國捐金으로 原價의 百 分之 二十을 反日會의 經費에 充한다고 하는 것은 그들

---

63 "登龍巷": 정확한 명칭은 "登隆巷"으로 이는 저자의 오기인 듯 - 편자 주.

의 說明하야주는 反日의 方法이다 庭前에는 沒收하야 온 物貨箱子가 積在되어잇다 反日會檢查員工作報告書라는 것을 보이어준다 沒收된 物貨를 公判에 부치어 그 判決文을 羅列한 것이엇다

『反日會의 經費는 政府에서 補助하느냐』고 물으니까

『經費는 純全히 寄附金으로 쓴다 政府나 黨에서나 조금도 補助가 업다』고 熱心으로 否認한다

다시 途를 轉하야 外交部를 訪하얏다 參事 沈覲鼎 君은 日語와 英 佛語에 能通한 才士다 東洋國際政局에 對하야는 氣焰萬丈으로 記者의 머리를 어찔하게 한다

『나 個人으로 論하자면 王 部長[64] 外交方針은 넘우도 軟弱에 흐르는 感이 업지 아니하오 적어도 一國의 外交部長으로 外國의 總領事 따위와 交涉을 云云하는 것부터 反對요 中央黨部에서도 反對가 잇슬 것입니다』

駸駸한 夜色은 雨中의 南京을 덥헛다 南京 外交部 一室、靑年外交官의 氣焰은 오래오래 니처지지 안는 追憶의 하나가 될 것이다

(23) 新女性의 新抱負 ― 女大 校長 吳貽芳 女士

意味가 기픈 兩 旬 間은 於焉 다 지내갓다 比較的 安穩無事한 廿 日 間이엇지만서도 新施設의 初이니만큼 幾 處의 變遷이 그間에도 遂行이 되엇다

---

64 "王 部長": 국민정부 외교부장 왕정팅(王正廷, 1882~1961) - 편자 주.

行政院이 비롯오 辦公을 開始한 것을 爲始로 軍政部가 成立되고 鐵道部가 交通部에서 獨立되며 司法部가 司法院으로 改組되엇다 東南日報가 創刊號를 發行하고 立法院 委員 四十九 人이 任命되엇스니 그 中에 選任된 女委員 三 名은 異彩 中에 異彩가 될 것이다 그中 一人은 蔣 主席 夫人 宋美齡 女史로 一人은 有名한 鄭毓秀 博士다

日中交涉은 休息時間이엇슴으로 進行이 업섯스나 諾威[65] 公使 比利時[66] 代理公使 等의 來京으로 要人 間에 宴會가 자젓고 全國禁煙大會가 四十餘 種의 決議案을 通過하야 阿片 絶滅의 步趣를 整齊한 것도 事件의 하나이다

軍事委員會가 取消되고 그 代身의 參謀總部 軍事參議處 訓鍊統監部의 三 機關이 成立되엇스며 內務部長 閻錫山이 代表 趙戴文을 보내어 次長 兼 代理部長에 就任하게 하얏고 考試院이 成立 準備를 着着 進行하고 國術考試大會가 잇고 全國反日會 執行委員會가 열리며 中央銀行이 開幕이 되고 國貨展覽會가 열리며 道路가 新築되고 中米無電契約이 成立되어 他國으로 하야금 垂涎萬丈하게 하얏다

또는 米國이 國民政府 承認은 自然히 된 것이라는 聲名이 잇고 南京特別市黨部 對 中央黨部의 葛藤事件이 생기엇스며 蔣 總司令이 몸소 軍隊檢閱로 나가는 일이 잇섯다 二十 日 間의 생긴 일로서는 實로 質과 量으로 다 重大하다고 할 것이다 이러한 눈부신 變換의 中에도 南京의 太陽은 例事로이 떳

---

65 "諾威": 노르웨이 - 편자 주.

66 "比利時": 벨기에 - 편자 주.

다가 지고 다시 올라온 것은 勿論이다 花碑[67]樓藥市場의 雜鬧도 움즈기는 民國의 쳇박휘가 어대로 돌든지 我不關焉으로 오늘도 熱鬧 래일도 熱 千年不變의 生活相은 그대로 흘러가지 안는가 오즉 妓案의 禁廢로 거믜줄 슬게 된 秦淮의 畵舫만은 今昔의 感을 아니 가질 수 업는 것이엇다

南京 最後의 紀念으로 立法院 委員으로 選擧된 鄭毓秀[68] 女士를 차즈려 하얏스나 上海에서 上京을 하지 아니하얏슴으로 意를 達치 못하고 代身에 金陵女子大學 新任校長 哲學博士 吳貽芳[69] 女士를 訪하야 中國 新女性으로서의 抱負를 들엇다 金陵女子大學은 米國 宣敎會의 經營으로 屢 十萬의 巨財를 投하야 中國女子高等敎育에 多大한 貢獻을 하야왓다 敎育權回復의 風潮에 몰리어 前 校長『터스턴[70]』夫人은 辭免하고 同校 第一回 卒業生인 吳博士가 新任하게 된 것이다 校舍 五 棟이 外觀은 中國古代建築의 美를 가젓고 屋形은 朝鮮式 八字形의 秀觀을 呈하며 內部裝飾은 米國松의 마루를 爲

---

67 "碑"는 "牌"의 오식 - 편자 주.

68 정위슈(鄭毓秀, 1891-1959), 프랑스 소르본대, 파리대에서 공부한 중국 최초의 서양 박사학위 취득자, 최초의 여성 변호사, 판사 - 편자 주.

69 우이팡(吳貽芳, 1893-1985), 금릉여자대학을 졸업한 중국 최초의 여성 대학생, 미국 미시건대 박사를 받고 금릉여자대학 총장 등을 지냈고 해방 후 장수성(江蘇省) 교육청장, 부성장 등 역임 - 편자 주.

70 "터스턴": Mrs. Lawrence Thurston(1875~1958), 본명 Matila S. Calder, 중국 최초의 여자대학 금릉여자대학을 창설 - 편자 주.

始하야 近代 敎室의 設備를 完成하얏다

　學生은 約 二百 名 門을 入하매 마츰 朝會時間이라 合唱의 소리가 멀리 들려온다 蕭條端麗한 風光은 鬪爭의 市街로서 平和의 樂園에 들어오는 感을 주지 안는 것이 아니엇다

　博士는 中國에서 近 廿 名 되는 女博士의 一人으로 金大 畢業 後 北京女高師에서 敎鞭을 잡다가 뒤에 渡美하야 『컬럼비아』大學에서 博士位를 得한 이다 束髮에 單純한 中國 두루막이를 닙고 完全한 米國語를 操한다

　『中國에 잇는 敎會學校의 前途는 有望합니다 國民政府의 方針에 依하야 全部 敎育部에 登錄하고 그 指揮를 밧게 되엇는 故로 우리 學校도 지금 注冊(登錄) 準備를 着着 進行하고 잇습니다 宗敎敎育은 必修科로 하지 아니하고 隨意科로 하게 되엇습니다』

　新校長의 抱負는 女大로 하야금 純全히 中國人을 爲한 學校를 만드는 데 잇다 한다

　『男女平等은 原則上에 잇서서 이미 決定된 問題입니다 오즉 將來에 잇서서 女子 自身이 能히 그 地位를 確立할 것이 남앗슬 뿐입니다』

　四十 歲가 아즉 차지 못한 吳貽芳 博士는 女權主義의 使徒임은 勿論이다

　『大家庭制度의 破壞와 自由結婚의 盛行을 어떠케 보느냐』는 質問을 가벼웁게 取扱하면서

　『무엇보다도 第二世 國民의 家庭敎育을 爲하야서 小家庭制度가 長點이 만치 안흘는지오 生長한 男女가 各各 自己 自由意思로 生活의 配偶者를 選擇하여야 할 것은 問題 삼을 거리도 못 되는 것이 아닙니까 또 近來에 그런

傾向이 만히 보이는 것은 健全한 傾向이라 하겟습니다』

女士의 氣焰은 二十時代의 靑年男女의 그것 가튼 것은 愉快하다

『당신은 아조「레귤라[71]」한 新聞記者구려』하고 그는 나의 奇問連發을 웃어버리고 對答치 안는다

女子로서의 또는 敎育家로서 그는 보기에 딸어서는 新中國建設運動의 더욱 重要한 자리를 占하얏다고도 할 것이 아닐가 나는 그의 健鬪를 祝하면서 健康스러이 보이는 短髮한 女學生 一隊의 好奇心 석긴 默送을 바드면서 나는 車를 돌렷다

(24) 再會呀 南京城 ― 誕生苦의 首都를 作別

鼓樓에서 머지 안흔 곳에 東方被壓迫民族通信處라는 看板을 부친 機關이 잇스니 가서 보라는 京報 記者의 勸으로 차자보앗다 事務室이라야 簡單한 一室에 印字膽寫機가 一臺、金玉均 氏의 寫眞을 걸어노은 것은 意外이엇다 中國에 入籍한 印度 靑年 甘大新(깐다、신) 君이 每週 發刊되는『리플렛[72]』에 印度에 關한 論文을 連載하며 그 外에 中央黨部로서 派遣된 中國 靑年 二名이 잇슬 뿐이다

一九二七年 十月에 漢口에서 組織되엇든『東方被壓迫民族聯合會』라는

---

71 "레귤라": regular - 편자 주.

72 "리플렛": leaflet - 편자 주.

것이 이 機關의 前身이라 한다 當時에는 中國、印度、臺灣、安南、朝鮮 等 代表가 잇섯고 活動도 猛烈하얏다고 한다 漢口 黨部가 南京으로 移轉되면서 聯合會의 工作도 不振하게 되어 마츰내 現在의 通信處라는 名目으로 改稱하고 中央黨部의 補助 月額 二百 元으로 維持하야가는 중이라 한다

『現在의 國民黨은 資本主義的 建設로 기울어지지 안흘까』 하고 記者는 年靑한 鈕 君의 思想을 測驗하려 하얏다

『絶對로 아니 될 말이요』 하는 그도 左傾의 色彩가 濃厚함은 숨길 수 업는 일이다 『幾 個人이 墮落하는 일은 잇겟지요 그러나 國民黨은 決코 그리 되지 안습니다 그리 되는 날은 國民黨은 死滅하는 날이요』 이 靑年이 政治的 辯舌이 매우 能堪한 모양이다

共產主義라면 이름만 불르기도 실혀하는 南京의 國民黨員이 資本主義조차 이러케 敬而遠之한다 하는 것이야말로 그들의 三民主義의 獨創이랄는지 國民黨右派의 理論은 正히 藝人의 줄타기보다도 더욱 妙技를 演하고 잇다

그것도 何如間에 新中國의 靑年은 누구를 맛나나 熱이 잇고 信念이 잇거니와 이곳의 兩 靑年을 보고 더욱 그 感을 가지엇다

이 新興氣象인 熱과 信念은 위로는 蔣 胡 馮 等의 巨頭로부터 下로는 一 兵士、一 黨員、一 記者、一 敎員 一 學生에까지 透徹하야잇다 누가 무엇이라 하든지 南京의 政府를 造成한 人員이 在來의 中國의 軍閥의 走狗에 비기어 百倍 優勝하다는 것은 否認치 못할 事實일 것이다 勿論 그 中에 所謂 『腐化分子』도 업슬 배가 아니다 그 中에 非難거리가 山積할 것이다 그러나 左派들이 大聲叱呼할 가티 그들의 理論 錯誤가 多大하다 할지라도 또는 帝國

主義者가 批評하는 바와 가티 그들의 空想家요 幼稚輩다 假定할손 치고라도 그들에게 二十 年의 平和와 充分한 財政의 後援과 動搖치 안는 黨權을 주고 십다 그들의 손 미테서 中國이 面目을 更新하리라 豫想하는 것은 決코 妄想이 되지 아니할 것이다

그러나 遺憾이지마는 問題는 그가티 單純하지를 못하다 江北 軍隊 檢閱로 떠난 蔣介石이 돌아오는 날에는 軍事行動이 再發한다는 둥 馮玉祥의 部下가 山東省監務所를 武力으로 占領한다는 둥 第三次全國代表大會를 機會로 右派의 天下가 轉覆이 된다는 둥 風說은 또 風說을 나하 新聞記者의 敏感한 귀가 더욱 쫑긋거리게 할 뿐이다

財務次長의 悲壯한 談話에 依하면 中央政府의 每月 收入 五百 萬 元에 對하야 支出이 九百 萬 元의 巨額에 達한다고 한다 이것은 風說이 아니오 歷然한 事實이다 南京政府의 싸울 싸움을 아즉도 만타

十一月 十七日 霖雨가 비롯오 快晴하는 날 記者는 誕生의 陣痛에 苦悶하고 잇는 新首都를뒤로 두고 歸鄕의 걸음을 내드럿다 疾走하는 馬車 속에서 보이는 鼓樓의 雄姿、外交部 담정의 宣傳標語、멀리 中央黨部 屋上에 날리는 靑天白日旗만 날리고 잇다

寒冷이 面膚에 날카롭게 부드치는 이때에 楊[73]子江岸에 露宿하는 群衆이 무엇이냐 물은즉 江北 旱災池에서 流離해오는 百姓이라 한다 停車場에 列車가 到着되는 대로 單衣麥帽의 초라한 軍卒들이 隊를 지어 나린다 帽 上에는

---

73 "楊"은 "揚"의 오식 - 편자 주.

그래도 國民革命軍의 字樣을 墨書하얏스며 치위에 엇개를 쭈구리고 或者는 누데기가 된 담뇨를 或者는 볏집 一 擔을 生命가티 끌어안ㅅ고 改札口를 나오는 樣을 볼 때에 裁兵의 結果는 乞人과 土匪를 增加할 뿐이라는 險口가 거즛이 아님을 깨닷지 안흘 수 업다

交通銀行 發付의 木函이 數百 個 連方 場外로 運搬되어간다 못 잘 박지 못한 一 箱이 뻐그러지며 벼개 가튼 銀塊가 『플랫트폼』에 굴러나린다 忽地에 구경꾼이 삑 둘러선다 巡査가 群衆을 헤친다

臭氣滿滿한 三等車間은 짐과 사람이 범벅으로 막혀잇다 車間을 縱으로 走한 木椅子에 맛대인 무릅을 움즉일 수도 업는 形便이다 그 틈바구니로 茶房(下人)이 茶를 딸아준다 紅燒牛肉、豆腐乾、蛋餞 等屬을 팔러 다닌다 여긔 탄 사람은 다 小百姓들인 모양、『武裝』『文裝』同志 等은 적어도 二等車의 舒安을 樂하는 福氣를 가진 것이다 오즉 쓸데업는 記者的 好奇心이 一日의 旅行을 煙氣와 汗臭의 三等車間에서 아조 失敗에 돌아가게 한 것이엇다

우리의 탄 車는 南京 城郭 박그로 玄武湖를 웨둘러 神策門 太平門을 지내간다 北極閣의 無電臺가 슬어지고 獅子山砲臺의 國旗도 山에 가리워 보이지 안케 되엇다 再會여 南京城아

(25) 女子界 第一人 － 鄭毓秀 博士와 會談

『即時歸來』라는 本社의 電報가 上海에 돌아오는 記者를 마저준다 四日에
한번式 되는 船便을 노친 記者는 배 기다리는 期間을 利用하야 興味의 向하
는 대로 訪問과 구경을 일삼앗다

　前日부터 所聞은 만히 들은 法學博士 鄭毓秀 女士를 佛租界 馬斯南路 私
宅에 차즈니 마츰 短軀獅鼻의 博士가 自動車에서 나리는 것을 맛낫다 黑色
中服에 黑帽를 눌러 쓴 風采는 그리 조치 못하나 連方 男子 事務員에게 廣東
말로 무엇을 吩咐하는 목소리는 男子도 凌駕할 만하다

　우리를 對하야는 廣東話의 사투리가 별로 업는 北方普通話로 應對하는
것은 北京에서 敎育바든 女士의 經歷을 證據하는 것이다

◇ …… ◇

『博士께서는 佛蘭西公使로 가신다드니 어찌 되엇습니까』 記者로서의 平
凡한 質問을 發하얏다

　『녜、그런 交涉이 잇기는 잇섯습니다마는 拒絶하얏습니다 아즉 國民黨이
統一을 完成하지 못한 동안은 外國에 對한 宣傳이 매우 重要함으로 比較的
佛蘭西事情에 通하고 또 熟人이 만흔 卑人과 李石曾 先生 둘이 外交를 마타
보앗습니다마는 지금은 이미 統一도 完成되엇스니까 適當한 사람을 公使로
派遣함이 조켓지오』

　女士의 말은 흐르는 듯이 速하다 때때로 英語 句節을 석는다 女士의 佛語

가 堪能하다는 것은 오래 들엇지마는 英語도 훌륭한 『악센트』를 가젓다 그는 繼續한다

『公使가 되는 代身에 나는 立法院 委員 되는 것을 承諾하얏지오 孫 總理가 女子의 政治上、經濟上、社會上、敎育上、平等의 原則을 實際立法에 잇서서 一一이 條文에 넛는 것이 나의 使命이라고 께달은 까닭입니다 立法院 委員 가운대 女子가 나까지 하야 三 名 됩니다』

鄭 博士의 立法院 委員으로서의 抱負는 훌륭한 것이오 또 法學博士로서의 그는 使命을 다할 資格이 充分히 잇다 할 것이다

그는 十四 年 間 歐美 各國에서 敎育을 바닷는 中 特히 佛蘭西語와 그 國民性에 對한 理解가 깁다고 傳한다 그의 博士號는 佛蘭西政府에서 名譽로 贈한 것이다 그는 今春에 上海地方法院 院長으로 被任된 일도 잇다 公使로、法院長으로 實로 中國의 女性을 爲하야 無言 中에 萬丈의 氣焰을 吐하고 잇다 아니라 世界의 女性界를 代表할 만한 人物의 하나라고 할 것이 아닌가

國民黨 內의 女性人物로는 孫文 未亡人 宋慶齡이라든가 廖仲愷 未亡人 何香凝이라든가 近日에는 蔣介石 夫人 宋美齡、汪精衛 夫人 陳璧君 等을 들 수 잇거니와 그들의 勿論 相當한 學識과 資格이 업다는 것은 아니나 그들이 黨內에 重要한 地位를 차지함에는 그 夫君들의 名望과 地位가 만히 關係가 잇다고 할 것이다 그 中에 잇서서 鄭毓秀 博士 一人은 아모 勢力의 背景도 업시 堂堂한 一個의 女性으로서 國民黨 要人 間에 角逐할 만한 實力을 가진 것은 더욱 痛快한 일이 아니라 할 수 업다

宋慶齡이 右派와 不合하야 陳友仁과 함께 歐羅巴로 去하고 何香凝도 第三

次代表大會 代表 選擧法에 不滿을 表하고 辭免通電을 發한 이때 鄭 博士의
責任은 더욱 重大하다 할 것이다

　女士는 立法院 委員의 公職 外에 私私로 一個 開業한 律師(辯護士)의 職
業을 가지고 잇다

　歸路에 某 巷에 잇는 徐兼 君의 隱巢를 訪하야보앗다 그가 共産派의 嫌疑
를 밧고 南京을 脫走한 以來의 政見이 어떠케 變하얏는가는 實로 興味 잇는
일일 까닭이다

　下人이 나아와서 于先 어대서 왓느냐 警察署에서 온 사람이냐 뭇드니 名
啣을 보이매 어대서 이 집을 알앗느냐고 또 뭇는다

　結局은 여긔는 王 先生과 林 先生은 잇스되 徐 先生은 살지도 안는다는 對
答으로 面會拒絶을 當하고 말앗다

　숨어 사는 사람을 차저온 우리의 失策이라고 自慰하고 門을 辭할 際에 妙
齡의 一 女性이 바로 그 집으로 들어가는 것이 우리의 好奇心을 더욱 衝動할
뿐이엇다

(26) 國貨展覽大會 ― 財政統一과 國民政府

　國民政府가 無意味한 獨善主義의 꼬임을 방지 아니하고 實際的 建設에

着目하는 證左는 上海에 잇는 行政院 各 部의 派出所의 存在에 볼 수가 잇다 그보다도 國立中央銀行이나 中央鑄造局 가튼 重要한 機關을 上海에 두엇다 하는 것이 어찌 보면 體面 上 損失됨이 적지 안타고 할 것이나 事實에 잇서서 그리하지 아니하면 안 될 必要를 보아 體面보다도 實際를 大膽히 承認하고 들엇다는 것을 볼 수 잇다 이것이 財政部長 宋子文 君의 果斷임은 勿論이어니와 이로 因하야 靑年級의 批評을 아니 사는 것도 아니라 한다 그러나 南京이 政治的 首都는 되어도 經濟的 首都로서의 地位는 上海에서 讓하지 안흘 수 업는 것은 누구나 否認 못 할 事實이 아닌가

中國의 幣制의 紊亂은 이미 定評이 잇는 者다 外國 銀行이 中國領土 內에서 紙幣를 發行한 軍票와 甚至於 北伐軍 自身이 發行한 漢口鈔票 等이 財界 紊亂의 一大 癌腫이 되어잇다 上海의 紙幣가 蘇浙[74] 兩 省을 떠나면 通用이 못 되고 北方의 鈔票가 南京에서 通用이 못 된다 輔助貨幣로 말하야도 法律的 通行力이 업고 그 構造된 金屬의 原價 대로 施行되니까 大洋 一 元이 小洋으로 十二 角 하고도 銅錢 幾分을 加하게 되고 小洋 一 角을 銅元 廿三 四 枚가 되니 처음 中國을 旅行하는 사람은 돈 거슬르는 데 不便하다기보다도 頭緖를 차릴 수가 업게 된다

幣制를 整理하고 鑄造局을 統一하며 十進法을 勵行하고 金本位를 確立하자는 財政會議의 決議에 依하야 宋 部長은 極力 그 籌備에 着手하얏다 因하야 中央銀行이 되고 統一的 鑄造局이 設置된 것이다

---

74 "蘇 浙": 장수성(江蘇省)과 저장성(浙江省) - 편자 주.

一方에 잇서서 財政의 整理에 汲汲하는 同時에 一方으로 所謂『提唱國貨』
의 運動이 民間으로부터 널어나게 되엇다 一種의 國粹的 觀念에서 始初된
國貨運動이 마츰내 新興 製造工業家의 經濟的 立場으로서의 運動으로 變換
되면서 튼튼한 根據 우에 서게 된 것이다 지난 七月 七日 上海에서『國貨運
動大會』가 開催된 것을 爲始로 各地에 同樣의 運動이 勃發되엇고 十一月 一
日에는 上海『國貨展覽會』가 盛大히 開幕式을 行하얏다 所謂『反日會』의 運
動이『抵制日貨』에 그 全力을 傾倒하는 것도 이 運動의 一面으로 볼 수 잇스
니 今日의 排外貨運動이 그만큼 經濟的 根據가 잇슴을 觀察할 때에 容易히
終熄 안 될 것을 看取할 것이다 더구나 中國의 新興工業에 가장 大敵이 되는
關稅와 밋 不平等條約에 對하야 猛烈한 撤廢運動이 이 經濟的 立場으로서
國民政府를 加鞭하고 잇는 것은 그 運動의 執着性、現實性을 말하는 것이다

◇ ······ ◇

租界와 華界 間에 아즉도 痕跡이 남아잇는 鐵條網과 鐵門을 지내서 華商
電車에 올르니 國貨展覽會에 가는 觀客으로 車中과 道路가 빽빽하다 銅錢
十 分[75]을 주고 正門을 들어서니 本來 學校로 지은 二層洋屋에 中央大禮堂에
는 遊藝場이 되엇고 左右로 兩 個의 口字形의 建物에 各 商店 出品陳列 及 即
賣場이 되어잇다 뜰에는 海軍音樂隊가 奏樂을 하고 各種의 宣傳標語가 바람
에 휘날린다 中央 二層 樓上은 上海特別市의 特別陳列場이 되어 人口衛生、

---

75 "分": 화폐단위, "元"의 10분의 1 - 편자 주

工程、財務、教育、警察 等 類의 各種 統計가 羅列되엇고 『아스팔트』道路 模型 各種、新市區計劃의 『불루프린트[76]』 等도 잇다 大上海計劃地圖를 보면 租界를 租界라 稱하지 아니하고 特別區라 稱한 것이 눈에 띄우며 南北 兩 市를 聯絡하는 大道를 亦是 中山路라 命名하야 租界를 迂廻하야 六十 里의 長을 일우엇다

商品陳列館을 一週하니 가장 만흔 것은 絹綢니 古來의 中國 産品이라 만흔 것이 無理가 아니오 綿布와 毛織에도 볼 만한 것이 만타 다음은 陶瓷器、木器、竹器、茶、等屬 亦是 在來産品이 아즉 大部分을 占하얏고 新工業으로 볼만한 것은 國貨電機具를 筆頭로 各種 罐졸임、農具、花裝品 等이며 石鹼 세수ㅅ대야 等의 單純한 工産品으로 乃至 展覽會에는 依例히 딸하가는 新發明 手印刷器、懷中電燈、石油爐 等屬이 보인다 釀造品이 적은 代身에 煙草 製品은 發達되엇스며 浙江大學 出品의 養蠶、農産改良成績은 볼만한 것이 만타

場內를 全部 一覽한 感想은 萬一 이것이 中國人 工業의 全部라 하면 아모리 同情으로 보드라도 貧弱함을 免치 못할 것이라는 것이엇다 絹織物을 除한 外에는 人民의 日用品으로나 國家的 基礎工業으로나 거의 全部가 外國의

---

76 "불루프린트": blueprint - 편자 주

身勢를 아니 지지 못하게 되엇스니 이로 보아『國貨運動』의 前途가 아즉 遼
遠하다는 것을 알 수 잇지 안흔가 關稅의 回復과 國內의 治安、이 두 가지의
根本的 要件을 現在의 國民政府는 能히 保障할 수 잇슬가 上海의 中國 企業
家階級은 이런 希望 下에서 南京政府를 絶對 後援하고 잇는 것이다

(27) 演壇 上의 王正廷 ─ 胡適의 外國文化 讚揚

　記者의 母校인 滬江大學에서 圖書館 新築 落成式을 한다는 新聞을 보고
郊外 十 里 되는 學校로 車를 몰앗다 더욱이나 外交部長 王正廷 君과 胡適之
博士의 演說이 잇다는 것이 나의 好奇心을 이끈 것이다 南京 外交部에서 공
교스러히 맛나보지 못한 王 部長의 聲咳에 接觸할 機會를 어든 것은 多幸이
엇다

　楊樹浦 一帶에 잇는 英國人 日本人 經營의 紗廠(紡織工場)들을 지나니
黃浦江의 黃浪과 淸凉한 江ㅅ바람이 昔日 學窓時代의 追憶을 새롭게 함이
切切하다 赤色 煉瓦로 지은 十 座의 敎室 及 宿舍는 米國人이 中國 敎育界
를 爲하야 貢獻한 好個의 記念物이다 時體의 말을 빌자면 文化的 侵略의 殘
骸다 여긔도 敎育權回收의 風潮의 影響으로 校長 校監이 中國人으로 改任
되고 董事會도 中國人을 半數 以上으로 改組되엇다 한다 每週 一 回 國旗獻

旗式이 잇고 講堂 中央에는 孫中山 肖像이 걸리게 되엇다 敎授의 數로 보아도 中國 靑年學者의 數가 붓적 늘엇고 宗敎課目은 隨意科로 變하얏다 侵略이엇거나 아니 엇거나 中國을 爲하야는 害보다 益이 만흔 것은 否認치 못할 것이다

圖書館 開幕典禮의 簡單한 儀式에도 國粹主義의 色彩를 管見할 수 잇다 昔日에 英語가 通用語이든 講堂에 中國語가 비롯오 主人된 것이 먼저 눈에 띄우는 것이다

學生代表로 報告하는 말을 들으면

『圖書購入費로 校內外에 募捐한 結果 約 五千 元을 가지고 純全히 中國圖書를 購入하고저 한다』하니 敎會學校에 向하야 던저진 洋奴라는 攻擊에 對한 反動으로 一層 國粹熱이 旺盛한 것은 興味 잇는 事實이다

그러나 盲目的 國粹熱의 危險을 當席에서 胡適之 博士가 立하야 痛烈히 指摘한 것은 더욱 興味 잇는 事實이다

短驅인데다가 一見 瀟灑의 質이요 强度의 近視眼鏡을 쓰고 簡單한 長衣를 닙고 목소리조차 가늘은 無髯의 靑年은 中國文學革命運動의 先驅者요 哲學의 泰斗로 一時 靑年의 崇拜를 一身에 모앗든 哲學博士 胡適이라고는 누구나 보기 어려울 것이다 가벼운 諧格을 석거가면서 氏는 말한다

『中國이 物質文明으로만 西洋에 뒤떨어젓슬 뿐 아니라 所有의 精神文明에 잇서서도 西洋에 뒤떨어진 배 만타 中國의 哲學 文學이 外國보다 勝하다고 國粹主義者들이 말하지마는 哲學으로 生業하는 余의 意見으로는 四千 年 中國哲學이란 것이 結局 短篇語錄에 지나지 못하는 것이요 四千 年 間에 一個의 칸트、一個의 스펜서가 나지 못한 것이 事實이 아니냐』

氏의 語鋒은 날카롭기 짝이 업다

『學問에 國境이 업다 우리는 文化侵略을 歡迎한다 萬一 學生 諸君이 圖書

를 購入하랴거든 中國 冊이니 外國 冊이니 할 것 업시 比較하야 가장 조흔 冊을 사들이기를 切望한다』

　西洋文明 讚美者라고 攻擊할 者는 攻擊하라 나의 言은 眞理라고 宣言하는 胡 君의 낫체는 學者의 面目이 躍如함을 볼 수 잇다

　王 外交部長은 엷은 八字수염을 길르고 무테안경에 『모―닝[77]』을 닙엇다 胡 博士의 演說이 講義體임에 反하야 王 博士는 政界 多年의 鍊鍜[78]의 結果인지 一家의 雄辯術을 가젓다고 하겟다

　『二 個의 圖書館을 造成함에도 大家[79]의 合作이 필요하얏다 諸君은 一步 進하야 榮耀의 中國을 建設하기에 大合作 하기를 바란다』고 滿身의 힘을 다 주는 博士의 上氣된 面上과 불끈 쥔 두 주먹에 힘과 熱이 澎溢한다

　多士濟濟한 中國 外交界의 三大人物의 하나로서의 人氣와 力量은 王儒堂[80] 博士 이러한 熱과 誠에 잇다 할 것이다 伍朝福[81] 博士가 父君 伍廷芳의

---

77 "모―닝": 모닝코트(morning coat) - 편자 주.

78 "鍜"는 "鍛"의 오식 - 편자 주.

79 "大家": 중국어 "모든 이, 모두" - 편자 주.

80 "儒堂": 왕정팅(王正廷)의 자 - 편자 주.

81 "伍朝福": 정확한 이름은 "伍朝樞"로 이 부분은 저자의 오기인 듯 - 편자 주.

背景으로 出世하얏다는 것 外에 나타난 일이 업고 陳友仁 君의 手腕은 漢口
租界回收에 비로소 一躍 認定된 것이엇다 外國人의 피를 석근 사람으로 墺
洲에서 敎育을 하든 南方的 熱烈兒인 陳 君은 武漢政府의 沒落을 最後로 歐
洲 優遊의 路程에 올랏거니와 아즉도 『陳友仁이 다시 와야 外交가 된다』고
君의 手腕에 隨喜하는 이도 만타고 한다 이에 反하야 王 外交部長은 巴里和
議를 筆頭로 中俄交涉에 『카라한[82]』을 相對로 單兵接戰을 經歷하얏고 山東
交涉으로 隴海鐵路로 氏의 手腕은 幾多의 修鍊을 經한 것이다 懸案多在한
南京政府의 外交部長으로는 氏를 除하고 다시 엇기 어려울 듯하다 一方에
急激한 民衆의 要求가 잇고 一方에는 列强의 實力을 相對한 氏의 立場은 實
로 苦하고 難한 立場이다 비록 黨內의 經歷은 淺하다 할망정 이러한 困難한
地位를 充하고 잇는 博士야말로 南京政府의 柱石의 하나라고 아니하지 못
할 것이다

(28) 『同志仍須努力』— 新中國의 完成을 向해

十一月 二十三日 早朝에 記者의 탄 배는 感懷 기픈 上海를 作別하고 吳淞
口를 지내 北으로 向하얏다 靑島 大連을 지내서 奉天 經由로 故巢에 直行하
려는 計劃이다 廣東까지는 못 가더라도 적어도 漢口 北京이나 濟南 天津은

82 "카라한": 소련 외교관 레브 미하일로비치 카라한(Лев Михайлович Карахан, 1889~1937)
    - 편자 주.

보려는 計劃이엇섯스나 南京에서 意外에 時日을 虛費한 나는 月餘의 짧은 旅行을 急히 마추지 아니치 못할 形便이엇다

山東 滿洲가 中國땅이 아닌 것은 아니지마는 이날 아츰의 作別이 當分間 은 靑天白日旗와 永別이 되엇스니 靑島埠頭와 奉天驛頭에는 벌서 눈에 설어 진 五色旗가 우리를 맛는 것이엇다 船中에 二 人의 中國 旅客이 잇스니 一人 은 佛國留學生이요 一人은 日本留學生으로 吉省[83]의 官吏다 그들은 돌이어 外國人인 記者에게 向하야 南京政府의 眞況을 뭇는다

南京政府의 眞況! 一 過客의 觀察 또한 무슨 價值가 잇스랴 軍政時期로 부터 訓政時期로 …… 國民黨의 理論家는 大聲絶叫한다 破壞로부터 建設로 …… 中國의 民衆은 平和의 到來를 祝한다 十七 年 間 內亂의 終熄을 祝한다 天氣快晴하고 東南風이 뱃전을 스치고 달아난다 點點히 視線에서 떠나갈 듯 갈 듯한 亞洲大陸의 그림자는 平和와 進取의 新氣象에 싸히어잇지 안흔가

새로오면서도 새롭지 안흔 것은 民衆의 生活이다 小百姓의 痛苦와 좁은 거리와 어둑컴컴한 商店으로서 組織된 古都市 村落의 集中인 小都市、縱橫 으로 찌어진 運河와 돌로 까른 길、金빗 찬란한 看板、悠悠千年을 길다 아니 하는 물소리의 걸음 ─ 이러한 民衆 全體의 生活의 방식과 範圍를 改革하고 擴張하고、啓發하고 訓育하는 重大無比한 責任이야말로 眞正한 革命黨이 엇 개에 질머진 使命이 아니냐 四 億萬의 中國 民衆이 南京政府를 向하야 바라 고 잇는 것도 또한 이것이 아니냐 南京政府는 果然 그 使命을 完成할 能力이

---

83 "吉省": 지린성(吉林省) - 편자 주.

잇는가 업는가 좀人은 그、그러함을 信하려 한다

中國의 平和는 克復되엇다 內亂은 終熄되엇다 그러나 우리가 뒤로 두고 오는 國土는 보기에 딸하서는 아즉도 一大 戰場임이 分明하다

帝國主義는 一步一步 退却을 하면서도 最後의 발 드릴 곳을 찾고 잇다 뿌리가 기피 박인 封建的 社會의 餘塵이 아즉도 頑强한 抵抗을 繼續하고 잇다 『스커트·니어링[84]』 氏의 말대로

『이 廣大한 國土를 橫貫하야 帝國主義와、民族主義와、中國과 赤露의 農工階級의 勢力 等이 現代에 잇서서 가장 重要한 戰爭의 하나를 演出하고 잇다 …… 이 鬪爭의 結果는 一 個의 新生의 民族을 產出할 것이다 아니 一步 더 나아가 新生의 大陸을 나을 것이다』

土耳其를 復興케 하고 波斯[85]、阿夫汗[86]、暹羅[87]를 新興하게 한 國際的 大潮流는 滔滔히 흘러간다 主義化 하고 偶像化 하고 信仰化 한 三民主義 五權憲法은 人材의 群出과 文化의 發達 그 中에도 交通、通信、新聞業의 大進步

---

84 "스커트·니어링": 미국 경제학자 Scott Nearing(1883~1983) - 편자 주.

85 "波斯": 이란 - 편자 주.

86 "阿夫汗": 아프가니스탄 - 편자 주.

87 "暹羅": 태국 - 편자 주.

와 待하야 中國의 統一과 復興을 促進하고 잇다 南京政府의 將來가 어찌되든지는 둘재 問題로 하고 更生의 途程에 잇는 中國民族의 前途가 洋洋하다고 하는 것 만은 敢히 否認할 사람이 업슬 것이다

北京 客寓에서 『革命尙未成功、同志仍須努力』의 沈痛한 遺言을 남기고 돌아간 孫 總理의 三週忌가 거의 갓가와오거니와 오늘날이야말로 先生의 『仍須努力』의 遺囑을 그 子弟들이 더욱 意味 깁게 體得할 때가 아닌가

黃海바다의 한울은 陰鬱한 霖雨와 快晴의 小春日氣가 交互한다 支那大陸의 永遠한 快晴도 刻一刻 가까와오는 中이다(完)

—『東亞日報』, 1928년 11월 16일 ~ 12월 17일, 28회 연재

隨筆의 上海
－ 칼톤遊樂場의 一夜

李如星

午後 네 시부터 치장 차리기에 奔走하엿다. 洋服칼라를 사오고 넥타이에 손때를 빼고 구두에 藥칠을 하고 洋服바지에 금을 잡아 깔고 안젓자니 벌서 일 곱시를 친다.

이가치 밥분 것은 나뿐이 안이요 한房에 잇는 親舊 두 사람도 그리하엿다.

房은 좁은데 세 사람이 한참 북새을 치고 나니 사람들은 機械에 뽑은 듯 하게 말숙히 돼 房안은 헌겁장사 倉庫와 가탓다.

그에 K 君의 지은 밥이 우리 테－블 우에 올라올 때 光景을 살피니 点心에 먹은 單皿膳이 접씨 한 모퉁이에 부텃고 남비에 지은 밥은 노릿々々하게 타서 화근내 나는 짐을 올니고 잇다. 이는 K 君의 手法이 精巧치 못함이 안이라 大抵 칼톤이란 데가 그 어떤 덴지 왜 K 君이 그러케 焦燥하였나 하는 反問이 잇스면 能히 理解할 수 잇다.

이에서 우리 세 사람의 것치장과 속차림은 完了되엇다. 三等電車를 『호강』스레 타든 치가 頭等電車를 잡아타고 안저서 칼톤 彩光 속 仙女 가튼 舞姬들의 擧動을 瞑想코 안젓스니 압헤 안즌 洋紳士도 『네냐 내냐』 십헛다.

그러는 동안 칼톤 카페의 燦爛한 이루미네—슌[01]은 벌써 跑馬廠 저便에 나타났다. 爬蟲類가치 기어다니는 놈 瞬星갓치 깜짝이는 놈 燈臺같이 좀 점잔케 컷다 꺼젓다 하는 놈 또 長明하는 놈 게다가 靑紅과 軟綠이 代謝하면서 비최는 光景은 참으로 現代街燈藝術의 縮圖인 것 가탓다.

우리 一行은 그 압해 나려 大理石 砌石을 밟고 오른다. 그때 金髮美人의 一隊가 또 재잘거리며 올으고 單葉眼鏡에 『타크라쓰』鬚髥 삐친 洋紳士와 희게 늙고 살이 저서 銀行 重役가치 보이는 洋紳士 等이 그 뒤를 잇는다. 이리하야 우리 一行이 先頭에 서게 되엿스메 엇잔지 洋服이 瞥安間 짧어진 것도 갓고 다리가 또 갑작이 굽어 아그작거리는 것도 갓탓다. 村『목키리』가 大監 宅 장판房으로 기어오를 때도 아마 이런 心理이겟지.

入口 廣場 正面에는 軟褐色 바탕에 軟紫色 넓은 線條 노힌 피—샤·카페트가 一直線으로 깔녓스니 그 길 다은 곳 아마 二層 우리가 안즐 客席일 듯 하엿다. 今夜 入場의 特權을 가지게 된 우리는 六 圓짜리 入場券을 살 必要도 업스니 一直線으로 이 카페트만 따라가면 될 것이로구나 하고 一行의 步調는 자못 輕快하엿스나 行至數步에 『햇·플리쓰』라 하는 소리는 그만 가엽게도 우리 一行을 『村닭』가치 만드러버리고 말엇다. 그 소리는 뽀이의 소리엿다. 그 말은 帽子를 이리 막기라 하는 것이니 칼톤·카페— 같은 대 出入하는 손님은 적어도 이만한 規定은 알 터인데 저 三 人의 黃色 紳士는 저게 웬 일인가 십허서 『햇·플리쓰』를 소리 높히 윗치는 뽀이의 소리엿다. 그래서 帽子를 막기고 들어가니 아즉 九時가 채 못 되어 長廣 各 五十 米突이나 됨즉한 넓은 舞踏臺는 아즉도 텅 뷔어잇섯다. 그러나 左右 圓卓을 둘너안즌 來參客은 精密하게 히아리지 안어도 二百 名 可量은 넉々히 되여보엿다. 그

---

01 "이루미네—슌": illumination - 편자 주.

左右 圓卓 노힌 定席에만 八九 百 名을 足히 收容하겟고 廣闊한 그 定席 周圍와 넓은 廻席과 한껏 놉고도 前廳이 廣大한 舞臺 左右 圓卓席 中央大舞跳廣場 또 階上에 베푼 觀覽席과 圓卓席이 가치 廣大하니 한 二百 名 끼여 안즌 것이 果然 텅 뷘 것 가치 보일 것도 無理가 안이다.

今夜는 오고 보니 白色 露人들의 露歷 크리쓰마스 次夜 歌舞大會라 革命 前 彼 等의 燦爛한 美夢을 今夜에 再演코저 하는 努力은 不少한 金錢 不短한 時日을 가저야 될 舞臺裝置와 劇場設備로서 또는 數만흔 아이템(演目)으로서 그 慘憺하엿슴을 可히 推量할 수 잇섯다. 勿論 英米人의 拔助力이 그 半分 功이엇다.

正面 幕 中央에는 雙黑鷲의 舊 露皇室 紋章이 잇고 男女 着衣室과 化粧室 入口 廣場에는 急造한 우크라이나型 빠락크 數三 棟이 섯스며 英字 뒤집어노흔 듯한 露文字가 그 全額에 걸넛스니 뒤에 알앗스되 解義에 依하면 聖誕酒店이라고 쓰인 것이라 한다. 젓동이를 몹시 不自由쓰럽게 얽어 맨 黑色 胴衣 臀部를 너무 自由스럽게 放任한 眞紅色 쏫쓰컷트(短裳)는 그 빠라크 속에 드러안즌 妙齡女子들의 服色이라 請하는 客이 잇스면 이 人形 가튼 각시는 곳 가비업게 일어서 應需할 準備가 되어잇다. 그리고 階上 欄干에는 日露 國旗를 各國 國旗와 許多히 交叉를 식혀서 裝飾하고 크린다式 베란다(洋臺)의 기동々々 매다른 크리쓰마스·추리(聖誕樹)에 數업는 金星 銀星의 작은 電燭들에 반짝이고 잇스며 그 꼿은 竹枝들은 멀니서 보메 洞谷竹林이 어우러진 것 갓다. 그 속에 지나다니는 者 잇스니 나는 그것들을 命名하기 어려워 결국『西洋神仙』이라 弄稱하여볼가 하엿다.

마츰내 九時 半 定刻이 되니 瞥眼間 뭇『洋國神仙』이 湖水와 갓치 치밀녀 들어온다. 定刻에 오는 손은 大槪 테이불을 豫約한 손님들이라 갑작이 치밀니기 때문에 뽀이들은 고 흔안 손님들만 座席에 案內하고 紳士客들에게는 몸소 自己 番號를 차저 안도록 좀 冷待를 한다. 원청 넓은 곳이라 그 가운대 한 가엽슨 近視眼 紳士는 맨 나종까지 이 테이불 저 테이불로 코를 다이고 番號를 찾다가 結局 찾지 못하고 한참 동안이나 쌤을 내고 우둑하니 섯다가 뽀이 請所로 드러가고 말엇다. 그러하는 동안 쟈즈·뺀드(弱聲部 位置에 弱聲部 잇는 切分法에 依한 音樂의 樂隊)의 活潑淸新한 調子는 어느새 場內의 空氣를 휘돌며 濁하게 와글거리는 모든 소리를 아걸너내고 말엇다.

大石이 斷崖千尺에서 떠러질 때는 洞林 그윽한 속에서 獅子가 울고 砲聲 銃聲이 戰場에 끈허질 때는 잔나비 울음소리가 淒凉타. 숫獅子가 울 때 새 끼獅子가 딸아 울고 큰 잔나비 울 때 작은 잔나비가 이어서 운다.

黑人들은 百斛 珠玉을 鐵鼓 우에 소다 부으면서 羊가죽 長鼓를 急하게 치 면서 미록가치 뛰논다.

저 — 검은 구름장은 바다를 누르고 山 갓튼 물결은 하늘을 칠 제 저 바위 우에서 간열분 웨치는 소래 잇스니 귀먹은 하늘은 드를 턱이 업고나. 저 건 너 들녁에는 아즉도 太陽의 投射가 一 圓을 그렷는데 나그네 당나귀의 방울 소리는 洞內ㅅ개 짓는 소리에 간々이 들려 나온다. 쟈즈·뺀드는 나로 하여 금 이러한 斷片的 幻想을 發作的으로 이르킨다. 엇제서 그 統一性을 認識치 못하엿나? 누가 나에게 이러케 뭇는다면 『나는 音樂을 翫味할 수 잇는 귀가 업고 曲에 對한 知識이 幼稚한 까닭이다』

나는 이러케 率直하게 對答할 수박게 업지만은 또 한便으로 그 作曲家의 主觀을 全然 脫離하야 날처럼 그 樂想을 조각々々이 찌저 맛보는 것도 無味 한 일이라고는 못하겟다. 그러나 片々의 衝動으로 그려진 幻想을 질겨한다 면 그것은 樂音을 翫賞한다는 것보다 樂器를 翫賞하는 것이 되고 말 危險性 이 잇는 것이라. 故로 眞正한 音樂 翫賞은 그 樂曲 中에 잠겨잇는 統一性까 지를 完全히 認識하는 대 잇다 할 것은 勿論이다.

쟈즈·뺀드가 엇지 소리뿐일가. 적어도 칼톤의 쟈즈·뺀드는 소리만으로 聽衆의 마음을 흔드는 것이 아이다. 눈은 춤추는 羣男羣女를 向하고 우스며 코는 疾走하는 말코가치 벌룩거리고 손은 피아노 우에서 『왈쯔』類의 快活한 춤을 추면서 樂譜에 休止符를 만날 때에는 손이 엿가래가치 떠러지고 强輕快 等々의 符號를 만나면 駿馬의 발굽이 百里坦路를 달리는 것 가트니 이는 그 밴드에 有名하다는 露人 피아니쓰트의 擧動이다. 一個月 一千圓의 月薪을 밧는다 하니 果然 薄하지 안흐되 그 神들린 技術에는 누구나 놀라지 안을 수 업다. 그 周圍를 둘너안즌 十餘의 樂客이 잇스니 그 中에는 가장 눈 뜨이는 者는 提琴手 二人 鼓手 一人이라 提琴手는 有是乎 提琴으로 더부러 가치 春睡에 드는 때는 잇엇스나 恒常 無慈한 嫄母와 가치 들고패기를 잘하는 鼓手는 떡장수 넉이 들녓는지 아니 국수장사 넉이다. 그는 치고 밀기를 잘한다. 치는 것은 떡이라면 一分間 되떡을 쳣슬 것이요 미는 것을 국수라 하면 一分間 뭉치국수를 밀엇슬는지 밀기는 왜 미나 하엿더니 그것은 音響의 餘振을 막기 爲함이라 한다. 이리하여 彼等은 울리는 曲調가 춤이요 멋이거니와 치고 끌고 타고 부는 몸짓과 손짓이 또한 춤이요 멋이라 그 音響이 업다 할지라도 몇百組 踊者들은 能히 춤추일 만도 하여보인다. 그러나 엇재서 踊者들 數爻와 舞跳場 크기에 쟈즈·뺀드의 樂員들은 저갓치 數爻가 적을가 쓸떼는 걱정이 생긴다. 一人 客 入場料 六圓 一人 通便料 二十錢 一人 客帽頂豫料 二十錢 一人 客 舞跳券 不均 五圓 其他 特請料理代를 不加할지라도 一客에게 十數圓을 課收케 되는 칼톤은 平均 入場人員 五百名으로 現定한달지라도 約 六千圓의 巨額을 一夜에 獲得할지라. 우리 朝鮮에서만 恒茶飯으로 듣는 『經營難』에 빠저 그런 것도 안일지라. 아마도 樂隊 樂員들의 拔羣하는 技術은 碍滯업시 發揮식히고자 하는 意圖일 것이다. 다시 말하면 量을 버리고 質을 擇함이 일반인가 하고 스々로 疑心을 풀엇다.

이 樂隊의 奏樂은 聚軍하는 喇叭 소리가치 엄청나게 만흔 數百 雙 踊男踊女를 舞跳廣場으로 휘몰어 내세우기도 하고 또 散兵하는 꽹갈이가 되여 抱擁하엿든 팔들을 다 끌너버리고 휘쫏차내기도 한다. 이러하기를 아마 열 쩐이나 거듭하엿슬 것이다. 正히 踊夫踏女는 春暈이 方濃하고 華興이 油然할 때이나 求景만 하고 잇는 우리는 倦怠가 눈을 가리여 몇 番이나 눈을 부비면서 廻廊 박그로 어정거리지 안을 수 업섯다.

이윽고 깜짝 놀난 듯한 樂隊의 奏樂이 일더니 舞臺幕은 스사로 나비나래와 갓치 일넛다.

七八 人 男女 俳優. 男優는 東洋趣味 잇는 南露人의 옷을 입은 者이고 淸服을 입은 者 잇스며 女優는 銀髮毛冠을 쓴데다가 춤빠개 가튼 레ー쓰가 목에 달니고 응덩이에 큰 『게아쁘02』를 집어너흔 中世紀 風 衣裳을 입엇다. 말 모르는 求景꾼이 엇지 그 曲折을 如實하게 알니요만은 一唱一和에 情이 타오르고 一舞一踏에 興이 용소슴치는 것만은 몸소 늑기지 안을 수 업섯다.

特히 그 男優 中 淸人으로 變裝한 者는 肥滿함이 洋豚 가트니 麗姬를 目前에 對하엿는지라 그 무서운 기림덩이 고깃덩이를 오히려 燕子와 가치 뛰놀니고 기럼진 목통에 戀愛頌(?)을 짜내는 貌樣은 또한 可然한 情緖를 잘 表現한 것이엇다.

아이템은 다시 박고여 舞臺 全面이 三 幅의 古畵 끼운 額緣이 되엿다. 一幅은 中央에 걸녓스니 竹籬에 半禿한 中世의 女 詩人이요 兩 幅은 左右에 걸녓스니 當時의 舞者들이다. 멀니서 고요히 들녀오는 琴聲은 女 詩人을 笞庭으로 불너내여 愛의 悲歌를 부르게 한다. 이윽고 女 詩人은 다시 竹籬로 들

---

02 "게아쁘": 프랑스어 guêpe, 몸통 부분에 고무줄을 넣어 몸에 꼭 맞게 해서 벌의 몸통처럼 보이게 한 드레스 - 편자 주.

어가 그림이 되니 舞者들은 춤추면서 뛰여나와 胡蝶舞(나는 그 光景을 보고 이러케 命名하고 십헛다)를 춘다. 이 또한 左右 餘額 속으로 들어가 다시금 그림이 되니 이 畵人의 幻想劇인지 詩人의 瞑想劇인지 모르되 意匠이 자못 妙絶타 하겟다.

幕이 나림에 雙々의 舞踊羣은 다시 『폭쓰·트롯』03調에 웃줄거리기를 始作한다.

約 三四 曲의 舞跳가 끗나니 열두 점이 훨신 지낫다. 다시 幕이 것치메 뜻 밖 四五十人 一隊의 舊露皇室儀仗兵이 莊嚴하게 늘어서고 그 앞에 一員 大將이 棍棒을 들고 섯스니 이것이 露歷 크리쓰마쓰 聖誕頌을 올니고저 하는 露人만으로 組織한 大合唱隊이다.

엇제서 歌藝舞臺에 올나선 合唱隊가 皇室儀仗兵服을 입엇슬가. 엇제서 聖誕頌 올닐 合唱隊가 皇室儀仗兵服을 입엇슬가.

皇室의 儀仗兵服은 皇帝의 비단옷이엇다. 彼는 이 옷을 입고 다니면서 『稜威』를 자랑하엿든 것이다. 그리하야 ○○을 떨게 하고 草木를 떨게 하엿다. 또 몃 번이나 그 儀仗兵服에는 民衆의 ×가 무덧슬 터인가. 『所謂 藝術의 修行者라는 사람들이 그 옷을 입고 藝術舞臺에 나타나는 것을 意在那邊인고. 富와 權勢에는 偏치도 안코 當치도 안는다는 彼 등의 筆頭言辭를 너머나 食함이 明白하지 안은가. 그것은 虛僞이다.』하는 直覺이 새삼쓰리 생긴다. 彼 等은 ○○○○의 『稜威』를 裝飾하는 者들이며 富와 權勢의 『聖德』을 讚頌하는 者들이다. 웬 世上 富와 權勢 잇는 者들은 이러한 藝術을 얼마나 奇特하게 生覺하엿슬까 彼 等은 富를 한 토막 끈어주기도 하고 權勢를 한 가닥 빌녀주기도 하엿다. 이리하야 『藝術은 富와 權勢에 『協同戰線』을 짓고

---

03 "폭쓰·트롯": 프랑스어 fox-trot - 편자 주.

말엇다.』 어느 冊에 이러케 쓰어잇는 것도 새로히 記憶된다. 이것보다도 더 妄發된 酬酌이 하나 잇스니 宗敎가 富와 權勢에 종노릇하는 것이 곳 그것이다. 宗敎는 ××× 神秘化 시키고 百姓을 ○○化 식혓스니 ○○가 敎堂에 ×××× 神께 感謝를 올니는 것도 十分 當然한 일이겟다. 이리하여 宗敎는 ○○의 宗敎가 됨에 敎堂은 黃金의 金庫가 되고 僧侶는 權力의 化身이 다엇다. 보라 ×× 前 露西亞 오도독쓰[04](正統派)敎會가 얼마나 戰慄할 만한 罪惡을 犯하엿든가! 저 合唱 後의 노래는 藝術과 宗敎 黃金과 權力의 合唱이다. 이런 意味로도 合唱이다. 瀏喨한 和音도 當時 大衆의 이 갈든 소리가 안이고 무엇이랴. 저희들의 때는 임이 滄桑이 박고엇는데 이제ㅅ날 그 짓을 再演하는 것은 抑何 心情일는지! 苦笑와 諷刺는 내 가삼에 검으로 싸히는 것 갓탓다. 그러나 가엽쓴 한 모퉁이가 잇쓰니 그것이 또 異當[05]타 할가 마츰내 그 노래가 끗치며 秩蕩한 羣衆들은 다시 이짓든 술을 마시며 美人의 허리를 보둠어 안고 어지럽게 꺼덕이며 춤춘다. 『聖人이 降臨하신 날 이것이 웬 말고 沐浴齋戒하야 祭壇 밋테 업대지는 못할망정』 聖神이 神靈하신달진대 이러케 呼令 하실 만도 하고 채쪽을 휘둘너 다— 地獄으로 쪼츠실 만도 하엿다. 그러나 聖神도 神靈도 靈驗이 업고 잔마다 고인 붉은 술 속에는 罪人들 그림자만 어지럽게 비초일 뿐이니 헌 聖人踵跡이 저럴진대 새 聖人降臨이 크게 밧분 일인 듯도 십헛다.

　窓박글 내다보니 萬籟가 고요하매 三百 萬 上海人은 무슨 꿈을 꾸고 잇는지 遠近에 비 저즌 街體만 寂寞한 □燭가치 비치고 잇을 뿐이다. 밤은 三更이 임이 지낫스되 칼톤 遊樂塲에 노래와 춤은 오히려 끗칠 줄을 모른다. 안

---

04 "오도독쓰": 러시아어 ортодо́ксия(정교) - 편자 주.

05 "當"은 "常"의 오식 - 편자 주.

이다 來日도 너희의 世上이니 수여가며 놀아라 世上은 아즉도 너희의 것이다 나는 맘속으로 중얼거렷다.

우리 一行은 今夜 우리를 好意로서 招待하여 준 K 君을 차저 禮를 謝한 後 그만 帽子를 차저 쓰고 박글 나섯다. 비 마즌 애쓰왈트[06]길 우에는 베니스의 夜景가치 칼톤의 이루미네ー슌이 비초여잇다.

數만흔 自働車가 우리 一行을 기다리고 잇섯고 帽子 버슨 運轉手들은 우리 一行을 案內하엿스나 우리는 말 한 마듸 대꾸 업시 멀커니 쳐다보기만 하다가 悠悠히 人力車로 가서 또 말업시 타니 車夫도 말업시 달니기를 始作한다. 無笑無言한 喜劇優 마쓰타·톤의 作動이 이러치는 안엇든가 하고 달아나는 人力車 속에서 나는 남모르게 욱□거리며 웃엇다.

이리하야 집으로 도라오니 첫닭의 소리가 들녓다.

一九二八、一、一五

—『朝鮮之光』, 第82號, 1929년 1월

---

06 "애쓰왈트": 아스팔트 - 편자 주.

여름의 北海

全武吉

晩吾 兄!

北京의 名勝 하나만 紹介하라구요? 그러나 不幸히 저는 名勝地 紹介의 適任者가 못되는 것 갓슴니다. 求景은 別노 즐기지 안는 性質이엿슴니다 前月에 旅行을 한 것은 저의 性格上으로 보아 破格의 例이엿슴니다 서울에서 中學을 마칠 때까지 修學旅行을 간 것은 金剛山 갓든 일밧게 업스며 (北京 現在 北平)에서는 몃 里 안 되는 萬壽山이 絶勝이라 떠드러도 꼬물~ 하다가 못 가보앗고 東京에 잇슬 때도 日本八景의 어느 것 하나 본 것이 업스니 이것만으로도 제가 名勝地와 因緣이 멀다는 것을 잘 알 수 잇슴니다. 그래도 무엇을 하나 紹介하라고 强請하신다면 偶然한 機會에 北京 城內 西北便에 잇는 北海의 印象을 들 수밧게 업슴니다 그도 現在 中外日報에 잇는 徐樂泉 君과 新義州事件으로 在監 中인 金憑兒 君에게 끄을너서 一 年 一 次 公開라는 잇기 어려운 機會를 노치지 안으려고 갓섯스나 벌서 五六 年이란 時間이 지난 오늘에는 殿閣 이름이 무엇이엿는지? 方角이 엇지 되엿든지 무엇을 보앗든지? 모다 記憶에서 까릿~하외다 그나마 스러지다 남은 몃 가지 印象일망정 거두어볼까요?

北海라면 海字가 부텃스니만큼 보지 못한 사람은 퍽으나 넓은 바다로

生覺할 것이외다 그러나 事實은 바다가 안이라 大池외다 挾泰山以超北海
란 北海가 요만하다면 뛰지는 못해도 헤엄쳐 건느기는 容易할 만한 湖水외
다. 一名 太液池라 함이 오히려 適當한 名稱이랄 수밧게 업든 人造풀이외다
해ㅅ빗을 바다 金波 치는 北海 그곳에는 널다란 蓮닙이 花紋을 도첫스며 군
데~ 장풍이 욱어진 곳도 잇고 말과 물이끼가 엉클닌 곳도 이섯습니다 湖邊
에는 首楊버들이 바람에 불여 펄넝펄넝 나븨끼고 잇섯습니다 呼吸할 때마
다 풀닙새의 무르익은 香氣가 코를 근지럽게 찌릅니다 그리고 그곳에는 고
흔 새들이 읇조리고 잇섯습니다 제비가 湖上을 나러가다가는 물을 차고 지
나갑니다. 한 雙의 鴛鴦이 綠水를 헤치고 悠々히 도라단임은 보는 사람까지
시원한 늣김을 주엇습니다. 각금 漁躍海中天 하는 것을 볼 수가 잇섯습니
다 華麗한 彩色衣를 입은 美女들의 붉은 입에서는 「噯呀! 很好看[01]」 하는 音
樂的 악센트를 가진 感歎詞를 連發하든 것이 아즉도 귀에 錚々하외다. 한참
드러가면 樹林이 鬱蒼하고 綠陰 새의 古色이 蒼然한 中國에 特有한 黃瓦와
色彩濃厚한 赤壁의 雄壯한 宮殿과 樓閣이 우둑~ 말업시 서서 老大國의 面目
을 말하는 듯하외다 中國은 色彩의 나라외다 蓋瓦도 色彩、壁도 色彩、天井
도 色彩、器物도 色彩、衣服도 色彩、모도 色彩의 排合으로 되엿습니다

　　北海는 實노 녯날이야기에 나오는 仙境인가도 십고 물속에 잇는 龍宮인
가도 십헛습니다 五族과 四億 萬民에 君臨한 녯 王朝의 豪華를 말하는 듯하
외다 西太后의 晩年을 속새기는 듯하외다 內壁에는 鳳龍의 丹靑이 새로웁고
추녀 끗헤 달닌 風磬은 微風이라도 지나치기만 하면 뎅그렁~ 웁니다 堂々한
王業의 殘骸가 오직 風磬 소래뿐인가 하면 지나는 客을 懷心케 할 뿐이외다
世事의 無常함을 탓하는 白髮老를 지금 볼 수가 잇섯습니다.

---

01 “噯呀! 很好看”: 중국어 “아이 참 예뻐!” - 편자 주.

老松이 亭々한 새에는 臨時 休憩所가 잇서 曲背長袖의 中國人들이 藤椅子에 걸처 안고 茶를 마십니다 우리 一行도 喫茶를 하려고 기어드러갓더니 例에 依하여 먼저 手巾把[02](手巾을 물에 적신 것)을 갓다 줍니다. 手巾으로 낫과 손을 싯고 나서 茶와 瓜子兒(호박씨)를 請햇습니다 一般으로 中國 茶가 마실 만하지만 이곳의 茶는 格別한 美味외다 아마 玫瑰花나 木蘭花나 梔等屬의 乾花를 香料로 너은가 부외다 조곰 쉬인 後에 小攢子(팁)로 銅錢 서너 닙을 던지고 나왓슴니다. 南편으로 湖水 저쪽에는 弓形으로 기다라케 구버진 五色이 燦然한 廻廊이 잇서 물속에 잠긴 倒影이 금실~ 놀며 廻廊을 빙 도라가노라면 각금 가다 地下로 깁히 뚤닌 人造 石洞窟이 잇스니 身邊에 危險이 닥처올 때에 一時 避身하기에 適當하외다

湖水 가운대에는 畫舫(遊船)이 잇서 櫓를 몃 番 저찌 안어 景華島에 갈 수 잇습니다. 島中에는 라마白塔이 雄姿를 자랑하고 잇습니다 이 라마塔의 形式은 가장 獨特한 形式일까 합니다만 스케취를 못해 드리니 遺憾이외다 白塔 우에 올나스면 北京의 近景이 빤히 나려다 보히고 먼 끗은 안개 속에 무처버림니다 人造山인 뾰족한 景山이 그곳에 핀 꼿이라도 꺽글 수 잇슬 듯히 나려다보임니다 中國에는 엇재 그리 山이 드문지요? 녯날의 馬塚만 한 人造山을 곳곳에서 볼 수 이스며 모든 文人墨客이 이런 곳에 차저와 詩想을 굴니고 잇다면 三千里의 錦繡江山을 가진 우리로서는 腰折할 노릇이외다

西便으로 가면 크다란 石佛이 서잇고 그 미리 우에는 綠실은 承露盤이 노엇스니 不老不死의 天露를 밧든 愚智는 秦始皇에게 배운 법하외다 北쪽에는 極樂殿이 잇스며 그 안에는 極樂世界를 物形으로 象懲하여 노앗습니다. 釋迦牟尼佛을 中心으로 하고 三世諸佛 十方諸佛이 그득히 羅列되여잇서 宛然

---

02 "把"는 "帕"의 오식 - 편자 주.

히 金色涅槃의 世界외다.

버들 아래서는 時年 十八 歲 假令으로 보이는 短髮하고 輕快한 時樣兒的(最新流行) 衣裳을 입은 어여뿐 紅顏의 女學生 두 사람이 생긋히 웃는 表情을 지은 채 억개를 맛것고 照像(寫眞)을 합니다 저도 그 틈에 끼일 수 잇섯다면 …… 웃지 마서요 …… 저도 그 때에 十九 歲의 美男이엿담니다

中國 女子의 美―그는 다만 妖艶한 人形의 美가 안이외다 그리고 朝鮮女子와 갓치 肺病患者의 蒼白한 것 갓흔 美 貧血病 걸닌 美가 안이외다 豊潤한 寬厚한 多血한 貴염성 잇는 美외다 더욱이나 턱 아레의 圓曲한 線의 고흔 것이며 맑고 큼직한 귀의 貴염성 잇는 것이며 둥글고 어지러 보이는 눈(眼)은 外國 女子에게서 차즐 수 업는 長點이외다 曾子의 말인가요? 「富潤屋이요 德潤身」이라더니 그들의 住寓가 花容燦爛한 것이 富를 말함이라면 同時에 그들의 花容이 아름다운 것도 德性이 잇슴을 證함일까요? …

우리 一行은 畵舫을 저으며 愁心歌調로 휘파람을 合奏하엿습니다 우리가 다시 廻廊에 다엇슬 때 그곳에는 數十 人의 樂士가 도라안저 中國古樂을 合奏하고 잇섯습니다 鐘、鼓、磬、笛、簫、笙、管、箏、鑼、鐸、鐺、鈴、三絃、琵琶、胡琴、提琴、月琴 等이 한꺼번에 어울여 神秘하고 調和잇고 典雅한 씸포니(交響樂)를 자아냅니다 이 소리를 듯는 瞬間 저는 醉하여 無我境으로 드러갓섯습니다 뉘가 이런 때에 센티멘탈이즘에게 逮捕되지 안으리라고 壯談하겟슴니까? 古樂 소래가 머즌 때 急作히 배(腹)속에서 「먼저 빵을 먹고 求景해라―꼬르륵 … 」하는 叫呼가 들녀왓슴니다 北海를 등지고 나오니 洋車(人力車)軍들이 벌떼갓치 옥잘거립니다. 「洋車! ~!」 하는 것은 이곳에 人力車가 잇스니 타라는 注意喚起외다 「哪兒? ~?」 「要不要? ~?」 이러케 멋만 뚝 따는 引客聲을 뒤로 드를 때마다 貴치 안으 듯이 「不要! ~!」 소리를 치며 휙々 빠저 도라왓습니다 (끗)

―『朝鮮之光』, 第86號, 1929년 8월

南游汗漫草

樹州[01]

　『어대 가고 십다』는 것은 年來로 늘 나의 마음 속 어댄지 숨겨잇서 때때로 고개를 들든 願念이엇섯다 그리하야 나는 어대고 갈 틈만을 엿보앗지만 어대고 가지 못할 形便과 事情이란 『하리[02]』는 너무 치레스런 比喩일는지는 모르나 金色 능금 지키는 『헤쓰페리쓰[03]』의 龍가티 나를 짓궂게도 監視하얏다 그러나 고달픈 那翁의 哨兵가티 나를 監視하든 여러 龍의 잠 업는 눈에 잠이 자칫 흐리마리하얏는지 비록 短時日의 放浪이고 그다지 長程은 못되는 旅行이나마 이번 『지레뜸放學』을 加한 冬期放學의 少暇를 利用하야 『요』의 不幸한 새와 가티 삐어저 나가게 된 것은 紳士的으로 保留하야 말하면 多幸한 일이요 체통 업시 말하면 狂喜할 일이다

　이번 旅程은 대개 臺灣、香港、上海、其外에는 內部 支那의 要處 멧 군대 (今番 中國動亂으로 因하야 期必할 수는 업스나)인데 어대를 먼저 보고 어

---

01 樹州는 변영로의 호 - 편자 주.

02 "하리": 제1차 세계대전 당시 스파이로 유명한 Mata Hari - 편자 주.

03 "헤쓰페리쓰": 라틴어 Héspĕris(서쪽의, 해지는 쪽의) - 편자 주.

대를 나종 볼 것은 隨時하야 變更하겟슴으로 미리 말하기도 어렵고 또 말할 必要도 업는 것이다

　우리 一行 三 人(張澤相、鄭求瑛 兩 君과 나)은 出發 前 日夕에 모혀 그 翌朝 朔餘나 두고 벼르든 이번 길을 떠나기로 牢約하고 헤어젓스나 급기 그 翌朝에 張 君만은 不得已한 事故로 하로를 처저 떠나게 되어 할일 업시 鄭 君과 나는 긴치 안은 겨을 비 나리는 二十日(舊臘) 아츰 特急으로 南門驛을 先發하게 되엇다

　車에 올라 座席을 整頓한 後 우리는 이야기 보를 끌럿다 終日 쉴 새 업시 한 이야기라 하도 內容이 複雜多端하야 이로 섬길 수 업스나 대개 이야기의 距離는 張 君과 同時 出發 못 한 遺憾으로부터 나종에는 材料가 窮하야 批評 할 理由와 必要와 興味가 아울러 업는 人物들의 月旦까지에 미치엇는데 鄭 君 이야기의 七 割은 法律家임엔 不相應할 程度의 理想談이엇고 나의 이야 기의 七 割은 人物批評과 世間俗事에 對한 것이엇다 車中에서 見聞한 배 아 조 업지는 안핫스나 別別 적을 만한 것은 업섯다

　우리는 釜山鎭서 下車하야 自働車로 東萊溫泉에 이르러 溫泉浴槽 속에 多 少 疲勞한 몸을 잠그고 旅塵을 씻고 나니 그 爽朗한 氣分은 비길 데 업섯다

　밝는 날 아츰 朝餐을 督促하야 먹고 自動車로 釜山棧橋에를 이르니 棧橋 入口에 우리(鄭 君과 나) 둘을 기다리고 잇는 張 君의 焦燥하야하는 모양이 車窓 밧그로 보이엇다

　團聚한 우리 一行 三 人은 어느 西洋 詩句를 비러 말하면 ― 蒼穹에 星辰 이라도 노래하게 하고、帝王이라도 帽子를 벗게(뜻 맛는 친구 세 사람이 모 혀가면)할 氣勢로 下關行 船票를 사가지고 배에 올랏다

　그러나 얼마 안 되어 우리의 昻然하든 氣分은 雲散霧消하얏다 배에 弱한 一行(鄭 君만은 意外에 强者이엇지만)은 支離한 航海의 걱정이 이만저만 안

인데 게다가 귀치 안흔 친구들의 總攻擊을 바드니 그 不快한 心事는 당해본 사람이나 推測할 것이다

十時 半 頃(午前) 우리가 탄 昌慶丸은 釜山埠頭를 떠낫다 船體가 움즉이 기 始作하며 槿民(張 君)과 나는 船室 寢臺 우에 못 박은 듯이 가만히 누어 잇섯스나 淸嵐(鄭 君)만은 아모런 불편한 氣色이 업섯다 나는 배 타는 맛으 로 자리보전하는 나의 懦弱한 態度에 不滿도 잇고 告別은 아니마나 멀니 사 라지는 故國의 모양도 보고 십허 畢生의 勇氣를 振作하아가지고 甲板에를 나왓섯다 압흐로 茫茫한 大海를 내어다보고 뒤로는 까물까물하게 머러지는 故國山川으로는 最終으로 보이는 五六島를 도라보니 庚戌年(?) 金滄江이 中 國을 向하든 途中 渤海 海上에서 을픈

城隍慘慘群孤舞
永國溟溟獨鳥飛

란 詩句가 불현듯이 記憶되어 가슴이 무여하야짐을 깨다랏다

우리는 二十一日 午後 六時 半에 下關에 到着하야 山陽호텔에서 저녁을 사먹고 『라운지』에서 그럭저럭 時間을 보내다가 十時 半 쯤 되어 門聯絡船 으로 門司에 이르러 十一時 正刻 發 急行으로 長崎를 向하얏다 타기는 밤차 를 탓슴으로 鐵道沿邊의 風物을 볼 수 업슴이 섭섭하얏다

門司驛에서부터 우리를 尾行하든 형사 한 사람은 우리가 잇는 곳으로 오 락가락하며 名譽롭지 못한 職業의 행틔를 遺漏 업시도 發揮하얏다 終末에는 무슨 無禮에 갓가운 말을 걸다가 淸嵐 君에게 一喝을 喫한 일까지 잇섯다 어 찌하야 이와 가티 寸時의 安靜도 누리지 못하게 사람을 괴롭히나를 생각하 니 어느 悲哀를 늦기지 안흘 수 업섯다

佛蘭西의 有名한 海洋文學者 피어·로틔[04]는 某國을 主題 삼아 쓴 어느 小
說 가운대 某國의 女子들은 모다 娼女 갓고 男子들은 모다 형사 갓다고 쓴
것이 있다 꼭 正確한 印象일지는 모르나 그러타고 一 外國人의 疏漏한 觀察
이라고만 보기에는 너무나 그 慧眼이 逼人하는 것이다

옹송망송한 생각으로 잘 오지 안는 잠을 억지로 請하야 눈을 좀 부치엇다
가 떠보니 車窓은 버 — ㄴ하얏다 불야불야 자리에서 뛰어 일어나 車窓을 열
어 제치니 어대인지는 모르나 時間으로 보아 長崎 갓가운 곳이엇다 한울에
는 波狀의 淡雲이 흐치흐치하게 덥혀잇고 山모통이에는 끼이는 듯 거치는
듯한 안개가 걸려잇는데 군대군대 어우러저 피인 野菊과 동백(椿)꼿과 가지
가 휘도록 열린 귤나무들이 희미하게 보이어 九州만 하야도 南國이로구나
하는 情趣를 자아내게 하얏다

海上受難

우리는 廿二日 午後 一時 上海를 向하야 長崎港을 떠나는 港名과 가른
『長崎丸』 一〇七、一〇八 두 船室의 客 — 아니 客이라는 것보다 生病患者가
되엇다. 배 타는 데 유난히도 약한 權民과 나는 무슨 큰일이 나기는 낫는데
아모 智慧를 내지 못하는 사람들 모양으로 서로 벙벙히 처다보고만 잇섯다.
權民은 생각다 못하야 『뽀이』를 불러 自己는 아모래도 食堂에는 못나가겟스
니 끼니때마다 自己 分만은 船室로 갓다 달라 付托하고 누어버렷다.

이윽고 點心時間을 告하는 銅鑼소래는 낫다 나는 食堂에를 試驗 삼아 나

---

04 피어·로틔: Pierre Loti(본명 Louis-Marie·Julien·Viaud, 1850 ~ 1923), 프랑스의 소설가, 해군
장교, 중국, 일본 등 아시아지역을 여행하고 이국적인 작품을 많이 창작했다 - 편자 주.

가볼가 上海 到着할 때까지 斷食斷行을 할가 何如間 方針을 決定치 못하야 苦憫을 하얏다。 그러나 一行 中 唯一의 海上勇者인 淸嵐 君의 鼓舞로 넷날 『씨사―[05]』가 『루비콘』江 건너는 英斷으로 ― 步調 不確實하기론 醉한 사람 가티 조심스럽기론 患者 잇는 방 녑 지나가는 사람가티 食堂에를 드러갓다 食堂에를 드러가 보니 八九 人의 東洋人과 二十 餘 名 內外의 南洋人[06]이 벌 서부터 食事들을 하고 잇는 中이엇섯다 그네들은 遊步 甲板까지 泡沫이 뛰 어오르는 밧갓 風浪(그날은 風浪이 甚하얏다)은 吾不關焉이라는 듯이 自若 하게들 안저 그릇부심을 하얏다 나는 여러 外國人들 面前에서 『어느 忍耐를 無視하는 醜態』만은 피우지 안흐려고 勵氣作容을 하얏지만 나의 忍耐가 아 모래도 밋업지 아니하야 두어 가지 먹는 체 하다가 食堂을 나와버렷다。

　이와 가티 船室에 드러와 누은 채로 廿七 時間 航海 中 廿 時間은 不起의 客이 되엇다。 밧가테서는 怒濤가 咆哮하고 船室 內의 動搖計는 時計의 振子 가티 흔들리엇다 이런 때에는 잠이나 드럿스면 苦痛 다 잇겟는데 잠은 어대 로 갓는지 오지를 아니하얏다 淸嵐 君은 련해 들낙날낙하면서 나가서 본 이 야기를 要求도 안 하것만은 작고 하야 들린다 한편으로 부럽기도 하얏지만 한편으론 미웁기도 하얏다。

　나는 잠은 오지 안코 하야 『콜너릿지[07]』의 『넷날 船夫』란 詩를 읽엇다 그 런데 그 詩篇 가운대 잇는

---

05 "씨사―": 시저(Gaius Julius Caesar, BC 100 ~ BC 44) - 편자 주.

06 이 글의 1930년 1월 16일 연재분의 끝에 붙인 '정정(訂正)'에서 『南洋人』은 『西洋人』의 오식 (誤植)이라고 밝히고 있다 - 편자 주.

07 "콜너릿지": 영국 시인, 평론가 콜리지(Samuel Taylor Coleridge, 1772 ~ 1834) - 편자 주.

『오、 잠、 따의 이 끄트로부터 저 끗까지 이르는 곳마다 사랑
밧는 溫順한 잠!
감사는 聖母께로 돌릴 지라!
그가 우리 靈魂 속으로 기어드는 보드러운 잠을 한울에서 보
냇다니』

하는 詩句만을 여러 번 여러 번 입속으로 경문 외이 듯하얏다.

배는 뒷둑어리면서라도 不斷히 目的地를 向하야 進行하얏다 밤새도록 小
鼓가티 떨엇다. 나 따라 잠 안 자는 것 갓기도 하얏다. 배는 무엇을 위하야
밤새도록 그 크나큰 가슴을 그다지도 울리는가? 심술구진 바다는 긔승만 피
우는데! 나에게는 배는 『쇠와 나무로만 構造된 無生物』가티 보이지를 아니
하얏다.

翌朝 九時 頃쯤 되어서부터는 風勢가 좀 꺼지엇다 하로 낫과 하로 밤을
단련 밧고난 보람인지 주춤하야지는 물결을 딸하 나의 뒤집히엇든 속도 항
결 鎭定되엇다 그 前날 굶은 올슬 내이느라고 食堂에 들어 가치 차저 먹
을 대로 차저 먹고 甲板에로 나갓다. 나가 보니 배는 어느듯 黃海을 버서나
楊[08]子江 圈內로 들어왓는지 滿目濁浪으로 자랑할 수까지는 업는 海色이엇
다 배가 一二 時間을 더 進行하니 오래 그립든 陸地가 보이기 始作하는데 船
員에게 듯건대 左岸은 大陸이오 右便에 보이는 沙場은 楊[09]子江 入口에 介在
하야 江口를 南北으로 난호는 崇明島라 한다 十餘 海哩 쯤을 더 溯江하니 船

---

08 "楊"은 "揚"의 오식 - 편자 주.

09 동상.

首는 南으로 方向을 틀어 楊[10]子江 本流를 여의고 黃浦江을 접어들엇다

江口 左岸으로 눈에 第一 먼저 띄는 것은 第一革命에 有名하얏고 第二 第三 支那革命의 때마다 要衝地帶노릇을 하든 吳淞砲臺이엇다. 배는 벌서 上海에 갓가와가는지 江 우에는 울긋불긋한 數없는『찡크[11]』와 星條旗、三色旗、靑天白日旗 等 各國의 船舶이 짜는 듯이 오고가고 하얏다.

上海!

第一日

上海! 世界的 大市場의 하나로 出入 船舶이 紐育[12]의 다음간다는 宇內 第二의 大商港인 上海! 이저것 다 치우고라도 우리의 여러 追憶과 眷戀의 情懷를 자아내는 우리와 因緣 깁흔 上海! 나는 이 上海를 한번 보려고 얼마나 바라고 또 별럿든가! 이제 機會라는『好意 품은 空虛한 存在』가 우리를 上海埠頭까지 실허다준 것이다

배가 埠頭에를 갓가히 오니 우리와 同船하야 오는 船客들을 마중 나온 사람들의 歡呼聲과、『쿨리』들의 버리꺼리 爭奪하는 아우성소리와、머 — ㄹ리 들리는『파입오 — 갠[13]』소리 가튼 市中의 車轍소리가 서로 어우러저 벌서부터 大都市의 大交響樂을 듯는 듯한 늣김이 잇섯다

우리는 汽車(自働車를 이곳에서는 汽車라 함) 二 臺를 불러 짐과 사람이

---

10 동상.

11 "찡크": junk, 중국에서, 연해나 하천에서 사람이나 짐을 실어 나르는 데 쓰던 배. - 편자 주.

12 紐育: 뉴욕 — 편자 주.

13 "파입오 — 갠": pipe organ - 편자 주.

分乘하고 上海에서 華麗하기로 第一간다는 南京路에 잇는 大百貨店인 先施
公司¹⁴의 附屬인 東西旅館¹⁵으로 갓다 旅裝을 풀어노코 小憩한 후 우서¹⁶ 한
집안속인 先施公司 雜貨部를 구경하고 市中巡禮 次로 거리에 나섯다

나서 보니 上海를 가르처 東洋第一의 世界的 都市라는 것이 거짓이 아님
을 아럿다 南京路 左右 側의 櫛比한 商店들도 雄壯燦爛함을 極하얏지만 약
속 빠른 사람으로도 길 이편에서 저편으로 건너가려면 여간한 注意를 하지
안흐면 안 될 만큼 느러서서 가는 自働車 行列의 壯觀에는 朝鮮서 生長한 村
뜩이쯤으론 一驚을 喫하지 안흘 수 업섯다 그리고 左右 側 鋪道로 단이는 사
람들도 正確하게 말하면 것는 것이 아니고 밀리는 것이엇다 雜踏을 極한 人
波 사이를 밀고 밀리우며 우리는 吳淞路라는 곳에를 가서 어느 錢莊에서 多
少의 所要 金額을 支那동¹⁷으로 밧구어 너헛다 우리는 上海에 와서 비로소
濱口內閣¹⁸의 金解禁과 緊縮政策의 殘澤을 닙는 것 가탯다 (朝鮮內地財界의
恐慌과 破綻은 一時不問에 附한다면) 웨 그런고 하니 金解禁政策實施 前에
는 日本돈 百 圓이 支那돈 九十 一二 圓 행세밧게 못하든 것이 主客顚倒格으
로 日本돈 百 圓이면 中國돈 百三十 圓 內外로 밧굴 수 잇게 된 까닭이다

이럭저럭 밤 十一時가 지낫슴으로 우리는 旅社로 도라왓다

---

14 『先施公司』: 1917년 10월 상하이에서 개업한 대형백화점 — 편자 주.

15 『東西旅館』은 『東亞旅館』의 오식 - 편자 주.

16 "서"는 "선"의 오식 - 편자 주.

17 "동"은 "돈"의 오식 - 편자 주.

18 『濱口內閣』: 하마구치 오사치(濱口雄幸, 1870~1831)가 총리를 맡았던 시기(1928년 6월~1931년 4
월)의 일본내각 - 편자 주.

第二日

　우리가 묵는 東亞旅舍는 全 上海에서 永安公司로 더부러 一二 位를 다투는 大百貨店인 先施公司의 直營旅舍이니만큼 諸般 施設이 西洋式으로 完備되엇스나 出入門 빼노코는 窓戶가 全部 開閉키가 만만치 안흘 만큼 鐵格子로 되어 監房 속에 잇는 늣김도 줄 뿐더러 밤새도록 壁上에는 박휘(물것)軍의 習陣이 잇서 이래저래 不快하기 짝이 업슴으로 우리는 아츰 자리에서 일어난 맛으로 旅舍를 옴기기로 하얏다 그리하야 호강할 세음은 아니나 淸潔한 곳을 차저야 할 터인데 一行 三 人이 너나 할 것 업시 上海 知識에는 너무도 蔑如하야 映畫界의 覇者 『따글라쓰·패아뺑크[19]』의 夫妻가 上海 滯留 中 묵엇다는 『매제스틱호텔』[20]을 차저갓다 그러나 그 호텔은 戈登路에 잇서 너무 中央地帶와 遠隔하야 來徃이 不便하겟슴으로 大馬路 角 黃浦灘路에 잇는 『팰레이쓰호텔[21]』로 와서 無數한 大小 汽船과 『정크』 等의 帆檣이 林立한 黃浦江과 浦東 一帶를 俯瞰하는 一室을 定하얏다

　十四 點鐘(午後 二時) 쯤 되어 淸嵐 君과 나는 盧桂園과 申晛觀의 墓를 차저 靜安寺路 끄테잇는 外國人共同墓地로 向하얏다

　墓所 前 꼿집에서 花束을 사가지고 『靜寂한 邸宅』 內에를 드러갓다 塔洞公園 倍 가량이나 되는 넓은 墓地에 累累한 墳墓! 가업는 생각 벌서 가슴을 누른다 우리는 어느 곳에 뉘 모이가 잇는지 알 길 업서 墓直이를 차저 亡者名簿

---

19 『따글라쓰·패아뺑크』: 미국 영화배우, 제작자 Douglas Fairbanks - 편자 주.

20 『매제스틱호텔』: 1922년 영국 회사가 세운 majestic hotel, 중국어명칭으로 대화반점(大華飯店) - 편자 주.

21 『팰레이쓰호텔』: 1908년 영국 회사가 세운 Palace Hotel, 중국어명칭으로 회중반점(匯中飯店) - 편자 주.

를 훌텃다 간신히 盧桂園、朴白巖 두 先生의 墓號만을 차저냇다 天涯一角에 외롭고 슬푼 一生을 마치신 두 先生의 墓前에 서니 가슴은 붓고 몸은 떨렷다 그러나 墓地를 一巡 二巡하야도 申晩觀 先生의 墓는 차질 길이 업섯다 追後하야 아라보니 先生의 墓는 上海 市外 徐家涯[22] 虹橋墓地에 잇다 한다

밤엔 上海 歡樂生活의 裡面을 좀 볼가 하야 先施樂園과 二 三 處의 『딴싱홀』을 기웃거리다 도라와 잣다 엇는 것이라고는 大都會生活에 對한 嫌忌밧게는 업섯다

● 訂正 昨紙 本 稿의 『二十 名 內外의 南洋人』은 『二十 名 內外의 西洋人』의 誤植

杭州 구경

二十六日 午前 八時 五分 上海北站 滬杭線 列車로 우리는 上海를 떠나 杭州로 向하얏다 沿線의 風物은 볼만한 것이 만핫다 左右로 一望無際한 浙江平野가 展開되엇는데 군대군대 翁鬱한 樹林과 넷날을 말하는 古塔 頹城들은 저윽히 旅愁를 위로하얏다 잔가지 업는 馴鹿의 것 가티 氣勢 조케 뻐친 뿔을 가진 水牛들이 三三五五 떼를 지어 잇슴과 無數한 河川의 無數한 虹橋들이며 水牛角을 模擬한 듯한 村家의 飛簷들만 보아도 異國情操를 자아내기에 足하얏다 그리고 特히 一言을 附하야둘 것은 田畓의 整然함도 整然함이려니와 尺寸의 空土라도 거저 두어서는 안 된다는 듯이 논두둑과 밧머리에 桑樹 等을 栽培한 것은 支那 農家의 勤勞를 말하는 것 가탓다 그러나 우리 가튼 初行者에게 눈 거슬려 보이는 것은 田畓 가운대 散在하야잇는 累累한 墳

---

22 『徐家涯』는 『徐家滙』의 오식 - 편자 주.

塚이엇다 甚한 者는 屍體를 뭇지도 안코 棺에 너은 채 그대로 내다버린 것이다 必要 以上의 想像力을 가진 나는 中國 온 以來로 料理 — 料理 中에도 特히 菜蔬類를 對할 때면 屍液을 생각하고 혼자서 몸을 떠럿다

어느듯 우리를 실은 汽車는 『巨口細鱗狀如松江之■[23]』라고 東坡 文에 나오든 有名한 松江을 지나 두어 時間 가량을 더 進行한 後 十三世紀 베니스의 大旅行家 『마—코、폴노』로 하야금 그 勝景、宮殿樓閣의 美는 天下에 無比라고 歎賞케 한 江南의 明都 杭州에를 다케 되엇다 우리는 自働軍[24]를 모라 미리 指定하야두엇든 西湖 西南畔에 서잇는 新新旅館으로 갓다 西湖 勝景을 寸時라도 더 보고 십흔 마음에 우리는 자리에 안즐 새도 없이 西湖 全景을 俯瞰하는 二層 正面 露臺에 나섯다 細雨濛濛하야 湖中에 倒懸되는 紫陽、九華、麒麟 連山의 優姿는 볼 길이 업섯스나 입김 서린 거울 가튼 灰銀色의 湖面、긴 龍이 그 우를 멀리 걸처잇는 듯한 白、蘇(東坡) 兩 堤와 其外에는 군대군대 서잇는 數만흔 水亭 花閣 等의 美觀은 世界의 勝景을 널리 보지 못한 나로서는 宇內第一勝景이라고 輕斷할 수는 업스나 何如間 一生에 잊지 못할 印象을 바덧다

우리는 監房이나 脫出하는 듯이 旅館을 나와 한편으로는 西湖 한편으로는 登開山頂에 屹立하야잇는 保叔[25]古塔을 번갈려 보며 西冷橋에를 이르니 處處 列立한 楊柳들도 근심스럽거니와、橋畔에 蘇小小(錢塘名妓)의 무덤을 찻고 橋를 건너 孤山에 妻梅子鶴 하든 宋 處士 林逋의 放鶴亭에 올라서니 녯일이 새로와 徜徉 數 分 발길을 돌리기 애처로움을 깨다럿다 그 外 孤山에는

---

23 지면에는 ■로 표시되어 있는바 원문은 "鱸"자임 - 편자 주.

24 『軍』은 『車』의 오식 - 편자 주.

25 "叔"은 "俶"의 오식 - 편자 주.

陣之將士墓、中山公園、國立藝術院、圖書館、廣化寺、四大文庫의 一인 聖因寺 住宅 等 볼 곳이 만핫스나 聖因寺 住宅가티 參觀不許하야 못 본 곳도 잇지만 원체 밧븐 거름이라 時間 업서 못 본 곳이 더 만핫다

孤山을 나와 靈隱寺 차자가는 길에 岳王廟엘 들럿다 墓의 高는 一 丈餘나 되고 周는 三 丈餘나 되는데 趙孟頫 詩에 『岳王墳上草離離』라든 것과는 딴 판으로 봉분은 석멘트로 다젓다 겨트로는 아들 岳雲의 墓가 나즉하게 노혀 잇다 그리고 나오다가 門內 兩側을 보니 當時 權臣이든 秦檜 夫妻와、張俊、萬俟禼의 뒤로 結縛을 당한 鐵製半身裸像들이 岳墳을 對하고 서잇섯다

岳廟를 보고 나서 우리는 雲[26]隱寺로 一路直進하얏다 沿路에는 蓊鬱한 藪林 無數한 石旌門、淸楚한 別莊 等 可愛할 景致가 만핫다 殺風景의 都市 上海를 삐어저 난 우리는 처음으로 心神이 爽郎하야짐을 깨다럿다 寺는 翠色이 듯는 듯한 北高峰 알에 서잇는 爽郎하야 짐을 깨다럿다 寺는 翠色이 듯는 듯한 北高峰 알에 서잇는데 山勢 幽邃하야 스사로 靈境임을 말하는 듯하얏다 樓門을 드러가니 飛來峰은 磴道 左便에 소치어잇는데 石洞이 만핫다 그 만흔 石洞과 岩面에는 巧致를 極한 佛像들을 彫刻하얏는데 其 數 幾百幾千인지 헤일 길이 업섯다 그러나 벌서 疲勞도 하고 暮色도 催歸를 하야 上天竺까지 못 올라가봄을 後緣으로 미루고 우리는 旅舍로 도라왓다 旅舍로 도라와 西湖酢魚로 저녁을 먹고 나서 細雨長堤의 西湖暮景을 다시금 바라보니 말할 수 업는 여러 感懷 누를 길이 업섯다 그러나 時間關係로 伍子胥의 怒魂을 실은 錢塘의 觀潮를 못 한 것은 一大恨事이다

---

26 『雲』은 『靈』의 오식 - 편자 주.

蘇州의 半日

우리 一行은 杭州서 上海로 돌아와 一夜를 지내고 그 翌日인 二十八일 早朝에 다시 雜한 上海를 出發、午頃쯤 되어 — 俗言에『上有天壇、下有蘇杭』이라고 杭州와 併稱되는 昔엔 吳의 都요、今엔 浙[27]江省의 首府인 風景絶佳한 蘇州에를 到着하얏다 驛에 나리어 馬車(蘇州는 人口가 四十萬이나 되는 大都市건만 電車나 白[28]動車가 업섯다)를 잡아타고 멀리 蘇州城 城壁과 城壁을 圍繞한 運河 上에 베틀의 북가티 오락가락하는 無數한 舟楫들을 바라보며 城南 어느 조고마한 旅館으로 가서 點心요긔를 하고 勝蹟을 차저 나섯다

그날 밤 車로 다시 上海로 돌아와야 할 形便이엇슴으로 우리는 一生을 通하야 다시 온대도 멧 번 못 올 蘇州! 에서 半日밧게는 지체치 못하게 되엇다 그럼으로 골고루 求景 못함은 勿論이어니와 靈岸山 太湖、姑蘇臺、陳圓圓의 사든 곳(只今엔 耶蘇教堂이 되엇다 한다) 金聖嘆의 墳墓 等 꼭 보아야 할 곳도 다 보지 못한 것은 哀惜한 일이엇다 何如間 조금 본 대로나마 적을가 한다

우선 城內를 볼 참으로 人力車를 몰아 蘇州城의 南門인 盤門을 드러가니 人家 업는 쓸쓸한 곳에 兀然獨立한 古塔이 잇스니 일홈을 瑞光塔이라 하는데 中年에 重修는 하얏지만 何如間 三國時代에 建築된 것이라 한다 塔에서 조곰 더 가니 白樂天의 舊遊地이엇다는 南禪寺가 잇고 그 압헤는 孔子廟가 잇고 그 北에는 滄浪亭이 잇다 滄浪亭은 東坡의 弟 子由[29]가 사럿섯다는 有名한 곳으로 堂宇는 그리 宏麗할 것 업스되 그 廻廊複道의 巧 그 彫牆畵壁의

---

27 『浙』은 『浙』의 오식 - 편자 주.

28 "白"은 "自"의 오식 - 편자 주

29 이 글의 1930년 1월 19일 연재분의 끝에 붙인 '정정(訂正)'에서 "東坡의 弟 子由"는 "蘇子美의 誤"라고 밝히고 있다 - 편자 주.

緻 그 奇岩怪樹의 美는 敍述을 不許하는 것이 잇섯다 現在는 美術專門學校
가 되어잇다

　이곳으로부터 우리는 어느 때는 比屋櫛比하야 遠望을 不許하는 幾多의
磚石 깔린 狹路를 지나고 어느 때는 사리ㅅ작 뚝껑을 하야 마치 南畵에서 보
든 것과 가튼 배둘[30]이 드나드는 幾多의 運河와 虹橋를 넘어 마츰내 張繼의
『月落烏啼霜滿天、江楓漁花對愁眠、姑蘇城外寒山寺、夜半鐘聲到客船』이라
는 楓橋夜泊詩로 有名할뿐더러、우리나라 短歌에도『寒山寺 쇠북소리 客船
에 떠러지니 遠寺暮鐘이 이 아니냐』하야 遊女蕩兒의 입에까지 오르나리는
有名한 寒山寺에를 다다럿다 듯건대 寒山寺는 長髮賊의 兵火를 맛나 燒土化
되엇든 것이 淸朝때 重建된 것이라 하니 寺의 舊容은 想像할 길이 업스나 現
狀으로만 보아서는 徃時 碩儒들의 筆痕을 남긴 碑片 몇 外에는 그다지 壯觀
의 것은 업섯고 또 楓橋라야 — 장마 뒤에 우리 廣橋 내폭이나 될가 말가 하
는 一 濁流를 걸친 平凡한 一 虹橋이엇지만 하도 兒少時부터 귀에 젓도록 드
른지라 水鄕 베니쓰의 그 有名한『歎息의 다리』를 보기로니 이 以上의 情趣
와 感懷가 일랴 하는 생각이 낫다

　이곳을 떠나 우리 一行은 虎邱를 보러 갓다 虎邱는 城의 西北 平野 中에
一 小邱로 海湧山이라고도 한다 그런데 그 山을 虎邱라고 일홈[31] 진 由來는
吳王 闔閭를 그곳에 뭇을 때 五都 人民 十萬 名을 徵發하야 治墳을 하얏는데
三日 白虎가 그 위에 거터안젓섯슴이라 한다 劍池、千人石、眞娘의 墓 等과
山頂에 屹立한 雲巖寺와 高가 百三十 丈이나 되는 虎邱塔을 보고 멀리 눈을
달리니 縱橫한 溝渠와 千里에 亘한 蘇州의 大平野가 一眸 中에 모혀드럿다

---

30 "둘"은 "들"의 오식 - 편자 주.

31 "홈"은 "흠"의 오식 - 편자 주.

七時 發 車를 대이려고 驛으로 도라오는 길에 淸末 大官 盛宣懷의 所有이엇든 留園을 보앗다 規模의 宏大 泉石의 古雅 어느 點으로 보든지 滄浪亭이 오히려 멀리 미치 못할 것이엇섯다 盛宣懷의 王者를 凌駕하던 豪奢 ― 想像에 남엇섯다 그러나 지금은 國民政府에 沒收되어 入場料 十 錢만 내면 아모나 드러가 볼 수 잇는 共同遊園이 되엇다 우리 一行이 驛에 도라왓슬 때는 벌서 暮色이 蒼然하야 遠近이 아울러 稀微할 때이엇다

南游는 烏有

今番 放浪의 主眼은 臺灣、廣東、香港에 잇섯다 그리하야 旅程『프로그람』도 以上 諸處를 먼저 보고나서 어대고 번지려고 함이엇섯다 그러나(本國에서부터 船便關係를 미리 아러보지 안흔 우리의 輕忽도 잇섯지만) 급기 門司에를 이르러보니 배(臺灣行)는 그 前날 벌서 떠나고 다음 船便까지는 몃칠 잇서야 된다 하얏다 그리하야 우리에게는 다만 두 길、即 다음 船便까지 아모 보잘것업는 門司서 逗留하는 苦痛의 한 길과 이왕이면 時日 短縮의 必要로라도 보려는 豫定 中에 든 딴 곳을 먼저 보아치움도 無妨하겟다는 旅程變更의 딴 한 길 ― 밧게 업섯다 그러자 마침 長崎서 出發하는 上海行의 船便은 잇서 意外로 上海를 먼저 보게 되고 딸하 蘇、杭州에도 들르게 된 것이엇다

上海서 二三 日 間 逗留하면서 아러보니 香港行 船便이 三十日(舊臘)에 잇다 하야 그 船便이나 노치지 안흘 心算으로 悠悠自適하게 보아야 할 蘇、杭州도 덜미나 집힌 사람들가티(南京까지 빠틀여가면) 蒼皇하게 보고 上海로 도라와 船便 잇다는 當日 郵船會社로 달여가 票를 사려하니 旅券 업시는 票를 팔지 안는다고 뜻도 안 먹엇든 旅券을 내노라 한다 이저 말하니 하는

말만 모조리 밋지지 무슨 소용이 잇섯스랴 우리는 不快를 삼키고 米國 딸리 汽船會社로 나가면 무슨 道理가 잇슬가 하야 그리로 갓다 冷落하기는 到處 一般이다 ―

問『旅行券 가저왓소?』

答『가지고 오지 안핫소』

問『어느 나라 사람이오?』

答『朝鮮사람이오』

저편 말『朝鮮사람? 何如間 朝鮮도 어느 나라에 屬하기는 屬하지 안핫겟소? 그러면 그 屬한 나라의 旅行券을 가저오시오』

永劫 又 永劫에 極樂門엔 드러서보지도 못할 비틀린 말뿐이엇다

×   ×

우리는 이래저래 船便만 노치엇다 그리하야 묵고 십지 안는 上海 ― 이럭 저럭 半朔이나 묵는데 하로밧게는 볏 구경 못한 陰雨霏霏한 上海! 每 百 圓 이면 依例 私錢이 二三 圓은 끼고 마는 不安心의 上海! 조고만 興成에도 에 누리와『컴미슌32』만흔 악따귀판의 上海! 느진 밤이면 幾百幾千의『野鷄』群 (上海의 下級의 賣笑婦)이 道路 兩側에 列을 짓다 시피 도라다니며 제 갑슬 제가 부르며 行人去客의 소매를 꺼는 現世地獄의 上海에를 어쩔 수 업시 五 六 日 더 묵게 되엇다! 일이 이에 이르매 모든 興이 깨어지어 香港이고 廣東 이고 臺灣이고 할 것 업시 다 시들하야젓다 오다니 무슨 시원한 꼴 볼 곳이 랴만은 어쩌든 歸心만 如矢하얏다

---

32 "컴미슌": commission - 편자 주.

그뿐더러 그럭저럭 하는 사이 우리 一行은 放浪에 提供할 日數도 거의 차고 하야 豫定 대로 되지 못한 不滿을 품은 채 歸國하기로 決定하얏다 그러나 香港 가기 어려우니만큼 歸國하기도 어려웟다 그 까닭은 갈 때에는 必要치 안튼 身分證明書가 올 때에는 업서서는 안 됨이엇다!

무엇하면 動亂如何를 不計하고 北京으로 天津으로 冒險 삼아 도라올 생각도 업지는 안핫스나 그 亦 津浦線 不通으로 도리가 업섯다 그리하야 하는 수 업시 우리는 냇키지 안는 발거름을 日本領事館으로 옴기엇다 우리가 그네들의 優遇를 期待한 적이 업섯스니 冷遇라면 웃으운 말이나 何如間 그네들의 不親切은 過한 程度이엇섯다 甚之於 門衛에 이르기까지 『敬語』란 두 字는 그네들 辭典에는 업는 모양이엇다

『만일 우리의 형편이 이와 가티 아니하야 우리의 『무엇』이 잇다면 생판 처음 맛나는 터일지라도 諧謔弄談으로 一面如舊할 터이지!』 하는 것은 우리가 도라오는 길에 痴談 삼아 한 말이다 그러나 이것을 愚漢들의 痴談이라고만 말어라 그 痴談 속엔 아조 눈물이 석기지 안흔 것도 아님이다

◇ 訂正 昨紙 本 稿『今엔 浙江省의 首都인』은 衍文 또『東坡의 弟子由』는 『蘇子美』의 誤 ― 筆者

歸路

우리는 一月 五日 朝에 上海埠頭를 떠낫다 모든 것이 올 적도 갈 때와 다름이 업섯다 갈 때는 長崎서 上海로 갓는데 올 때는 上海서 長崎로 왓스니 路程의 變換도 업는 세음이오 갈 쩨는 長崎丸을 타고 갓는데 올 때는 上海丸을 타고 왓스나 上海丸 亦 長崎丸과 더브러 同一會社의 噸數까지 꼭 가튼 姉妹船이라니 배도 가튼 배 세음이며 갈 쩨도 風浪과 『귀치 안흔 伴侶者』로 心

神이 不快하얏는데 올 때도 以上 두 不緊이 갈 때와 다름이 업섯스니 蛇年馬年을 通하야 우리의 繼續的 不運에도 變化가 업는 세음이다

何如間 瀕死의 二十 七八 時間을 치르고 六日날 午頃이 지나서야 長崎에를 다핫다 長崎서 곳 聯絡되는 下關行 列車를 잡아타고 小倉織으로 有名한 小倉驛까지 와서 一路歸國하는 槿民 君과 섭섭히 分袂하고 淸嵐 君과 나는 別府로 드러갓다 別府란 곳은 讀者들도 잘 아시는 바와 가티 日本의 有名한 溫泉地이다 가보니 各處에서 밀여온 쇠푼 잇는 商業家輩、貴族、亡命將軍으로 좀 반반한 旅館은 滿員狀態이엇섯다

別府의 氣候는 溫暖도 하고、아츰저녁으로 熱湯에 몸을 찌는 맛도 업지는 안코 하야 우리는 그곳서 二泊을 하면서 그곳서 有名한 湯源地를 所謂 무슨 地獄 무슨 地獄 하는 七八 處의 地獄巡禮까지 하얏다 別府를 떠나 下關으로 나오는 길에 이왕이면 한 곳을 더 들러가지고 中津驛에서 輕便車로 賴山陽으로 하야 有名한 耶馬溪의 溪谷美를 차저 드러갓다 급기 드러가 보니 그만 程度의 勝景은 우리나라에서는 車載斗量이라 別로 新奇할 것이 업섯다 그러나 그곳 넷날의 傑僧『禪海』란 사람이 젊어서 무슨 罪를 짓고 自己의 罪業을 消滅시키려는 懺悔的 苦行으로 三十餘 年이란 긴 歲月에 山을 뚜러 洞門을 만드러 논 것만은 앗득한 생각 업시 보기는 어려웟섯다 그날 밤은 그곳 樂山莊이라는 淸楚한 旅館에서 終夜止息 할 줄 모르는 溪聲을 드르며 一夜를 經하고 그 翌日인 九日 朝에 自働車로 그 有名한 洞門을 通하여 中津驛으로 나왓다 나와 보니 車時間까지는 二三 十 分의 餘裕가 잇서 日本의 有名한 敎育者이든 福澤諭吉의 舊邸를 차저가보앗다 邱內에서 乍 徘徊하니 그의 高弟이시든 故 炬堂 先生의 생각이 갑작이 나서 先生의 아드님인 延專에 계신 兪億兼 君에게 葉書까지 띄엇다

十日 朝 釜山에를 다다럿다 우리는 聯絡船 中부터 同行하든 형사 한 분의
案內로 埠頭에 닷는 맛으로 水上警察署에를 갓다 가보니 인사한 적은 업스
나 누구이신 줄은 알든 姜아그니야 氏도 우리보다 먼저 와계시엇다 어대서
오다가 들럿는지는 몰랏다

×　　　×

오다가 우리는 沃川서 下車하얏다 淸嵐 君은 覲親하는 길이나 나의 下車
는 君의 鄕第도 들러보고 십흘뿐더러 一代의 才士이든 故 鄭求昌 君의 老僧
山 下의 千年幽宅을 訪問(宿草不哭이란 말은 잇스나)하고 십흠이엇섯다 君
은 나의 舍伯과는 莫逆의 交이오 나보다는 六七 年 先輩의 畏友이엇지만 자
별하게 지내기는 墓前一哭이라도 안 하면 永遠한 負債가 될 만한 程度이엇
다 슬프다 君의 그 溫容 그 才華 다 어대 갓느냐 어찌하야 蒼天이 그에게 壽
命을 그다지도 앗기엇든가 이저 追憶을 자아내며 君의 墓前에 서니 하염업
는 생각 누를 길이 업섯다(끗)

— 『東亞日報』, 1930년 1월 14~20일, 7회 연재

北平을 보고 와서

獨逸 醫學博士 李甲秀

內 外城의 沿革과 正陽門

　鐵道 沿邊 또는 停留場마다 武裝한 軍隊와 憲兵隊가 整列 嚴視하고 잇스며 車中에도 車掌 外에 旅客 監視를 爲한 專屬의 軍人 憲兵 巡査 等이 잇서 暫時 보기에도 危險한 戰國인 것을 알 수 잇다 忽然히 울리는 汽笛 소리에 놀나여 窓外를 바라보니 뚤뚤 굴러가는 汽車는 山岳같이도 높은 石築의 城垣을 向하야 疾走한다 이는 自己의 目的地인 北平에 거의 到着하얏다는 것을 一般 旅客에게 알려주는 信號이다 그러면 지금 보이는 城壁은 틀림업시 北平의 한 자랑거리인 有名한 外城일 것이다

　이 城은 明朝 世宗 嘉靖 三十二年(西紀 一五五三)에 內城의 南쪽에 重築한 것인바 東西南北 間方에 七 個 門을 가젓스니 그는 永定門 左安門 右安門 廣渠門 廣安門 東便門 及 西便門 等이다 그 後 淸朝 末期에 일으러 西便門의 定門의 東便으로부터 東便門의 南便까지는 北審鐵道(京奉線)가 開通되얏고 民國 五年에 이르러 다시 環城鐵道가 開設되얏슴으로 因하야 城垣이 處處에 多少間 破闢되얏다 이와 같은 文明 進步에 因한 人爲의 破壞와 半 千年 間이나 되는 長久한 歲月을 두고 風雨雪霜인 自然界의 征罰을 바더 군대군대 崩壞 退落하얏스나 아직까지 남어잇는 그의 雄大 壯觀은 東亞 大國의 帝都이

엿든 北京의 一大 偉觀을 자랑하고 잇다 深長한 이 中國의 歷史的 過去를 回顧하야 感慨無量함을 마지아니하는 瞬間에 於焉間 우리의 타고 잇는 汽車는 北平 停留場에 到着하얏다 京城을 떠나 安東 奉天 大連 旅順 及 天津 等地를 거처 온 지 발서 一 週 有餘 間이 되얏으나 아직도 印象 깊지 아니하얏든 靑衣國의 氣感이 비로소 充溢하야진다 이 停留場의 看板은 北甯鐵路車砧[01]이라 하얏으며 이 車砧[02]에는 特히 稅局이 잇서 旅客의 荷物을 檢査하는바 아마 이것은 北平이 特別市인 까닭이라 하겟다

中國의 特別市라는 것은 省이나 縣의 行政 範圍에 屬치 아니하고 直接 國民政府에 管轄되야 政府의 支配를 밧는 것이니 그 存在는 即 國民政府의 特許를 바더야 하는 것이다 그 特許될 만한 資格의 都市는 中華民國의 首都나 人口가 約 百萬 以上에 達하는 都市 及 其他 特殊한 都市라야 한다 우리 一行은 稅關의 檢査를 마친 後에 出口를 나서니 全面에는 山岩絶壁과 같은 巨物이 압흘 가리워 그 莊嚴함에 놀라지 아니할 수 업다 바라보니 中國 古代式 建築物인바 치어다보니 空中에 놉히 소사잇는 三層 敵樓는 中天에 떠잇는 듯 白雲에 싸인 樓頂은 한눈에 보이지 아니한다 이것이 무엇일가? 자세히 살펴보니 北平의 名蹟인 正陽門이다 이 正陽門을 비롯하야 東西로 紫禁城의 外廓을 둘러 城垣이 싸혓스니 이것이 即 內城이다 이 城은 元來 唐代 藩鎭의 故城이엇으니 其後 遼와 金의 時代에 改築하얏스매 周圍가 三十六 里에 達하며 東南西北에 八 門이 잇스니 東에는 安東門 迎春門이요 南에는 開陽門 丹鳳門이요 西에는 顯西門 淸音門이요 北에는 通天門 拱辰門이엿다 其後 元朝에 일으러 다시 北便으로 今城을 築建하얏으매 方이 六十餘 里에 達하며

01 "砧"은 "站"의 오식 - 편자 주.

02 동상.

門이 十一 個로 分하얏으니 南의 中央에는 麗正門(現 正陽門)이요 南의 左便에는 文明門이요 南의 右便에는 順承門이요 東의 中央에는 崇仁門이요 東의 左便에는 光熙門이요 東의 右便에는 齊化門이요 西의 中央에는 和義門이요 西의 左便에는 平則門이요 西의 右便에는 肅淸門이요 北에는 安貞門과 健德門이 잇서 合 十一 個 門이다 그 後 明朝 洪武 元年에 일으러 多少의 變作이 잇섯스며 永樂 十五年에 일으러 北京 宮殿을 建築하고 麗正門을 改名하야 正陽門 文明門을 崇文門 順承門을 宣武門 齊化門을 朝陽門 平則門을 阜城門이라 하얏다 그리하야 淸朝 末에 正陽門과 崇文門 間에 다시 一門을 열엇스며 民國 四年에 이르러 正陽門 東西 便에 各各 道路를 四通하야 交通의 便宜를 주게 되 今 매日에는 가장 通行이 繁頻한 大街路가 되얏다

故宮殿을 차저서

精神업이 暫間 正陽門을 바라보고 잇는 즈음에 압헤는 洋車夫(中國에서는 人力車를 洋車라 부른다) 數十 名의 群衆이 一 小隊를 지여 羅立하야 各各 自己의 洋車를 타라고 무엇이라 不得要領의 自己네 말로 高聲을 내여 떠들며 손으로 洋車 우에 노힌 客席을 가르친다 우리 一行은 仔細히 보아 그 中에서 가장 鮮潔한 洋車를 가진 三國 적 關公의 後孫이라고 할만치 赤面長髥의 長大 健壯한 車夫를 擇하야 六國大飯店까지 一 角(一 角은 即 十 錢인 바 朝鮮 돈으로는 五 錢 五 厘 假量)의 賃金을 定하고 올라탓다 車夫는 그 만흔 同僚 群衆에서 僥倖히 指定된 것만 滿足히 생각하고 억개찟을 하면서 自己의 힘을 다하야 騎馬가티 疾走한다

停車場으로부터 六國大飯店까지면 京城 內에서는 最小로 五十 錢을 주어야 할 것이다 그러나 이 中國人의 車夫는 但 五 錢 五 厘도 滿足히 아는 그네

들의 主義는 勞働力 價値를 比較치 아니하고 何如間 勞働치 아니하야 一分 錢도 벌지 못하는 것보다 終日 힘드려 但 十 錢이라도 생기면 이것이 積極的 所得이라고 생각한다 이것은 이 나라 사람들의 國民性이 極히 樂觀的이요 또는 實際的이며 一般 生活費가 極히 低下한 까닭이라 하겟다 車夫는 一 日에 一金 五錢也를 가지면 妻子가 업는 호라비 生活에 넉넉하다 한다 北平 市內에만 四五 萬 名에 達하는 그네들의 宿所는 自己가 가진 洋車이며 食堂은 街路上이요 食物은 行商이 파는 『옥수수떡』이라 한다 참으로 가튼 人類로서는 可憐히 녁이지 아니할 수 업다 六國大飯店에 일으러 車夫에게 定한 料金 외에 툭툭이 더움을 주니 百拜謝禮하고 물러간다

　大飯店(旅館) 玄關에 드러서니 어두침침한 것이 宛然히 中國집의 氣分이 생긴다 應接室 食堂 客室을 檢察하니 純 中國式은 아니요 오히려 洋式 便이 만허 보인다 旅館 等位로는 北平에서 一流라면 過待한다 할 것이요 二流라면 大端 섭섭히 생각할 것이다 客室에 들어가 暫間 旅毒을 풀고 나니 精神이 爽快하야지며 이제로부터 北平의 名勝古蹟을 訪問하려 한다 역시 洋車를 타고 市街를 一瞥하면서 故宮殿으로 向하얏다 우리가 든 大飯店 附近에는 大部分 英米 各國 人이 駐在함에 딸어 英米 各國의 公使館、兵營 等이 잇스며 道路도 比較的 淸潔하야 보이나 純 中國人市街는 아즉 不潔을 感한다 於心에 憧憬하든 故宮殿에 다다러 보니 실로 輝煌燦爛하며 宏大壯嚴한 偉觀이야 말로 形言치 못하겟고 이만하면 能히 四 億萬 民과 縱橫 數萬 里 疆土 支配者의 宮闕의 偉容을 꾸멷슬 것이니 이것이 全혀 四 億萬 民의 膏血이 아니고 무엇이랴

　宮殿 門 안에 들어서니 西路、中路、東路로 分하얏다 우선 西路로 들어가 보자 첫걸음에 西花園에 들어가니 이곳은 不幸히도 民國 十二年 六月 某 夜에 失火하야 東南西面이 全燒되얏슴으로 累代 相傳하야오든 古代 寶物까지

灰燼되어버리고 지금은 다만 琉璃屋 一 棟만 남어잇서 그 屋內에는 二 鞋 一 帽가 保管되야잇스니 이것이 往時 무슨 所用이엿든 것을 알지 못하야 頭痛거리라고 한다 西花園으로부터 中正殿、惠風亭、建福宮을 지나 撫辰殿에 이르매 殿前에 大銅爐 二 個가 노혀잇서니 이것은 明朝 世宗 嘉靖 二十一年에 製鑄한 古物이라 한다 이로부터 雨華閣에 이르니 이는 明朝時代에는 隆德殿이라 하얏으며 閣內가 三 層인바 各 層에는 佛像을 奉安하얏다

이로부터 啓祥門으로 들어서니 啓華宮[03] 一名 太極殿이 높이 소사잇다 이 殿閣에 올라가는 數百의 層階와 數千의 欄干은 全部 龍鳳의 形體를 彫刻한 大理石으로 노왓다 그 險한 구쓰[04]바닥으로 드듸기도 우람스러운 이 大理石 層階로 어청어청 緩步하야 殿閣으로 올라가니 殿閣의 기둥 밑으로부터 二層의 簷下에 이르기까지 全部 靑紅黑白 五色으로 역시 龍鳳의 形象을 아루새기엿스며 屋上의 黃瓦는 黃金을 깔아노흔 듯 참으로 觀客의 눈을 眩亂케 한다 殿內에 들어가니 陳列된 珍奇寶物은 不可勝數이며 그것은 모두 高貴한 價値를 가진 것들뿐이다 이 殿閣은 明朝時代에는 未央宮이라 稱하얏스니 明 世宗 皇帝의 父君인 興獻 皇帝가 誕生한 處所라 하며 그 後 世宗 嘉靖 十四年 五月에 啓祥宮(太極殿)이라 改名하얏다 한다 그리고 淸朝時代에 이르러 宣統이 誕生하기 前에 同治 瑜太妃가 이 殿內에 居處하얏다 한다 殿內 中央에는 寶座가 아직까지 노혀잇스며 殿後 廊下 及 殿內에는 古代 帝后의 使用하든 古物 또는 彫刻物 及 骨董品 等이 櫛比하게 陳列되야잇다 그 中에 一件만의 價格으로도 足히 一 家産을 만들 수 잇슬 것이다 數年 以來 이와 같은 寶物이 半數 以上이나 업서젓다 하는 바 寶物 中 貴重品은 張作霖이 北平 占

---

03 정확한 명칭은 "啓祥宮"으로 이 부분은 저자의 오기인 듯 - 편자 주.

04 "구쓰": 일본어 "くつ[靴]"(구두, 신발) - 편자 주.

領 時에 大部分 가저갓스며 그 後 다시 閻錫山 氏도 一部分 가져간 後 그 殘 餘物을 陳列한 것이라 한다 그뿐 아니라 宣統이 逐出을 當할 즈음에 역시 私 有로 차지한 것이 不少하다 하매 그 中에서 宣統이 今夏 北方 水災를 救濟 키 爲하야 一 件을 寄附하얏는데 그 放賣代金이 놀낸 만한 巨額인 五十萬 圓 에 達하얏다 한다 이와 같은 寶物이 아직도 만허 自己 一生 中에는 아모 念 慮 업시 奢侈스러운 生活을 繼續할 수 잇다 한다 以上에 말한 바와 가티 이 사람 저 사람 손에 攫取되고 餘殘의 寶物만이 殿內에 保存되야 陳列된 것이 觀客으로 行步할 틈이 업슬 만하다 이 太極殿의 觀覽을 마치고 後面으로 돌 아가니 體元殿이 잇스며 또 그 後面에는 長春宮이 잇다 이 宮에는 明 天啓姒 李 氏가 居處하엿섯스며 그 後 宣統 時에 이르러 廢位 後에도 역시 이곳에 잇섯다가 逐出된 지 오래지 아니하다 이 宮內의 四面 走廊에는 紅樓夢圖가 그리여잇스며 宮中에는 亦是 寶座가 노혀잇고 西便으로 가니 閑靜하고도 華 麗無雙한 寢室이 잇스며 連하야 淸雅한 二 間의 書齋室이 잇다 그 室內에 들 어가니 中央에 노힌 案上에는 宣統后의 讀書하든 小說 等이 陳列되야잇스며 그 엽헤는 同 后의 親筆인 小楷가 노혀잇다 이 長春宮으로부터 다시 西便으 로 쑥 들어가니 그곳에는 承禧殿이 잇서 이 殿內에는 全部 歐美式으로 華麗 하게 藏置하얏는데 이곳에는 形形色色의 時計가 잇스니 汽車型 戰艦型 大砲 型 等 數百 種이 陳列되야잇고 그 南쪽 室內에는 西洋式 書案과 風琴이 노혀 잇스며 壁上에는 中華民國의 最新 地圖가 걸려잇는데 宣統后가 往往 이곳에 서 讀書하얏스며 風琴으로 親友를 삼아 閑寂한 歲月을 보내엿다 한다 이곳 으로부터 翊坤門을 지나니 翊坤宮이 우리를 마지한다 이 宮은 本是 萬安宮 이엿든바 明朝 世宗 嘉靖 十四年에 翊坤宮이라 改稱하얏으며 이 宮中의 西 便 廊下에는 鞦韆이 달려잇고 翊坤宮의 後面에는 體和殿이 잇서서 이 殿內 에는 磁器 玉器 及 其他 骨董品 等 古物이 無數히 陳列되얏스니 其中에서도

特히 高麗瓷器가 가장 우리 一行인 白衣人을 보고 반기는 듯하며 한쪽에는 다시 形形色色의 西洋 樂器가 陳列되야잇다 그리고 西便 室內에는 亦是 宣統后가 讀書하든 書案이 노혀잇고 東便 室內에는 純銅床 一 個가 노혀잇다

景山에 올라가면서

이 體和殿으로부터 다시 後側으로 드러가니 儲秀宮이 잇다 이는 明朝時代부터 命名하야오든 宮名인 바 淸朝時代를 지나 現今까지 變치 아니하고 그대로 儲秀宮이라 한다 이 宮中에는 宣統帝가 아직도 出宮치 아니하얏슬 때에 그 母后가 이곳에 居處하얏슴으로 宮中에는 역시 寶座가 잇스며 東便에는 同 后의 寢室 西便에는 沐浴室이 잇는데 室內의 裝置를 보면 后가 歐美式을 愛好하얏든 것을 推測할 수 잇다 그리고 이 宮의 後側에는 麗景軒이 잇스니 이 안에는 西洋式 大食堂이 잇스며 器具가 全部 歐美式이요 그 東便 室內에는 純銅床이 노혀잇고 또 黃金色의 棱羅綢로 帳幕을 느럿스며 西便 壁上에는 北海 瓊島의 絕勝風景의 그림이 걸려잇서 아직까지 觀覽한 宮殿 中에서 가장 華麗하게 最新式으로 裝置하얏다 다음에는 重華宮이니 外觀上으로는 가장 美麗하야 보이며 이 宮內에는 乾隆帝가 皇子 時에 居處하얏섯고 每年 新正에는 宮中宴會를 全部 이곳에 排設하얏으며 어느 때 臺灣 平定 時에도 歸國한 將臣의 慰勞宴이 역시 宮內에서 擧行한 일이 잇섯다 한다 其後 瑨妣 大妣가 居處하얏스매 當時의 床帳 及 各種 家具는 한 가지도 變動이 업시 于今까지 保存하야 全部 陳列하야노핫다

이 重華宮의 前面을 바라보니 이에는 崇敬殿 一名 樂仙堂이 잇다 이곳은 乾隆帝가 東宮으로 잇섯슬 때의 書齋이엇든바 乾隆 詩 中에 樂仙堂集이라는 것은 이 殿內에서 乾隆이 지은 文集을 指示함이다 그리고 이 殿內에는 乾隆

帝의 前後 所製 詩集 古代 詩集 藏經 等이 山과 가티 積置되야잇다 이 崇經殿
을 보고 나니 宮殿의 西路는 大槪 본 듯하며 時計를 보니 발서 約 세時쯤 되
얏다 傲慢스러운 宮殿 내의 華麗裝置와 그에 如山積置된 珍奇寶物의 光彩
에 눈이 부시고 長時間을 行步하노라니 肉身이 疲困하야지며 精神이 眩惶
하야 또 다시 中路 東路는 보기에 不敢生心이다 그러나 北平에 오지 아니하
얏스면 已而어니와 旣往 온 以上에는 北平에 代表적인 古跡인 宮殿을 다 보
지 아니할 수 업서 中路 東路에 들어가는 入場券을 사려 하엿더니 不幸히도
數三 日 間은 觀覽中止라 하얏기에 不幸 中 多幸으로 에라 잘되얏다 하고 心
中으로 슬며시 깃버함을 마지 아니하얏스나 大端 遺憾으로 생각하는 바이
다 宮殿 門前에서 暫時 疲困한 몸을 쉬고 朝鮮 景福宮으로 치면 北岳山과 가
티 이 宮殿의 背後에 놉히 소사잇는 景山을 向하야 올라가기 始作하얏다 景
山의 入口 안 北上門을 드러서니 압흘 막고 잇는 山勢는 거의 雄大하고도 優
麗하며 그의 樹林은 濃鬱하얏고 峰巒은 衝天하얏다 山高는 二十餘 丈에 達
하며 周圍에는 야트막한 城垣을 싸엇스니 二 里 以上이라 한다 山의 前面에
는 綺望樓가 잇고 山의 五 峰에는 各各 一 閣의 亭子가 잇다 이 景山의 一名
은 萬歲山이며 俗人은 煤山이라고도 稱하나니 即 石炭의 灰煤로 싸흔 人造
的 假山인 까닭이라 한다 山의 左右翼을 城垣으로써 東西를 둘러싸엇고 東
西 兩方에 各各 一 個式의 小門이 잇스니 東曰 山左裡門이요 西曰 山右裡門
이라 한다 우리 一行은 山右裡門으로부터 五 個의 峰亭을 向하야 올라간다
山빗탈를 깍고 雜石으로 싸흔 數千餘 級의 層階를 쪼차 第一峰亭을 지나서
第二峰亭에 다다르니 一行 中 某友가 肥滿한 몸이라 헐덕거리고 喘息하기
를 마지아니하며 또 땀을 비 오듯 흘리는 高로 너무도 未安之心이 생기어 暫
間 休息하기로 하얏다 亭閣 압헤서 左右를 도라보니 左便 언덕 우에는 樹林
을 다 벼혀버린 後 平坦한 地面을 닥고 그곳에 一 個의 大砲를 北平 시내 한

복판 空中을 向하야 걸어노앗스며 또 亭閣 안에는 彈丸 箱子가 櫛比하게 노혀잇고 或은 그 箱子를 가즈런하게 노와 제물 寢臺를 삼아 數十 名의 軍人은 낫잠을 자고 잇다 이는 蔣介石 軍의 爆彈 飛行機가 北平을 襲擊할 念慮가 잇서 이를 防備하라는 閻錫山의 嚴命이 내린 所以라 하겠다

三海公園을 차저서

숨을 다 드리고 第三峰亭 即 中央인 最上峰으로 向하게 되얏다 亦是 數가 업는 山빗탈 層階를 뒷고 景山의 가장 高峰에 잇는 亭閣에 이르러 南向正坐하니 全 大陸의 서늘한 바람은 다 올나오는 듯 精神이 恢[05]活하야지며 아래를 내려다보니 北平市 全景이 나의 그 좁은 眼孔에 다ㅣ 들어간다 이 亭閣으로부터 宮殿 中路의 中央을 通하야 內城의 正門인 正陽門까지 一直線을 그리엿스며 數百萬 市民은 主人도 업서진 皇宮의 左右를 擁衛하야잇고 宮殿의 긔와는 黃色이어서 맛치 市街 中央에 黃金을 포개여 까러논 것 갓다 이 峰으로부터 東便 第二峰을 지나고 또 다시 第一峰을 지나 山左裡門에 채 다다르기 前에 큰 老松 一 木이 슬피도 긴 가지를 땅우에 向하야 숙이여 무엇을 哀願하는 듯하며 老松나무 아래는 壇을 모왓는데 明朝懷宗殉社稷處也라 쓴 牌木이 老松나무에 걸려잇다 嗚呼라 이곳이 即 千[06]秋萬年이나 누릴 뜻이 氣勢가 嚴嚴하든 漢族의 勢運도 盡하야 漢族室의 終幕이 닷치게 되는 그때 流賊의 亂에 懷宗 皇帝가 殉稷하든 곳이라 하겠다 이것을 생각할 때에는 昔强今弱과 今弱昔强은 歷史上 不可避의 天理이니 아무리 强타 한 漢族인들 엇지

---

05 "恢"는 "快"의 오식 - 편자 주.

06 "十"은 "千"의 오식

免할 수 잇스랴 자— 그 고리탑탑한 남의 滅亡하든 녯이야기는 고만두라는 一行 中 某友의 부탁을 밧어 中止하고 이제로부터 山左裡門을 나서 景致 조흔 三海公園으로 向하게 되얏다 이 三海公園은 舊 宮殿의 西部에 置位된 바 그 舊名은 西海子라 하고 또는 太液池라고도 한다 南北으로 約 四 里에 亘하얏스며 南、北、中 三 海로 分하야 各各 名勝의 古跡이 非一非再하여 優麗한 風景이 絶勝한 곳이다 南海와 中海는 蜈蚣橋로써 分하얏고 北海와 中海는 金鰲玉蝀橋로써 分界되얏슴으로 因하야 所謂 三海公園이라 稱하게 되얏다 그中에서 特히 南 中 二海에는 中華民國이 비로소 建設되매 大總統府를 이곳에 두엇슴으로 더욱 有名하야젓다

園의 正門은 新華門이니 故宮殿의 西南 間인바 即 古時에는 寶月樓이엿다 門內에 들어서자 太液이 압흘 막어 碧波가 蕩漾하매 멀리 瀛臺를 바라보니 天下絶勝의 風景이라 하겟다 東으로 얼마 아니 가서 孔 孟 顔 曾 子思 五聖의 祠堂이 잇스며 池水의 東岸을 沿하야 北으로 折行하면서 印月門을 들어서니 西便에는 雲繪樓가 잇고 雲繪樓 西쪽에는 淸音閣이 잇스며 東에는 爽秋館 賓行室이 잇스나 지금은 憲兵駐在所가 되고 말아 多少間 古跡의 美가 업서젓다 다시 北으로 向하니 日知閣이 잇스며 閣의 西便 下에는 水閘이 잇서 太液이 通流하고 잇스며 이곳으로부터 다시 꺽거 西便으로 緩步하니 그곳에는 魚樂亭이 잇고 前面에는 池水 中의 石築으로 된 人造의 小島가 잇스니 方이 丈餘에 達한다 이 魚樂亭으로부터 四面八方을 徘徊하니 松栢의 綠陰이 蒼鬱한 틈에 無數한 亭閣이 處處에 散在하얏다 그 數만흔 곳을 다 一一히 廻覽할 수는 업슴으로 다만 眼界에만 박여둘 뿐이요 이로부터 다시 北으로 行하야 蜈蚣橋를 건너니 이곳은 即 中海이며 이 안에는 大總統府가 잇다 太液池의 西岸을 沿하야 다시 北으로 가면 놉히가 數 丈에 達하는 地臺가 잇스니 明朝 武宗 皇帝가 武官將臣의 射弓함을 視閱하얏든 곳이오 그 後

에는 이 地臺에 亭閣을 建築하얏으니 이것이 現今까지 保存되야잇는 紫光閣이라 한다 그 後 淸朝에 이르러 이 亭閣에서 每年 正月이면 代代 皇帝가 親히 滿朝 文武百官을 모와노코 賜宴하얏으며 역시 武將의 勇敢스러운 □馬韃刀 等 雜技를 觀閱하얏든 곳이라 한다 이곳으로부터 中海의 滄波를 바라보니 水中에는 水雲樹[07]가 놉히 空中에 소사잇스니 이것이 即 水中亭인바 燕景中의 一景이라 한다

三海公園의 北海 一圓

中海로부터 다시 북으로 向하야 金鰲玉棟[08]橋를 지나면 이곳이 즉 三海公園의 一部인 北海이니 什剎海의 南方에 在한 것이다 北海의 正門은 承光門이요 門內에 드러서니 白石으로 建築한 一 個의 石橋가 잇고 橋의 南北에 各各 一 坊이 잇스니 南曰 積翠坊이요 北曰 堆雲坊이라 한다 그리고 이 石橋 北쪽에는 有名한 永安寺가 잇스니 寺門 左右에 鍾鼓가 달려잇다 石磴 三十 餘 級을 지나 法輪殿에 다다르면 兩傍에는 各各 亭子가 잇스니 西亭은 曰 滌靄亭인 바 그 亭閣 아레는 方碑가 잇서 碑의 前面에는 淸朝 高宗의 白塔山總記를 색이엿스며 碑의 東西後 三面에는 滿 蒙 回 三 文을 색이엿다 東亭은 曰 引勝亭이니 역시 亭下에는 瓊島의 各 名勝地를 색인 碑가 잇다 그리고 이 두 亭子의 北便에는 崇臺가 잇서 臺基 中空에는 怪石으로써 地道를 맨드럿스니 그 南쪽에 六 個의 洞口가 잇서 東便 第二 洞口에는 巨石이 잇는대 崑崙 二 字가 색이여잇고 洞穴은 互相 皆通되야잇다 이것 外에 許多한 구경꺼

---

07 "樹"는 "榭"의 오식 - 편자 주.

08 "棟"은 "蝀"의 오식 - 편자 주.

리 古跡을 다 除하야노코 承光殿으로 向하얏다 이 殿閣을 俗稱 團城이라고
도 부른다 이 압헤는 古栝 一個가 잇서 槎□키 靑龍과 가트니 이것은 戰國時
代에 植木한 것이라 하며 그 後 淸朝 乾隆 十年에 이르러 이 殿閣 南便에 石
亭을 建築하고 그에는 元朝 時의 玉甕을 노와두엇다 몸을 도리켜 承光殿 內
를 보니 그 안에는 玉佛이 잇서 巨大하기가 常人보다 훨신 크며 이 玉은 純
潔潤澤하야 전 世界에 無雙이요 北平古物陳列所 또는 故宮殿博物館에 藏置
된 玉器와 玉石이 제 아모리 만흘지라도 이 玉佛의 玉質과 가튼 것은 一寸
假量에 不過하다 한다 그리고 歐美 各國 遊覽客은 이 玉佛의 價格을 評하되
中國의 外國에 對한 負債를 全部 이 玉佛 一 個로 能히 還置하고도 남으리라
하며 現世의 無價之寶物로는 오직 이 玉佛뿐이라 한다 이 北海 안에는 瓊島
가 잇스니 白塔山이라고도 命名하는 바、太液池 中에 잇서 奇石이 疊重하얏
으며 이것이 宋 良崧[09]의 遺跡이요 그후 遼、金、元、明 淸朝가 다― 이곳에
宮殿을 두어 遊覽의 터를 삼엇섯다 한다 其中 古殿은 本是 遼國 太后의 梳粧
臺이엿스며 그後 金國 章宗 李妃의 梳粧臺이엿든바 章宗이 果夜半인 明月下
에 李妃와 더브러 이곳에 定座하얏다가 帝가 作韻하야 曰『二人土山[10]坐』라
하얏드니 李妃 역시 應口答韻曰『一月日邊明』이라 하야 帝가 大悅하얏다 한
다 歷代 □王의 讚美하야왓던 이 山島는 亦是 燕京八景 中의 一 景이라 하겟
다 우에 紹介한 바 外에 三海公園 안에는 名古跡이 櫛比하얏으나 精神이 아
득하며 時間조차 餘裕를 주지 아니함으로 遺憾이나마 三海는 이만 끗치고
閑暇히 休息할 만한 中山公園을 찾게 되얏다 이 公園은 北平市 天安門 右便
에 位置되야잇는 바 民國 元年에 비로소 社稷壇 舊趾에 設置된 中央公園이

---

09 "崧"은 "嶽"의 오식 - 편자 주.

10 "山"은 "上"의 오식 - 편자 주.

엿든 바 그後 民國 十七年에 이르러 中華民國의 어머니 되는 孫中山을 記念키 爲하야 中山公園이라 改名하얏다 한다

中山公園에 淸遊

正門 東便에 잇는 售票口에서 每人 下 五 分式의 票를 사가지고 入口에 들어가 北쪽으로 얼마 아니 가니 그곳에는 公理戰勞[11]牌坊이 잇스며 坊 前에는 噴水池가 잇고 池中에는 燈塔이 놉히 소사잇스며 坊의 北便에는 愛國烈士들의 銅像이 快豪스럽게 서잇다 다시 入口로부터 東便에는 水池가 잇스니 池形은 渾圓하고 池中에는 大理石으로 彫刻하야 맨든 噴水塔이 잇스니 이것이 가장 華麗하야 보인다 이곳으로부터 더 깁숙히 드러가 某處에 다다르니 그곳에 人造的 假山이 잇는바 그곳에는 植木한 松柏의 綠陰이 蒼鬱한 가운데 여러 가지의 雜木이 석기여서 그 景致야말로 純全한 天然的에 比할 배 아니오 또 山頂에는 六角亭을 지여 노앗스니 重檐은 無脊하고 金碧은 輝煌하야 可謂 小憩之處라 하겠다 園內의 北便에는 河水가 通하야 이에는 能히 小舟가 運行함으로써 더욱 納凉客으로 하야금 滿足을 感케 하며 또 數업는 行路 兩傍에는 鬱列한 松栢柳楊의 푸른 枝葉이 相連交錯하얏고 處處 綠陰 下에는 咖啡舘 茶屋、其他 華洋式 食堂 等이 櫛比하게 잇다 宮殿 景山 及 三海公園 等 各 古跡地를 차저서 단니노라니 발서 斜陽은 西山에 걸리엿고 柳楊 綠陰 下에 잇는 茶屋은 큰『장괘[12]』로 아는 우리 白衣人을 반기여 마지는 듯하며 나무 입새로부터 오는 凉風은 우리의 精神을 爽快케도 하는지라 茶屋

---

11 "勞"는 "勝"의 오식 - 편자 주.

12 "장괘": 중국어 "掌櫃"(가게 주인) - 편자 주.

中 第一 繁華하고 淸潔한 곳을 擇하야 우리 一行은 定座한 後 各各 所願의 淸
凉水를 기다리고 잇게 되얏다 茶를 마시면서 各種 新聞을 사서 보고 나니 於
焉間 半 時間 동안이나 지낫다 左右를 도라보니 이便저便에는 中國의 젊은
靑年들이 個個히 洋裝少女 所謂『모―던 껄』을 同伴하얏으며 或은 少女들만
作伴한 무리가 한 모통이에 集坐하야 纖纖玉手로 茶碗을 들어 亦是 우리와
가티 茶水를 마시여가며 서로 주고받는 弄笑의 語調 音聲은 맛치 고흔 鸚鵡
의 떠드는 소리와 가트며 또는 四面으로 몰려들어오는 踏客 中에는 아름다
운 少女들이 大部分이다 그들의 머리는 全部 斷髮이엿고 衣服은 半洋式 中
華流行服이엿다 總計上으로 보아 中國의 女子가 貴하다든 것도 거짓말 갓고
도리혀 女子의 數가 男子보다 몃 倍나 되여 보인다 아마 男子는 大部分 戰地
에 나아간 關係인가? 그것도 多少 關係가 되겟지마는 純全히 그러치도 안타
近代 中國의 젊은 女性 치고는 斷髮치 아니한 것이 업고 奢侈와 流行이 極
度에 達하야 足히 佛蘭西 女性에 比할 것이며 公園 出入이 頻繁한 中에도 特
히 中山公園이 第一이라 한다 이것이야말로 黃天의 客이 된 孫中山의 靈魂
이 自己의 死後 別莊인 이 中山公園에 잇다면 아직도 大勢가 平和되지 못한
祖國을 爲하야 愛國之心이 떠나지 아니하야 苦悶 中에 잇을 터이나 그 만흔
꼿다운 少女들의 訪問에 多少간 慰安이 될 것이다 茶水를 마시고 暫時 休息
하고 나니 心神이 快活하야진다 다시 茶屋인 春明舘의 南便으로 向하니 檜
影樓가 잇고 檜影樓로부터 東便으로 折行하니 通行路 右側에는 蘭亭 碑亭이
잇서 四面에 다 洋式 琉璃窓이오 亭內에는 淸朝 高宗皇帝의 詩碑와 孔雀、小
鹿에 對□ 標本이 陳列되야잇스며 다시 東便에는 唐花園이 잇서 形形色色의
奇花異草가 栽培되야잇고 玻璃房의 東便에는 習禮亭이 잇스며 이 亭閣의 北
便에는 社稷壇의 南門이 通하게 되얏다 이 門을 드러서 丁香林과 芍藥圃 衛
生陳列所 及 革命圖書館 等이 잇다 이 社稷壇은 中山公園의 中央에 置位하

얏으며 그 式方은 北向이요 高는 四 尺 方은 五 丈 三 尺 假量이나 된다 壇上
에는 各省으로부터 가저온 靑紅黃黑白 五色의 土를 뿌럿스며 北쪽에는 拜壇
이 잇서 舊制에는 每年 春秋 仲月 上戊日에 이곳에서 社稷을 祭祀하야왓다
한다

天下絶勝인 萬壽山

이 社稷壇의 北便에는 憂國之靈이 잇는 中山堂이 威嚴스럽게 소사잇다
이럭저럭 中山公園의 門을 나서니 西山에 대落되야 薄暮하얏는지라 우리의
目的하얏든 純 中華料理店을 차저서 北平이 아니면 맛을 볼 수 업는 多種의
奇異한 純 中華飮食을 맛본 後 市街의 夜景을 돌아보니 質素純眞스러운 靑
衣人의 大都이니만큼 繁華스럽게 裝飾을 꿈이지 아니하야 極히 單調無味하
야 보힌다 旅館에 돌아와 口渴을 免하기 爲하야 食堂으로 드러가니 낫에 뵈
이든 食堂은 간 곳 업고 瞥眼間 喜喜樂樂스러운 舞踏場이 되야 北平의 美男
美女들이 『딴스』에 熱中하는지라 何如間 드러온 罪라 不得已 우리 一行 亦
是 한 모퉁이에 一 卓을 定하고 官府에 잡혀온 村鷄와 가티 안저 마른 목을
축이여가면서 男女 雙雙의 『딴스』하는 光景을 보니 去年 獨逸 在遊 時의 生
活이 追憶된다

疲困한 몸을 寢牀에 실이여 잘 잠을 다— 자고 窓戶에 빗치는 日光에 눈
이 부시여 번쩍 뜨며 窓을 열어보니 발서 해는 東域中天에 소사잇고 晴和스
러운 北平 大氣는 우리의 萬壽山行을 더욱 促告하고 잇다 急히 諸般 準備를
畢하고 自動車에 올나 恒心에 憧憬하야오든 萬壽山으로 向하게 되얏다 北平
西直門을 나서서 約 五 里쯤 가니 道行大路 傍에는 한 村家가 잇는지라 그
안으로부터 一 老人이 나와 우리의 타고 가든 自動車를 停止식힌 後 運轉手

에게 自己나라 말로 무엇이라 하더니 運轉手 말이 저 — 노인에게 一金 五十 錢也를 주라 한다 그것은 自動車의 通過稅라 하며 每 自動車에 五十 錢式 받으라는 當時 北平 主人인 閻錫山의 嚴命이니 不可避라 한다 이 道路는 北平市로부터 燕京大學과 萬壽山에 通하는 大路인바 每日 通過하는 自動車가 頻繁한바 그 收入되는 稅金이 不少하다 하며 그뿐 아니라 萬壽山 正門에서 밧는 入場料가 每人 下에 一 元 五十 錢 以上이요 中門 內門、別殿 其他 處處에서 밧는 料金의 合計가 每人 下에 十 元 以上에 達하며 頤和園 內에 잇는 池中蓮葉까지 摘取 放賣하야 閻 將軍의 手中에 納付되는바 이것이 全部 前例에 업섯든 甚酷한 新法令임으로 閻 氏에 對하야 一般 人民 及 旅客의 不平이 적지 아니하다 한다

北平 市內에서 떠난 지 約 五十 分쯤 되야 萬壽山에 다다럿다 이 萬壽山의 一名 頤和園이니 山의 原名은 金山이요 舊名은 甕山이엿섯다 이 山의 南쪽 巖石에는 仙室 가튼 洞穴이 잇는바 自古로 相傳하야오는 말이 어떤 老人이 이곳에서 石甕 一 個를 發見하얏스매 그의 大小가 普通 甕器보다 倍나 되며 그 表面에는 華蟲彫刻文이 잇고 甕中에는 數十餘 種의 寶物이 들어잇섯는데 그 老人이 寶物은 全部 携去하고 비인 石甕만 山의 西便 한쪽에 留置하얏슴으로 이 山을 甕山이라 稱하얏다가 그 後 淸朝 乾隆 時에 이르러 이곳에 大報恩萬壽寺를 建築하고 비로소 萬壽山이라 命名하얏다 그리고 乾隆 五十七 年 頃에 玉泉의 諸流를 引導하야 西湖에 排流케 하고 西湖를 昆明湖라 改名하얏스며 山水가 罷□하야 風景이 絶勝하며 그 園內의 造作이 全部 江南의 名勝地를 全部 模倣하얏스며 往時에는 湖水에 戰船을 띄여노코 每年 伏日에는 水戰을 練習하얏다 한다 그리고 鴉片戰役에 英佛聯合軍이 圓明園을 燒火할 時에 이 園까지 並火한 일이 잇서 光緒 十四年에 修理하고 頤和園이라 稱하얏다 한다 그 後 光緒 二十六年에 이르러 英國의 軍隊가 이 頤和園 內에

駐屯하얏다가 約 一 年 後에 和講한 結果 撤退하얏스며 當時에 所在이엿든 殿閣은 多少間 狼藉하얏슴으로 二十九年에 다시 修築하얏고 그 後 民國 三 年부터 비로소 遊覽地로 公開하얏다 한다

頤和園의 正門인 東宮門 前에 다다르니 그곳에는 壯觀스러운 銅獅 雌雄이 大理石座에 안저 우리를 노려보고 마지하며 門內에는 仁壽殿이 놉히 솟아잇는바 古時에는 勤政殿이엿스니 淸朝 高宗 皇帝가 이 殿閣에 臨幸하야 一般 國政을 聽察하얏든 곳이엇든바 中年에 燒火되야 光緒 十六年에 이르러 更築하고 仁壽殿이라 改名하얏다 이 殿閣의 內簷에는 大圓寂鏡額이라 쓴 西太后의 親筆이 걸려잇는데 墨跡이 渾原하야 可謂 名筆이라 하겟으며 殿階 間에는 銅製 龍鳳을 各各 二 個式 陳列하얏다 그리고 園內의 東北隅에는 諧 趣園이 잇스니 그의 原名은 惠山園이엇든바 淸朝 高宗 皇帝의 所作인 惠山 園八景詩序 中에『一亭二徑足諧奇趣』라 한 韻句가 잇슴으로 그것을 取하야 諧趣園이라 命名하얏다 다음에는 知春堂이 有名한 것이니 淸朝 文宗이 臨幸 하야 觀兵하든 곳이오 또 矚新樓가 잇스니 이 樓閣은 龍雲樓의 舊址인바 上 下 二層으로 되엇으매 上層은 園外의 山徑에 臨하야 茫茫浩然한 樓閣이요 이 樓閣으로부터 層階를 나려서면 園內 樓의 北 修篁萬竿에 이르나니 凉風 이 漸至하며 嚴嚴蕭然하야 渭濱、淇澳의 想이 잇스며 叢篁의 北便 山石 間에 는 板橋가 잇서 嵐沼라는 二 字가 鐫刻되야잇고 橋下에는 小溪의 細流가 池 內로 潺流하며 溪 側의 石上에는『泉流不息』이라고 亦是 鐫刻되야잇스며 溪 의 東湖 石間에는 蘿月 또는 松風이라 鐫刻되야잇스니 이것들이 다 一 西太 后가 쓴 것이요 樓閣의 南便에는 澄爽齋가 잇스니 即 古時에는 澹碧齋이엿 다 다음에는 知魚橋가 잇스니 靑石으로 建築하얏으며 우에는 石防이 잇서 淸朝 高宗의 詩聯 二 句가 鐫刻되얏스니 其一 曰『月波瀲灩金爲色』요『風瀨 琤琮石有聲』이라 其二 曰『迴翔鳧雁心含喜』요『新苗萍蒲意總閒』이라 하얏

다 이 다리의 西便에는 水座亭이 잇스니 舊時에는 水樂亭이엇든 것이다 南으로 池湖에 臨하야 樂壽堂이 잇스니 西太后가 駐滯하얏든 곳이며 堂의 前面에는 巨石 一 個가 잇서 그 돌의 三面에는 글字가 새기여잇스니 正面에는 靑芝岫이라 하얏고 東面에는 玉英이라 하얏으며 西面에는 蓮秀라 하얏으니 이것이 淸朝 高宗 皇帝의 所題라 한다 卽 이 巨石은 高宗이 南方에 巡幸할 時에 發見하야 가져온 것이며 이 石의 左右에는 各各 一 株의 翠柏을 植木하얏으니 그의 蒼翠는 可愛스러우며 이 柏樹의 果實을 西太后 六旬 大慶 時에 南山不老의 뜻으로 進上하얏섯다 한다 그리고 山의 層層邏高를 따라 建築한 殿閣이 잇스니 이것을 排雲堂이라 한다 이 堂은 卽 延壽寺의 舊址이니 光緒十八年에 改建하고 西太后가 亦是 居處하얏든 곳인바 그 輝煌、富饒스러운 품이 園內 殿閣의 先頭가 될 것이다 이 排雲堂의 正門은 南向하얏스니 卽 排雲門이며 이 門內 東殿은 玉華殿이요 西殿은 雲錦殿이라 한다 다시 二道 宮門을 들어서니 門內의 東便에는 芳輝殿이 잇고 西便에는 紫霄殿이 잇스며 後便에는 德暉殿이 잇다 이 排雲堂으로부터 다시 西便으로 가면 淸華軒이 잇스니 이는 元來 羅漢堂의 舊址인바 光緒皇帝 時에 排雲堂과 同時에 建築하얏으며 軒後 廳內에는 大理石으로 造作한 一 個의 屛風이 혀잇스니 長이 丈餘에 達하며 高가 約 八 尺인바 高宗皇帝의 所作인 羅漢堂記와 西師詩 一 篇과 平定準噶爾의 碑文이 鑴刻되야잇서 極히 貴重한 寶物이라 한다

그리고 排雲殿의 後便으로 쓱 도라서니 山의 언덕 우에는 上下 三層의 佛香閣이 巍然히 中央에 소차잇서 그 高가 數 丈에 達하야 보인바 이 上下 三層의 樓閣 안에는 佛像을 奉安하얏스니 法身이 丈餘에 達하며 그 門額에는 導養正性이라 하얏고 그 아례에는 數百 級의 石燈이 잇스니 이것은 朝眞燈이라 命名하는바 높이가 十餘 丈에 至한다 하겟다 이 佛香閣은 明朝 時에 圓靜寺와 同時에 建築한 것인바 俗稱 福兒建躁이라고도 부른다 이 殿閣은 元

來 延壽塔의 舊址이다

延壽塔은 九 層이엿든바 外國人에게 焚燒되얏다 하며 樓閣의 左右는 山石 間에는 各各 一 閣의 亭子가 잇스니 東日 敷華亭이요 西日 擷秀亭이며 두 亭閣 內에는 極히 큰 時計가 一 個式 노혀잇다 이 佛香閣의 東便 아래에는 層巖에 倚之하야 建築한 樓閣이 잇스니 이것은 轉輪藏인바 古時에는 佛像을 奉安하얏섯다 한다 樓 前 左右에는 各各 一 閣의 亭子가 잇스니 曲廊으로써 相連하게 되며 亭內에는 各各 一 個式의 木塔이 잇스니 이 樓閣은 全혀 杭州 法雲寺의 藏經閣을 模倣하얏스니 藏經이 업슴으로 木塔으로써 이를 代充한 것이라 한다 그리고 樓 前이 即 萬壽山 昆明湖碑니 이 碑는 純全한 大理石으로 맨드럿스며 그 아레에는 石欄이 둘너잇스니 高不丈餘에 達하며 幅은 數丈에 至한다 또 佛香閣으로부터 東便에는 寶雲閣이 잇스니 殿閣의 窓垣梁瓦로 爲始하야 內部의 卓上 裝置까지라도 全部 黃銅으로 製築하얏슴으로써 俗稱 銅閣이라 하며 內簷額은 日 大光明藏이라 하얏스니 觀客은 個個히 驚奇 叫絶치 아니하는 者 업다 한다

以上에 말한바 殿、亭、樓閣 外에도 이 頤和園 內에는 百餘 大小 殿閣이 山前 山後 層巖絶壁 上下 또는 뚝 떠러저 池湖沼邊에 櫛比하야 不可勝數의 石橋 板橋 及 長廊으로 서로 連接하얏스니 이것을 大部分 山前路 八大處와 六大處 及 山後路로 分하얏다 이 數만흔 殿 樓閣을 亦是 故宮殿과 가티 그 높고 높은 樓閣의 簷下에까지 五色으로 燦爛히도 龍鳳의 形體를 아루새기엿 스며 집웅의 黃瓦는 天上으로부터 빗치여오는 日光에 反射되야 山圓 一幅을 黃金으로 까라노흔 듯하여 殿閣의 틈틈에 소사잇는 蒼鬱한 松柏楊柳 綠陰 새로부터 오는 凉風에 부듸치는 鳴金鳴玉의 소리는 귀에 錚錚하야 모든 것 이 極히 輝煌燦爛하고 華盡無雙하다 精神은 眩惶하야지며 人間世上이 아닌 天上 玉皇帝의 宮殿이 아니면 必然 水中 龍宮에 나오지 아니하얏는가? 非夢

似夢이엿다 觀覽에 醉한 우리 一行은 어느 殿閣 內 公開食堂으로 引導되어 飢渴을 免한 後 石丈亭 西湖 內에 잇는 寄瀾堂 附近에 다다른 즉 그곳에는 淸晏船이라는 石船이 잇스니 全部 大理石으로 造築하얏스며 光緖 二十九年에 이르러 歐美式으로 二層樓를 增築하얏는바 樓 內에는 全部 花磚으로 裝飾하얏으며 四面 窓에는 各色의 玻璃로 構造하야 一層 華麗하게 꿈이엿다 그리고 그 石船 엽헤는 數만흔 遊船이 노혀잇고 各各 그 遊船에는 一二 人의 船人이 잇서 各其 自己의 遊船을 타랴고 떠드는 품이 洋車夫에 질 것이 업다

　그러나 이 湖水는 自古로 歷代 帝后 特히 當時 女傑인 西太后의 一生을 脚色하는 場面으로 되엿든 곳이라 主人을 일흔 今日에도 亦是 帝王的 華奢味를 남기어 遊船 料金도 極히 비싸 洋車 賃金보다는 二十 倍나 더하다 그러나 前時 가트면 이 나라의 諸侯將相이 아니고는 敢히 船達치 못할 곳이라 생각하고 料金을 조금도 닷토지 아니하고 卽時 遊船에 올나 湖의 복판에 둥실 띄여노코 四面八方으로 돌아보니 頤和園의 周圍는 約 十餘 里에 達하는 듯하며 東 南 西 三面에는 碧波가 潺潺한 昆明湖가 둘너잇고 湖上에 잇는 蓮葉은 靑色의 綾羅綢席을 깔오논 듯 또는 湖邊에 羅列한 垂楊들은 作別한 主人인 帝后들을 그리우는 듯이 철양스럽게 湖水에까지 숙여 누그러진 千萬 絲 가지들 西風에 나붓기고 잇다 北便으로 다시 고개를 돌려 萬壽山 峰을 치어다보니 氣勢가 嚴峻한 山岳이 놉히 中天에 소사잇고 山經의 層層遲高을 딸어 蒼鬱한 松柏의 綠陰 새에는 宮殿과 樓閣이 櫛比하다 이 全景이 맑고 맑은 湖水 中에까지 빗치여 水上에도 萬壽山 殿閣이요 水中에도 亦是 繡山錦閣이어서 優美한 一大 山水圖를 그린 듯 그 景槪야말로 天下絶勝의 古蹟地라 하겟스며 이것이 支那民族의 建築藝術上의 永遠하게 자랑꺼리며 西太后의 一大 遺業인 同時에 億萬蒼生의 液血이 아니고 무엇이랴 萬一 西太后의 靈魂이 死後에도 一平生을 情드려가며 極享極樂하든 이 萬壽山을 떠나지 아니하

고 이곳에 잇다면 우리를 對한 그의 幽魂이야말로 今日에 자랑스러운 萬壽
山이 自己의 功績이라고 自慢不已할 것인가? 그러치 아니하면 自己 一身을
爲하야 億萬 人의 膏血을 짠 것이라고 慚愧不已할 것인가? 善타 惡타는 論
之할 배 아니요 何如튼 千秋晚年을 두고 자랑꺼리일 東亞大國의 代表的 名
勝古蹟이니만큼 이 點으로 보아서는 西太后의 功績이 적지 아니하다 하겠다
그 宏大하고 雄壯하며 華麗하고 燦爛한 것이 泰西 各國의 宮殿에 比할 배 아
니다 제 아무리 歐洲大陸에서 讚美 받는 佛蘭西 故 王朝의 『뷔르사이13』宮殿
과 普魯西14王朝의 『상수씨15』宮殿이 華麗壯大하다 한들 엇지 이에 比하랴
또 墺16帝國의 維也納17宮殿 內에 잇는 華麗키로 有名한 『마리아 테레지아』
后의 居處하얏던 百萬室인들 엇지 西太后의 居處하얏는 殿室에 밋칠소냐 다
만 西洋 各國의 宮殿만 보고 이 萬壽山 宮殿을 보기 前까지의 筆者는 一井之
蛙이엇던 것을 免치 못할 것이다 極히 고요한 水波에 뜬 遊船은 徐來하는 淸
風에 불리여 於焉間 湖의 一邊에 다다럿다 遊船에서 내린 우리는 멀리 巨大
한 銅製의 動物을 보왓다 무엇인가? 하고 갓가히 가니 大理石壇上에 안친 銅
牛가 肅然한 態度를 冷淡스럽게 우리를 마지하여 어서 나아가라고 號令하는
듯이 그 큰 눈을 번쩍 뜨고 본다 이 萬壽山을 다 본 以上에야 더 잇슬 우리가
아니라 하고 一行은 黃 黑 白 三色의 砂石으로 美術的으로 깔어노흔 淸潔한
峽間 小路를 조차 다시 頤和園의 正門인 東門을 나서니 우리를 기다리면서

---

13 "뷔르사이": 베르사유" - 편자 주.

14 "普魯西": 프로시아 - 편자 주.

15 "상수씨": 상수시 - 편자 주.

16 "墺": 오스트리아 - 편자 주.

17 "維也納:: 빈 - 편자 주.

運轉臺에서 낮잠을 든 運轉手는 눈을 부스스 뜨며 우리를 마지한다 自動車에 올라타니 山으로부터 우리 귀에 反響되는 豪氣스러운 自動車 소리는 우리와 萬壽山의 作別人事를 告하는 소리와 갓다 北平 市內로 돌아오는 歷路에 燕京大學을 訪問하얏으나 大學의 建物은 中國의 純 古代 宮殿을 模倣하얏는데 或 大理石으로 깔은 層階도 잇스며 그의 偉觀이야말로 普通 歐美式 洋屋에 比할 것이 아니엇다 이 大學은 米國人의 經營하는 것인바 商科、文科가 잇서 現今 아니라 將來 北平의 最高學府가 될 것이라 한다

中國의 劇王 梅蘭芳

醫科로는 北平 市內에서 亦是 米國人이 經營하는 協和醫學校가 잇스니 이에는 宏大한 病院이 附屬되야잇다 亦是 故 皇宮의 殿閣을 模倣하야 한 아름 되는 赤色의 두리기둥에 五色으로써 亦是 龍鳳을 아로새긴 『첨아』를 올니여 華麗 壯觀스럽게 建築한 學校 正門 안에 들어서니 넓고 널분 廣場에는 全部 大理石으로 까럿스며 講堂에 올라가는 層階와 欄干이 全部 龍鳳의 形體를 彫刻한 大理石이엇다 그 數만흔 講堂 研究室 病院이 全部 淨潔하야 學校나 病院 갓지 아니하고 帝王이 居處하는 肅淨한 宮殿과 조금도 다를 것이 업다 그리고 이 建物의 建築費는 勿論 巨額이려니와 그것이 一千萬 圓 以上이라는 데는 놀나지 아니할 수 업섯다 이로부터 亦是 洋車를 타고 市內의 가장 繁華한 곳으로부터 가장 不潔한 곳 即 極上極下의 市街를 갓가지로 구경하노라니 벌서 夕陽은 西山에 걸리엇는지라 旅館에 들어와 우선 벽에 걸린 面鏡에 얼골을 빗처보니 검엇든 눈섭이 瞥眼間 희여진 白髮老人이 된 듯 깜짝 놀라 帽子를 버서 頭髮을 보니 그것은 如前히 검엇타 그제야 비로소 有名한 北平의 몬지가 눈섭에 무든 줄 알고 洋服저고리를 버서 한번 번쩍 들어

툭툭 터럿더니 몬지가 室內에 자욱하야 재채기를 마지아니하는 친구들은 나에게 대한 怒責이 끄니지 아니한다 자ー 그러면 그 代價로 今夜에 劇場 구경 한턱을 하마는 約束下에 親舊들로부터 容恕를 바덧다 約束을 實現키 爲하야 夕飯 後에는 北平에서 第一流 되는 梅蘭芳의 出演하는 劇場으로 가게 되얏다 劇場 正門에 다다르니 觀客은 雲集하야잇다 우선 『푸로그람』을 보니 梅蘭芳은 그간 洋行이엇든바 美洲로부터 歸國한지 不過 一 週間이여서 旅毒을 풀기 爲하야 方今 休養 中임으로 아직 出演치 아니하고 有名키로 梅蘭芳 次席쯤 되는 程艶秋가 出演하게 되얏다 한다 그리고 梅蘭芳의 出演은 一 週間에 一 回式인바 出演하기까지 一 週間 前에 入場票를 豫買치 아니하면 그의 出演을 觀覽할 수 업다 한다 이 梅蘭芳은 中國뿐만 아니라 歐美 各國에까지 名聲이 놉흔 世界的 名俳優이니 可謂 中國 劇界의 大王이라 하겟다 이 劇王의 有名하야진 原因은 勿論 美男인 同時에 女子로 變裝하는 때에는 絶世 美人이요 또 재주가 놀나울 뿐 아니라 그의 爲人이 極히 正直하고 誠實한 까닭이라 한다 그 中에서 한 가지 들은 例를 말하자면 어느 날 밤 梅蘭芳의 主役인 演劇을 進行 中 觀客席에 某 有力한 大官의 貴婦人이 한번 만나자는 便紙 속에 自己의 所有이엿든 幾千 圓의 寶石指環을 싸서 梅蘭芳에게 秘密히 投與한 일이 잇섯든바 이것을 바든 梅蘭芳은 幕이 닷치자 卽時 一般 觀衆에게 正式으로 말하되 이와 가튼 風紀紊亂한 일이 絶對로 업도록 하야달라고 公開하야 그 夫人의 不正行爲를 警戒한 일이 잇섯다 한다 그 後 君의 名聲은 더욱 놉하지여 結局 世界的 名俳優가 되얏으며 今夏에는 멀리 米國으로부터 短期에 數十萬 圓의 報酬로 招待하야 갓섯다 한다

이튼날 아츰에는 일즉이 起寢하야 萬里長城의 古蹟을 차저가려는 準備에 奔走하고 잇스매 旅館 主人 말이 당신네들이 오날 가려는 附近 地帶에는 馬賊黨이 猛烈하야 警戒 中이니 絶對로 가지 말라 함으로 意外에 큰 失望이다

죽기는 그리 무서울 것이 업스나 正當치도 안흔 無名橫死할 必要가 업서 中止하고 말엇다

아즉도 不安定한 勢局

北平에 와서 볼 것은 大槪 다 보앗스나 아직까지 北平의 主人인 閻錫山 氏를 만나지 못하야 於心에 大端 未安하다 그뿐 아니라 今日에 누구나 다— 國內의 戰亂이 끄나지 아니하는 中國에 오면 이 나라의 勢局을 알고 십흔 興味를 가지게 된다 그러나 이 中國 西北地盤의 王인 閻 氏를 面會하자면 相當한 紹介와 手續이 잇서야만 할 것이니 爲先 紹介人 한 분을 求하야 보는 中이다 그러자 獨逸留學生으로서 筆者와 同窓이며(伯林大學 出身) 現在 某 通信社의 主筆이요 河北省 政府의 有力한 地位에 잇는 한 분을 알게 되야 그의 紹介로 閻 氏를 面會할 수도 잇스며 兼하야 現 中國의 時局에 對한 것을 드러볼 計策으로 그 분을 招待키 爲하야 數三 次나 電話로 面會懇談의 餘裕를 무러보앗스나 그 분은 元來 奔走한 任務를 마튼 中 特히 그때에는 北方政府 樹立에 熱中이어서 上午 三時 頃으로부터 六時 頃까지 다만 三 時間의 就寢 時間을 除한 外에는 閑暇한 틈이 업다 하며 數三 日 後에는 實現할 수 잇다 하나 우리 一行은 中國 外交에 關한 某 重大任務를 띄고 온 政治家도 아니요 어느 新聞社나 雜誌社의 特派員도 아닌 以上 일부러 數三 日까지 더 姑待할 必要가 업서 大端 遺憾이나마 中止하고 말엇다

이때는 汪兆銘 氏가 國民政府의 主席인 蔣介石 氏와 不合하야 反蔣派의 거두인 閻 氏를 차저 北平으로 온지 오래지 아니하매 北方派는 汪 氏를 熱狂的으로 歡迎하야 北平 全市 大路邊 城壁에는 大歡迎救國志士汪精衛先生이라는 것과 打倒叛逆賊蔣介石이라는 宣傳文이 틈이 업도록 붓치어잇다 當時

人氣가 衝天한 汪氏를 마지한 閻氏는 氣勢가 더욱 倨傲하야 一便으로는 南으로 攻擊하야 드러오는 中央軍을 防備하며 一便으로는 北方政府 樹立에 熱中 同時에 奉天派에게 好感을 사며 또는 反蔣討伐의 勢力을 求하기 爲하야 京奉 間에는 끄힐 새 업시 張學良 氏에게 一流 謀士 代表를 派遣하는 等 古代 三國 적 後漢의 成功한 赤壁江戰을 꿈꾸어 結局 北方政府를 樹立하얏다 그러나 南北 政府 特派의 訪問에 머리를 아르며 自己의 立場과 主義를 確言치 아니하면 아니 될 張學良은 一朝에 言明하되 南北軍은 速히 停戰하는 同時에 大勢는 政治的으로 解決하라는 和協의 主張으로 南北 政府에 通電하야 中央政府 擁護의 뜻을 暗示하며 따라 蔣介石 氏로부터 巨額의 軍資金을 바더 不時로 關內에 出兵하자 閻氏는 차라리 南軍의 攻擊에 退却을 當하는 것보다 奉天派의 好感을 사기 爲하야 讓步하는 뜻으로 一戰의 交鋒도 업시 西北軍은 即時 山西地方으로 撤退하며 閻 汪 兩 巨頭까지도 平津地帶를 버리고 鼠穴을 차저 太原으로 逃走하게 되매 北方政府가 誕生한 지 겨우 十 日이 못되야 破滅하고 말엇다 이것이야말로 百日天下라드니 十日天下의 北方政府라 하겠다 今日 反蔣運動에 失敗하야 勢窮力盡하게 된 可憐對한 閻 氏도 元來 充實한 國民黨의 同志로써 昨年 中東西派 馮玉祥、唐生智 等의 叛亂에도 中央政府를 擁護하야 活動한 結果 南京政府와 더욱 親密하게 되야 中央政府 委員인 同時에 內務部長 等의 軍職에 잇섯으며 그 後 西北邊防軍 司令長官 及 陸海空軍 副司令에까지 任命되야 一時에는 蔣介石派에 못지 아니하는 實力派의 寵兒이엇섯다 그러자 그 後 南京政府로부터 馮玉祥 氏 及 그 部下 軍隊의 整理에 對한 重任을 마타가지고 이것으로 引受한 後 昨年 六月 以來 馮玉祥 氏를 山西에서 相逢하야 約 九 個月 間 親密히 交遊하는 中 馮 氏의 甘言之說에 誘惑되며 또는 閻 氏의 身邊에는 反動的 軍閥의 代表와 不平政客이 雲集하야 其他 舊式 學者들이 집합하는 바 그 學者들 中에는 馮 氏와

親密한 關係가 잇는 王鴻一과 梁漱溟 等이 잇서 直接 間接으로 馮 氏의 誘惑에 醉하야 反蔣運動을 開始하는 同時에 中央政府를 反逆하게 된 것이 結局 免할 수 업는 自作之孼을 밧게 된 것이다

그러나 太原에 根據하고 亦是 後機를 窺視하고 잇는 閻、王 兩 雄은 三國적 曹操의 偉勢에 쪼기여 蜀地를 根據한 後漢의 成業을 夢想하고 잇스며 또 一部에는 아직도 共産軍의 優勢를 撲滅시키지 못한 蔣介石 氏는 高枕安眠할 수 업스며 따라 中國 戰亂이 終熄된 中國 大勢야말로 臨時的 休戰의 終熄인가? 또는 永遠的 平和의 終熄인가? 를 알 수 업는 未來의 中國을 爲하야 매우 興味스러운 問題이니 下回를 기다리고 섭섭하나마 筆者의 北平 紀行文은 이것으로 끗마친다 (完)

—『朝鮮日報』, 1930년 10월 2일~10월 16일, 13회 연재

奉天紀行

京實專 辛錫信

(一)

十月一日 기다리든 修學旅行의 날은 當到하얏다。學友 親知들의 전송 속에서 午後 十一時 京城驛 發 北行列車의 客이 되엿다 平壤서 날이 밝아 西關 沿邊의 平野를 展望하는 동안 午前 十一時에 新義州에 이르럿다 보고 십허 하든 鴨綠江의 푸른 물결은 感懷 만흔 往昔을 말하는 듯이 悠悠히 흐르고 잇다 이 江 건너서는 中國땅 보이는 것마다 異國의 情諸가 떠오른다 安東縣에서 時計를 한 時間 뒤로 돌리고 몃 時間을 걸려 稅關 檢査를 마치고 車는 다시 北으로 北으로 다름질첫다 鐵道 沿邊 또는 停車場마다 武裝한 軍兵이 整列隊視하고 잇스며 車 中에도 警戒에 눈알을 굴리는 軍人 憲兵 巡査 等이 오락가락하야 맛치 戰場에나 나가는 듯한 늣김을 자아낸다 終日 疲困하야 車窓에 기대여 졸든 눈을 汽笛소리와 아울러 울리는 鐘소래(南滿鐵道에는 汽笛 外에 教堂鐘과 가튼 鐘이 汽關車에 달려잇다)에 놀라 깨여 窓外를 내다보니 黃昏을 뚤코 疾走하는 汽車는 奉天城이 갓가옴을 報하고 잇다 午後 七時 五分 반가운 奉天驛에 내리니 細雨菲菲한 中에 僑居 同胞 有志의 만흔 歡迎은 알 수 업는 感懷를 자아내엇다 나의 無限히 憧憬하든 이 奉天은 果然 엇더한 곳인가 渾河의 北쪽 廣漠豐沃한 平野 가운대 잇서 鐵道網이 縱橫으

로 貫通하야 四通八達의 要衝에 當함으로 交通上 및 政治上의 中樞이니 規模의 雄大함은 實로 帝王의 古都 됨에 붓그러울 배 업다 瀋水 北에 當함으로써 往昔 渤海時代에 瀋州라 稱하얏고 元朝 때 地名을 瀋陽이라고 불럿으며 明朝에는 瀋陽中衛를 두엇섯다 그러나 이 땅에 一躍 史上에 큰 役割을 하게 되기는 淸朝 興起 以後이다 滿淸의 太祖 帝業을 創設함에 이르러 天命年 中 都邑을 遼陽으로부터 여긔에 遷都하고 盛京이라고 稱하얏다 그 後 順治의 初年에 다시 北京(現 北平)에 遷都함에 밋처 將軍을 이곳에 留守케 하야 留都(陪都)라고 稱하얏고 順治 十四年에는 奉天府를 設置하고 奉天이라 부르기에 일으럿다 그리하야 淸朝가 亡한 後 今日에 일으기까지 依然 遼寧省은 勿論 東北四省의 軍事 政治 經濟 敎育의 中心地가 되여잇다 民國 十八年에 瀋陽의 故名으로 改稱하게 된바 群雄이 亂舞하는 中國 天地에 地盤 조흔 張少年將軍의 地位가 國內大勢를 左右할 만하게 되야 政治 發展은 文化的 施設를 促進시키는 바 잇서 都市의 面容이 急速度로 旺盛해 가고 잇다 奉天은 大別하야 城內、商埠地 鐵道附屬地의 三 區域으로 난우워잇스니 城內는 純 中國人의 市街로 方今 東郊 及 北郊를 向하야 宏壯히 大發展을 보이고 잇다 商埠地는 純 外國人에게 開放한 居留地이며 附屬地는 日本人의 行政區域이다 鐵道附屬地는 『포스마스[01]條約』 及 北京條約에 依하야 日本帝國의 權內에 든 一定地域인데 奉天附屬地의 總 面積은 百八十二萬 五千二百 坪이다 日本政府는 警察權를 펴고 鐵道 經營 其他 施設을 滿鐵會社에 委任하얏다 市街는 停車場을 起點을 하야 壹字形으로 된 坦坦한 鐵道가 縱橫으로 貫通하고 宏大한 建物이 整列되얏스며 上下水道의 完成 公園의 築造 病院 學校의 設立 諸般 設備가 改組되야 市街의 美觀이 朝鮮서는 볼 수 업슬 만치 훌륭하

---

01 "포스마스": 포츠머스 - 편자 주.

다 商埠地는 附屬地와 城內의 中間에 介在한테 日、英、米、獨、佛、伊、蘇 聯의 各 領事館이 다 여긔에 잇다 商埠地의 十間房은 明治 四十年으로부터 四十三年까지는 日本 商人의 一大 市街를 形成하고 日本 商工業의 中心地가 되엇섯스나 그 後 附屬地가 되면서부터 그 繁榮을 奪取當햇다고 한다 公園 鳳鳴皇寺 西塔 露國墓地가 잇스며 西塔 附近의 朝鮮同胞가 第一 만히 居住 하는 地帶이다

(二)

新市街에서 城內로 通한 길은 奉天驛前에서 商埠地를 通過하야 小西門 으로 들어가는 길과 또 驛前으로부터 附履地 千代山通大街를 貫通하야 大 西門으로 가는 두 길이 잇다 이 瀋陽城은 滿洲 第一의 大城으로 方形의 內 城과 그것을 抱圍한 不整 橢圓形의 邊城으로 되여잇다 邊城은 週圍 四十 里 의 土壁이엿섯다고 하는데 至今은 破壞되여서 그 形跡조차 알기 어렵다 邊 城에 大東 小東 大西 大南 小南 大北 小北의 八邊門이 잇고 外門과 內城의 사이에는 大小東關 大小西關 大小南關 大小北關의 各 大街와 多態의 胡同 으로 되여 人口가 綢密하다 內城은 方形의 塼製의 城壁으로 五 里에 抱圍하 고 壁의 高는 三 丈 五 尺 厚는 一 丈 八 尺 그 壁上에는 樓堞을 設하야 一朝 有事하면 幾 數萬의 戍兵을 配置할 수가 있고 그 넓이는 넉넉히 野砲의 放 列을 펼칠 만하다 內治(大東) 撫近(小東) 德盛(大南) 天祐(小南) 懷遠(大西) 外攘(小西) 地載(大北) 福勝(小北)의 八 門이잇고 이들 門과 門이 大道로 通 하야 井字形으로 區配되얏다 其 都心에는 美麗한 故宮殿이 잇고 이 부근에 東北省의 主腦되는 諸 官衙가 蝟集하여잇다 城門에 通하는 大道는 모도 다 商業이 繁盛한다 特히 小西門으로부터 小東門에 貫通하는 道路의 中央部

四平街는 大商店이 만코 人馬 往來가 繁榮하다 이 道路와 小北門大街와의 交叉點에 鐘樓가 잇스며 城門은 全部가 城을 들더놉고 森嚴히 聳立하야잇는대 夜間은 閉門한다고 한다

이 城은 元初에 創建되엿다고 傳하고 後에 明의 洪武 二十一年에 修築하고 四 門을 開하엿다가 現存의 것으로 改築하엿다고 한다 그런대 城은 淸朝 興隆의 歷史와 共히 잇치지 못할 發祥의 帝城인데 이 城에 都邑 하기는 겨우 二十 年間에 지나지 안헛다고 한다 二百萬의 白衣人의 滋甚한 驅迫 가운대 血汗을 뿌리며 開拓하는 滿洲 우리의 因緣 깁흔 이 땅의 首府 奉天! 政治的으로나 滿洲 살림에 無關心할 수 업는 이 都市! 우리는 자위치는 感激과 뜻 깁흔 興味를 품고 十月 三日 天氣 淸明한 早朝에 觀察의 길에 나섯다 所謂 修學旅行이란 走馬看山的으로 그 效果가 疑心스러운데다가 더구나 近來 南滿洲 旅行은 日本 求景을 하는 感이 업지 못한 弊가 잇고 朝鮮人의 生活이 넘우나 零星함이 慨嘆할 바라고야 남다른 『푸로그람』으로 中國味를 될수 잇도록 만히 맛보기를 期約하고 引率하신 李 先生의 細心한 注意와 僑居 同胞 有志의 熱誠的 指導로 旅舍를 나오니 우리의 腦中은 벌서 興味와 期待로 緊張하엿다 馬車 六 臺에 一行이 分乘하야 爲先 西塔大街를 向하얏다 異域風塵에 고닯히 자라며 將來 希望을 온몸에 가득 품은 天眞스러운 어린이의 자라는 꼴을 보기 爲하야 西塔幼稚園를 訪問하엿다 建物은 耶蘇教會堂인데 二層은 公會堂으로 쓰고 下層은 幼稚園이 되엿스며 靑年會舘도 여기에 두엇다 同胞들의 血汗으로 된 一萬 二千 圓이라는 巨額의 돈을 드려서 建築한 僑居 同胞의 唯一한 公的 機關인 자랑거리의 建物이다 幼稚園은 教會의 經營으로 園兒가 現在 五拾貳 名인대 만흘 때는 八十名 乃至 百名 假量 되기도 한다고 한다 保姆 두 분이 게신데 우리 一行을 가르치며 저분들은 어데서 오섯느냐고 園兒 一同에게 무른즉 어린 天使들은 소리를 가티하야 朝鮮에서 왓서요

朝鮮은 어데야? 우리나라이에요 너의들은 朝鮮이 가고 시프냐? 네 ─ 가고 시퍼요 天眞스럽고 애틋한 몃 마듸 간얄핀 소리는 異常히도 우리의 가슴을 찌르고 血管의 脉膊이 자조 뜀을 늣기게 하얏다 우리 一行은 이 어린 동모 一同과 記念寫眞을 撮影하고 園門을 나아서 求景의 거름을 재쪽하얏다 西塔附近의 朝鮮 同胞의 生活狀態調査는 明日로 미루고 城內로 小西邊門을 向하야 馬車를 몰앗다 어제 온 비에 몬지를 재우고 日氣가 快晴하야 滿洲 名物인 몬지 괴로움도 모르고 가장 愉快히 求景을 할 수가 잇섯다 英米煙公司를 엽혜 끼고 南으로 日本總領事舘을 指點하며 公園을 바라보고 龍트림에 陪都重鎭이라 大書한 小西邊門을 들어섯다 가장 熱鬧한 街衢로 人馬의 來往이 싸는 듯하야 그 雜遝함은 名狀할 수 업다 馬車는 西小門 高□廟 西에 잇는 遼寧省會救法[02]院(同善堂) 압헤 멈으럿다 이는 光緖 十一年에 左 忠莊公이 모든 主人 업는 浮財를 모아 設立한 것으로서 그 안에 貧民 醫務 孤兒 工藝의 四部를 두고 大規模 且 整備한 方法으로 經營하고 잇다 第一 먼저 본 것은 濟良所인대 이곳은 娼婦들이 抱主의 虐待에 못이겨 夜間일지라도 엇더한 方法으로든지 魔窟을 脫走하야 이곳에 와서 門만 두다리면 거두어 敎養하게 되야 이곳에 한번 드러만 오면 엇더한 일이 잇든지 잡히여 나가는 일이 업게 되어잇다고 한다 이러케 敎養된 者로써 出嫁를 希望하는 사람에게는 그 寫眞을 大門 밧게 걸어서 男便 될 者를 求하는데 志望하는 사람이 잇스면 身分을 調査하야 適當한 사람이면 結婚을 식혀준다고 한다 우리가 갓슬 때는 마침 그들의 敎授時間이엿섯다

---

02 "法"은 "濟"의 오식 - 편자 주.

그 다음 私生兒 受取하는 救生所를 보앗다 이곳은 道路로 面하야 私生兒 受取窓이 잇으니 夜間이든지 어느때던지 길을 수 업는 아이를 갓다가 窓口에 들어노면 自動으로 電鈴이 울려서 宿直하든 사람이 거더들여 乳母로 하여금 養育식혀 그 안에 잇는 學院에서 敎育을 식힌다 그런데 여기서 敎養 바든 女子로써 現在 中國 南方에서 敎育家로 有名한 사람도 잇다고 한다 그리고 이 안에 各種 工場을 두어 職業敎育을 식히며 自作自給의 道를 열어노앗스며 無料醫療 避寒 等 感嘆할 만한 社會事業의 施設이 具備되어잇다 아아 우리 朝鮮에도 有志財産家들이 이와튼 機關을 施設하야 無慘히 最後를 마치는 數千의 生民을 도와줄 수는 업는가? 同善堂을 떠나서 다음 이른 곳은 同澤女學校이다 우리가 이 學校를 본 本意는 東洋으로서는 有名한 現代 中國 新女性이 얼마만치나 活氣를 띄고 잇는가 實地로 보고저 함이다 이 學校는 現 中國 風雲의 巨頭요 國民政府 陸海空軍總司令의 重任을 메고 잇는 東北王 張學良 氏의 私財로 經營하는 學校인대 建物의 雄壯함은 말할 것도 업거니와 第一 우리 一行의 注目의 的이 된 것은 大講堂이니 中國에서는 講堂을 禮堂이라고 稱하야 室內裝飾를 華麗하게 하얏다 果然 이 學校의 禮堂이야말로 座席이며 其外 모ー든 設備가 마치 무슨 美術舘에나 들어간 感이 잇다 正面에는 中國革命의 祖父인 孫文 先生의 肖象과 遺訓 三民主義를 걸어노앗다 奉天도 只今에는 三民主義의 洗禮를 독톡히 바더서 市內 어듸나 孫文 氏 遺像이 걸려잇지 안흔 곳이 업다 講堂을 나와서 두 個의 室內運動 中 하나인 籠球室을 보게 되엇다 마침 新市街 日本人高等女學校 生徒 三百餘 名이 와서 籠球試合을 하는 中으로 부산하기 굿이 업스나 이 學校 學監은 特히 우리를 爲하야 親切한 安內를 하야준다 學生은 全部 斷髮을 하얏는데 우리나라에 잇다금 보이는 斷髮美人式이 아니라 男子와 맛찬가지로 깍가 퍽 단출하다 낫 서투른 손님이 왓건만 손가락질하고 숙은거리는 짓이 업고 거저 天然스럽게 活潑한 態度는 우리나라 女學生의 수삽한 態度는 말도 말고 男子도 또한 딸을 수 업섯다 아 ― 勇快한 中國 女性! 그는 確實히 묵은 殘滓를 아직도 腦裡에 남겨둔 우리의 눈에는 한 큰 勝矢의 對象 아닐 수 업섯다 나는 車 中에서 實際로 鳳凰城 女子中學 生徒 한 사람과 數 時間 동안 筆談을 交換해보고 그네의 지나친 發達에 놀내엿다 여기서 나와서 宮殿이며 諸 官衙 等을 巡覽하며 城內를 一巡하고 四平街의 吉順絲房에 들럿다 이 絲房은 奉天市街에서 第一 큰 百貨店이다 美術的 洋舘이 空中에 聳立하고 屋內의 풍부한 商品이며 顧客의 繁多함에 눈을 크게 뜨게 한다 商品의 陳列 賣買 方法 待客術 等을 익히 보고 屋上에 오르니 奉天 全市가 눈압헤 깔니인다 南으로 멀지 안흔 곳에 靑黃의 瓦色과 丹靑이 玲瓏한 舊式 建物은 곳 淸朝 넷 宮殿이다 이 宮殿은 淸의 太祖 及 太宗의 宮居로 崇德 二年(約 三百年 前)의 築物로써 城內의 中央에 位置하얏다 宮殿은 大體 三 區間 하야 大內宮闕(中央) 大政殿(東) 文溯閣(西)으로 分하야 其 各 區間 內에 多數의 建物이 抱含되여잇다 此等은 東西 五十五 間 南北 百四十八 間 磚壁으로 抱圍되여 東에 文德坊 西에 武德坊 中央 南部에 大淸門의 三門을 □다 大淸門은 宮殿의 正門 이 곳을 드러가면 大宮闕의 一廊으로 東에 飛龍閣 西에 翔鳳閣(共히 昔時는 文武大官의 溜所) 正面에 崇政殿이 잇다 이것은 正殿으로 皇帝가 事를 聽聞하시든 곳 北京遷都 後에도 諸帝 奉天 行幸의 後에는 朝儀를 行하엿다고 한다 殿內에는 歷代 宸筆의 偏額을 揭하고 中央에는 五[03]座가 設置되여잇고 殿前은 日晷과 嘉量이 잇다 崇政殿의 뒤에는 日華樓(皇子의 勸學所) 霞綺樓(皇女의 勸學所)가 東西에 相對하고 廚房 及 食堂이 잇섯다

---

03 "五"는 "玉"의 오식 - 편자 주.

師善齊 와 協中齊 亦 東西에 通하엿다 崇政殿 뒤의 正面에는 三層의 鳳凰樓
가 서잇다 前에 이곳에 歷代의 聖客 朝賀 行樂 等의 國寶□ 等을 尊藏하야
두엇드니 至今은 다른 곳으로 移藏하엿다고 한다 이 背後에 往時 皇帝의 便
殿이 잇든 淸寧宮이 잇고 그 東에 永福 關雎 西에 衍慶 麟趾의 各 宮이잇다
此等은 다 皇后 皇子女의 居所이엿다고 한다

(四)

大成殿의 一側에는 먼저 大政殿(八寶殿)이 잇고 重層八注造로 八角으로
되엿슴으로 俗稱 八方亭이라고 하고 王 大臣 其他 八旗官員의 議政所이엿다
고 한다 此 殿 後에는 鑾架庫 또 殿 前에 列하야서는 東側에 左翼王亭 廂黃
旗亭 正白旗亭 廂白旗亭 正藍旗亭 西側에 右翼王亭 正黃旗亭 正紅旗亭 廂紅
旗亭 廂藍旗亭이 잇고 또 一對의 奏樂亭이 잇다 文溯閣의 一側에는 文溯閣
을 中心으로도 嘉蔭堂 仰熙齋 九間殿 戱臺 等의 諸 建築이 잇다 文溯閣은 一
名 藏書樓라고 稱하고 四庫全書 六千七百五十二 函을 藏하엿섯는대 民國 三
年에 全部 北京 現 北平의 武英殿에 移藏하엿음으로 至今은 이것을 볼 수가
업다 只今은 이 宮殿 一部를 博物館으로 삼아 日曜日만 開館하고 一般 觀覽
을 許한다 한다 이 外에 奉天省政府公署를 爲始하야 張學良 氏 官舍 各 官公
署의 建物를 展望하며 廣漠無邊의 大陸 空氣에 心神을 爽快하게 한 후 屋上
에서 나려와서 그길로 곳 北郊 東北大學을 向하야 出發하엿다

東北大學은 奉天省立大學인대 學生은 約 二千 名 可量 男女共學이요 科別
은 法 經 政 敎育 農 工科 等으로 되여잇다 朝鮮人이나 日本人 學生은 在學하
는 이 아직 업는데 日本人 學生은 政治的 關係인지 入學을 許치 안코 朝鮮人
은 資格만 具備한 者이면 入學을 許諾하리라 한다 우리가 처음 들어선 곳은

理化學館인데 이는 獨逸 技師의 設計로 된 美□的 洋館이다 門에 막 드러서면 中央에 『홀』이 禮堂인데 마치 總督府 『홀』에 들어온 만치 大理石으로 된 華麗한 室內이엇다 數□과 物理化學實驗室들에서 盡心으로 하는 貌樣을 보고 整頓 잘 된 學生寄宿舍를 보앗다 中國 學校의 特色은 學生寄宿舍 施設이 完全함에 잇다 한다 이 學館 西便으로 大洋館 두 채가 잇으니 하나는 漢卿南樓 또 하나는 漢卿北樓이다 漢卿이라는 것은 張學良 氏의 號로 張 氏를 배흔다는 意味이라나! 陸上競技專用運動場의 宏壯廣大한 設備는 놀낼 만하다 運動場 周圍로 煉瓦建物이 圍繞되야 役員 先手 等의 休息 又는 事務用으로 되고 屋上에는 세멘트 콩크리 階段으로 된 座席이 數萬 名 收容에 넉넉하게 되엿는대 座席에는 木板을 까라서 椅子나 마찬가지로 되야 衛生的에도 들맞게 되야 東洋 第一이라고 자랑한다

以外에 蹴球場、籠球場 等은 七八 個所 잇서 어듸나 練習으로 滿員이다 庭球、野球 等도 하기는 하나 蹴球、籠球의 比가 안이오 힘쓰지도 안는다 學園 周圍의 넓히가 京城의 半만이나 하야 이를 一巡함에 疲勞를 感하얏다 構內에 敎授舍宅 等도 完備되여잇다 여긔를 나서서 北으로 바라보는 樹林地帶는 茫茫한 平野、黑塵都市 一隅에 唯一한 淸爽地로 四時 散來의 客이 끗임업는 北陵이다 北陵 於口에 張學良의 別邸가 잇는대 電氣鐵條網을 늘너친 것은 淸淨仙境에 類다른 殺風景이엿다 北陵은 淸朝 第二代 太宗 文皇帝의 陵墓로 隆業山昭陵이라고 稱한다 나직한 丘陵이 平原 中에 一大 森林을 形成하고 黃瓦碧瓦의 美麗한 門樓가 서잇다 崇禎 八年 建築하기 始作하야 翌 順治 元年 八月 太宗을 葬한 곳으로 陵의 境域은 周圍 二十 里 外壁 九百 間、內壁의 高 二 丈餘、小樹林의 가온대를 가면 먼저 큰 碑가 잇다 다음에 前山門에 드러가면 古松의 푸릇 빗이 짓흔 境內로서 磚道 繼續한 兩側에 石獸가 서잇으니 石獸는 豹、獅子、麒麟、馬、駱駝、象으로 특히 石馬 二 頭는 太宗의 乘馬에

根據한 것이라고 한다 그 다음에 碑亭이 잇다 안에 康熙帝의 撰에 依한 『昭陵聖德神功』의 碑文을 漢 滿 蒙의 三 文으로 색인 碑가 잇다 그 뒤에 三層樓로 된 隆恩門을 드러가면 隆恩殿이 잇서 □의 拜殿이 되여잇다 殿의 背後인 明樓에는 碑文이 잇서 漢 滿 蒙 三 體로 『太宗文皇帝之陵』이라고 썻다

　隆恩殿을 抱圍한 壁上은 廻廊과 가티 되여 四隅는 角樓가 잇다 隆恩殿 後에 明樓가 서잇고 그 뒤에 半圓形의 壁을 둘너서 圓形의 丘墳이 잇스니 이게 寢陵이다 그 寢陵에는 孝端 文皇后를 合葬하여잇다고 한다 老松의 林 靜寂한 奧津城에 石獸 點點하고 碧瓦黃瓦의 집웅 朱塗의 柱極 彩色의 斗拱과 虹梁 細密한 彫刻 等의 配合이 참으로 아름답다 特히 石門 石階 石閣 壁間 裝飾 等에 색여잇는 石의 彫刻은 볼 만한데 牌樓와 가튼 精巧 緻密한 石의 透彫는 참으로 珍珍하기 끗이 업다 그 宏大한 規模 壯麗한 建築 珍奇한 彫刻을 볼 때 淸朝의 盛旺한 文化를 想像할 수 잇다 至今 이 一帶는 公園地로써 奉天 人士의 行樂地가 되여잇다 이 西部에는 懿靖太妃의 陵墓가 잇다고 한다 해는 임이 점으러 午後 四時가 지나 馬車를 돌리어 다시 城內로 向한다 僑居同胞 有志의 周旋으로 夕飯을 中國料理를 먹게 됨이다 新市街보다도 城內料理店을 撰한 것도 純 中國의 風俗을 實驗하는 하나이다 손님 座正하면 수박씨를 갓다놋는 것이라든지 飮食을 드려오는 節次 料理의 맛 어느 것이나 朝鮮의 中國料理店에 가서 보든 것과는 딴판이다 손님을 迎送하는 기 ― ㄴ 대답소리는 朝鮮 內地에서 보는 官人의 生活을 彷彿케 한다 맛 다른 中國料理에 배를 불이고 市街의 夜景을 살피며 旅舍로 도라왓다

　翌日은 修學旅行團으로서는 이때까지 例가 업는 뒷거리 探査의 길을 나아섯다 오늘은 一行이 道步이다 于先 西塔大街로 가서 貧弱하나마 우리 同胞의 經營인 精米所 雜貨店들을 차저보고 白衣人의 表象이기나 한 듯한 西塔을 求景하엿다 奉天城 外 四隅에는 四 座의 喇嘛塔이 잇어 護國寺塔이라

일흠하는데 奉天 築城 當時의 建築이라 한다 그의 하나인 西塔은 延壽寺 境內에잇는 것으로 茫茫天空에 聳立하고 兩面에는 또 큰 獅子를 浮彫하야 古色이 蒼然하야 中國人 側에는 이 塔이 문허지는 날은 곳 이 땅이 高麗人의 것이 되고 만다는 傳說이 잇다는대 이 附近이 朝鮮人村을 일운 것도 一種 奇緣이라 할가 塔은 나날이 頹落하여가것만 在滿同胞의 迫害는 時時로 酷甚할 뿐이다 여기서 뒤로 돌아 泥海化 한 길 左右 골목 안마다 朝鮮人이 거의 原始生活에 갓가운 險惡한 住宅들이 散在하야잇다 그나마 所有 家屋은 하나도 업고 全部가 中人 日人의 行家이라고 함에는 더욱 놀내엿다 險惡한 꼴이란 보지 안흔 者로서는 想像을 許하지도 못 할 것이다 나는 구태여 이것을 그리고저 하지 안는다 奉天에 旅行하는 學生들은 반듯이 한번 보아두란 말을 할 뿐이다 그대들은 우리들을 퍽도 반갑어한다 우리는 눈물이 업시는 對할 수 업섯다 묵어운 가슴을 부등켜안고 案內하는 이의 所謂 朝鮮修學旅行團으로서 在留同胞을 訪問하여주는 者 하나 업다는 同胞愛 缺乏의 責罔을 기가 저리게 들으며 形容할 수 업는 沈鬱한 感懷를 한 아름 잔득 안고 발길을 돌녀 中國人街를 向하얏다 商埠地 北便에 잇는 北市場에 들어서니 日用物貨를 亂賣하는 雜遝熱鬧함은 거의 精神을 일흘 만하다 여기서 純 中國式 商賣風을 볼 수가 잇는데 商品은 大槪 廉價物들이다 이것은 마치 勸商場制인데 그 規模의 廣大함은 中國의 商業 制度가 自來로 發達되엿음을 說明하고 잇다 人波를 헷치고 市場을 나아서서 거리마다 露店을 버리고 싸구려를 웨치며 行人의 발을 멈친다 사람이 모인 곳이면 『招兵』이란 旗를 들고 兵丁 募集하는 襤褸에 갓가운 軍服을 입은 軍兵을 보게 되는 것도 한 異觀이오 兵隊는 말도 말고 거리에 어장거리는 巡察의 無氣力함도 寒心을 자아낼 만하다 싸흠을 仲裁하든 巡警이 마춤 空中에 날아가는 飛行機를 쳐다보노라고 입을 헤 — 벌리고 只今의 自己 存在마저 일코 잇는 模樣도 우습지 안흘 수는 업섯다 것다가 다다른 곳은 小西邊門 外皇寺이다 이는 數百 年의 歷史를 가진 古刹인데 蒙古喇嘛에 屬하는 勅建寺廟이다 그 압헤 三百十 餘 星霜를 지나 五彩 임이 剝落되엇으나 古色이 도리여 多趣인 東碑樓의 얏슥하게 된 建物은 날아갈 듯하얏다 遼寧省 總砧[04]이 될 瀋陽驛의 宏大한 新建築을 北으로 指點하며 小西關北 電車路를 沿步하야 第一商場에 들어섯다 여기는 먼저 본 北市街보다 멧 倍나 더 繁昌하다 억개를 부바고 나와선 우리 一行은 熱鬧한 市井에 緊張된 頭腦를 暫時 休養하기 爲하야 疲勞한 다리를 끌고 小西門外 太清宮으로 드러섯다 이는 老子를 師祖로 하는 道教와 東三省 總本山인데 建冠道服의 常□ 道士 百餘 人이 잇다 朝夕으로 道經을 외우고 寡慾恬情으로 神仙을 理想한 곳이다 清淨한 멋이 市街 한복판에 商世界를 일우어노앗다 境內에 前清 康熙 乙酉年에 建築한 塔이 잇는대 康熙帝 勅選의 額文이 붓헛다 本宮住持 葛月譚 氏는 七十五의 高齡으로 書畵의 名人인데 때맛츰 旅行不在로 만나지 못하고 그의 힘잇고 端稚한 筆致만을 보고 欽仰하얏다 여기서 大西關으로 돌아 大西邊門外 公舘 地帶로 거름을 옴긴다 郭松齡 戰時의 經驗으로 日本市街 近處의 安全함을 차저 여기다가 中國 大官의 數多한 邸宅을 構設하야 一大 公舘街를 일우엇다 그 邸宅의 宏壯함은 喫驚치 안을 수 업다 東北軍閥은 다 여기에 모히엿는데 一人의 私邸가 京城府廳만큼 한 窮奢極侈한 洋舘이 櫛比하다 一個 縣知事의 舍宅도 朝鮮總營 官邸보다 엄청나게 훌륭하다 이런 집이 數百 戶인데 只今도 작고 起工 中에 잇으니 얼마나 만히 지흘터인지? 中國 勞動者의 一日 貸銀은 日貨로 치면 二十五 錢이다 一日 食代가 五 錢이면 된다 한다 아 — 그 階級의 差異 特殊함이 이에서 더 할수 잇을가 中國 軍官의 民衆의 膏血 搾取함이 얼마나 甚한지는 說明을 기대할 것도

---

04 "砧"은 "站"의 오식 - 편자 주.

업다 여기서 조금 거르면 鐵道附屬地에 일은다 奉天驛으로 直通한 千代田大街이다 午後 四時 半 이기서 李 先生任은 僑居知友들의 歡迎晩餐會에 臨席키로 하고 十間房 方面으로 行하시고 우리에게는 自由行動의 機會가 이르럿다 一行 中에는 滋味스러운 計劃도 만흔 貌樣이나 나는 疲勞함을 쉬기 爲하야 千代田通 □□□□□□□□□ 奉天大合戰에 陣沒한 忠烈將卒 六萬二千八百四十 人名의 納骨堂인 忠魂碑를 보고 直行하야 驛前 旅舍에 도라와 묵어운 다리를 펴버리고 明朝 撫順行으 꿈꾸며 安息에 나라로 드러갓다(끗)

—『朝鮮日報』, 1930년 12월 24일 ~ 28일, 4회 연재

間島紀行

金起林

一

『間島 大事變 突發』! 이라는 一 枚의 電報는 朝鮮 內地 各 新聞紙의 記者를 吸引하기에 充分한 『팻슌네이트[01]』한 音響이엇다 京城으로부터 一路 兩千 里 動亂의 外國 都市인 龍井을 向하야 우리들은 가슴 한 쪽에 一種의 焦燥와 恐怖를 늣기면서도 或種의 職業的 興味에 끌려 四十餘 時間이라는 支離한 時間을 車 속에서 보내면서도 오히려 汽車가 너무나 緩慢한 것을 恨嘆하엿다 일즉부터 어린 가슴을 졸이게 하는 憧憬의 都市를 눈압헤 그려보면서 車窓 밧게 展開되는 東海 沿岸 一帶의 絶景에 快哉를 速發하기도 하엿다 水平線의 저쪽까지 우리들의 視野를 가득히 채우며 드놉흐게 펴저잇는 東海의 푸른 한울을 우헤 이고 흐늑이는 一望無際한 深碧의 東海水! 變化無常한 海岸線 의 奇巖絶壁에 『永遠의 嘆息』처럼 애닯게 몸부림치고는 눈꼿자[02]치 스러지 는 물결을 차며 여울을 떠나는 沙工의 한 쪽배는 바다가에 흔들리우는 한 가락 微風에 밀리며 구슬푼 배노래를 실고 水平線으로 向하야 흘런간다

---

01 "팻슌네이트": passionate - 편자 주.

02 "자"는 "가"의 오식 - 편자 주.

×

　鐵路는 東海의 一角 淸津港에서 꺽기여서 西北便으로 方向을 밧군다 列車는 숨차게 헐덕이며 차츰 東海水를 등지고 山谷僻地를 뚤코 기어오른다 바다의 淸瀟한 景槪도 興味잇거니와 長蛇의 鐵車를 허리 구버 마저주는 會寧까지의 山川은 바야흐로 新綠이 무르녹어 無盡藏의 自然의 恩惠로써 우리를 祝福한다 그 위에 우리는 바다에서 일즉히 經驗하지 못한 一種의 崇古한 威壓에 눌리는 우리들의 너무나 적은 가슴을 發見하엿다 咸鏡線 列車의 포군한 『쿳숀』을 哀惜하게 버리고 會寧서부터는 狹隘한 國境 輕便車에 몸을 실엇다 이 線의 車에는 一等과 二等 客車뿐이고 三等車는 업섯다 그 德分에 우리들은 分數에도 업는 一等車의 貴客일 수 잇슴을 幸福스럽게 생각하고 터저 나오는 우슴을 목 넘어 삼키기에 苦心하엿다 그러나 이 車의 一等 客은 京義、京釜、咸鏡 各 線의 一等客車에서 우리들이 어더 보는 呂宋煙을 半쯤 입에 깨물고 十八金테 眼鏡을 코 우에 놉히 건 배ㅅ장이 불숙한 『부르조아』는 아니다 車掌과 『벤도장사』 國境警備線을 往來하는 『피스톨』 찬 巡査 따위다 그래서 우리들도 그들 속의 한 사람이 되엇다 會寧서부터 以北은 線路가 늘 豆滿江을 끼고 달닌다 이곳서부터 山川은 새로운 興趣를 가지고 우리를 對하엿다

×

　豆滿江을 에워싸고 兩岸에 한울을 가리울 듯이 드놉흐게 소사잇는 天險의 高山峻嶺이 드리우는 濃厚한 陰影을 담고 油油히 흘으는 검푸른 江물은 무엇을 낫설은 高麗의 子孫에게 이야기하려고 하면서도 그만 무거운 沈黙

기행문Ⅰ　465

속에 永遠의 河床을 十年을 一日가티 밋그러지는 너 豆滿江이여 나는 너를 나의 北方의 戀人이라 불을가? 모다 고요한 죽움과 같은 雰圍氣다 말할 수 업는 憂鬱! 이것이 일즉이 우리들의 시인 巴人[03]이 읍소리든 國境 情調인가 우리의 귀에는 누더기 보꾸레미를 둘러메고 男負女戴하야 이 江을 건너는 流浪民들의 어지러운 呼哭 소리가 들니는 것 갓다

二

會寧서 車를 탄 지 約 네 時間 後에 우리들은 豆滿江을 바로 건넌 江岸의 첫 역인 開山屯(一名 지방)이라는 곳에서 日本帝國에 屬한 列車하고도 完全히 關係를 끈엇다 이곳부터는 적어도 名義上으로만은 鐵道도 住民도 行客도 그리고 그들의 自由도 모ー다 中華民國의 法律에 制限되며 그 自主權의 範圍에 屬하엿다고 한다 여기서부터 우리는 일즉히 耳目에 經驗치 못한 새로운 音響과 情景에 打擊 밧고야 만다 至極히 平民的이고 아주 주착이 업는 中國 警官 우리들의 鼓膜을 에워싸고 攻擊하는 것은 어지러운 中語의 亂調의 交錯이다 그리고 아직도 封建的 英雄主義를 꿈꾸는 사람들은 맛당히 天圖鐵道[04]의 車掌이 될 것이니 그리만 하면 적어도 二十分의 一 米突 幅 金테 두른 帽子를 三十五 度의 急角度로 기우려 쓸 수 잇스니 이곳의 車掌의 衣裳과 威嚴은 참으로 霜雪과 같은 것이다 그리고 여기서부터는 大陸의 말할 수 업시 深奧한 情調에 『쇽크』를 받고야 마나니 우리는 靑春의 銳敏한 神經을 흔들어놋는 엇던 달콤한 誘惑을 否定할 수는 업섯다

---

03 "巴人": 시인 김동환(金東煥, 1901~?) - 편자 주.

04 "天圖鐵道": 텐바오산(天寶山) - 투먼(圖們) 철도 - 편자 주.

國境의 한울을 무겁게 나리눌으는 식검언 구룸장조차 말할 수 업는 憂鬱을 우리의 마음에 심어놋는다 江面을 스처오는 찬바람 사히에는 콩알 갓흔 비방울조차 석겨서 얼골의 皮膚 우헤 딱금한 觸感을 남긴다 零下 三〇餘 度의 酷寒의 남은 毒氣는 五月 端午인 지금까지도 남아잇다 나는 『삿보로 비루05』箱子 갓흔 天圖鐵道의 一等 客車 한구석에 몸을 옴크리고 서울을 떠나 二千 里 밧긴 北國의 아득한 눌가06에서 떨고 잇는 외로운 나그내의 몸인 自身을 늣기고 一種의 『쌘티멘탈』한 哀愁 속에 잠기고 말엇다 車는 다시 江岸을 등지고 大陸의 心臟에로 向하야 出發한다 一等 客車를 占領하는 얼골은 如前히 中國 巡更과 金테 두른 帽子 아래서 눈쌀을 左右로 굴리며 百『퍼센트』의 威嚴을 散布하는 車掌 그리고 중국 飮食장사다 이곳 巡警의 神經은 極端으로 弛緩하여잇다 彼等은 大體 車內의 警戒를 하기 爲하야 存在하는 것인지 그보다도 一等 客車에 無賃으로 往來하며 水瓜씨를 깨먹기 爲하야 단니는 것인지 나는 그 區別을 完全히 캐지 못하야 머리를 흔들엇다 지금 그들과 내가 탄 車는 바로 恐怖와 動亂의 都市 中心으로 突進하는데 無邪氣 그것 갓흔 이번의 大事變이 맛치 그들의 警備의 圈外에 屬한 듯이 無關心하다

×

나는 金테 두른 車掌을 얼마 잇지 아니하야 갓흔 우리 兄弟의 한 사람인 것을 알고 깃버하엿다 그의 말에 依하면 天圖鐵道의 車掌은 우리나라 사람이 만타고 한다 그는 玆洞이라는 곳을 지날 때에 鐵橋의 군데군데 새 枕木을

---

05 "삿보로 비루": 일본산 '삿포로' 맥주 - 편자 주.

06 "눌가"는 "하눌가"의 오식 - 편자 주.

간 것을 가르치며 이것도 이번에 共産黨이 불살은 것이라고 일러준다 조금
지나서 바로 눈 아래 이곳에서는 흔히 볼 수 업는 큰 建物의 燒跡이 시산하
게 구버보히니 이것도 亦是 이번 事變에 犧牲이 된 湖泉街의 普通學校라고
한다

×

이곳서부터는 도시 놉흔 山은 볼 수가 업다 멀 ─ 리 地平線으로 向하야
굼실거리는 緩慢한 曲線을 이루는 나진 山은 모 ─ 다 노랏케 開墾하엿스며
군데군데 나진 灌木으로 덥힌 데가 잇슬 뿐이다 지금으로부터 百 年 前까지
도 이 附近 一帶의 地는 한 아름식 되는 闊葉樹가 삼 서듯 하엿스며 野獸의
떼와 凶暴한 胡賊의 무리의 活舞臺이든 곳을 朝鮮의 移住民의 손으로 이만
치 開拓한 것이라고 한다

三

듣고 보니 沿線 一帶의 沃野千里에는 가엽슨 우리 農民의 피와 땀이 얼마
나 심어잇슬가? 그리고도 오늘날에도 그들의 生活은 中國 地主의 暴戾한 搾
取와 壓迫 아래서 一條의 光明도 發見치 못하고 生命의 安全조차 保障할 수
업는 慘憺한 地獄의 生活을 繼續하고 잇다고 한다 車는 어느덧 山허리의 驛
砧에 긴 숨을 내쉬고 멈처섯다 눈 아래 골작에는 約 百 戶 남짓한 우리 移住
民의 집웅이 아름답게 구름 사히를 새어 흘으는 날카로운 光線을 反射하며
누어잇다 洞內의 남쪽 언덕 우헤는 數百을 헤일 우리 農民 男女가 곱게 단장
을 하고 鞦韆들을 복판에 바라보며 둘러 서잇다 風霜 만흔 異域의 焦土에서

도 故國에서 지내든 즐거운 端午놀이의 녯 기억을 忘却할 수 업서 아마도 이 날이 端午라고 鞦韆大會를 연 것인가 보다 나는 금방 뛰여 나려가 그들을 한 사람 한 사람식 껴안어주고 십흔 엇더한 本能的 衝動을 늣기엇다 곳을 물으니 懷慶街라고 한다 오! 『회경개』의 兄弟의 머리 우헤 언제나 黎明의 아름다운 햇볏히 고요히 祝福할고?

一 高麗人의 胸廓을 채우는 一萬感懷를 無視하고 滿洲의 車는 다시 北으로 北으로 기여간다 이곳 客車에는 便所가 업스니 그것은 누구던지 大小便의 必要가 잇으면 언제든지 車에서 뛰여나려서 大便이나 小便을 보고는 다시 쫏처와서 車에 뛰여올 수 잇는 까닭이라고 한다 至極히 簡便하다 設備의 必要도 업고 냄새도 除하고 沿線의 田土에 肥料도 供給하고 참말 北滿洲가 아니면 차저볼 수 업는 大陸式이다 이럿토록 이곳 車는 이곳의 느러진 山川과 같이 느러진 것이다 나는 서울서 때때로 必要를 느낀 『飛乘』과 『飛降』을 練習할 絶好의 機會라고 생각하고 充分히 練習하엿다 이러한 印象들이 이윽고 나의 마음에 大陸이라는 알 수 업는 神秘를 銘感식히고야 만다 나는 어느 사이에 차츰차츰 擴大되여 가는 思惟의 範圍와 膨脹해지는 胸幅에 놀라지 않을 수 업섯다 大陸의 氣分은 어느 틈에 그 품속에 뛰여든 한 개의 微微한 生物을 그 環境에 適合하도록 大膽하게 만들어 준 것을 나 自身에서 發見하엿다 ― 그것은 아모러한 急激한 變遷에도 그렇게 迅速하고 銳敏하게 反應하지 안는 惰性的인 마음이다 ― 이러한 때문에야말노 北滿의 天地는 中世紀의 韓土 『로맨쓰』가 아직도 그대로 살어잇고 이번 事變과 가튼 큰일도 茶飯事처럼 일어나는 모양이다

우리들이 北間島라고 불으는 東滿 地方은 세 개의 寶庫를 가지고 잇스니 龍井平野와 局子街平野와 頭道溝平野가 그것이다 이 세 平野에서 生産되는 農産物이야말로 每年 五百萬 石 以上식 日本에 『마이너쓰』 당하고 不足되

는 朝鮮 內地의 一千五百萬 中農 以下의 無産農民의 糧食을 供給하는 巨大한 倉庫인 것이다 나는 車窓 밧게 展開되는 綠色의 기름이 흐르는 龍井平野를 耽하야 바라보며 그 우에 秩序와 生長의 自由의 土臺에 세워질 새로운 來日의 間島를 그려보면서 그러고 여긔야말로 우리들의 甦生의 起點이 아니면 아니 되리라고 생각하며 아름다운 希望과 幻想 속에 完全히 나 自身을 니저버리고 잇슬 때에 親切안 車掌은 나의 억개를 가볍게 흔들어주엇다 『龍井에 다 왓서요』愛嬌에 넘치는 微笑를 석거 이러케 일러주는 그의 視線을 따라 왼便 車窓을 바라보니 曠野의 一隅에 검어케 腿[07]色된 벽돌 사이 뾰족뾰족 보힌다

四

그는 다시 오른便 車窓을 밀고 멀리 물결치는 나진 언덕 우에 우뚝히 주제넘게 솟아잇는 山 하나를 가르키며 帽兒山이라고 일러준다 『帽兒山 ― 帽兒山』― 나의 가슴은 쓸아린 『리롭』에 떨리는 急激한 痙攣을 늣겻다 일즉이 내가 어더들은 그 山에 屬한 애닯은 이야기를 나의 記憶은 回想한 것이다

이야기는 지금으로부터 十 年 前 넷날에 돌아간다 同業 東亞日報社의 一 特派員으로 이곳에 들어온 秋松 張德俊 先生은 그 어느날 새벽 突然히 그가 留宿하고 잇던 × 牧師의 집을 나와서 飄然히 馬上에 올라안젓다 先生은 × 牧師의 懇曲한 挽留를 固辭하고 悲壯한 決心을 말하는 가벼운 微笑를 남기고 惚惚히 말을 달리어 戰地로 從軍하엿다 그는 四五 名의 某國 軍人과 함께 바로 帽兒山을 넘어갓다

---

07 "腿"는 "退"의 오식 - 편자 주.

╳

　그리하야 그 山허리에서 말에서 나리는 先生을 본 사람까지는 잇다고 한
다 다음 瞬間에 戰地를 쏴오고 쏴가는 彈丸이 어지럽게 東滿의 天地를 채울
때 그 속에는 確實히 先生을 겨누고 放射된 一 發의 彈丸이 석겨잇서스리라
고 한다 이리하야 秋松 先生은 北方에 갓던 기럭이가 벌서 열 번을 거듭하야
江南으로 돌아오건만 年年히 나리고 덥히는 눈과 모래만 그가 밟고 간 이 曠
野의 우헤 겹겹이 싸히고 싸힐 뿐이고 떠나간 이 길을 두 번 밟고 돌아오는
그의 발자곡을 기다리는 사람들의 가슴만 부질업시 타고 잇슬 뿐이다 그리
하야 오늘도 永遠의 沈黙을 직히는 帽兒山은 생각 무겁턱 게[08]을 고히고 그
발을 씻는 海蘭江 恨 만흔 물결만 구버보고 잇다

╳

　코를 찌르는 阿片 냄새 석긴 剛烈한 惡臭와 끔임없는 激動에 시달린 神經
과 온몸에 남은 시들시들한 疲勞에 스스로 憤慨하면서 나는 天圖鐵道의 貧
弱한 客車를 앗김업시 차버리고 憂鬱 그것과 같은 어둠침침한 龍井驛의『出
口』를 차저 늘어선 사람들 속에 석겻다 나는 문어구에서 驛夫를 붓잡고 무
어라고 몰을 말을 중얼거리는 陰險한 사나히를 發見하얏다 그의 尖銳한 눈
동자는 실음업시 灰色 眼鏡을 넘어서 굴르고 잇다 그 위에 나는 나의 얼골과
몸 우에 어물거리는 그의 不愉快한 視線을 늣겻다 나는 그 눈이 放射하는 그
야말로 萬國 共通한 特色과 그래서 엇더한 部類의 人種에 屬하얏다는 것을

───────────

08 "턱 게"는 "게 턱"의 오식 - 편자 주.

直覺하엿다 그리고 곳 일즉히 이곳에 와잇던 X 君에게서 어어[09]들은 中國 警官에게 對한 最上의 戰術을 記憶하고 나는 『한개한 溫順한 敬禮』를 그에게 『푸레센트[10]』하기에 吝嗇하지 안엇다

五

그리햇드니 果然 그의 얼골의 嚴肅은 破顔一笑 어대로 一過하고 내가 그에게 준 敬禮보다도 더 溫厚한 敬禮를 그 우헤 好意에 넘치는 微笑를 더하야 돌여보내고는 無難히 通過식혀주엇다 나는 『멘솔레담[11]』보다도 더 效力이 迅速한 이 『戰術』의 可能性과 安全性에 놀내는 同時에 이러케 『敬禮』에 주린 中國 警官 側에 차라리 同情할 생각이 난다 이에 압흐로 龍井에 발을 드려노흘 旅行者에게 注意하노니 諸君이 萬若에 旅館 가튼 데서 차저온 中國 警官을 맛날 때는 넉 업시 일어나서 敬禮를 할 것이니 그리만 하면 그 敬禮는 어지간한 不察은 쓰서버릴 것이다 그럿치 안코 그냥 房에서 딩굴고 몰으는 척 하다가는 即時 그들의 무서운 발길의 洗禮를 밧고야 말 뿐 아니라 한번 그와 同行하야 그들의 商鋪局(경찰서)에 불려만 가면 『문특세』若干 元은 밧치고야 돌아올 것이다 거긔는 三民主義의 憲法上으로 暗黑과 署長의 一發한 命令이 더 威嚴과 實行性을 伴하는 것이다 그러므로 中國에 未熟하고 中國이 生疎한 사람은 이 最上의 防禦線인 『敬禮』라는 戰術을 미리 習得할 것이다

驛口를 겨우 버서나서 넓고 爽快한 大氣를 한숨에 가슴 하나 드리켜고 나

---

09 "어어"는 "어더"의 오식 - 편자 주.

10 "푸레센트": present - 편자 주.

11 "멘솔레담": 미국산 Mentholatum 진통제 - 편자 주.

니 多少間 心身에 돌아오는 元氣를 가다듬어 가지고 우리 支局을 차저가려고 하는 瞬間 나는 수 몰을 너저분한 방울 찬 馬車들의 包圍 속에 馬車夫의 總攻擊을 바닷다 그러나 初面江山인 이곳이라 우리 支局이 어대 가 부튼 것은 姑捨하고 東西를 分別하지 못하겠다 不得已 節槪를 굽허서 지나가는 襤褸한 馬車 하나를 붓잡아 탓다 어댄지는 몰라도 지나노라니 數千 群衆이 모혀서 무슨 노리를 하느라고 야단이다 後에 알어보니 市民『그라운드』에서 蹴球大會가 잇슨 것이라고 한다 나는 내 自身이 이곳에 뛰여든 目的을 疑心하지 안을 수 업섯다

六

『大體 엇진 일이요? 그래 爆彈이 바로 龍井 中央에서 터지고 發電所를 깨엿느니 엇잿느니 하드니 거짓말이요?』 나는 龍井 市民의 이러한 漫然하고 快活한『노리』를 볼 때 아모래도 무슨 여호에게 속혀서 부질업시 뛰여든 것 가태서 馬夫에게 물엇다

『네 그리햇지요 電氣도 간밤부터 쓰지만 이전보담 아주 빗희 弱해요 本來 機械는 모다 부스리지고 날근 機械를 臨時 걸어노앗답니다』

『그래 爆彈도? 放火한 것도?』 나는 한꺼번에 물엇다

『그럼은요』馬車夫는 한눈을 파는 말에게 精神 차리게 하느라고『씩 ─』하고 채찍 하나를 울리면서 어떤 十字길을 北으로 꾸부러지며 고개를 꺼덕인다

『그런데 웬일요 거긔서 저러케 모혀 노는 것을 보면 아모 일 업는 것 갓해”

『네 ─ 龍井사람은 아주 그까짓 일에는 익숙해서 아무럿치도 안치요 그러나 警戒는 아주 甚하지요 밤 여덜時니까 우리 時間으로는 아홉時지요 이때

만 되면 거리에서 行人의 자최가 업서요 지나단니다가는 모통이 모통이마다 派守 보고 잇는 中國 軍人이 칼을 꼬즌 銃 끗흘 가슴에 대고 『쉬야[12]!』 하고 소리지른답니다』

『저런 그래 찌르기도 하나?』

『쏘지요』

나는 수상한 馬車夫에게 무수히 威脅을 받고 가슴을 눌러보앗더니 가엽시 腦[13]廓 밋헤서 心臟이 투닥거린다 그 우에 이 馬車夫는 우리 支局을 잘 몰라서 작구 헤매고만 잇다 밧글 내다보니 아닌 게 아니라 모통이마다 銃을 걱구로 든 灰色 服裝 한 中國 軍人이 우둑허니 서잇다

大地 우헤는 쓸쓸한 어둠의 나래까지 고요히 나리 덥힌다 끗업는 曠野의 우헤 뜬 드놉흔 黃昏의 銀灰色 한울에는 외로운 별 하나히 어느새 눈을 뜨고 깜박어리며 오슬오슬 떨고 잇다

나는 아홉시로 向하야 쫏(刻)고 잇는 時計의 秒針을 원망스럽게 나려다보며 지금 당장 나의 가슴 압헤 날이 싯퍼런 칼끗이 낫하나서 『쉬야 ─』 하는 中國 軍人의 지치벅 高喊소리가 떨어지는 것 가태서 자리에 부튼 엉덩이가 점점 뽀죽해진다

아홉 시가 거진 갓가웟슬 때에야 우리의 馬車는 五層臺通을 北으로 가서 엇던 좁은 뒤골목에 멈춰섯다 支局長의 『로이드』眼鏡이 낫하낫다 先生의 주선으로 거긔서 멀지 안흔 龍雲旅館이라는 客主에 찬 땀에 식은 行裝을 품[14]어노앗다

---

12 "쉬야": 중국어 "誰呀(누구야?)"- 편자 주.

13 "腦"닌 "胸"의 오식 - 편자 주.

14 "품"은 "풀"의 오식 - 편자 주.

豫測할 수 업는 不安 恐怖와 容恕 업는 冒險的 活動만이 우리를 기다리는 龍井의 第二日의 아츰 해를 向하야 그 前날 나와 前後하야 이곳에 들어오신 우리 社의 朴 兄과 나는 北滿의 첫날밤을 무수한 어지러운 꿈에게 虐待밧고 아직도 疲困이 채 풀리지 안흔 팀팀한 눈을 떳다

머리맛헤 놓인 民聲報 間島日報 間島新報는 『놀라운 共産黨의 陰謀』에 關한 記事로써 第一面의 全 紙面이 파뭇첫다 — 第一 먼저 鐵道를 破壞하고 電線을 切斷하고 龍井 市街의 發電所를 破壞하야 全 市街를 暗海로 化한 後 數 個의 米國制 龜甲式 爆彈으로서 全滅식히고 東滿 一帶에 神經系統과 가티 散布되어잇는 民會와 輔助書堂(普通學校 支校)을 撲滅하려고 한 (領事館 福井 署長의 談에 依하면) 前例에 업는 組織的 計劃이엿든 것이다

그들의 『콤뮤니즘』에 依하면 民會는 ××帝國主義의 滿洲에서의 有力한 吸盤이며 補助書堂은 宗敎와 同樣으로 生長하려는 어린 『제너레이슌』에게서 潑㵂[15]한 生命의 火焰을 去勢하는 阿片과 같은 痲醉劑이며 防火器라고 한다 우리들이 間島에 들어갓슬 적에는 心을 빼지 안은 龜甲式 爆彈은 소리만 크고 東拓의 두터운 유리窓 十七 個를 깰 뿐으로 失敗를 깨달은 그들은 辛酸한 短銃 소리만 어지럽게 깊은 밤 大空에 남기고 어대로인지 살아지고 만 뒤다 巨大한 破壞力을 가진 可驚할 陰謀의 暴發이 沙漠의 暴風과 갓치 지나간 뒤의 荒凉한 痕跡만이 남아 잇다

그러나 어느 瞬間에 어느 모퉁이에서 엇터케 일어날지 모르는 事變의 移動을 모든 瞬間에 銳敏하게 攝取하야 焦燥해하는 우리 內地 兄弟에게 알리

---

15 "潑㵂"는 "剌"의 오식 - 편자 주.

지 안흐면 아니 된다

附與된 『일』에 對한 時間的 使命을 다하지 안으면 아니 되는 우리는 이윽고 새 솜처럼 시들시들해진 몸에 채를 加하야 全身의 神經의 末端까지를 緊張시켜가지고 動亂의 龍井에 直面하기 爲하야 旅館 문을 나섯다

七

滿洲의 時計가 午後 한時를 첫다 우리 時間으로는 바로 두時다 우리는 오늘 하로의 『特派使命』에서 解放되엿다

支局長 K 先生을 들추어가지고 龍井市를 西南으로부터 東北으로 싸안고 흘으는 海蘭江이 시원한 바람을 마시려 나갓다 今春 以來의 旱魃에 씹히고 빨리어 兩岸을 채우고 흘렀다는 江물은 겨우 깁흔 河床의 밋바닥을 씻고 밋그러질 뿐이다 량편 언덕에 늘어선 푸른 빗 깁흔 줄버들의 무거운 그림자가 大陸의 낫게 드리운 한울에 피를 吐하는 붉은 오후의 太陽 아래 沈沈하게 조을고 잇다 이 쓸쓸한 風景을 더욱 慘憺하게 하기 爲하야 老頭溝로 가는 天圖鐵道의 十八世紀的인 너무나 十八世紀的인 검게 탄 木橋가 량편 언덕을 『마티쓰[16]』의 툭한 線과 같이 原始的인 線으로 꾀매고 잇다 이 海蘭江의 永遠한 抱擁 안에 不可思議한 存在 龍井이 可驚할 事變을 밤마다 어두운 별 아래 비저내며 누어잇다

×

---

16 "마티쓰": 프랑스 화가 Henri Matisse(1869~1954) - 편자 주.

上流를 멀리 바라보면 古色이 蒼然한 龍門橋가 누어잇는 그 너머 間島의 內金剛 飛岩[17]의 絶景이 憂鬱한 背景을 일우엇다 西北으로 平康嶺 나진 마루턱이 끗난 곳에 馬蹄山이 웃둑히 龍井으로 기우러졌고 그 넘어 世三山 놉흔 峰이 斷然히 뭇山을 壓頭하고 低空을 어루만지고 잇다 平康嶺 南端을 가로막고 안진 一松亭 봉오리는 古節을 자랑하던 소나무도 녯이야기 지금은 마른 거루만 남어잇다 한다 이리하야 間島에 남어잇든 最後이며 唯一한 소나무도 다만 一松亭 일흠 속에만 살어잇다

우리는 木橋 우흘 걸어보앗다 江가의 깊은 버들 밧 속에 수업는 달콤하고 애처러운 이야기를 想像하면서 — 들으면 여긔는 龍井의 젊은 男女의 사랑의 아름답고 설어운 속삭임이 버드나무 사희사희마다 잠겨잇다고 한다 海蘭江 푸른 물속에는 恨 만흔 사랑의 『로맨쓰』가 얼마나 잠겨잇는가? K 先生은 江가의 버드나무 하나를 가르치며 그는 그 나무에서만 목을 매여 죽은 女子만 셋이나 안다고 한다 나는 이 다리 위에 마지막으로 그림자를 드리우며 자랑스러운 北方의 여자의 타올으는 情熱 속에 最後의 瞬間을 파무들 수 잇는 幸福스러운 男性의 얼골을 눈압헤 그려보았다

八

우리들은 魅惑에 가득한 버들 밧 속을 걷고 십흔 誘惑에 엇던 달콤한 衝動을 禁치 못하엿다 나무그루마다 이 속에서 일우어질 수 업는 戀人들이 그들의 燃燒하는 瞬間의 사랑을 記念하기 爲하야 색여노흔 글자들이 해와 함께 잘러서 뚜렷하게 空間에 浮彫되여잇다 넘우나 異性에 祝福밧지 못한 세

---

17 "飛岩": 용정시(龍井市) 서쪽 교외에 있는 산. 한자로는 "碧岩"으로 적는다 - 편자 주.

그림자는 이러한 『에로틱』한 背景에는 아주 不自然하엿다

우리들은 거리로 나왓다 어린애와 가티 驚異에 가득한 透明한 視線과 ×
×의 말을 빌면 不穩한 意氣에 넘치는 市民들의 얼골이 거리의 젓빗 大氣 우
에 떳다가 꺼진다

이날 大成學校 마당에서 槿友支會의 全龍井鞦韆大會가 잇엇다 無慮 千
餘의 群衆 속에서 最大限度로 뽑내는 北方 女子의 勇氣를 우리는 參觀하는
光榮을 어덧다

×

朝鮮 內地의 新女性 諸君!

北方의 女學生은 人造絹을 몸에 거는 不名譽를 알고 잇다 그래서 諸君 中
의 『푸틔뿌르[18]』의 婦人들이 자랑스럽게 녁이는 그 엇던 舶來品 化粧品의 外
國名을 몰으는 無識을 決코 輕蔑하지 안는다 차라리 이 種類의 無識에 一種
의 自尊心을 가지고 잇다 그들의 얼골은 일즉이 和製白粉으로서 더렵혀본
일이 업시 自然 그대로의 붉은 血潮에 타고 잇다 그들의 두터운 입술은 엇더
한 口紅(구지베니[19])로서도 물들여지지 안코 그네들의 心臟과 가티 붉다 수
수빗 『마유즈미[20]』로써 『클라라보우[21]』를 模倣하지 못하는 그들의 눈섭은
曠野의 眺望과 가티 憂鬱하게 그리고 大膽하게 쏘는 것 가튼 둥근 그들의 검

---

18 "푸틔뿌르": petit bourgeois- 편자 주.

19 "구지베니": 일본어 ぐちべに[口紅], 립스틱 - 편자 주.

20 "마유즈미": 일본어 まゆずみ[まゆ墨], 눈섭 그리는 먹 - 편자 주.

21 "클라라보우": 미국 영화배우 Clara Bow(1905~1965) - 편자 주.

은 눈망울 우에 걸려잇다

朝鮮 內地의 新女性 諸君

터저 올으는 血壓으로 皮膚의 모 — 든 面이 찌여질 듯이 膨脹한 諸君의 同性 北方의 女學生들은 밋근하고 가는 다리를 가지지 안엇다 기둥과 같이 툭툭하고 튼튼한 다리로 彈力에 가득한 曠野와 地面을 反撥한다

×

『그네』 줄을 툭이는 힘 잇는 그들의 팔둑에 一種의 『不品行性』을 認定하고 낫흘 찡그리는 이와는 딴 部類의 一群의 粉面油頭의 人造絹을 둘른 女子들을 보앗다 그것은 틀님업시 內地 『푸티·부르²²』 婦人의 延長이다

모 — 다 그들은 ××官廳이나 公廳에 間接으로 屬하야 ××帝國 外務省의 支出에 依하야 飼養을 받고 잇는 尊敬스러운 『레듸 —』다

未來 — 不斷의 誕生 — 를 約束하는 北方 女性들이 굿세인 걸음이여 끗이 업시 健全하여라

×

曠野의 어느 곳 一端에 低氣壓이 出現한 모양이다 西北으로 달여오는 한 줄기 强한 바람은 陰沈한 구름장을 휘몰아다가 龍井 上空을 나리덥는다

우리들은 蹴球大會場에서 만난 中外의 洪 兄까지 함께 되어 영국덱이(山名)로 올러갓다

---

22 "푸티·부르": petit bourgeois - 편자 주.

龍井의 낫(晝)을 밝히는 太陽은 늘 이 山을 넘어 떠온다 눈 아래 펴지는 四千餘 戶의 都市 ─ 이 거리의 主權은 비록 外國 政府에 屬하엿스나 住民의 八 割은 朝鮮 兄弟들이라 일즉히 이 都市의 建設의 事業에 參與하야 만흔 피와 땀을 일흠 업시 犧牲한 것은 勿論 朝鮮 兄弟엿다 그리고 그들의 子孫은 市外 東南의 土城堡를 비롯하야 滿洲 一帶의 荒野에 流浪하는 때에 그들의 祖先의 生命을 먹고 자란 이 都市는 늘 새로운 市民을 빨어드리며 一方 낡은 市民을 排泄하야 不斷히 新陳代謝의 作用을 營爲한다고 한다

九

언덕 우헤 平坦한 넓은 곳 뭇 풀이 욱어진 그 아래는 이 都市에 들어왓다가 목숨을 일흔 수업는 일흠 몰을 사람들의 무덤이 누어잇다 그리고 그들의 屬한 人種과 階級과 方面의 多種多樣을 表示하는 各種의 墓標와 十字架 ─

첫 어구에 일즉히 白露時代에 領事로 왓다가 世上이 밧귀자 失意하고 여긔서는 亡命 中에 목숨을 일흔 氣象學者『두도위코푸』(不明)의 虛無와 가티히고 큰 十字架 ─ 그리고 『베비、알벨』君 ─ 等等 이들의 亡靈의 歎息처럼 풀밧흘 끄치는 바람소리 ─ 그들의 祖國을 그리우는 恨 만흔 『쎄레나 ─ 드』의 흐늑이는 울음소리와도 갓다

×

山上의 墓地의 墓標의 面面과 가티 龍井이 包容하는 市民의 外延도 그러케 多樣性을 띄고 잇다 그리고 不透明한 市街의 空間에 浮沈하는 얼골들은 날마다 그 얼골이 그 얼골이 아니라 한다

나라를 쫏긴 亡命者 ─ 脫走者 ─ 破産者 ─ 白系露人의 令孃들 ─ 失業群 ─ 그리고『콤뮤니스트』最後로 密偵 ……

　平凡의 水準線 上에 突起한 (어느 사람들의 語法을 빌면) 모다 不穩한 人種이 雜居하는 特殊地帶다 市의 東便 마루턱에 멀니 西北의 낫게 드리운 한 울을 바라보며『사하라』의 沙漠을 직히는『시핑크쓰』와 가티 줏 안저잇는 近代式의 桃色『그리닝』으로 물드린 大建物 그것은 틀님업시 日本總領舘이다 그것은 두터운 벽돌담장과 砲臺에 包圍되어 東滿의 天地를 睥睨한다 그 地下室에는 約 × 時間은 滿足히 使用할 수 잇는 多量의 彈丸과 機關銃을 감추고 그리고 精銳한 十八 名의 武裝警官隊에 依하야 東滿에 잇는 日本帝國의 特殊利權을 擁護하고 잇다

×

　우리들이 자리를 定한 이 地點은 바로 北緯 四十二 度 東經 百二十九 度 ─ 이곳을 頂點으로 約 千 里를 半徑으로 한 北으로 입을 버린 四分의 一 圓周의 地帶는 實로 中華民國의 三民主義的 國民主策과 露西亞의『인터 ─ 내순날리즘』과 ××의『임페리앨리즘』이 折衷하는 三角洲다 늘 多少의 險惡한 風雲이 徘徊하는 이 噴火口의 陰酸한 累 十 年의 歷史를 가지고 잇다

十

　靺鞨、渤海、女眞의 넷날로부터 近世의 北淸事變 그리고 最近의『보크라니츠나야』附近을 舞臺로 한 中露의 衝突(討伐線의 넷일도 記憶하리라) 等 이러케 人種的 偏見이 恒常 이곳에 禍端을 끼치고 잇다 이 우에 黑龍江 上流

의『우스리』松花江『아무르』의 諸 江의 검푸른 물결과 깁흔 새밧과 寧古塔 數百 里의 濃密한 自然林과 地平線의 彼方에 잠기는 붉은 해 — 이러한 原始的 自然이 人類의 慘憺한 鬪爭의 피 舞臺에 挑發的 背景을 展하여노앗다

×

이들에는 各各 세 個의 武裝한 正義가 存在한다 그래서 서로서로 自己야말로 正義라고 主張한다 그 自身의 正義를 가장 有力하게 保證하기 爲하야 그 正義를 堅固한 鐵甲으로 武裝하엿다 이 속에서 三角形의 中心처럼 그 어느 頂點에도 傾倒치 못하고 서로 背馳하고 反撥하는 세 個의 勢力 사이를 巧妙히 奔馳하야 何等 生活의 安全保障도 업는 속을 오히려 그 生存을 保持하야 나가야 하는 種族의 꺽꾸러진 屍體는 年年히『오호츠크』로부터 불어오는 부드러운 微風과 서리 찬 大氣를 녹이며 날카롭게 쏘는 몸[23]볏헤 두텁게 얼엇든 江물이 녹아 흘을 때면 부스러진 어름 쪼각 사이마다 잇다금 잇다금 떠 나리지 안는 때가 업다고 한다 그리하야 大空을 처다보는 그들의 입은 맛치 世界를 向하야 그들의 生存權을 主張하는 것 갓다고 한다 우리는 極東에 움직이는 심상치 안흔 風雲을 머리속에 그리며 極端으로 물맛이 업는 거리로 다시 나려왓다

×

北方의 百姓은 한 個의 哲學을 生活 우헤 實現하고 잇다

---

23 "몸"은 "봄"의 오식 - 편자 주.

胡酒 ―

끗이 업는 地平線과 그리고 暴風 ― 이것들이 北方 獨特한 『니 ― 체』의 말을 빌면 『아폴로』的인 生活哲學을 醱酵시킨 酵母들이다

불이 펄펄 붓는 九〇 『퍼 ― 센트』의 『알콜』을 벌컥벌컥 드리마시며 오늘도 來日도 끗이 업는 地平線을 바라보며 머물 곳 몰으는 放浪의 걸음을 오늘은 이 들가 來日은 저 들가에 떼여노흐며 그리고 大地가 呼吸하는 무서운 暴風의 疾驟 속에서 오히려 擴[24]野의 全 表面을 채우며 타올은 生靈들의 生命의 火焰 ―

來日을 期約 못 하는 그들의 不安한 生活은 다만 許與된 瞬間瞬間을 가장 充實한 生의 鎔鑛爐 속에 白熱식히면 그만이다

緊張된 魂을 가지고 모든 瞬間을 强烈하게 살려고 하는 것이다

×

나는 北方의 都市 ― 龍井이 가지고 잇는 모든 風情 人物에 充溢하는 活氣를 띄고 잇는 것이 매우 愉快하엿다

이윽고 이 東滿 天地에 엇던 큰 震動이 일어난다면 그 震源地는 實로 이 龍井이 아니면 아니 된다 그러토록 이 都市는 多分의 爆發性과 可燃性을 가지고 잇다

×

---

24 "擴"은 "曠"의 오식 - 편자 주.

翌朝 ─

물맛 업는 밥을 主人의 最上의 好意에도 不拘하고 半 그릇도 먹지 못하엿
다 午後 두시 車는 우리를 豆滿江가로 다시 실어가기 爲하야 지금쯤은 老頭
溝의 車庫를 떠낫스리라 우리들도 그 車를 기다리고 잇다

우리는 龍井에서 우리에게 許諾된 남어잇는 數 時間을 가장 意味 잇게 보
낼 것을 아츰부터 생각하고 잇다 그 中에 約 한 時間은 이곳서 第一 가는 料
理店인 十字路의 龍源居에서 土産의 中國料理를 賞味하기로 하고 그러고 남
은 몃 時間은 이곳서 發行하는 唯一한 中國 新聞 民聲報를 訪問하기로 하엿다

×

五層臺通에 直角을 일우고 海蘭江岸으로 뚤린 골목길을 西쪽으로 向하야
그날 午前 열시 頃 우리 支局長과 朴 兄과 나 세 사람은 것고 잇섯다 이윽고
그 길이 끗난 데서 南으로 꺽겨저서 半 馬丁도 못 간 곳에서 오른편 길가의
陰鬱한 灰色 벽돌집 검게 끄슨 두터운 『또아[25]』 속에서 세 그림자는 빨여들
어갓다

一一

우리는 이 집 門에 부튼 큰 房에서 우리가 間島에 들어온 後 最上의 印象
을 바든 民聲報 編輯長 周東郁 氏와 구든 握手를 밧구고 둥근 『테불』에 마조
안저서 風味 香그러운 中國 茶를 드리커면서 極東의 政治的 政勢를 討論하

---

25 "또아": door - 편자 주.

는 感激에 가득한 愉快한 時間을 가질 수 잇섯다

『쎄르로이드²⁶』眼鏡 아래 그의 두 눈은 어린 아희와 가티 溫順한 속에 오히려 根氣 잇는 底力과『젊음』을 감추고 잇다

이 中國人은 일즉이 國民政府가 駐日代理公使 汪寶榮 氏의 손으로 日本外務大臣 幣源 氏의 大理石 테불 우헤『支那』라는 말의 使用에 對한 嚴重한 抗議를 따려붙인 것과 가티 (오 ― 無邪念한 王 外交部長이며²⁷ 日本에서는 支那라는 말보다도 더 侮辱적인『장꼬로 ―』라는 말이 使用되는 것을 들은 일은 업는가?) 間島라는 固有名辭를 松虫처름 실혀한다고 한다 웨 그러냐 하면 間島라는 말은 中國의 主權을 無視하는 露骨한 挑戰的인 意味 內容을 가지고 잇다 萬若에 中國의 主權을 認定한다면 間島라는 東洋의『알싸스 로―렌』的인 名稱은 不當할 것이고 다만『延邊』이라고 함이 當然하다

우리는 國民政府의 首腦 諸氏와 이 偉大한 主筆의 光榮스러운 自尊心을 傷해주지 안키 爲하야『支那』와『間島』라는 두 말은 될 수 잇는 대로 우리 입술이 發音하지 말기를 願하엿다

×

우리는 여긔서 同 紙 記者 張英俊 君을 맛낫다 君 以外에도 이 新聞社에는 朝鮮人 記者가 五六 名 잇다고 한다 民聲報는 實로 最上의 民族的 好意로써 그 一面을 朝鮮文版으로 하야 延邊 一帶의 朝鮮民族에게 提供하고 잇다 不幸히 稅關의 檢察吏는 日本外務省의 命令에 依하야 이 新聞紙가 朝鮮의 國

---

26 "쎄르로이드": celluloid - 편자 주.

27 "며"는 "여"의 오식 - 편자 주.

境을 넘어 朝鮮 內地로 侵入할 것을 拒絶한다고 한다 이들 朝鮮人 記者에게
는 實로 이 집은 安全地帶니 그들은 모다 治安維持法이나 大正 八年 制令 第
八號의 條文에 걸린 履歷을 가지고 잇스나 日本 官憲은 이 집까지 突入하지
는 못한다고 한다 그들은 一步도 이 집 밧글 내듸듸지 못하야 庭前의『테니
쓰·코 ― 트』를 最大의 散策地로 삼으면서 이 집 안에서 世界와 各地에서 날
아드는『뉴 ― 쓰』를 取扱하고 잇다

×

젊은 主筆은 朝中 兩 民族의 立場의 共通性을 主로 民族的 受難의 方面에
서 導出한다 그는 言論機關으로 當然히 가지지 안흐면 아니 되는 政治的 背
景을 스스로 三民主義라고 表明하얏다 그의 血管은 모든 細管까지 排×感情
으로 끌코 잇다 이 感情은 實로 中國의 一 指導分子의 專有가 아니고 全 民
族的으로 彌滿한 感情의 흘음이다

(……)[28] 民聲報가 일죽히 그러한 것처럼 如前히 延邊 一帶 朝鮮人의 生存
權의 擁護를 爲하야 不斷히 義憤의 싸흠을 싸화주기를 付託하얏다

十二

그는『그것이 言論機關으로서의 民聲報에게 賦與된 그리고 自覺한 使命

---

28 이 단락의 앞부분 약 3행 35자가량의 문자가 판독이 불가하게 지워졌는데 심열에 걸려 삭
제된 것으로 보인다. - 편자 주.

의 重大한 部分이다』고 『호아 호아[29]』를 連發하야 그의 好意를 보여주엇다

　우리는 最後로 中國의 活舞臺가 恒常 騷亂과 動搖와 變遷이 無常할 때 거의가 自身이야말로 民衆의 眞正한 代表者며 『리 ― 더 ―』라고 宣言하면서 登場하지만 그러나 그것은 大地主 大財閥이나 買辦階級이나 그러치 안으면 廣東의 華僑를 背景으로 하고 明滅하는 것이고 民衆에게는 軍人의 帽子의 빗치 變化한 以上에는 『아모것』도 變化하지는 못한다 支配者의 約束은 늘 부질업는 宣言이다 中國에 잇서서 그리햇고 印度에 잇서서 『어빙[30]』卿의 입은 그 『산 標本』으로서 들이엿다

　우리는 『中國의 民衆이 意識的으로 高揚되어서 彼等 自身의 歷史의 主人이 되어 그것을 움직이는 때 비로소 그것은 新興中國의 참말 黎明이리라 中國의 急進的 『인테리겐탸』는 이러한 氣運에의 促進劑로서만 그 存在의 意義가 잇다』고 말하엿다

×

　忽忽한 時間은 龍源居의 土産 料理를 즐길 餘裕죠차 우리에게 주지 안헛다 오늘도 一金 十 錢의 冷麵을 急한 『템포』로 업시해버리고 『트렁크』를 들리우고 驛으로 向하엿다

　驛에는 우리 支局長 中外 支局長 趙哲鎬 氏 等이 나와주섯다 天圖鐵道는 또 阿片 냄새 나는 一等車로서 우리를 厚待하여 주엇다 盲腸과 가티 『無用物』로 보이는 『路警』이 긴 白銅 『싸벨』을 끌고 끈임업시 그 입을 놀리면서

---

29 "호아 호아": 중국어 "好啊 好啊(좋아, 좋아!)" - 편자 주.

30 "어빙": 대영제국 인도 총독 Lord Irwin(1881~1959) - 편자 주.

一等車에 올라탄다

　보실보실 실비가 한 방울 두 방울 車窓에 얼어붓는다 어두운 鐵路를 이 『時代錯誤』的 이 汽車가 밋그러진다 몃칠 동안 여러 가지로 수고를 끼친 諸氏의 힌 얼골이 어둑한 改札口에서 微笑한다

　우리는 돌아간다 ― 暴虐한 自然의 虐待 속에 그리고 無知한 中國人의 壓迫과 彈丸 속에 東滿에 散在한 百萬의 兄弟를 남기고 ―

×

　잘 잇거라 海蘭江아 ―

　龍井 市民 諸君 健在하여라 ― 靑春의 피를 불이는 ― 그리고 그들의 榮光스러운 『죽엄』을 誘惑하는 曠野여 너의 달큼한 속삭임하고도 作別하자 祖國에서 『일』이 우리를 부르고 잇다 ―

×

　國境의 밤을 적시며 나그내의 설음을 실음업시 쥐어짜든 초녀름 비도 말숙하게 개엿다 다음날 새로 한시 頃 故鄕에 잠간 들럿다

　떠날 때 滿開하엿든 뜰 압헤 한 폭이 月桂花의 『榮光』도 한 떨기 꼿송이도 남기지 안코 무참히도 시들엇다 뜰 우에 이리저리 흐터진 꼿 입새의 屍體를 하음업시 바라보며 忽忽한 龍井에의 旅行을 回顧한다　　　　― 尾 ―

―『朝鮮日報』, 1930년 6월 13일 ~ 26일, 12회 연재

長江萬里

上海 崔昌圭

見學 次로 渡中한 以來 上海에서 數朔 동안을 어물어물하는 동안에 虛送한 나는 第一次로 長江을 見學하기로 決心하고 지난 三月 廿一日 上海를 떠낫다 第一次로 長江을 擇한 理由는 長江이 中國 中部의 大動脈이며 또 古代 中國文學의 『멕카』인 關係가 잇슴은 勿論이어니와 節期가 알맛다는 것이 中國에서 初行으로 旅行하는 나로는 가장 重大視하지 안흘 수가 업섯든 것이다 當初에 생각하얏든 旅行計劃이 途中에서 時局不安으로 因한 交通의 難阻로 말미암아 多少 如意치 못한 點이 잇기는 잇섯으나 내가 보고 시픈 것 듯고 시픈 것이 中國의 政治經濟나 또는 産業 運輸 狀況 가튼 것보다는 오즉 一個 朝鮮 青年으로서 中國 五億 大衆의 움직임을 내 눈으로 實際로 한 번 보는 것이며 아울러 一 個 中國文學徒인 나로서 古代 中國文學的 遺跡에 눈에 띄우는 대로 興味의 一瞥을 던지자는 것이엇슴에 잇서서 別한 支障이 업섯다고 밋는다 그러나 눈에 띄우는 것 귀에 들리는 것 中에 그것이 무엇인지를 깨닷지 못하고 지나치고 만 것이 만흘 것이며 同時에 눈에 띄우지도 귀로 듯지도 못한 것이 無數할 것은 나 스스로 깨닷는바 허물며 拙劣한 一 篇 小文에 잇서서이랴 다만 揚子江 潮流 一萬 里 旅行이 七十日 間이라는 貴重한 時間을 過히 헛되이 하지나 아니한 것이 되면 나 스스로 一掬의 自慰之感이나 맛볼가 한다

故國보다 한 달 假量이나 節氣가 압스는 上海의 溫和한 氣候는 바야흐로 봄 消息을 재촉하여 파룻파룻한 새 속입이 九十春先[01]에 나붓기기 始作한 지 몃츨이 못되인 三月 二十日 밤에 나는 溫州라는 英國 배에 올럿다 出帆이 이튼날 새벽인 關係로 前날 밤에 미리 올리서 하롯밤을 자야 되는 것이다

배에 오른 나는 배 안에서 처음으로 目睹한 것이 茶房 ―『뽀이』들의 食鹽 密輸出 光景이엇다 큰 布袋를 둘러메고 나 잇는 房으로 茶房 세 名이 들어와서 우리 ― 한 房에 여섯 명 定員이다 ― 가 잘 寢臺 미틀 들어내고 가지고 온 布帶로부터 食鹽 봉지를 끄내여 매우 익숙하게 가지런히 까러놋는다 量數로 보아서 不過 百餘 봉지에 지나지 못할 것이나 漢口까지 無事히 가지고만 가면 담배갑이나 톡톡히 나온다고 한다 他[02]如튼 첫 求景이 密輸出의 光景이니 이 旅行이 冒險性이 띄우는 듯하야 一種의 興味가 이러난다

×

배가 떠나기는 이튼날 아츰 ― 扶桑의 一輪紅이 구름 속에서 소사오르랴 말랴는 여섯 時 海關의 時計와 『캐제이호텔』[03]의 집웅이 次次 희미하여지기 始作하자 배는 楊樹浦를 지나처 工場地帶를 지나친다 簇立한 굴둑 굴둑 열 백 천 … 數업는 굴둑은 일흔 아츰의 깨끗할 그 大氣 中에 濛濛한 黑煙이 아모 廉恥도 아모 忌憚도 업시 내뽑고 있다 吳淞砲臺를 지나 바다인지 강인지

---

01 "先"은 "光"의 오식 - 편자 주.

02 "他"는 "何"의 오식 - 편자 주.

03 "캐제이호텔": Cathay Hotel. 중국어 명칭은 "華懋飯店", 1929년 유태인 상인 Victor Sassoon에 의하여 건립 - 편자 주.

분간할 수 업는 揚子江 江口에 나슬 때에는 여덟時 半 東中國海와 黃浦江이 부듸치는 곳 아니 靑海 唐古拉山으로부터 한 줄기 두 줄기 콸콸 내리는 물이 열에 열두 골물을 합수처 마즈막으로 黃浦江 물을 마자 드러킨 後 짠물 속에 푸러드는 곳 그곳이 揚子江 江口인 川幅 四十 浬라는 바다인지 江인지 분간할 수 업는 곳이다

×

朝飯은 白粥。쌀밥에 토장국을 먹는 것과 『팡04』에 牛乳를 먹는 中間인가。其中 輕便하고 經濟的일 것이며 쌀알을 먹어야 먹은 것 가튼 東洋사람에게 잇서서는 『팡』보다도 이 點에 잇서서 나을 것이다

×

江가에 느러슨 버드나무는 아직 한 가지 찌어지고 한 가지 축 처지는 못하얏어도 프른 입사귀가 爽快한 아츰 봄바람에 나붓긴다 모다가 몃 해나 묵은 나무인지는 모르겟스나 이 相當한 樹齡을 가젓슬 버드나무의 並立이 끗치 업시 兩岸에 느러젓다 아츰 고기잡이에 나온 帆船이 數업시 봄 아츰 햇빗을 돗대 가득이 넘치게 바드며 여긔저긔 못박어 서잇다

---

04 "팡": 빵 - 편자 주.

中國 實業界에 一大 傑出의 名聲이 놉든 張謇 翁으로 말미암아 棉花 栽培로 有名한 通州를 왼편으로 長髮賊亂離 中에 李鴻章의 根據地가 되엇든 福山을 한편으로 바라보며 배는 北便으로 치우처 여긔저긔 보이는 沙灘을 한 개씩 두 개씩 避하여가며 슬몃슬몃이 올라간다 江陰砲臺를 갓가히 볼 수 잇슬 때에는 江幅이 저윽키 좁아저 一浬 內外에 不過하게 된다

山이라고는 몃 十 里 박게서 겨우 그의 存在를 알 수 잇슬 만큼 形態를 보일 뿐이오 漠漠廣野는 도다나는 보리 입으로 폭 덥히고 말엇다 잇다금씩 밧두덩이에서 떠러지다 남은 듯한 꼬리가 커다란 볼기짝 우서서 대롱대롱 한줄기 불리우는 봄바람에 보리 닙과 더불어 간들간들 흔들흔들 하는 도야지의 꼬리는 볼스록 하품이 나온다 故國 가트면 이 도야지 대신에 두 뿔이 삐죽히 소슨 소가 만히 보일 것이다

中國 도야지는 比較的 귀가 크다 넙쩍한 두 귀가 척 느러저 그나마도 적은 눈은 어디 가 부터는지 차저볼 수가 업다 唐版 西遊記의 豬八戒의 挿畵를 實際 中國 도야지를 보고야 깨다럿다 ― 凶하게 보이기 爲해 귀를 크게 그렷다고 하기에는 암만해도 좀 덜된 듯한 그 豬八戒의 큰 귀를 ― 地主에게 稅金으로 바치고 나서는 먹고 입기는 고사하고 빗으로 바칠 것도 업는 農夫일 것 가트면 밧고랑 사이에 힛득힛득하게 보이련만은 여기 農夫들은 색까마케 보인다 입은 옷빗은 黑白이 相反하나 땀 흘리고 못 먹는 판에는 黑白도 同一色이 될까 한다 제 손으로 一年 열두 달 붓도두어도 먹지 못하는 보리밧이 十 里 百 里 끗업시 널리어잇다 아모리 時和年豊하고 아모리 勤勉不怠하여도 康衢煙月에 擊壤歌 소리가 긔운차게 들리우기는 넘어도 치우처지고 말지 안헛는가.

자는 사히에 鎭江을 지난 배가 大中國의 首都 南京城을 지나기는 그 이튼
날 二十二日 아츰 열 時 頃이었다. 第一 먼저 보이는 것은 外國人 經營의 工
場과 中山墓[05]가 있는 紫禁山이다.

外國人의 財閥과 孫中山의 三民主義. 이 두 가지는 現在의 中國을 支配하
는 가장 큰 勢力이니만큼 얼는 눈에 띄우는 것도 過히 怪異할 것이 업다. 首
都라. 오즉 軍閥의 勢力이 顯著하지 안흘 뿐이다. 그러나 어떠한 意味로 보
아 蔣介石 安[06]는 軍閥임이 틀림은 업슬 것이로되 — . 上陸할 틈이 업서 배
에 오른 대로 바라다 보이는 金陵城은 어쩐 탓인지 좀 왜자자하여 보인다.
勿論 이것은 埠頭 附近뿐이겟지만은 — (滬寧線 沿邊 즉 上海로부터 南京까지의 蘇州
無錫 鎭江 南京 諸 都市는 다시 다른 機會에 稿를 달리 할 作定으로 이번에는 全部 배 탄 대로
通過하고 말엇다)

◇ 濟濟多士한 皖國

午後 두時에 安徽省으로 들어서자 바른 便으로 百戰百勝의 一世之雄 項
羽가 鴻門宴에서 一 次 沛公을 일흔 後로부터 次次로 꺽끼워오든 勢力이 드
듸여 垓下에 이르러 軍糧의 缺乏으로 因하야 거의 全滅의 慘境을 當하게 되
자 어느 하룻밤 四面楚歌에 올[07]나 깨여보니 이미 『力拔山도 쓸데업고 氣蓋

---

05 "中山墓": 손중산(孫中山, 1866~1925)의 능묘 - 편자 주.

06 "安"은 "亦"의 오식 - 편자 주.

07 "올"은 "놀"의 오식 - 편자 주.

世도 할 일 업서 칼을 집고 일어나서 三 步에 躊躇하고 五 步에 啼泣하엿스나』그래도 江東으로 도라가고 십흔 野心에 사랑의 피눈물 홱 싯고 나서 나머지 二十八 騎를 거나리고 江을 건너고자 뛰처 내달엇스나 漢兵의 追擊에 衆寡不敵하여 설흔두 살의 절문 목숨을 스스로 끈치 아니치 못한 그 烏江이 멀니 바라다 보인다 史記에 눈이 젓고 楚漢歌에 귀가 젖은 우리는 임이 어느 분의

　　　楚覇王의 壯한 뜻도 죽기도곤 離別 설어
　　　玉帳悲歌에 눈물은 지엇스나
　　　至今에 烏江風浪에 우단 말 업세라

　의 한 首까지 잇는바에 이 以上 烏江을 說明할 必要가 업슬가 한다。烏江의 對岸은 采石磯라는 若干의 戰蹟을 가진 곳、예서 十 里 假量 더 올나오면 李白이 牛渚西江夜에 靑天無片雲이라고 을픈 牛渚가 있는 太平府、저녁의 햇빗이 사라지자 배는 蕪湖라는 米、菜、木材의 輸出港에 머무다。初生달이 날카롭게 머리 우에 나터난다 北斗七星이 거의 각구로 보인다 물결은 潺潺하다。잇다금씩 木船의 燈불 둘씩 셋씩 깜박인다。

　사흘재 되는 二十三日 아츰 날은 안개가 좀 끼우고 바람결이 좀 잇다。江 언덕에 보이는 農家는 故國의 그것과 유달이도 外樣이 가타여 보인다 납적한 草家 — 볏집이 아니라 갈대이겟지마는 바라보기에는 볏집을 이인 것 갓다。

　닭 어린이 그러나 이들이 和暢한 봄날을 질기는지 못 질기는지는 조그만 雙眼鏡을 넘겨보는 묵에 업는 내 눈으로는 알 수 업다

×

점심을 먹고 나자 올흔편에 六角 八層의 城塔이 보인다 埠頭가 업서 배가 아조 닷지 못하고 木船을 갓다 다이여 乘客이 上下한다. 내리우는 물건은 소곰과 雜貨 等屬. 墨을 갈다 만 듯한 거머테ㅅ한 城 줄기가 보인다. 그 城 너머서는 커다란 建築物의 꼭닥이만이 叢叢히 보인다. 城 밧게도 瓦家가 櫛比하다. 市街를 떠나서도 人家가 相當히 늘어섯다. 오란 고을인 緣故렷다 오래 가는 동안에는 조흔 것이든 조치 못한 것이든 配布가 커지는 法이다. 城 北便으로 盛唐山이 보인다. 이 山 뒤에는 歐陽 公 曾南豊의 本을 바더 그 文章의 淸淡簡撲함과 屛棄六朝驪之習하고 選言에 有序하며 不刻畵足以昭物情함으로서 一世에 文風을 날린 姚姬傳 方望溪 劉大櫆를 三祖로 하는 桐城派의 籠城이엇든 相[08]城이 있을 것이다 陳衍이

> 人不必相[09]城 文章則不能外於桐城 是文者 紆回稽縮。務使詞
> 盡意 以至詞意俱不盡 可不謂謹嚴有守者之所爲數

라고 送桐城姚叔節序[10]에 일너준 것도 일너준 것이려니와 이 地方분들은 암만해도 固守固執 하는 꽁生員的 氣質이 多分한 듯싶다 아니 頑强한 氣質이 만타. 그러나 이 皖國은 決코 單純하고 偏狹한 地方이 아니니 이제 그 地勢를 보건대 東으로 江蘇 浙江 南으로 江西 西로 河南 湖北의 다섯 省에 連

---

08 "相"은 "桐"의 오식 - 편자 주.

09 동상.

10 이 글의 정확한 제목은 「贈桐城姚叔節序」이다. - 편자 주.

接되어잇스며 山으로 皖山 龍眼 九華 敬亭의 名山이 屹立하고 揚子江의 本流는 省의 南部를 橫貫하고 北으로 淮水가 貫通되야 江北이 遍遍曠野에 沃野千里임에 反하여 江南은 山岳이 重疊하야 南北 正反하며 歷史的으로 보아 漢民族의 百戰之地로서 其 地勢關係로 黃河와 長江의 文明을 아울너 바덧스나 一個 國家로서 獨立함이 업시 一時는 江蘇에 一時는 浙江式으로 固定을 보지 못하엿다 淸朝 以後에야 비로소 一 省으로 統一이 된 以上 地方色 또는 民性이 複雜함을 免치 못하게 된 所以가 여긔 잇는 것이다 딸하서 大體로 보아 北部가 尙武 中部가 風雅 南部가 輕薄한 傾向을 免치 못 한다 結局 輩出된 人物도 北部에 軍人 中部에 文人의 輩出을 본다

×

이제 古來로부터 輩出된 人物을 暫時 살펴보자 孔子로부터 『微管仲吾其被髮左袵矣』라는 稱讚을 바덧다는 이보다도 詩聖 杜甫가 君不見管鮑[11]貧時交 此道今人棄如土라고 嘆하도록 友誼가 기펏든 齊桓公의 宰相이엇든 管夷吾로부터 項羽의 謀將인 줄은 몰나도 天下의 玉이란 玉을 다 모아 편편 박살을 한 줄은 아는 范亞父[12] 後漢의 馮異 治世之能臣이 亂世之姦雄으로서 華容道에서 殘命을 保存하고 盜賊놈잡이 날기 代身에 曹操잡이까지 이르도록 미움을 밧는 魏의 턱석부리 曹孟德 또 甲子年 甲子月 甲子日 甲子時에 東南風 불줄은 낫나서도 이 曹操의 八十萬 大兵을 全滅시킨 周瑜와 魯肅 晉나라 天子 될에다 때 못 맛나 헛물컨 桓溫 等이 잇으나 이보다도 明 以後에 더욱 人

---

11 "鮑"은 "鮑"의 오식 - 편자 주.

12 "夫"는 "父"의 오식 - 편자 주.

才가 輩出되엇스니 明太祖 朱元璋으로부터 淸朝의 李鴻章 日淸戰爭에 敗하고 目[13]殺한 丁汝昌과 最近에 이르러서 雜[14]政까지 한 段祺瑞 以下 許世英 龔心湛 段芝貴、王揖唐 吳光新 賈德耀 孫毓筠 陸建章 等等의 武人 官僚의 濟濟多士의 壯觀을 이루엇스며 其中 新聞의 報導만 보아도 精神을 차릴 수 업시 七面鳥 외면도 빗도 그 變함에 잇서서 따를 수 업은 『크리스찬·제네랄』이며 『赤化將軍이며 昨今도 廣東事件에 응덩이가 들먹한다는 馮玉祥 將軍은 皖國 出生 치고는 넘어도 異彩가 過하다 할 것이다. 特히 이 馮氏 外 몃몃 武人을 除한 外는 段祺瑞 以下의 諸將 諸官이 거의 그 絶對多數가 北部 特히 合肥에서 總出된 것도 注目할 만한 現像이며 軍人의 大多數가 陸軍인 것도 頑固한 氣風의 一 佐證이 되는 것이라고 할 수 잇다.

×

反對로 文人 便으로 보면 漢의 文翁。晁錯。魏의 曹操 三 兄弟。稽康。宋의 梅堯臣。前記 淸의 相[15]城派 萬劉姚 三 祖와 一世의 哲學者이며 엇던 意味로 보와 통으로 생킨 탓으로 朝鮮 特히 李朝의 學界를 亡첫다면 亡치고 만 朱熹。最近에 이르러서는 中國現代文學의 革命家요 自活[16]文學의 創始者이며 中國의 現代哲學家로 名聲이 노픈 胡適之 博士가 잇스며 康有爲의 『尊孔保皇論』에 『孔子之道不合現代生活論』을 發表하야 一世를 震動시키엇스며

---

13 "目"은 "自"의 오식 - 편자 주.

14 "雜"은 "執"의 오식 - 편자 주.

15 "相"은 "桐"의 오식 - 편자 주.

16 "自活"은 "白話"의 오식 - 편자 주.

『雜誌嚮導』『新靑年』『前衛』 等을 發表하야 中國의 共産主義宣傳의 第一人者로 只今은 廣東政府로 드러갓는이 안 갓는이 하는 中國의『레 — 닌』인 陳獨秀 等 皖國의 名士 名將은 實로 濟濟多士하며 百爛漫之歡이 잇다.

×

배 안에는 所謂 公事處를 爲始하야 거의 房房마다 晝夜不問하고 吸煙이다 얼골이 누러케 되어 피빗이라고는 이미 사라진지가 몃 삼 年이 지낫는지 모른데다 식커먼 두 눈을 둥굴둥굴 굴리든가 좀 氣運이 돌면 배부른 뱀의 눈가티 가느러 들어가며 꿀룩꿀룩 빨고 잇다 阿片 빨지 안는 房안에서는 麻雀이든 經牌(투전)이든 허다못해 卷煙내기 주사위 굴니기라도 하고 잇다 行動殊常한 女子 數 名이 암만해도 눈에 걸니기에 물어보니 娘子 女士이시라는데 어대서부터 어대로 旅行하는 것이 아니라 오즉 배에 오르기 爲하야 탄 것이라 한다 顧客은 大槪가 船員이며 어찌 乘客도 어울니는 수가 잇다 한다 商業이다 엇지타 船員 乘客의 색가림이 잇슬가 보냐 中國에서는 배 속에 大槪 이러한 船中香花가 몃 포기式 된다 한다 忌憚이 업고 隣接이 업는 뱃속이라 가지가지로 방석 밋이 드러난다

×

南京서 오른 나히 三十 前後 되어 보이는 周衣깨나 입고 주머니 속에서 들추어내는 文書 조박지 等屬으로 미루어 어느 軍隊의 領長쯤은 되어 보이는 나와 갈서 웃 寢臺에 오른 절문 분이 아모 꺼릿김 업시 이잡이를 始作한다 갈 데로 가기까지 참지 못하기는 고사하고 여섯 명 坐中에서 正正當當하

게 이잡이를 하는 데는 내가 外國人이라고 우슬 수만도 업다 習慣의 힘 더욱이 軍隊 生活을 相當히 하얏슬 其로서는 아모 怪異도 업슬 것이다 이것을 본 나와 九十 角度로 머리를 둔 廣東 산다는 열 七八 歲 되는 어린 親舊가 웃는다 이런 □境에 웃는 것은 붓그러워하기까지의 半 路程이다

◇ 赤壁賦의 赤鼻山

二十四日 아츰 눈을 떠보니 이미 밤사이에 安徽省을 넘어 江西省으로 들어왔다. 江中의 絶景이라는 小姑山을 못 본 것은 遺憾이다. 배가 九江에 到着되자 배로부터 屍體 한 個를 들어내린다. 이 屍體가 내린 後에야 배가 아조 埠頭에다 대인다. 그동안은 屍體檢查를 하고 傳染病死亡屍가 아닌 것이 判明되어 無事히 埠頭에 다이게 된 것이라 한다. 배가 埠頭에 닷자 砂器장사가 몰녀오른다. 有名한 江西瓷器다. 關羽。諸葛亮。阿斗를 품에 품은 子龍 等의 人形을 爲始하야 花瓶。茶罐。酒盃 等屬이다. 이 砂器는 九江서 만드는 것이 아니라 九江서 五百四十 里나 떠러저잇는 景德鎭이라는 곳에서 오는 것으로 窰造의 起源은 相當히 오랜 歷史를 가지고 잇는데 이 瓷器가 有名한 所以는 무엇보다도 그 彩色에 잇다 한다. 九江은 回路에 내릴 곳이니 배 탄 대로 물길을 거스러 올나가자.

×

次次 집 모양이 납적하여 보인다. 壁이 엿튼데다 집웅 춘여가 푹 내려와 무슨 둥주리 가튼 것을 푹 쎄워노은 듯하다. 멀니 보는 노란 꼿. 불근 꼿. 노란 꼿은 배추 꼿일 것이나 불근 꼿은 복숭화냐. 예서부터 江北은 湖北. 江

南은 江西。午正 좀 못 되야 仁丹 廣告와 哈德門¹⁷ 廣告밧게 보이지 안는 武穴이라는 곳을 지나다. 예서부터 次次 얏기는 하나 山줄기가 나타난다 생각하니 江口로부터 兩便에 느러섯든 버드나무가 예서야 끗히 낫다. 一千四百里 사이에 두 줄로 느러슨 버드나무는 其 數爻가 얼마이냐. 아마도 이것을 세여보기 爲하야 三千 里 길을 徒走로 한아 둘 셋 하며 세여본 好事家는 업섯슬 것이다. 아직까지 平野만 보아오다 山을 보니 마음도 넙이가 조바지는 反面에 上下로 기리 올나 솟는 듯하다.

×

해가 좀 기우러지자 江西省을 버서나 左右가 모다 湖北이다. 午後 네時頃에 黃石港이라는 예서부터 八十 里 假量 隔한 大冶라는 一 年에 百萬 噸식 캐여내여도 六百 年은 캐야 끗장이 날는지 말는지 하는 鐵鑛山으로부터 날너오는 鐵鑛의 輸出港을 지나다 蜿蜒한 山脈은 柔順히도 늘어섯다. 屹立峨峨치도 안코 樹木이 鬱鬱蒼蒼하지도 않은 山줄기가 그러 넌줄넌줄 버더젓다 樹木이라고는 兒松을 免한지 얼마 되지 안흔 적은 소나무가 이 골작이 멧 十 株 저 골작이 멧 百 株 저가는 햇빗을 담북 등진 金帆이 이 山 밋 저 山 미테서 도라갈 길이 밧부다는 듯이 내려닷는다

黃岡이라는 곳을 지나자 해가 아조 山을 넘고 마라 바야흐로 夜色이 江물을 싸돌여는데 오른쪽으로 赤鼻山이 보인다 蘇東坡가 前後赤壁賦에서 飛行機를 태운 그 景致가 其實 別로 神通치 못하다 勿論 이 赤鼻山을 赤壁으로 生

---

17 "哈德門": 당대 중국의 궐련 브랜드 - 편자 주.

覺하고 元豊 五年 壬戌之秋에 釀[18]酒臨江 橫槊賦詩 固一世之雄也라고 曹操를 들추운 것은 鼻字와 壁字가 음이 가튼 바람에 헛물을 켄 것으로 一世의 文章大家로서는 적지 안흔 失手엿거니와

赤壁을 그저 가랴
蘇東坡 노든 風月
依舊하야 잇다만은
曹孟德 一世之雄
于今에 安在哉오

라고 제멋에 興이나 부르는 우리나라 名妓 名唱들이 東坡의 뒷자죽을 넘어나 골나 듯은 것임을 생각하니 苦笑를 禁치 못하겟다

×

저녁 床을 치우고 行李를 收拾하여주고 난 茶房이 씻글벙글하며 房안으로 들어슨다 이것은 오라지 아니하야 漢口에 到着되겟슨즉 미리 酒錢(팁[19])을 달나는 것이다

『先生님들。只今 酒錢을 請求하러 올 터인데 바드려 오거든 한 二 圓式만 주시고 저는 따로 대종하여주십쇼』

한다。乃終에 其 理由를 들으니 公式으로 바더가는 酒錢은 배 안에 잇는

---

18 "釀"은 "釃"의 오식- 편자 주.

19 "팀"은 "팁"의 오식 - 편자 주.

茶房 全部와 其他 廚房에서 飲食 만드는 者 其他 下人 一同 四十餘 名이 分配하는 것으로서 直接 한 茶房은 아모리 마튼 손님이 酒錢을 만히 주어야 自己에게 도라오는 것은 別로히 넉넉지 못하니 自己에게는 特別히 얼마간 假量하야달나는 것이엇다 何如튼 『팁』이라 客이 생각대로 줄 것이나 中國서는 이 『팁』에도 昇降을 하여야 된다 三 圓이면 三 圓 五 圓이면 五 圓을 처음부터 탁 내던지면 아모래도 다면 一圓이라도 더 添加하지 안코는 못견딤으로 처음부터 一 圓이나 二 圓 쯤 에누리를 하여 주어 가지고 次次 適當한 程度까지 올여부처주는 法이라 한다. 이런 데는 좀 골머리가 압흐다. 어떳튼 이 것이 中國式이니 不得不 따라갈밧게.

×

二十五日 午前 한 時 갑작히 江 北便에 電燈이 희황하여진다. 漢口다. 埠頭에 내린 後 行李의 檢査를 치루고 나서 本立旅館이란 조고만 旅館에 짐을 풀엇다. 上海로부터 二千三百 里。

◇ 九州之會 漢口港

悠悠한 長江의 北岸이 漢口와 漢陽 南岸이 武昌 다시 涓涓한 漢水의 東岸이 漢口 西岸이 漢陽 이리하야 漢口、漢陽、武昌의 三鎭이 鼎立되엿다 漢口의 漢字 漢陽의 漢字는 漢水의 漢字를 옮겨 붓친 것이다 즉 우리가 부르는바 漢水 漢 하는 그것에 符合되는 것이다

租界地는 現在 法 日 兩 租界뿐이나 其實 以前 租界 잇든 대로 보면 楊[20]子
江 沿岸은 租界의 行列이다 英租界로부터 日租界에 이르기까지 江面은 租界
로 굿득 드러차고 中國 市街는 行廊 뒷골세음이 되엿슬 것이라고 生覺된다
三 分之 二나 租界가 回收된 現在의 漢口市街는 新興氣運이 갓득 찻다 여긔
저긔 道路의 新築 새 建物의 工事 그리고 其中 大街인 中山街는 現代都市로
서의 別한 遜色이 업는 當當한 大街이다 그러나 一般的으로 道路가 狹隘한
關係로 이만한 大都市에 아직 電車가 업다 물론 『뻐쓰』는 잇다 딸하서 市街
地의 交通은 人力車와 馬車가 絕對勢力을 가지고 잇다 여기서는 『人力車!』
할 때에 上海서와 가티 『黃包車!』 하지 아니하고 『車子!』 한다 市內 人力車
總數 約 九千 臺 아직도 『뻐쓰』線路가 한 길밧게 업는 탓이다 『뻐쓰』가 좀
더 發展이 되는 날에는 九千 名 人力車軍 大衆의 死活問題가 惹起할 것이다

×

『湘江의 기러기가 나라드는』 漢水를 건너 漢陽을 드러서 大別山으로 올
나스다 이 大別山에서 武漢三鎭[21]을 한눈으로 내려다 볼 수 잇다 櫛比한 建
築 叢叢히 소슨 굴뚝 江水에 그득 찬 汽船 軍艦 木船 山 미튼 兵工廠이다 商
業의 武漢이며 工業의 武漢이다 그리고 交通中心이며 風景의 『파노라마』다

×

---

20 "楊"은 "揚"의 오식 - 편자 주.

21 "武漢三鎭": 우한(武漢)을 이루는 한커우(漢口), 한양(漢陽), 우창(無昌)을 통틀어 이르는 말 - 편
자 주.

漢口는 古來 九州之會之稱 잇는 만큼 長江으로 말미암아 東으로 上海 西로 宜昌을 넘어 四川으로 通하고 漢水로 陝西에 이르며 陸路로 보아 北으로 平漢線이 잇서 二 晝夜이면 北平에 到着할 수 잇스며 南으로 武昌서 粤漢鐵道로 湖南으로 들어갓는데 豫定線을 보면 廣東 香港이 不過 咫尺이다 實로 그 地勢는 中國의 心臟이다 이 點에 잇서서 一 上海 二 天津이 到底히 三 漢口의 발뒤축도 따를 수가 업다 中原의 사슴을 잡는 者 그 누구를 勿論하고 爲先 武漢三鎭에 먼저 指食를 대이는 所以도 武漢政府가 存在하엿든 것도 여기 一理가 잇다 交通의 中心인 곳은 人智도 일즉이 열닌다 第一次革命 時에 都督 黎元洪 미테 잇든 湖北이 熊秉坤 等의 主動으로 斷然 民國 元年 八月 十九日에 누구보다도 압서 革命의 烽火를 노피 든 것도 亦是 武漢이 中國의 心臟인 一面을 吐露하는 것이다

$$\times$$

이 地之利를 어든 漢口가 그 交通의 中心이 됨으로 말미암아 自然히 發達될 것은 商工業이다 中國의 主産物인 農作物이 亦是 主人公이니 딸하서 農作의 豊凶如何에 딸하서 漢口의 商業도 그해 그해 變動이 잇슬 것이나 何如튼 湖北 河南 山西를 爲主하야 陝西 甘肅의 西北 新彈[22] 四川의 西部 雲南 湖南 貴州의 南部 諸省의 産物은 漢口로 集散된다 勿論 比較的 交通이 便利한 湖南 四川은 各其 그 省內의 開港塲을 갓고 잇스나 資本이 集中되는 큰 開港塲에 끌니운 것이 原則이다 西曆 一千八百五十八年에 開港한 漢口는 四十餘年 後 一九〇五年에는 漢口보다 六 年이나 먼저 開港된 廣東 大連를 내려 눌

---

22 "新彈"은 "新疆"의 오식 - 편자 주.

러 貿易高 一 億萬 兩을 突破하야 爾來 中國 五大港의 第二位를 獲得하고 말
엇다 輸移入보다 輸移出이 만흔 것도 漢口의 長點이다 輸出品은 繭。牛肉。
山羊皮。獸骨。卵製品。茶。麻。棉花。豆類。小麥 等의 農産品임에 反하야
輸入品은 綿布。石油。鐵製品。藥品。砂糖。文房具 等 日用雜貨 等屬과 海産
物이다

×

딸하서 工業도 商業과 아울너 勃興되야 이 亦是 上海 다음가는 發展을 보
앗다 勿論 工業 亦是 中國에서 生産되는 것으로 原料를 삼는이만큼 木器。煉
瓦。綿布。酒類。鑄鐵。皮革。煙草 等이나 規模가 큰 것은 大槪 外國人의 經
營에 屬하엿스며 製品은 모다 中國 內에서 消化되고 마는 것이다 그러나 發
展에 發展을 거듭하여나가고 잇는 漢口의 工業이 머지 안흔 將來에 輸出을
보게 될 것도 明白하다 지나간 過去에 잇서서 政變이 이러날 때마다 兵火를
避치 못한 것임에 不拘하고 이만한 發展을 본 以上 中國 統一이 完成되야 和
平한 時期가 繼續되는 동안에는 그의 發展은 實로 豫測을 許치 안흘 것이다
엇더한 사람이 主權을 잡든 어떠한 制度로 다스리든 간에

◇ 唯見長江天際流

大別 北便으로 月湖가 보인다 三鎭 附近에는 大小 湖沼가 수업시 만타 夏
節의 모기는 생각만 하야도 뜩금하다 그 月湖 西岸에 鼓琴而六馬仰秣 하든
伯牙가 일즉이 知音하는 鍾子期에게 그 妙音을 들리어주다가 鍾子期가 죽은
後에 아라주는 者 업다 하야 琴을 깨트리고 줄을 끈은 뒤 終乃 다시는 손가

락에 琴絃을 다이지 아니엿다는 古蹟을 가진 伯牙臺(一名 古琴臺)가 보인다

×

　조흔 景致에 어름어름하든 中砲臺 守備兵이 내려가라고 한다 처음에는
모르고 올라오기는 하엿지만 적어도 발 알에 兵工廠이 내려다 보이고 山마
루에 砲臺까지도 노흔 곳에서 다만 멧十 分 동안이라도 올나 求景할 수 잇
섯는 것 亦是『마마후후[23]』한 中國이 아니고는 어더 보기 어려울 일이다 좀
더 보고 십헛지만 할 수 업시 山 南麓으로 내려스다 山 南面은 全部 古塚이
다 그 中에『民國二年一月鄂軍義塚黎元洪書』라는 墓碑를 세운 矩形의 荒塚
이 여기저기 보인다 革命에 피 뿌린 義塚。 이러한 무덤을 生後 처음 보는 나
는 여러 個 잇는 그 義塚을 모다가 똑가티 된 그 義塚을 一一히 듸러다보앗
다 塚을 덥흔 靑草가 너머도 성긴 것은 무친 勇士의 뜨거운 氣運으로 因하야
말나버린 所以는 안일 터이지……?

×

　漢陽城은 적은 市街다 거의 市街라고조차 할 餘地가 업는 程度다 寺刹이
나 廟宇는 全部『××司令部』가 안이면『××共安局××部』의 看板이 붓고
오직 집웅에 덥힌 靑瓦 黃瓦 等이 옛 잣초를 남길 뿐이다 길가마다 軍人과
警官이 들석들석한다 戰爭이 始作되거나 또는 엇그제 戰爭을 격고 난 듯하
다 戰爭에 시달니고 軍人에게 북다기고 남음이 업는 市民은 長江의 물 흐르

---

23 "마마후후": 중국어 "馬馬虎虎(대충, 대강, 데면데면)" - 편자 주.

듯이 悠悠하다.

　江을 끼고 나려가다 晴川閣으로 올나보니 閣 첫 門間은『第七民衆敎育所』의 看板이 붓고 정작 閣은 天井으로 말근 하늘이 듸려다보고 여긔저긔 乞人들이 들석들석하여 糞尿의 臭氣는 코를 찌른다 名勝古蹟을 修理하기에까지는 아직 손이 돌지 안는가보다 모든 것이 破壞 後 建設에 이르기까지의 半路程인『빠락』[24]時代 中에 잇다 閣을 내린 後 木船을 타고 武昌으로 건느다.

×

　千古의 詩人 李白도 昔人已乘黃鶴去 云云의 崔顥의 七律 一首에 敢히 머리를 들지 못하고 오직 故人西辭黃鶴樓 云云의 一絶 한 句로 수염을 싯고 말게 한 黃鶴樓의 景致는 안인 게 아니라 조타. 더욱히

> 晴川歷歷漢陽樹
> 芳草萋萋鸚鵡洲

의 漢陽을 바래다 보는 景致가 더욱 조타. 이 景致만은 黃鶴一去不復返이라도 古今이 不變할 것이다 樓臺는 이미 祝融의 禍를 當한 지 오래엿스며 그 자리에 只今은 煉瓦製에 時計까지 부튼 洋風 樓臺로 變하얏는데 樓臺 內部는 全部 飮食店 寫眞館 觀相匠이로 차고 마럿다. 아모리 景致는 조치만흔 이 꼴을 보고야 登仙한 費文禕가 다시야 黃鶴을 타고 와서 놀고 갈 理가 萬無하다. 그러나 이것도 現代中國의 한 가지『프로필』이라 할 수 잇다. 寫眞館

---

24 "빠락": Baroque - 편자 주.

에서 요전 타기 前의 黃鶴樓 寫眞을 사서 드러다 보니 人世의 變遷의 넘어도 甚한 恨을 禁치 못하겟다. 아초에 누가 이 黃鶴樓를 세웟섯는지는 모르나 자리가 實로 조타. 즉 武昌市를 가로막은 蛇山의 北쪽 끗머리가 즉 揚子江갓 까지 버더진 그 끗머리가 바로 漢陽의 祖宗門과 相峙되는 山마루에 올여지 어 三鎭이 一目에 瞭然하다. 江가에 아조 내여 지은 탓으로

惟見長江天際流

의 壯觀은 詩仙 李白이 아닌 凡徒 내 눈에도 볼 수 잇다. 長江이 마르기 前 까지 이 景致는 變함이 업슬 것이다. 딸하서 불붓터 타버리면 또 짓고 또 지 은 理由도 여긔 잇슬 것이다. 樓 二層에서 飮食을 시켯스나 이런데서 만드 는 飮食 치고 제대로 만드는 法 업는 것이 何必 이곳뿐만이 아닐 것이다. 結 局 黃鶴樓가 조흔 것도 位置의 所以요. 자조 銃火를 밧게 되는 것도 사삼의 뿔과 가튼 理由일 것이다 또 바로 黃鶴樓 뒤에 奧略樓가 잇다. 이 亦是 寫眞 館과 觀相匠이가 한 間 式 두 間 式 차지하고 잇기는 잇스나 建物은 相當히 오래된 것이라 한다. 黃鶴樓 뒤에 잇는 이만큼 黃鶴樓를 보고는 눈에 별달 리 신긔한 것이 업다.

×

武昌 市街로 내려오다. 武昌은 湖北의 省都다. 歷史는 오래지만 新興都市 漢口에 比할 바가 아나나 오라니 만큼 또 一掬의 古臭을 마터볼 수 잇다. 그 러나 武昌 自體가 다른 都市에 比하야 아모 別趣가 업다 다만 三國時代부터 許多한 兵火를 격거왓스며 아즉 또 몃 번이나 격글는 지 알 수 업는 곳이다

×

蒸氣船으로 漢口로 건너스다 하로에도 數十萬 名이 武昌 漢口 間을 來徃하는데 時局만 좀 平和한 時機가 길면 다리가 노엿슬 것이다 平漢鐵路나 粤漢鐵路 亦是 江對岸에 相峙하고 잇슴을 보아 처음 鐵路를 敷設할 때에도 將來 鐵橋를 架設하야 兩 鐵路를 連結시킬 생각이엇든 것이 分明하다 木船 或은 連絡汽船이 얼마나 不硬[25]하고 不經濟한 것임은 暫時 지나가는 過客보다도 爲政者나 또는 이곳에 살고 잇는 분들이 이미 늣기고 잇는지 오래엿을 것이니 呶呶할 必要가 업슬 것이다 다만 市街 自體로서의 交通狀況은 아즉도 좀 멀엇다고 본다

×

三鎭 合하야 百五十萬 以上의 人口를 가진 이 九國之會의 大都會는 省 主席 何成濬 氏와 漢口市長인 新人 劉文道 兩 氏의 將來 手腕을 우리은 만흔 興味와 期待를 갓고 보려 한다 이 大都市의 言論機關으로는 漢口新聞報、新民報、湖北中山日報、武漢日報、等의 大新聞을 爲始하야 震旦民報、新婦女武漢時事白話報、漢口白話報 等等의 小報도 相當하야 거의 二十 種에 갓가웁다(朝鮮에서는 別로히 보지 못하는 小報라는 것은 普通新聞의 一面을 四折한 것 四面 或은 八面의 小型報로 記事는 興味를 끄는 市井雜事 特히『에로』『그로』的 記事가 만흐나 或은 商工專門의 商工報도 잇는데 大新聞이 朝刊에 反하야 全部 夕刊인 것이 特色이며 月定讀者보다 그날그날의 散賣政策

---

25 "硬"은 "便"의 오식 - 편자 주.

을 爲主로 하는이만큼 한 部에 銅錢 二三 枚로 購讀할 수 잇게 되어 그 勢力
도 微微한 工報로는 到底히 追及할 수 업는 現狀이다

×

漢口에서 마지막으로 特記할 것 한 가지는 배달의 따님 六十餘 名이 꽃다
운 靑春을 水陸千里 여기까지 팔여와서 녹이고 잇다는 것이다 勿論 顧客은
純全히 日本 海軍인 以上 結局 日本 海軍님 德澤에 와잇게 된 것이다 그런데
여기까지 팔여는 왓지만은 팔여오기까지의 經驗은 그 途中에 常識으로는 判
斷치 못할 만한 幻想을 안고 와서 결국 幻滅의 悲哀라기는 넘어도 慘憐한 現
實을 맛보고 잇는 바임이 여기까지 온 以上 엇지할 수 업게 된 이 따님들은
覺悟 以上의 覺悟를 가지고 萬一 누가
『엇지하야 여기까지 왓소』
하고 뭇는 境遇에는 서슴지 안코
『엇저긴 엇잿서요 父母님 德澤이지』
하고 對答한다고 한다 簡單明瞭한 率直하고 忌憚업는 듯한 이 對答은 그
들의 연지 칠한 입술이 아니고는 돌아 나올 수 업는 含蓄이 만코 怨恨이 넘
치는 한 마듸일가 한다

◇ 여들에 八十 里 行航

三月 二十七日 새벽 먼동이 바야흐로 트려 하는 다섯시 半 내가 탄 昌和
라는 中國 배는 漢口港에서 쇠줄을 감기 시작하얏다

배가 뭇척 적어 房안이 過히 좁다 따라서 船客이 寢臺 박그로 나와 안즐 수
도 업거니와 唯一한 복음자리인 그 寢臺조차 天井이 엿터서 걸어 안지도 못

하며 밤낮 두러눕고 지낼 수박게 업는 卽 할 수 업시 개八字 格으로 지낼 수 박게 업는 形便이다 게다 적은 배에 사람은 얼마나 실엇는지 統艙客(三等客) 은 넘치고 넘처 甲板은 勿論 來徃하는 通路 할 것 업시 굿득 드러차 船內의 不 潔은 想像을 넘치는 慘狀을 일우고 잇다 배가 커야 싀원도 하고 待遇도 낫고 편안도 하다 茶房들의 『써 ― 비쓰』가 싀원찬을 뿐더러 食事도 젬벙이다

官艙(一等)도 房艙(二等)보다 別로히 용을 것 업다 게다 速力조차 여들에 八十 里 格이다 『배는 큰 것을 탈 일』 이것도 한 가지 所得。『막둥이보다 그 래도 큰 놈이 낫지 ―』

終日 비가 와서 濃霧로 因하야 兩岸 景致는 볼야 볼 수가 업다 京城測候 所의 사흘에 두 번 씩은 『揚子江低氣壓』 云云의 맛고 안 맛는 것이 問題가 아 닌 天氣豫報에서 연방 들추는 그 低氣壓 속을 뚤코 지금 배가 엉금엉금 기거 가듯이 올라가는 세음이다 따라서 一陣 東北風만 부는 날에는 京城에도 이 산뜻산뜻 등꼴을 스치는 비가 數日 內로 내려 쏘다질는지는 모르겟스나 何 如튼 旅行 中에 비 맛는 것은 달지는 못한 일이다

×

가티 탄 蘇縣서 釀酒業을 한다는 나히 三十二 三 歲 되어 보이는 친구가 初面人事를 하고나서 자랑을 시작한다 曰 내 一家 누구가 무슨 長이오 또 누 구가 무슨 長이오 따라서 무슨 長과도 親하고 무슨 長과도 莫逆하다 曰 내 짐 속에 무슨 고기도 가지고 왓스며 무슨 통조림도 몃 통이 잇고 瓜子도 잇 고 또 무엇도 잇고 내세운다. 무슨 長이 一家라든가 무슨 長과 莫逆한 것은 그 眞否如何를 莫論하고 내게 別한 興味를 늣기지 안흐나 當場에 먹을 것을 그것도 特히 맛조타는 그 무슨 고기 무슨 통조림은 잇다고만 하지 其實 자 ―

한점 或은 한 저갈 맛보라고 턱 내놋치는 안는다. 이것도 中國 旅行 中에 交際하는 術策의 한 가지이니 — 勿論 맘세 조흔 親舊도 잇서 턱턱 내놋는 분도 만치만 或是 그럿타 間或 이러한 분이 잇는 수도 잇스니 — 무릇 이다음부터는 境遇如何에 딸하서는 이 術策의 應用도 한번쯤은 해볼게라 生覺하엿다. 그러나 모든 것이 안다고 또는 하고 십다고 할 수 잇는 法은 아니다. 特히 이런 術策의 溫習은 우리로서는 적지 안흔 脾胃가 絶對로 要緊할 것이다.

×

비가 멋기 始作한지 얼마 안 된 밤 열시 경에 曹操가 周瑜로 말미암아 全滅을 當하고 만 赤壁을 지나다. 밤이고 희린 날이라 여긔가 赤壁이라고 하니 그런가보다 하엿슬 뿐이지 잘 보이지 안는다. 赤壁이라는 山은 中國에 셋이 잇는데 모다가 湖北省에 잇다. 한아 즉 其中 有名한 것은 이 嘉魚縣에 잇는 이곳이오. 또 한아는 蘇東坡가 暫時 失手한 黃崗縣에 잇는 것으로 普通 赤鼻山이라고 하는 것(旣出)과 마지막으로는 武昌서 東南으로 七十 里 假量 되는 곳에 잇는 俗稱 赤磯라는 武昌縣의 赤壁의 셋인바 이 마지막 赤壁은 웬만한 地圖 中에서는 가장 名聲이 업는 赤壁이다.

배는 밤 열한時 半 頃에 新堤라는 燈 몇 개밧게 보이지 안는 곳에서 첫날 밤의 碇泊을 말도 업시 슬몃이 始作하엿다.

이튿날도 하날빗이 흐리멍덩하다. 배 안의 不潔은 어제보다 倍加. 朝飯을 먹고 난 領江(水路案內者로 船內에서 相當한 地位를 가지고 잇다)의 房에서는 娘子女士들의 來訪으로 시시덕어이고 떠들어대인다. 어느 모통이에서

『따 마장!!』[26]

『동빼 욥뿌 따 마장!!』

하고 麻雀軍 募集의 鼓聲『안나운쓰멘트』[27]가 들닌다 銅錢내기 麻雀이라도 붓처먹는 것도 적잔흔 버리가 되는 以上 목소리가 큰 것도 할 수 업는 일일 것이다

×

새벽에 임이 湖南으로 들어슨 배는 午正 때에는 江水가 左右로 갈니워 江줄기가 세 갈내로 버러진 듯이 보이는 城陵磯를 지나다 洞庭湖 七百 里 물이 長江으로 흘너드는 곳이다 湖南은 回路에 둘을 곳이며 이 배 亦是 不過 數百 里를 못가서 다시 湖北으로 감도라 들 것인즉 湖南 이야기는 뒤로 미루자

江줄기는 小腸 줄기와도 가티 이리 꼬부라지고 저리 휘돌아 갓득이나 어긔적어리는 배의 速力은 말이 아니다 江의 景致도 別한 異彩가 업다 다만 멀이 湖南의 蜿蜒한 連山이 까뭇까뭇 南쪽 하날 갓가히 버더저 나갓슬 뿐이오 江岸 갓가히는 아모것도 보이는 것이 업다 갈대밧이 十 里 百 里 連接하고 십흔 대로 連接하얏슬 뿐이다

×

저녁때부터 버서지기 시작한 하날에는 반달이 南쪽으로 치우처 비초인

---

26 "따 마장": 중국어 "打麻將"(마작놀이를 합시다) - 편자 주.

27 안나운스멘트: 영어 announcement - 편자 주.

다. 陰曆으로는 初七일인가。 여들에인가 달빗에 비초인 江물은 그래도 밤이
요 달빗에 비초인 까닭인지 나제 보는 거머테테한 흑탕물들이 적잔히 파란
긔가 돌며 말근 맛이 난다。 粉漆로 밤눈을 속이는 각씨네와도 가티 밤 열한
時 半 頃에 下平灣이라는 곳에서 投錨聲이 뒤ㅅ房의 麻雀牌 치는 소리와 압
방의 시시덕어리는 소리 어울녀 들어온다。 江은 고요하나 뱃속은 어지간이
搖亂하다。 어듸서 어느 사이에 왓는지 조고마한 軍艦 한 隻이 뒤로 와서 가
티 밤을 지닌다 次次 압길이 危險한가부다。 안인 게 아니라 이 배 甲板은 鐵
板으로 둘녀놋코 그래도 不足하야 機關銃까지 삐죽히 버틔어노앗는데도 不
拘하고 軍艦이 또 쪼처와잇는 것은 아모래도 마음이 노히지 안는 貌樣이다。
밤길을 못가고 名稱밧게 업는 江中에서 머무는 것도 亦是 발이 절여서 그러
는 것이라 한다。

×

　이 下平灣을 떠나기는 이튼날 새벽 다섯時 半。 江가의 흙빗에 次次 식커
매 보인다。 따라서 江물 黑灰色。 물결에 스치어 강기슬의 흙이 이 모퉁이에
서 와스스 저 모퉁이에서 쿵 텀벙 문허진다。 暫時 갓가왓든 山이 또 次次로
머러진다。 갈때도 所用 안 되는 物件은 아니겟지만 이 附近 一帶는 視野 內
의 遍遍沃野는 갈때밧이다。 江邊의 沃土가 開墾되는 날이 中國이 統一되는
날이 아닐가 勿論 江 갓가운 곳은 漲水의 汎濫이 끗치지 안흘 것은 이 過客
亦是 모로는 바는 아니로되 —。 木船 七八 隻이 한데 거의 부터 나려온다 엇
저녁에 江邊 어느 모퉁이에서 한데 모듸여 밤을 지내고 가티 내려오는 것일
것이다。 이것도 勿論 한 가지 團結이엇슬 것이 分明하다 朝飯을 먹고 나자
배는 湖南地境을 버서나 다시 湖北으로 도라들어 監利縣을 지나친다。

×

午正이 채 되기 前에 江 南岸에는 黑板에 白字로 쓴 共産軍의 宣傳標語가
느러슨다。曰『沒落帝國主義 ……』云云의 長文으로부터 曰『擴大紅軍』『打
倒三民主義』等 短句 等等 글자를 赤色으로 하지 안코 희게 쓴 것은 亦是 멀
리서 아라비기 쉬움게 한 것일가 이 附近이 石首라는 共産軍의 勢力 미테 잇
는 곳이라 한다 하로에도 數萬 名이 上下하는 이 大江邊에 嚴然히 共産의 標
札의 羅列을 보게 됨은 中央의 勢力을 推察하고 남음이 잇는 것이다 아닌 게
아니라 長江의 管理을 列强에 委任한 中央政府가 아니든가。江邊에는 울긋
불긋한 衣服 입은 사람이 奔走히 來往하는 樣이 보인다 이 石首縣 한 모퉁이
에서는 長江을 航行하는 汽船이 甚할 때는 거의 每次 共産軍의 大砲 襲擊을
바더왓는데 或是 彈丸이 缺乏될 때에는 흙덩이 彈丸도 날라와 琉璃窓 깨가
부신다고 한다 多幸히 이번 나하고 가는 배는 無事히 通過한 세움이 되엇는
데 어느 때든지 마음 노코는 다니지 못한다고 하는바 더욱히 夜間航行이 禁
物이라 한다 이곳 石首縣은 漢口서 八百餘 里 沙市서 不過 百餘 里。따라서
沙市가 번번히 赤色 都市가 되는 것이다。

×

겨우 石首縣 따를 버서사[28] 후 — 숨을 냇킨 後 저윽이 安心하고 머무럿든
바 이튿날 아츰 내가 눈을 떳슬 때에도 그대로 서잇다
　적어도 새벽 사이에 멋 十 里 길은 올나왓슬 배가 웬 세음인가 하고 밧그

---

28 "사"는 "나"의 오식 - 편자 주.

로 나서 보니 咫尺을 분간할 수 업는 지독한 濃霧가 나는 『별에 별일이 다 만코나』 하고 입맛을 다시는데 楊[29]子江 航行을 만히 한 분들은 『오늘은 日氣가 조켓다』 한다 아츰에 안개가 몹시 끼는 날은 안개가 벗기만 하면 아조 快晴한 날을 보는 것이 楊[30]子江의 氣象이라 한다. 아닌 게 아니라 아홉時에 아피 보이게 되어 배가 떠나온 지 얼마 안 되어 차차 훤하야지는 正午 頃에는 아조 快晴이 되고 만다 勿論 이것을 反動이라는 文句를 만들어 說明할 사람은 업슬 것이나 豫想 以上의 駘蕩한 봄날이다.

×

각금 가다 堤防이 보인다 문허지고 훗터저 오직 그 자최만을 볼일 뿐이나 열분 돌에 횟땀까지 한 것이나 그래도 사람이 저윽히 갓가히 살고 잇는 표적이다 修築 못한 지가 몃 해가 되엇는 지 仔細히 알 길은 업스나 本是부터 든든치 못하야 보이는 그것이 나려미는 물결을 얼마는 抵抗하여보앗슬는지 알 수가 업다. 그러나 다만 이 附近에 거저 구러단이는 돌이라고 좀체 어더 볼 수 업는 곳인 만큼 요만큼이라도 돌을 주서 모아 싸흔 工力도 적지 아니 할 뿐더러 요만큼이라도 하여노코 그나마라도 막어보자고 한 발악도 적지 아니한 발악일 것이다. 딸하서 그의 所用이 되지 안케 몃 十 個 몃 百 個의 돌이 아즉도 抵抗할 수 잇는 적은 물결은 抵抗하고 잇슬 것이다. 『곳가짓것!』 하고 그만두는 賢明보다는 잇는 악은 다 써보고 마는 것이 特히 抵抗에 잇서서는 必要하며 또 壯快하다. 況 악이 악을 싸어 큰 발악이 되는 수도 잇거든

---

29 "楊"은 "揚"의 오식 - 편자 주.

30 동상.

×

人家 갓가운 곳에는 銃 或은 鎗 또는 몽둥이로 武裝한 軍人 自警團 等이
웃뚝웃뚝 서잇다。 한편쪽에서는 말 달리든 軍人이 연방 말 궁둥이에 챗죽질
을 하나 파릇파릇 도다오른 만문한 풀포기에 입에서 침이 흐르는 말이 탄 主
人의 사정은 모르고 때릴 테면 얼마든지 때려라 하는 듯이 궁둥이를 치올리
고 풀포기에 입을 박고 움작도 아니 한다。 이런 境遇에 등에 오른 人間이 말
을 보고 畜生이라고 할 것이며 이러는 수가 잇는 緣故로 數千 圓 數萬 圓짜
리 말이 生겨지며 사람 敎育은 못 씨키는 수가 잇서도 騎兵隊에서 말 敎育은
시키는 大强國이 잇는 所以인가 하는 同時에 그나마도 돈 적은 이 나라가 애
처러워진다。

×

午後 다섯時 半 頃에 郝穴이라는 곳을 지난 베는 밤 아홉時에야 겨우 沙
市에 到着되엿다 沙市는 純全한 舊 市街다 沙市는 西北으로 十 里 假量 떠러
저잇는 荊州! 千里江陵一日還의 江陵이라고 하여야 알기 쉬운 그 荊州의 外
港으로 古來로부터 長江 中流의 商港으로 隆盛한 곳이다 光緒 三年에 宜昌
港의 開港으로 말미암아 저윽히 衰退되기는 하엿스나 아직도 大商이 相當히
잇서서 外貌보다는 賣買가 相當하다고 한다 街路는 舊式 磚石을 깐 좁기가
限이 업는데다 東西로 約 七百 假量이나 버더진 외통길 하나밧게 업는 협잡
한 거리다

×

밤 사히에 풀어도 넉넉할 듯이 생각되는 짐을 아츰에야 푸노라고 다섯時면 떠날 배가 거의 열시 갓가히 되어 떠난다 얼마 동안은 草家가 안 뵈인다 아모리 餘裕한 사람이 만히 살기로서니 江邊에 草家가 업는 거은 異常하다 瓦家가 되기에는 너무도 초라한 오막살이가 亦是 와가이다 이 수수꺽기는 이 地方附近에서는 아래서 그러케도 흔 갈대가 나지 안는다는 說明으로 풀리고 마럿다 잇다금씩 마루 우에 軍人이 우뚝우뚝 서잇는 적은 山이 갓가워진다 복사꼿인지 살구꼿인지는 분간할 수 업스나 붉은 꼿이 만발한 村落이 잇다금씩 보인다 牧童이 멀리 손가락질하든 杏花村도 必是 只今 내가 보는 조고만 洞里와 恰似하엿스렷다

그날 저녁 여듧시에 松滋라는 곳에서 잔 배가 宜昌에 到着하기는 이튼날 午前 열時엿다 漢口서 宜昌까지 一千一百四十 里 所要時日 無慮 滿 五 日하고 다섯 時間 半。

◇ 燈火混戰의 宜昌港

宜昌에 사는 사람은 勿論이오 적어도 宜昌 앞을 지나가는 사람은 江岸 南山 中腹에 『廢除不平等條約』『完成國民革命』이라고 灰로 히게 쓴 標語를 보지 안흐려도 안 볼 수 업시 써노흔 것을 보고야 말 것이다 現代의 中國은 어대를 가든지 標語다 그러나 그 만코 흔한 標語 中에 가장 巧妙하게 써노흔 것이 이것이라고 생각된다 萬一에 標語宣傳術 懸賞에는 이 宜昌이 特選으로 當選될 것이다 ― 勿論 내가 본 中에서 ―。

宜昌은 沙市의 上流 三百餘 里 長江의 北岸에 잇서 西로 巴山을 隔하고 西南으로 武陵山脈에 接하야 밧작 닥어서 屹立한 山은 보는 사람을 내려누르

는 듯하다 光緒 三年 芝罘條約[31]에 依하야 開港된 以來 沙市의 商權을 저윽히 빼서오기는 왓스나 現在 以上의 發展은 크게 期待를 갓지 못한다고 한다 오직 四川의 中繼港일뿐이오 附近 一帶에 別한 特産物이 업는이만큼 街頭에도 別한 異彩가 업다.

新港口인만큼 市街는 亦是 江邊을 따라 버더올나가 東西로는 約 七 里나 되나 南北으로는 極히 幅이 좁다. 新市街는 埠頭 近處이며 縣城은 西便으로 올라가 잇다. 新舊 市街를 勿論하고 街路의 生氣는 업스며 建物도 이러타고 할 것이 업다. 商賈도 大概는 小賣商이며 沙市에 比하여 大都賣商이라든가 또는 店鋪도 稀少하고 農産品조차 物價가 빗사다고 한다.

鄂西聯合春季運動會가 열린다 하야 停車場 ― 鐵路는 업고 停車場 建物만 잇는 ― 뒷 廣場으로 구경을 갓다. 經費 七萬 圓을 드려 一 周 間 繼續한다고 하는데 아모리 보아야 七萬 圓은 고사하고 一萬 圓조차 費用이 드러 보이지 안는다. 우리 가트면 『트락[32]』에 색기줄이나 삼줄이나를 둘러 꼬즐 터인데 軍人洪水가 낫는지 여기서는 軍人들이 둘러안저 『트랙』을 始成하엿다. 맨발 초신에 참대로 얼기설기 역근 背囊 게다가 彈子가 잇는지 업는지 알 수 업서도 短刀만은 끼운 日露戰爭 때 使用하든 村田式 銃을 집흔 軍人城은 果然 異彩 以上의 驚異이다. 다만 『트랙』뿐만 아니라 運動場 場外는 全部 軍人이다. 멀리 떠러저잇는 뒤山 미테까지 우뚝우뚝 파수兵丁이 서잇다. 戒嚴令 下에 運動會가 開催된 듯하다. 이 殺風景임에도 不拘하고 또한 『께임』이 二十 分도 가고 三十 分도 가서 하로 진終日 멧 『께임』이나 進行될는지 모르

---

31 '芝罘條約'은 1876년(光緒 2년) 청조와 영국 사이에서 체결된 조약으로 '煙臺條約'이라고도 한다. 정확한 체결 시간은 "光緒 三年"이 아니라 "光緒 二年"이다. - 편자 주.

32 "트락": track - 편자 주.

나 何如튼 選手는 勿論 一般 觀衆도 喜喜樂樂하야 和氣가 靄靄한 가운데 小學生의 短距離競走도 나오고 女學生의 棒高跳도 나온다. 석자 기리도 못 뛰어넘는 어엿븐 아가씨가 或是 그러타 間或 잇기는 잇슬지언정 ─ 。 그러나 이들은 이들의 돈으로 이들의 손으로 이들의 保護兵 아레서 마음대로 氣運대로 날고뛰고 잇다. 空中에서 제비가 날듯이。 水中에서 고기가 뛰듯이。

╳

바로 運動場 뒤가 北邙山이다 日氣가 조흔 탓인지 男女老少의 登山者가 만타. 굴근 糖幹子(사탕수숫대)를 조고만 입으로 물어뜨드며 올나오는 열팔구 세 되어 보이는 아가씨들. 또 이 幹子를 집행이 삼아 집고 올나오는 할머니 三三五五 아니 거의 山길이 메다시피 올나온다. 北邙山에는 조이로 만든 假花가 滿發하엿다. 예서 燒紙를 하면 제선 톡탁 딱총을 터트린다 祭需를 어지간이 차려놓은 잇는 사람의 무덤 假花가 겨우 한둘 꼿치어잇는 무덤 그나마 이도저도 업는 무덤 죽어서 흙이 되기는 마찬가지겟지만 그래도 무덤에만은 階級이 잇다 子孫 잘 두고 못 둔 탓으로 ─ 。

╳

路上의 人物은 男子는 勿論 머리를 깍것스나 女子는 젊은 女性 以外에는 아직 舊式 대로 잇다. 處女들 中에도 아직 머리꼬리들 길게 느리고 잇는 것도 或間 보인다. 勿論 新敎育을 밧지 못한 女性일 것이다. 一般的으로 男女를 通하야 재차분하게 생겻다. 더욱히 女子는 키가 작고 얼굴이 납적하며 맑지 못한데다 코허리가 잘눅 들어가거나 또는 코허리라고는 거의 보이지 아니하며 게다 보기 조타고 한 蛾眉가 유달리 길고 가늘어서 갓득이나 길지 못한 얼굴이 더 납적하여 보이며 特히 커다란 눈방울이 툭 불거진 분이 만흐며 아울러 産後면 며츨이 못 된 産母와도 가티 눈가에 푸른색이 도는 것은 아모래도 아름다운 편이라고는 할 수 업다 가튼 湖北 女子라도 漢口 附近의 女子는 허리가 후리후리하고 쭉 빠진데다 허여멀건 얼굴이 름름하야 우리나라 北道女性에서 보는 氣運 세인 感을 주어 內務大臣이 外務大臣을 제처노코 總理大臣의 職權을 侵犯할 듯한 氣相임에 正反對이다

中年女子의 발은 斷髮娘의 길쭉한 발과 할머니의 纏足의 中間으로 中間에 纏足의 解放을 본 것이 宛然하다 四月 初旬에 麥藁帽 쓴 靑年이 相當히 잇는 것은 이곳에도 超超『울트라·뽀이』가 어지간이 사는 것으로 拜察된다

×

물이 야터서 배가 못 떠난다고 來日 모레 하던 배가 四五 日이 지난 後에는 또한 三百 里 上流에 잇는 巴東이 其間 共産軍에게 占領되어 不通이라 하여 來日 모레가 또 멧 번이나 繼續되는 바람에 그리 神通치 못한 宜昌서 구즌비 나리는 몃 날을 百『퍼 — 센트』로 虛送歲月을 하게 되엇다 이 宜昌에 우리나라분이 經營하는 遠東照像館이 잇는바 宜昌 寫眞業의 大王이다. 中國人 經營의 寫眞館이 多數 잇기는 잇스나 到底히 追及하지 못하며 더욱히 經營主인 韓 劉 兩 氏는 宜昌의 黎明時代부터 來往하는『老宜昌』인이만큼 當地 中國人 間에도 발이 넓어 寫眞館의 發展은 實로 前途洋洋하며 지나가는 一 個 同胞도 저윽히 快然함을 늣긴다.

×

변변한 電燈會社가 업는 이곳은 이곳저곳서 小型發動機로 몃 十 燈 몃 百 燈의 電力조차 하롯저녁에 몃 번式 停電을 하며 겨우 送電하게 되는 關係로 電燈의 設備가 잇스면서도 집집마다 瓦斯燈 石油燈 燭燈이 並用된다 이 燈 火混戰의 都市는 一便 또 懷中電燈의 都市다 道路가 변변치 못한 關係로 懷 中電燈商이 여긔저긔서 氣焰을 吐하고 잇다(이 現象은 長江 上流의 都市가 全部 同一하다)

×

江가에 늘어슨 船人의 집은 全部가 竹製다 天井、기둥、바람벽을 爲始하 야 卓椅子、바구니 衣欌、盒 燈 日用家具가 모다 참대다 이 참대집이 조고마 한 市街를 形成하야 잇서 飮食店、雜貨店、茶店 甚至於 娛樂塲까지 잇다 人 形劇은 觀覽料라고 하는 이보다 茶갑으로 밧는 세음인데 銅錢 네 닙이다 놀 리는 人形은 紙製人形으로 紗幕 뒤에서 놀리어 보는 사람은 幕에 비최이는 人形을 보게 되는데 머리、허리、팔、다리가 모다 屈伸하나 그중 팔이 제일 잘 논다 劇을 演劇과 마찬가지로 普通劇塲에서 하는 音樂의 伴奏와 아울러 幕 뒤에서 사람이 唱白을 한다 人形뿐 아니라 普通舞臺에서 보는 椅子、卓子 其他 一切 道具가 모다 조이로 만든 것이며 彩色도 巧妙히 되엇다 人形의 키 는 三 尺 內外이며 先生의 數 名 쓰는 모양 等은 一流 名優의 動作을 聯想케 하야 절창이다 또 이 洞里에 共同便所가 잇는데 江가에 구녕 몃 개를 나란이 파고 그 周圍에 닙이 몃 개 씩 붓튼 참대 꼿으로 둘러 꼬자노아 들어가 안고 잇는 사람의 全身이 다 보인다

◇ 戰戰兢兢의 하로

宜昌서 重慶 가는 彛陵이라는 배를 타게 된 것이 四月 十二日 저녁이다 잇튼날 새벽에 떠나는 以上 좀 늦게 타도 조흘 것이나 午後 여섯時만 되면 戒嚴을 나려 市街와 外部의 連絡을 끈허노코 말무로 일즉이 올나야 되는 것이다

宜昌 온 지 열사흘만에 겨우 떠나게 된 것도 官軍이 엇지엇지 巴東을 回復하엿기에 된 것이지 처음가티 연방 『官軍之勢不利』라는 報告가 들어올 때 가태서는 압길이 아득하여 回程에 두르려든 湖南으로 내려갈여고까지 하야 저윽히 안타까움을 익이지 못한 생각을 하면 날로서는 千萬多幸이엇다

×

배가 떠난 지 두 시間 後 즉 四月 十三日 午前 일곱時에 깨여 밧글 내다보니 江幅이 밧작 죄여들고 兩岸은 깍꺼진 山뿐이다 바로 『꾀꼬리가 울고』 『녯 祠堂이 荒凉한』 黃陵廟를 지나 임이 三峽의 初入인 宜昌峽의 마즈막이엇다

江 南岸으로 黃牛山의 重巖疊起만 巨體가 나타난다

原來 이 黃牛山은 사람이 소를 끌고 가는 形像가티 보여 지은 일흠이라하나 몃 千年 몃 百年 동안의 風化作用으로 因하여서인지 빗은 누래도 아모리 보아도 소의 형상이라고는 할 수 업다 江流의 紆曲이 甚하야 이 山 밋을 떠나지 못하야

朝發黃牛

暮宿黃牛

三朝三暮

黃牛如故

라는 俗謠까지 잇다 한다

×

黃牛峽의 險灘을 지난 지 얼마 아니 되어 배가 바로 路家河 첫 모퉁이를 돌아들자 별안간에 喇叭소리가 들어온다 저편[33] 洞里로부터 軍人 비슷하게 보이는 三十餘 名의 一隊가 武裝을 하고 내려닷는다 喇叭인 즉 배를 停止하라는 뜻이나 붉은 깃발을 휘날니며 내려닥치는 품이 배로서는 好意를 가질 친구가 아님이 判明되자 배가 全速力을 내이는 一便 배에 탓든 保安隊가 射擊 準備를 한다 房 안에서는 行李를 방패로 하야 이미 救命之策을 講究한 분도 잇는데 그보다도 내 코 아프로 내민 拳銃을 견우고 잇는 保安隊 한 분의 응덩이는 누구보다도 가장 들먹어린다 이것을 保安隊라고 밋고 잇다니 그러 배가 全速力으로 不過 五 分이 못되어 그곳을 通過하얏다는이보다는 한번 맛을 뵈려고 달여오섯든 분들이 배가 通過하는 것을 넘어도 늦추 알엇든 關係로 無事히 通過한 것이다 勿論 大砲가 잇섯드라면야 — 그 사이에 땀을 낸 保安隊長은 비로소 銃 쏘는 법을 가르친다 日『銃을 잡는 법은 머리와 一直線이 되어서 아니 된다 머리와 한 三十 角度 쯤 벗겨 잡어야 한다 ……』이런 것은 渴屈井을 자나처도 分數가 업는 便이다

×

---

33 "편"은 "편"의 오식 - 편자 주.

조금 江幅이 넓어지는구나 하는 사이 차차 막히는 듯이 좁아진다 이것이 有名한 牛肝馬肺峽이다

形容詞 잘 쓰는 中國人의 巧妙한 形容이겟지마는 灰色 水成岩이 風化作用을 바다 일로 패이고 절로 깍기어진 絶壁이다 對岸 南쪽은 崆岭峽

배는 그대로 奔流를 거슬러 射紅磧, 下中灘를 지나 三峽六十灘으로 들어스자 웃득 슨다 웃득 슨 게 아니라 내려 밀이는 물결에 올나가지를 못하고 깡풋하면 흘너내려가려고 한다 船客 全部를 뱃머리로 모라 내세우고 배는 가진 애를 다 쓴다 물결에 못박은 領江의 七十 老眼에도 유달이 生氣가 돈다 여페는 몃 달 전에 뒤집어 업헛다는 汽船의 破片이 보인다 배가 빗죽하는 날에는 三百 名 갓가운 生命은 餘地가 업고 말 것이다

헴을 잘 친대야 별 수가 업슬 것이다 汽船이 밀여 나려가는 以上 모도 입을 꽉 다물고 잇는 船客들은 누구나 할 것 업시 가슴이 들먹어릴 것이다

江가에는 左右로 男女老少가 와르르 나와 느러슨다 죽어도 數百 名 觀衆 아페서 죽을 것이다 그러나 이러한 危險이 오늘 한 번이 아니며 이 배 한아가 아닐 것이다 보고 격고 하는 동안에는 窮理가 생기는 法이다 江邊에서 조고만 木船 ― 줄로 江가 바위에 매여 떠내려갈 危險을 保證한 ― 이 갓가히 와서 汽船에서 던지는 쇠줄을 바다가지고 도로 갓다。 이 바더가지고 간 쇠줄을 數十 名이 끌어단니여 數十 間 上流에 잇는 바위에 얼거논는다 그제야 汽船에서 그 쇠줄을 감아 이 줄이 감기는 바람에 汽船이 끌려 올나간다 約 三十 分 동안 진땀을 흘닌 汽船이 엇지엇지 新灘를 通過하기는 열시 四十分 頃이엇다 줄을 끄러다 바위에 얼거준 勞賃은 一金 三百六十 圓也 만타면 만코 적다면 적다

×

新灘 바로 다음이 南岸은 白狗峽이요 北岸이 諸葛兵書峽 이 諸葛兵書峽은 諸葛亮이 兵書를 감추어두엇다는 傳說에서 나온 名稱이라는데 아닌 게 아니라 깍깍진 絶壁은 나는 새도 발을 부치지 못할 뜻하다 上通天文하고 下達地理하야 아는 데는 『하나님』에 못지 안흔 同時에 神出鬼沒하는 諸葛亮이나 올나가서 兵書를 千歲 後 萬歲 後의 第二世 諸葛亮에게 傳코자 감추엇슬는지는 『此限에 不在』하다 絶壁의 된 품과 아울러 조금 上流에 八陣圖 等의 傳說的 古蹟이 잇는이만큼 이러한 傳說이 어떠한 사람의 幻想으로부터 그럭저럭 構成되엇슬 것은 容或無怪한 일일 것이다

×

寶劍峽을 지나 北岸으로 『이 넉시 뉘 넉시냐 동북간을 지어내든』漢元帝의 宮女 王昭君을 나흔 香溪가 잇다 조고만 산골작이나 집이라고는 七 八 戶 이 사람이 사는지 안 사는지 알 수조차 업는 山間에서 出生한 絶世佳人이 복닥기는 咸陽 宮中에서 하염업는 눈물을 그 얼마나 흘럿는가 그래도 不足하야

呀不思量 除是鐵心腸 鐵心腸也 愁淚滴千行

이로구나 하고 放聲痛哭하고 宮을 떠나 胡地로 잇끌여간 明妃의 末路는 넘어도 怨恨이 기퍽다 일직이 눈물 만흔 杜子美도 이곳을 지나면서

群山萬壑赴荊門 生長明妃尙有村

이라고 低徊不住하지 안헛든가 黑江의 靑塚限에 어찌 杜子美만이 눈물을 흘럿슬가부냐 몃 百 首가 되는 알 수 업는 明妃曲 昭君怨의 作者인 몃 百의 詩人 漢宮秋의 作인 元代 馬致遠을 비롯하야 雙鳳奇緣의 作者 以下 一一히 枚擧할 수 업거니와 이 東方 禮儀之國의 젊은 過客도 이 紀文 一 節을 草하야 燦爛한 明妃文獻 中에 一 異彩를 加하야보자는 것이다

다음이 屈原三泡인 所謂 汨羅다 큰 바위 미테서 물이 튀여 도라 내려가는 곳이다 그러나 汨羅는 湖南에 잇다 史籍文獻으로 보아 湖南에 잇는 汨羅水가 眞字다(後出) 딸하서 이 屈原三泡인 汨羅水는 不可不 假字다 이것을 眞字라고 떠드는 이 地方 분들은 慾心이 좀 만타 욱일 必要가 업는 것이다 조금도 ─

그러타 北方의 詩三百篇에 버틔고 남음이 잇고 楚辭를 나흔 悲憤의 詩人 多情多感한 詩人 忠良한 丈夫 屈原閭의 出生地임으로서 千歲不滅의 자랑이 아닐가 보냐 絶痛한 最後를 지은 이 詩人을 이 丈夫를 그나마 아수운 마음에 故鄕에서 죽엇다고 밋고 시픈 鄕土愛를 追慕熱을 모르는 바는 아니로되

屈原의 祠堂이 멀리 보인지 얼마 아니 되어 王昭君과 屈三閣[34]을 나흔 歸州縣城이 보인다 뒤에 臥牛山을 등지고 아페 人鮓甕의 險灘를 구버보는 歸州城은 人家 百餘 戶가 채 될가 말가 하는 조고만 城廓으로 에어 싸인 古邑이다 이 邑을 가본 사람의 이야기를 듯건대 縣城門에는 『楚大夫屈原故里』『漢昭君王嬙故里』의 두 石碑가 잇다 한다。溪山이 相區하고 斷崖絶壁 사이에 奔湍가 渦流하는 이 山峽僻村에서 楚辭와 가튼 雄大宏麗한 文學이 나오고 王昭君 가튼 絶世美人이 出生된 것은 적지 아니한 怪異之感도 나기는 나나 山水靈淑之氣가 반다시 이 偉大한 詩人과 佳人을 나음에 도음이 잇고 남음이 잇섯슬 것이다 歲月이 歲月이라 資이 조고만 城壁에도 『打倒帝國主義』의 白字標語가 大書特書하야잇다

---

34 "閣"은 "閭"의 오식 - 편자 주.

×

附近 石色이 까매진다. 渣溪 下尾灘 眞武灘를 지난 배는 最大의 한아이라는 洩灘을 간신이 通過한 後 이곳저곳 조고만한 石灰鑛을 두르브며 樹坪 上石門 八斗灘을 거처 갈 때는 領江의 指揮信號 하는 손가락로[35] 奔走하다. 어듸서나 끗이 날는지 알 수 업는 連綿不絶한 層岩絶壁과 高山峻嶺에 어지간이 가슴이 엇찔한 여페서 보는 中年이나 된 親舊가

『당신의 나라에도 이러케 놉고 景致 조흔 山이 잇소』

하고 뭇는다

『이런 게야 어듸 山이라고나 할 수 잇소. 놉기로는 北에 白頭 南에 漢拿가 잇고 景致 조키로야 당신네가 죽어도 한번 보고 시퍼서 願生高麗國하야 一見金剛山하고지고 하며 中國에서 태여난 것을 恨嘆까지 한 金剛山이 잇지 안소』

하엿드니 對答이 업다.

◇ 巫山十二峰

南岸에 잇는 涪石으로부터 以西가 四川이다 江岸으로서는 巫山峽이 始作되는 것이다.

巫山峽의 形狀을 說明한다면 結局 고석인 同時에 절벽 노픈 것은 千餘 尺 고석인 關係로 或時 自然洞이 잇는데 이 속에 人氣가 잇다. 무엇을 먹고 엇떠케 단이며 사는지 알 길이 업다 職業인 즉 『칠성판을 타고 사자 밥을 먹

---

35 "로"는 "도"의 오식 - 편자 주.

는』 뱃사공인 것을 다 모르는 바는 아니로되 이 조고만 굴을 바라다 볼 때에
얼핏 생각나는 것이 이러하엿슬 뿐이다

×

十二峯은 아직 조곰 잇서야 하겟는데 南峯에 神女廟가 보인다 吊崖 杉木
瀼을 지나자 차차 十二峯이 보이기 始作한다 次次로『구름 밧그로 먼』朝雲
翠屏 飛鳳 集仙 摩壇 松巒 登龍 望霞 聚鶴 上昇 起雲 聖泉의 嵯峨한 巫山十二
峯이 北岸에 屹立하야 물에 떠내려오는 듯하다 十二峯이라 하나 其實 十一
峯밧게 안 보인다 十二라는 數를 爲하야 큰 山 뒤에서 얼골도 못들고 잇는
것을 끄러다 채운 關係인가 十二峯에도 高峰은 松巒 上昇의 兩峯 江幅이 不
過 十餘 間밧게 안 되여 어지간이 놉기는 노픈 山이 一層 視覺을 좁게 하여
다토와서는 寫眞機를 들고 달여들어도 三分一 以上의 上部는『렌스³⁶』에 들
어오지 안는다. 이 山이 다 江물에 비초인데 기우러지는 햇발을 바더 그림
자는 五色이 燦爛하여진다.

뭉게뭉게 되어 올나오는 안개가 次次로 진하여지자 十二峯은 배도 업서
지고 머리도 업서진다. 아플 지나처 배가 뒤로 감돌아 側面 乃至 背面으로
보게 될 때는 正面의 森嚴한 맛은 一變하야 怪狀이 自出하야 새로운 別趣를
보혀준다.

×

---

36 "렌스": 렌즈 - 편자 주.

금이 죽죽 가고 턱턱 버그러진 절벽 — 몃 分 못가서 쾅 하고 문어저 나려올 뜻한 절벽 미틀 흐르는 물을 거스러 가는 木船은 보기만 하여도 危險千萬이다. 全長 七十餘 里로 峽 中 前 大峽인 이 巫山峽은 空王沱라는 곳에서 끈허지며 이 峽이 끈허지자 巫山縣城이 애달분 이야기의 主人公은 엇던 佳人이엇는지는 모르되 자최만은 남아잇는 望夫石을 등지고 기리 十 尺이 넘는 城廓이 比較的 놉고 또 큰 것은 城廓의 存在理由가 다른 곳보다도 一層 甚한 바가 잇슴을 反證하는 것이렷다.

×

배는 저녁 다섯時 半에 巫山縣城을 조금 떠러저 바로 『先王이신』 楚襄王이 『西施도 掩面比之無色』하도록 『姣麗』한 神女와 『그 瞬間』을 보내인 陽台山 밋테서 첫날 저녁을 잘여고 고요히 선다. 王은 『怠而晝寢』 하엿지만 나는 『困而夜宿』할 터인 以上 王과 가튼 『그 瞬間』은 커녕 宋玉이 본 『말고 精郞한 눈동자』와 『彩丹가티 붉은 입술』이나마도 어듸 우러러볼 것 갓지 아니 하다.

×

저녁의 컴컴한 빗이 江 우로 흘러 바야흐로 神秘한 『로맨쓰』로 古來 中國의 『愛의 聖山』인 陽台山이 가리워 神女가 아직도 잇서 『暮爲行雨』하는 지 안 하는 지 分辨할 수 업서지려 할 때에 漁夫가 生鮮을 팔여고 배 미테다 조고만 木船을 갓다 다힌다. 네 斤 半이나 되는 鯉魚. 길 여들 치 假量式이나 되어 보이는 『빙魚』라는 銀魚 비슷이 비눌의 光彩가 燦爛한 고기. 四五 尺이나 되어 보이는 멱이. 불니는 갑에 깍는 친구를 보고 漁夫는

『나도 사람이닛가 이것 파라서 阿片도 먹어야 하고 담배도 먹어야 하고 ……』

다시 한 배에 탄 自己 안해를 가르치며

『 …… 저것들도 밥을 먹어야 하지 안소. 이것이 오늘 하로終日 잡은 것 인데 그러케 밧고야 어듸 셈이 되오』

한다. 江上에서 구물질로 歲月을 보내는 이 漁夫도 日常에 가장 必要한 것이 第一로 『阿片』이다. 『일 하는 者에게 阿片을 주라!』 이러한 『스로간』[37] 이 잇슬 수 잇는지는 모르되 世上에는 이러한 『스로간』을 내세울 수도 잇는 곳이 잇다고 할 수 잇다고 하면 筆者를 責하실 분이 게실가. 흰옷 닙은 勞働 者와 農夫가 『일 하는 者에게 막걸리를 주라!』고 부르짓는다 하면 責하실 분 이 몃 분이나 게십닛가. 中國 勞働者는 ─ 적어도 이 地方의 ─ 우리가 『막걸 리』를 願하는 것보다도 阿片을 그 몃 倍나 要求한다. 『무엇이 힘 세이고 돈 만흔 者가 그들로 하여금 人生의 快樂을 더욱 一層 낫든 보람이 잇스라 듯키 맛보다는 땃뜻하고 아름다운 마음으로 ─. 그것이 中國人이든 中國 以外 人 이든 ─. 담배 煙氣가 벌쭉한 두 구먹으로 흘너오는 그 코로 코우슴을 치 며 『먹는 놈이 어리석지!』 하는 者 亦是 그분네들일 것이다.

◇ 蜀道와 八陣圖

下馬灘 虎瓜[38]石 龍寶灘를 지나 다시 大溪口를 지나친 배는 이튿날 아츰 巫山 連峯 사히로 흘러나리는 햇빗을 등지고 瞿唐峽(俗稱 風箱峽)의 絶壁을

---

37 스로간: 슬로건 - 편자 주.

38 "瓜"는 爪의 오식 - 편자 주.

이리 돌고 저리 꼬보라저 갈之字 格으로 갈팡질팡하듯이 내려짓지는 물결
을 이러 제치고 저리 피하며 물소리와 아울러 고요한 山谷을 요란스럽게도
흔들어 떠들며 올나간다

五 六百 尺의 絶壁을 그래도 來徃하지 안코는 못겐듸인 人間들의 작란은
발붓처 단일 길을 만드러노앗다 일즉이 太白이

噫嘘嚱 危乎高哉 蜀道之難 難於上靑天

이라고 한 만큼 蜀道의 危難은 想像을 끗는 바가 잇다 짐을 지고 가다가는 수
이고 가다가는 주저안는 步行客들의 辛苦는 말할 餘地가 업다『難於上靑天』
이라는 形容은 飛行機가 이 峻嶺斷崖를 數百 尺 眼下로 내려 구버보며 지나
치는 今日에도 妥當하며 汽船은커녕 木船도 못 타고 步行하는 大衆에게는 飛
行機 航路가 된 蜀道 亦是『難於上靑天』일 것이다 勿論 太白 先生이 얼근하
여 한 首를 플 때에 一千二百餘 年 後의 今日之盛業이며 快事인 同時에 大慘
劇인 이 現象까지 미루어 生覺하지는 못하얏겟지만 이것이 두 가지 意味에
서 今日까지 妥當을 갓게 되는 것이 妙하다면 妙하고 奇하다면 奇하다

×

노픈 蜀山。山이 노파 햇빗을 보기 어려운 이 蜀國에서는 或時 엇지 햇빗
을 보는 때에는 개가『이게 무에냐』하는 듯이 컹컹 짓는다고는 따딱한 글쓰
기로 有名한 韓退之 先生의 見聞한 바이나 世態가 그다지『每望日出、則群
犬疑而吠之也』할 것 갓지는 안타 또 일즉이 安祿山의 叛亂으로 忽忽히 長安
을 버서저 馬嵬坡에서 楊貴妃를 피눈물을 抑制치 못하고 버린 後 行幸의 길

을 急히 하여 蜀國으로 들어와서 못 잇치는 玉環의 생각에 흐르는 눈물 속으로 빗초인 蜀國의 江山을 白樂天이

蜀江水青蜀山青

이라고 노래한 바 잇스나 아모리 보아도 江山이 프르다고는 할 수 업다 石山 濁流일 뿐이다 아즉 陝西 땅을 보지 못한 나로서는 當時의 陝西 江山에 比하야 蜀國의 江山은 青青하얏는지는 모르되

×

何如튼 數百 尺 足下에 濁流의 激奔을 구버보며 斷崖의 中腹에 겨우 발부칠 만큼 깍거노흔 길은 또 間間히 골작이를 만나면 끈허진다 큰 골작이는 四角形의 三邊을 휘돌게 되나 比較的 적은 곳에는 石橋를 노앗다『아 — 취³⁹』形의 堅固한 石支臺에 平地의 石橋 못지지 안케 連結시킨 石橋가 열백 — 千餘 里 사이에 몃 개나 노혓는 지 알 수 업는 — 이 石橋가 이미 數千 年 前의 옛 자최라는 이보다도 現代의 大衆에게 업지 못할 것임을 생각할 때에 不量한 感慨를 禁치 못한다。

×

淸□洞 倒吊和尙을 지나자 南岸으로 曹操의 軍隊가 蜀國을 攻擊키 爲하

---

39 "아─취": 아치 - 편자 주.

야 이 峻嶺을 넘고자 가진 辛苦를 다한 中의 한 가지 遺跡인 孟良梯가 보인다. 勿論 絶壁과 絶壁 사히에 사다리를 놋키 爲하야 뚜른 그 구녁은 배 우에서는 볼 수는 업지만 ―。 그 對岸에는

瀧灩[40]大如馬 瞿唐[41]不可下 瀧灩大如龜 瞿唐[42]不可窺

라는 船人의 水勢目標가 되는 瀧灩[43]堆라는 큰 岩礁가 보인다.

예서 暫時 올나가면 北岸으로 『朝辭白帝彩雲間』의 白帝城이 보인다. 白帝城이라고 命名된 것은

公孫述至魚腹 有白龍出井中 因號魚腹爲白帝城

으로 原名은 魚腹이다. 崎鯨仙子가 『千里江陵一日還』이라 한 바는 水流의 急한 것을 形容함에 不過하나 事實 只今도 白帝城에서 沙市까지 近 千里이며 汽船의 速力을 따저보면 내려가는 배는 十五六 時間이면 넉넉하다 이 조고만 山中腹에 廟宇 한아가 잇슬 뿐인 白帝城이다 이 廟가 三分天下를 一統치 못하고 章武 三年 四月에 六十三 歲의 玄德 劉備가 師父 孔明을 病床에서 치어다보며 흐르는 눈물을 禁치 못하고 눈을 감은 永安宮의 자최임은 三國誌로 귀에 못이 박힌 우리들이라 贅言할 必要가 업을 것이다 쓸한 白帝城은

---

40 "瀧灩"은 "灩瀧"의 오식 - 편자 주.

41 "唐"은 "塘"의 오식 - 편자 주.

42 동상.

43 "瀧灩"은 "灩瀧"의 오식 - 편자 주.

村[44]甫는 白帝城高急暮砧이라 하엿지만 只今은 다듬이 소래조차 들를 수 잇서 보이지 안는다

×

다음이 洞當 中黃 龍騰 鳥翔 連衡 握奇 虎翼 折衝의 八行을 베푸럿다고 하는 이보다도 蘇東坡가 일즉이

諸葛亮於魚腹平沙之上 疊石爲八行 相去二丈 自山上俯視八行
爲六十四蕝 蕝正圓 不見凹凸處 及就視 皆卵石漫漫不可辨이

라고 한이만큼 다만 돌덤이가 한아 잇슬 뿐인 八陣圖다 數千 年 前에 싸허노흔 것이 아직것 存在하는 것도 알 수 업는 일이려니와

…… 或爲人散亂 及爲夏水所沒 東水退後 依然如故

라는 傳說까지 잇슴을 보아 杜子美가 일즉이

功蓋三分國 名成八陣圖
江流石不轉 遺恨失吞吳

라고 한 바오 가티 孔明 先生의 遺恨도 어지간히 綿綿하다 이럿타고 漢室이

---

44 "村"은 "杜"의 오식 - 편자 주.

二十世紀 以後에 再興될 理야 잇사오리 —

×

이 八陣圖와 빗처서 江中에 臭鹽磧이라는 곳이 잇는데 이것은 江中에서 鹵[45]水가 나와 約 四五十 戶가 製鹽業으로 먹고산다는 바 집집마다 굴뚝에 소금 굽는 연긔가 濛濛하다 勿論 물이 기플 때에는 全部 잠기고 말아 一年 中에 겨우 四 五 個月박게 所用이 아니 되나 그래도 一年 産出이 二百五十萬 斤이라 한다

이 鹽井의 後岸이 奉節인 夔府城이며 所謂 夔門이다 宜昌 以西로는 比較的 크다 二十餘 尺의 凜凜한 城廓이 둘닌 이 城은 東으로 白帝城을 바라다보며 뒤로 劉皇叔이 關張 兩 義弟를 더리고 三顧草廬하든 孔明의 臥龍山을 등젓다 이곳 名物은 橘인데 體大가 어지간이 커서 큰놈은 사발만이나 하나 實속인즉 먹지 못할 겁질만이 둑거웁다 제때가 아닌 關係인지 別 風味를 모르겠다

節氣가 일흔 이곳서는 발서 보리를 비인다 이 山골 저 山중툭에 羊의 放牧하는 樣이 보인다 兩岸의 山 模樣이 次次 順하야 거의 丘陵의 蜿蜿함을 보는 程度다 美、英、日의 軍艦 三 隻이 連하야 나려닥친다 自己 손으로 管理되는 江上에 더욱이 나려찟는 물결이라 무삼 거릿김과 무삼 調心이 잇슬가보냐

喇叭灘 龍洞溪 石灰沱을 지난 배는 이윽고 北岸으로 雲陽城을 바라다본다 예서도 소금이 난다 對岸 山 中腹에는 『義釋嚴顔』하며 『御使丈母 月梅의

---

45 "齒"는 "鹵"의 오식 - 편자 주.

응덩이에 닷칠 念慮가 잇섯든 만큼 배는 크되』『性은 急하야 鬥박게서 칼 뽑아들고 草廬로 뛰여들어 갈 번 땍한』翼德 張飛를 모신 桓候廟가 잇다

萬縣 따를 들어스자 兩岸은 層岩이 아니면 碎岩이다 높지는 아니하나 결결히 싸힌 大岩이 風化作用으로 이리 터지고 저리 훗진 模樣은 怪石에 彷徨한 맛이 잇스며 더욱히 그 岩色이 灰色에 多分한 黃味가 돌아 一層 奇異하여 보인다

◇ 阿片匠이의 『멕카[46]』

저녁 여섯時 頃 배가 萬縣으로 들서 對岸 갓가히 쇠줄을 나린다 배가 닷자 海關이 올나와서 船內 積載貨物 以下 行客의 所持品 一切를 檢査한다 萬縣까지 오는 사람은 萬縣서 내리닛가 檢査도 必要하며 所持品 如何에 딸러서는 課稅도 잇슬 것이나 이 배가 重慶까지밧게 가지 안는 以上 物品 乘客 全部가 四川省 中에 퍼질 것이 勿論임에 不拘하고 重慶까지 가는 萬縣 通過 旅客의 所持品에 對하야도 눈에 걸니는 것만 잇스면 課稅한다 이것을 重慶이나 또는 其他 萬縣 重慶 間의 다른 港口에서 上下하는 客에게 課稅를 아니하고 오직 萬縣 한 곳에서만 한다 하면 勿論 또 異意가 업슬 것이나 누구를 勿論하고 下船하는 곳에서 多少를 不拘하고 또 稅金을 내이는 以上 二重課稅인 것이 明白하다

×

---

46 "멕카": Mecca - 편자 주.

아니 物件에 딸하서 適合한 課稅를 二重으로나마 물니기만 하여도 좀 또 나흘 것이다 이 課稅 以外에 罰金이 잇다 한房에 가티 타고 오는 船客 何氏 는 電燈 設備가 不完全한 곳에 사는 關係로 自家用式 小型發電機에 所用되 는 機械 數 種과 또 程 氏는 上海서 留聲機 두 개 사가지고 오는 것에 對하야 稅金 以外에 罰金을 물엇다 苛酷한 處置에 對하야 何 氏는 海關으로 내려가 『테이블』을 주먹으로 뚜다리며 一塲 演說까지 하야 其 無理함을 說吐하얏스 나 所用이 업섯다 憤慨하고 어굴한 何 氏가 寢臺에 누엇다 이러낫다 또 왓다 갓다 야단을 하는 樣은 房內의 우숨꺼리밧게 되지는 아니하엿스나 四川 百 姓들이 裁釐問題를 떠드는 所以가 여기 잇슬 것이다

『關稅면 關稅나 바다먹어도 그만일 터인데 罰金까지 바더먹어 ―』

생각사록 어굴한 何 氏는 입에 침이 말나 도라간다

『빠 ― 징(罰金)!』

『이놈의 罰金領收證은 記念으로 꼭 두어둬야겟다』

『好記念!』

『이러닛가 共産黨이 대고 생기지 안흘 수가 잇나 도적놈들 가트니 罰金 ……』

×

이러한 酷稅는 四川 以外에 四十餘 種의 稅金을 賦課하는 곳이 잇고 또 十 餘 年 後의 稅金을 豫賦하는 곳도 잇스며 게다 都大體 一國 안에서 가는 곳 마다 稅金이니 關稅라는 것이 存在한 以上 그리 酷稅될 것도 업고 怪異할 것 도 업다 各 省의 財政이 獨立하야 거의 一 國家와 가튼 以上 何如튼 빠라먹 을 수가 업서서 못하지 아모럿케라도 주어 부처노코 갈거먹을 수가 잇는

限에는 徵收하는 것이다 그러나 타고 오는 汽船 食堂에 부튼 國民革命軍第
二十一軍右翼總指揮王令照 得商輪行驛裕稅便商[47]近査夔萬一帶常有亂軍土
匪籍扣留商輪竟或持槍恐嚇任意勒索實屬有碍航行似比目無法犯獲即立予槍
斃此令[48]이라고 嚴然히 버틔고 잇슴을 보고 苦笑를 不禁한 것은 나뿐만이 아
닐 터이다 이곳 사람들은 大典通編을 들어 使道를 逆襲한 朝鮮의 兒女子만
한 勇氣조차도 업는가.

×

海關 主事님네들이 도라가신 後 上陸한 德으로 날은 이미 어두어젓다 萬
縣은 漢口 以西 上流 都市 中 第一 크다. 沙市、宜昌 奉節 等은 問題가 아니
다 苧溪라느 골작이 左右의 約 百 尺 假量 되는 두 斷崖 우에 市街가 東西로
버러저 萬安橋라는 다리로 連接이 되어잇다 東便 市街는 舊城이오 西便 即
南津街가 新市街다 新市街 北은 道幅이 不過 三 間通이나 늘어슨 建物은 모
다 三層洋屋이다 몃 해나 가서 대들뽀가 문허질는지는 알 수 업스나 船體로
는 그래도 三層洋屋이 櫛比하다고 形容할 밧게 업다 아모릿케나 三層洋屋
을 짓는이보다는 單層이나마 볼상 잇게 든든하게 지엇스면 하는 생각이 난

---

47 "商"은 "高"의 오식 - 편자 주.

48 "국민혁명군 제21군 우익 총지휘 왕(王陵基, 1883~1967)의 명령: 상선이 운행함에 있어 세금
이 너무 높게 부과되고 있음을 알게 되었는바 근래 기주(夔州), 만현(萬縣) 일대에 군기가 빠
진 병사들과 토비들이 상선을 억류하거나 지어는 총으로 협박을 하여 제멋대로 갈취를 일
삼고 있다. 이는 실로 상선의 운행을 방해하는 행위가 아닐 수 없다. 이와 같이 법을 무시하
는 자는 나포하는 즉시 총살을 할 것이다. 이에 명령하는 바이다. - 편자 주.

다 이 城의 以前 主人이시든 楊 將軍⁴⁹님 어떠십니까 電燈은 잇다 街燈까지
도 잇다 그러나 大路 亦是 暗黑世界를 電燈 以外의 燈火로 겨우 免하고 잇다
어떠튼 以前 楊 將軍은 그래도 大英帝國의 商船이 中國 民船 한 隻을 부듸처
沈沒시킬 後 過히 버틔는 까닭에 拘留까지 하얏다가 英國 軍艦의 砲擊으로
말미암아 이곳 大馬路를 灰燼시키는 同時에 또 이 慘變으로 말미암아 七百
名의 死者와 千餘 名의 負傷者를 내이기까지(所謂 九五慘案)의 勇氣가 잇엇
든이만큼 되든 안 되든 무엇을 해보려고는 한 듯하다 그러나 — 現屯 王 將
軍⁵⁰도 새로히 길개는 닥고 게시기는 하드라만은 — 。

×

이곳은 絹紗와 桐油가 만히 난다 그리고 榨菜⁵¹와 橘도 有名하다 처음 먹
는 탓인지 맛조타는 榨菜가 복가도 끌여도 別 맛을 모르겟다 銅錢은 十 枚 一
錢 一 元이 六 錢 半 假量의 時勢다 따라서 銅錢이 體大는 朝鮮의 當 五錢만은
하나 勿論 그보다는 두텁다 아모래도 빗사다 一 元에 銅錢 六十五 葉은 —

×

이튿날도 晴朗한 봄날이다 江가의 風景은 次次 승거워진다 적은 丘陵이
그저 綿綿不絶할 뿐이다 峭鬼도 鬱蒼도 아모 것도 업다 勿論 어제도 奉節 以

---

49 "楊 將軍": 쓰촨(四川) 지역의 군벌 양선(楊森, 1884~1977) - 편자 주.

50 "王 將軍": 쓰촨 지역의 군벌 왕링지(王陵基, 1883~1967) - 편자 주.

51 "榨菜": 갓의 한 종류, 뿌리를 말려 물기를 빼고 소금에 절여 만든 반찬 - 편자 주.

西부터는 저윽히 興味가 減退가 되기는 되엇섯지만 長江의 峽景은 宜昌으로부터 奉節 乃至 萬縣까지의 約 一千 里 間이다 江幅도 널버지며 딸하서 土地의 開墾도 相當하다 江景이 저윽히 푸른빗이 도는 듯하기는 하나 亦是 濁流다 水勢도 좀 緩漫하기는 하나 暗礁 淺磧이 만하 航行의 危險은 如前하다 楊[52]子江 물 — 勿論 宜昌 上流의 — 은 돌너래린다고 할 수가 업다 全部가 돈다 河床이 險岨한 關係로 벼락가티 내려미는 물이 부듸치고는 물너섯다 빙빙 돈다 오직 돌고만 잇는 듯이 보인다

×

武陵磧、抱灘母沱、倒抱鞋를 지나 배는 忠州를 지나친다 銅梁山으로 둘에싸힌 조그만 고을이다 竹材의 産出이 만흔 만큼 附近 一帶에는 竹林의 茂盛함을 본다 嚴顔을 잡은 張飛가『有斷頭將軍、無降將軍』의 一言에『殺即殺、何怒耶』의 再言에 노아주고 만 곳이 이 조그만 고을이며 白樂天이 鬱鬱한 마음을 익이지 못하야

又送王孫去 妻妻[53]滿別情

이라고 을프며 謫居한 곳도 이곳이며 또『桃花馬上一紅顔』인 明末의 女將軍인 秦良玉 女史도 이 곳 女丈夫다

---

52 "楊"은 "揚"의 오식 - 편자 주.

53 "妻妻"는 "萋萋"의 오식 - 편자 주.

江가에 眞紅 軟粉紅 白色의 가지가지 阿片꼿이 滿發하얏다 예서부터 次
次 阿片産地가 始作되는가 보다 南竹壩灘 觀石灘을 지나 배는 酆都서 客 멧
名을 밧군다 『地獄』이니 『鬼伯所居之地』이니 하는이만큼 酆都는 道敎가 旺
盛한 곳이라 한다

　酆郶[54]에서 조금 지나 立石鎭이라는 戶數 열이 될가 말가 하는 곳을 지날
때에 『오페라빽[55]』에 질피구두를 신흔 斷髮娘 한 분이 宅 압뜰이자 江가인
듯십흔 江가에 나와 서고 잇다 事實 이런 僻地에서는 질피구두나 『오페라
빽』을 쓰랴 쓸 수도 업슬 것이며 또 들고 신고 나슨대야 價値 乃至 『멋』을 아
라줄 눈瞳子의 所有者가 없슬 터인이만큼 汽船이 지나가는 때나 들고 신고
나서서 번쩍 지나가는 船客들에게나마 그 價値 乃至 『멋』을 보이는 수밧게
는 別道理가 업슬 것이다 『同情하오』다

　오늘은 좀 늦게 저녁 일곱時나 되여서 南沱라는 겨우 燈盖 한 개가 반짝
이는 곳에서 碇泊한다 배가 머물느자마자 統艙客들이 와르르하고 내려간다
집이라고는 한 채인가 두 채밧게 보이지 안는데 무엇을 하러 가는가하고 알
어본 즉 그 동안 저윽히 굴엇든 분들이 요긔하러 내려간다고 한다 勿論 배
안에서도 阿片을 팔기는 파나 船內라 亦是 갑시 빗산데 이 南沱라는 곳은 附

近 一帶에서 阿片 産出이 만흔 關係로 한 봉지(세 대꺼리)에 銅錢 두 分씩이라는바 上海時價로는 四 角짜리나 된다고 한다 實로 世上의 『프로阿片장이』들이여 너의들의 『아라ㅡ』의 神은 이 南沱聖地에 너의들의 복음자리를 만들어 두신지 임이 오래시엇다

阿片 이야기가 낫스니 말이지 萬縣 上流의 어느 곳에서든지로부터 上海로 運搬하는 境遇에는 떠난 곳에서 一 次 萬縣서 一 次 漢口서 一 次 上海서 一 次의 都合 네 번 印紙가 부터야 되며 게다 本價와 運費 都賣商의 利 다시 散賣商의 利 다시 各其 旅館 吸煙室의 利를 싸어 結局 먹는 者들의 賣價는 泰山만 하야지는 것인바 딸해서 原産地에서부터 途中의 煩稅 等을 어떠케든지 슬적 넘기어 가지고 上海로 가지고만 가는 날에는 一이 五도 되고 十도 되는 수가 잇서 이것을 爲하야 가진 手段이 다 生긴다 其中 嚴然히 버틔고 갈 수 잇는 것은 不良軍艦이다 어대 軍艦이냐고。軍艦 中에는 가장 無力한 軍艦이 이에는 가장 有力하나 收入은 一 個 小將軍 님의 것이라고 한다

×

밤 열두 시에 江邊으로부터 銃소리가 들닌다 이거 또 共産黨이냐 盜賊놈들이냐 하고 무엇의 銃소리인가 하고 房 밧그로 머리를 내민 즉껄넝 保安隊가 또 일제히 射擊 準備다 이곳에 共産軍이 잇슬 理는 업고 잇서야 盜賊밧게는 업슬 터인데 하고 多少 不安한 中에 잇든 汽船으로부터 내려갓든 軍人 몃 명의 報告를 듯건대 阿片 빠는 집에서 이 地方 兵丁하고 배에서 내려갓든 사람들과 말닷툼이 생겨서 銃을 가지고도 써볼 데가 업서서 들먹들먹하든 土軍들이 이런 때나 한번 써보자는 듯이 威脅的으로 한번 쏜 것이라 한다 어찌어찌 싸홈은 식어지고 내려갓든 사람들도 모도 돌아왓스나 그래도 마음이

안 노히는지 六七 名의 保安隊는 派守를 보고 잇다 어느 船客 한 사람이 심심푸리로

『이곳에는 兵丁이 만흘 터인데 너희들이 數十 名으로 對抗할 수 잇는가』

한 즉 保安隊 兵丁이

『제놈들이 암만하도 銃밧게는 업스나 우리는 機關銃 잇스니까 아모 念慮가 업다』

고 버틴다 들추는 機關銃은 제대로 쏘기는커녕 彈子라고는 不過 數十 個式밧게 업슴에도 不拘하고 그래도 自己들이 保安隊인 만큼 船客으로 하여금 自己들을 밋게 하는 心志만은 가상하다 이럿케 解釋하는 便이 가장 이 保安隊를 理解하며 信用하는 생각일 것이다

×

不穩한 雰圍氣 속에서 或是나 地方兵들이 作黨 襲擊이나 하지나 안흘가 하고 保安隊가 派守를 誠實히 본 德澤으로 無事히 하룻밤을 지내인 後 아츰 일즉이 南沱를 떠낫다

江幅이 저윽히 널버진다 兩岸에는 阿片꼿이 끗치지 안는다 무엇보다도 — 쌀보다도 阿片이 흔한 이곳에서는 男女老少가 업다

아편으로 먹고사는 곳인 만큼 阿片만큼 所重한 것이 업스며 흔한 것이 업다。和色이 돌고 말고 말글 열 七八 歲의 아릿다운 處女들의 얼굴이 어찌타 이다지도 누럿코 컴컴하고 숙스러운고 그 새별 가튼 눈동자가 어찌타 이다지도 희리고 멀그며 그 복사를 까노흔 듯할 아릿다운 입술이 어찌타 이다지도 누럿코 프른고

아직도 물결은 세여 내려가는 배는 살하트나 올나오는 배는 七八 名 乃至 十餘 名의 人夫가 동아줄을 매고 배를 끄러 올린다 하로에 몃十 里를 올나가는지

點江을 右로 □□ 南峯에 잇는 涪州를 지나 배는 左右로 比較的 平地를 만히 보며 長壽樂磧 等을 지나 다시 곳곳히 竹林을 보며 올라오는 途中 次次로 人家가 만어진다 木洞 譚家河 等을 지나 重慶이자 巴縣이 새 渝州인 四川의 第一港에 到着되기는 午後 六時 宜昌으로부터 一千七百九十 里 上海로부터 五千二百七十餘 里。

◇ 過渡期의의 重慶

重慶은 長江이 泰⁵⁶嶺 以南 民⁵⁷江 以東 巴山 以西의 諸川을 沒含한 嘉陵江과 부듸치는 그 會點의 北岸에 잇서 西便 一方만이 겨우 陸地와의 連接을 볼 뿐이오 東南北 三方은 全部 물이다。巴山山脉이 이에서 이려나 一帶는 高地丘際⁵⁸을 影⁵⁹成하야 長江 對岸의 九盤山의 一峯이 所謂 夏禹氏의 傳說에 나오는 塗山이라 하야 山 中脈에 『塗山』이라고 白書하여잇다

---

56 "泰"는 "秦"의 오식 - 편자 주.

57 "民"은 "岷"의 오식 - 편자 주.

58 "際"는 "陵"의 오식 - 편자 주.

59 "影"은 "形"의 오식 - 편자 주.

城이 江面으로부터 約 二百 尺이나 되는 岩石丘陵 우에 널려잇다. 딸하서 街路가 좁은데 不過 數十 步를 못가서 層이 저 層階를 올라가야 되며 甚至於 地盤의 岩石 그대로가 磚道 또는 層階로 되어잇서 車馬가 不通이다. 中國에서 그다지도 흔하고 흔한 人力車조차 不通이다. 적어도 박퀴 달린 것은 通할 수가 업다. 돌바닥에 또 層階가 만하 거러다니려면 적어도 登山하는 程度의 힘이 든다. 街路를 往來한다는이보다는 上下한다고 하는 便이 適當한 말일 것이다.

×

結局 다니기에 무척 힘이 드니까 不便은 하나 不得已 轎[60]子가 絶對 勢力을 갖게 된다.

이 轎子는 竹製椅子 아 ― 니 竹製 人力車라고 하는 것이 그 體貌를 彷佛케 할 것이다. 勿論 轎子인만큼 또 竹製인 만큼 精巧하게 되지 못한 것은 事實이다. 메이는 채는 人力車 채와 가튼 形狀으로 前後에 잇서 압채를 메는 者는 채 안으로 들어와서 머리를 채 밧그로 내노코 反對로 뒷채를 메이는 者는 채 밧게서 머리만을 채 안으로 듸려밀고 各其 목에 걸처 두 억개에 메인다. 이것은 勿論 普通 흔한 二人轎이나 돈 잇는 사람들의 自家用 轎子는 四人轎도 되고 六人轎도 되며 딸하서 압뒤로 몽둥이를 길게 대여 더 메이게 되엇스며 自家用인니만큼 裝飾도 相當히 하며 轎夫도 넉넉히 데리고 다니며

---

60 "轎"는 "轎"의 오ㅅ;ㄱ - 편자 주.

참참히 交代도 시킨다.

不絶히 層階道路를 上下하는 故로 그때마다 탄 사람은 다리가 우으로 또는 胴體가 아레로 거위 七 八 度式 끼우러저 頭足이 上下顚倒하는 珍態를 演出하야 轎夫의 발뿌리가 믿그러운 磚道에서 조금이라도 빗죽하는 날에는 탄 사람의 머리는 박살이 되고 말 것이다 아모리 타는 사람이나 또 메는 사람이 익숙하다 하여도 安心할 수가 업다 처음 이 轎子를 타고는 이마에 진땀이 매친다 사람이 메이는 것이며 또 길이 길인 關係로 速力 云云은 問題가 안 되는 反面에 轎夫의 苦勞는 如干이 아니다. 그러나 車賃은 市街 中에서 웬만한 距離면 大槪 銅錢 열 닙. 大洋 푸리로 하면 一 角 四 分. 이것을 두 명이 노나 가지게 되는 것인즉 한 사람이 七分. 어찌어찌 萬 名에 한 명 十 年에 한 名 轎夫 中에서 어찌이 轎夫生活을 버서나 제 밥술이나 하게 되여도 轎夫生活로 因하야 억개가 축 처진 體格은 免할 수가 업서 現在는 아모리 綢衣綾羅로 버틔는 수가 잇서도 그 過去는 속이지 못한다 한다

×

地帶 좁은데 人家가 綢密하야 道幅이 좁은 關係를 隣家의 춘여와 隣家의 춘여를 區別할 수 업게 되리만큼 지붕의 連接 乃至 連通을 보게 됨으로 隣家와 隣家 사이에 잇는 좁은 道路에는 自然이 집웅을 갓게 된 곳도 잇서 맑은 날에는 陰沈하나 雨大[61]에는 雨傘이 不必要하게 된다 磚石은 道路의 大小를 不問하고 全部 깔리엇스며 內庭、乃至 房바닥도 그대로 磚石이 깔리운다 勿論 아조 꼭댁이 平坦한 地帶에 最近에 닥근 新道路는 路幅도 넓고 平平하야

---

61 "大"는 "天"의 오식 - 편자 주.

외통길이나만 人力車채도 보인다 또 自動車도 — 거의 實用을 떠나 그제 珍奇한 것 豪奢스러운 것인 價値 下에 멧 個를 보인다 市街가 全部 磚石이 깔리우고 道幟[62]이 좁은 以上 夏節의 景氣는 想像하여 볼 餘地도 업슬 것이다

×

家屋은 大體로 二層이며 四面이 壁 또는 담으로 싸히어 光線과 空氣는 問題가 안 된다 방바닥은 板子나 밋層은 大概 奢石 그대로 되어 따라서 濕氣가 甚하다 또 이에 따라 쥐가 만허 대나제도 房안에서 쥐가 傍若無人 事勢로 徍來하며 밤에는 寢床으로도 들어온다 방안 飮食物은 勿論 비누가폴 같은 것도 내노아 둘 수가 업다 大量으로 쥐가 需用되는 사람은 이 重慶으로 注文하는 것이 第一 捷徑일 것이다 집웅은 全部가 瓜[63]家이나 기와는 아주 弱하여 보인다

壁은 大槪 白灰으로 灰漆도 하엿스나 或은 煉瓦도 잇다는 大門은 두 짝으로 닷는 것은 一般이나 빗장이 두개다 그러나 우리나라에서는 大槪가 左便이면 左便에서 右便이면 右便에서 두 개가 모다 가튼 方向으로 끼우게 되엿스나 여기서는 左右로 各其 方向이 相反되어 끼우게 되엿스며 토기빗장은 업스나 그 대신으로 큰 기동으로 버틔어 어지간히 大門 調心이 만타

客堂에서 正面으로 對한 담 혹은 벽에는 그 담 혹은 벽이 굿뚝 차도록 크게 『福』字를 삭이엇스는데 大槪 陰刻이며 彩色은 黑色이나 或은 赤色이며 隷書 篆書 變體 等 不一하며 잇는 집는 福字 周圍에 彩色이 燦爛하게 裝飾彫

---

62 "幟"는 "幅"의 오식 - 편자 주.

63 "瓜"는 "瓦"의 오식 - 편자 주.

刻을 둘넛다 그 彫刻의 大槪는 人物 花草 瑞獸祥鳥다

便所는 조고마한 우물 形狀으로 되여 따에 그대로 便器가 大槪 廚房과 連接되거나 또는 廚房의 한 모통이가 되여 저윽히 奇怪함을 익이지 못한다

×

飮食은 듯든 바와 가티 짜고 매운 傾向이 잇서 中國 다른 地方 飮食보다 이 點에 잇서 우리 입에는 맛는 點이 만타 그러나 승거운 것은 장이나 苦草를 더 처먹는 수가 잇스나 이곳 飮食은 너머 짜고 넘어 매운 수가 잇서 도리혀 不便한 點도 잇다 奧地인 關係上 食料品 中에 海産物이 第一 貴重하고 珍奇한 것으로 第一 高價다 江南 附近이 全部 同一하나 참대가 만흔 곳이라 竹筍이 흔하며 素菜로는 숙주나물이 常用된다 其他 생치나무 줄기 무 배추 등을 초에 저인 초장앗지가 흔하다 料理店에서는 所謂 和菜라는 것이 업시 한 가지 한 가지式 시킨다 멧 圓 짜리 한 床 시킨는 것보다 自己 任意대로 골나 시킨는 것은 조흔 風俗이라고 할 수 잇스나 도리려 多少 過額을 쓰게 되는 페단도 잇슬가 한다

食事는 朝飯이 열 時 前後 中食이 午後 三 時 前後 夕食이 오후 十 時 前後로서 저녁은 劇場 求景은 하고 돌아와서 먹게 된다 湖南 以下에서는 세끼 中에 朝飯이 죽이엇스나 여긔서는 朝飯夕粥의 文句대로 저녁이 죽이다 長江을 上下하는 배도 宜昌 重慶 間에서는 이 風習을 딸하 저녁은 죽이다

×

衣服은 別한 點을 發見치 못하얏스나 아직 奧地인 關係인지 淳朴하며 奢

侈한 點도 업는 듯 십다 다만 男女를 通하야 긴 手巾을 빌빌 트러 꼬아 머리를 둘느는데 手巾은 白色이 아니면 黑色이다 男子도 凶하여 보이나 女子는 더 凶하야 보인다 勞働者들은 어듸나 一般으로 맨발이 아니면 草신이나 草신은 우리나라의 것보다 총이 적다 아니 그 신는 法으로 보아서도 日本 초신에 총이 조금 발뿌리와 또는 左右로 몃 날 달엿슬 뿐이다 男子는 大槪 削髮하얏스나 中年 以上의 女子는 舊態대로 잇는데 新風潮가 갑작히 휩쓰러 들어간 곳이라 新式이면 무엇이든 조타는 時代의 現象을 본다

外貨 絶對珍貴이며 엇찌 新風潮 氣運이 세인 子孫을 가진 늘근 할머니가 그 적은 발을 돗뚝어리며 뻿죽뻿죽하며 어린 孫女의 손목을 依支하며 것는 그 白髮이 펄펄 날니는 머리가 孫女딸의 머리와 마찬가지로 싹독 잘는 後『올·빽』으로 넘겨 부친 光景은 苦笑를 금치 못하게 한다

×

言語는 比較的 官語에 갓가우나 勿論 또 土語가 잇다 그러나 一般的으로는 土語의 使用을 보지 모하고 普通話인 이 官話에 갓가운 말로 通用된다

旅館이나 料理店에서 — 勿論 旅館이나 料理店뿐만 아니지만 — 『뽀이』等의 下人을 부르면 對答이 『응 —』이다 철업는 어린애가 어머니 보고 對答하는 듯하야 어린 下人 等은 도히려 貴여운 듯도 하고 버릇 업는 것 갓기도 하나 三十 以上 된 下人이 亦是 『응』하고 늠석 房으로 들어슬 때에는 아 —모래도 웃지 안코는 못 겐듸겟다 아모리 中國 求景을 하는 사람이 만타 하드래도 이 맛 하나마는 朝鮮사람이 아니고는 맛볼 수가 업슬 것이다

『茶房!』

『응 —』

아모래도 웃지 안흘 수가 업다 엇지 이다지 寡婦子息이 만흔고

×

嗜好品으로는 첫재로 阿片을 칠 수밧게 업다 하로에 銅錢 몃 푼 버리밧게
못하는 轎夫라도 이것 몃 대 빨지 안코는 못 겐띈다 그 苦役을 하는 그들의
눈瞳子는 그들의 얼골빗은 地獄 求景이나 가면 어더볼 것을 예서 보는가 보
다 하게 생각된다 거리에는 正式으로 吸煙室이 잇다 雅室이니 香室이니 吸
煙室이니 或은 川土 南土 點土 西土이니의 看板이나 旗旌을 느리운 집이 이
것들이다 서울 鐘路 뒷거리에 목노집이 두 집 세 집 건너 잇는이 마찬가지로
大街小路를 不問하고 여긔저긔 잇다 勿論 稅金 바치고 營業하는 以上 우리
나라서 같이 무슨 刑法 第十四章으로도 엇지할 수 업서 乃終에는 登錄을 합
네 專賣를 합네 할 餘地가 업시 簡單하다 독[64]노집 觀念을 지나침이 업다

料理店엘 가도 依例히 上座는 阿片 먹는 座席이다 阿片에도 亦是 品質의
高下가 만허 이곳서는 雲南産인 南土(點土)가 第一 나흔 便이오 다음이 西
土인 陝西인바 川土인 四川産이 第一 下品으로 몰니운다 한다 阿片 自體도
自體려니와 吸煙室에도 階級이 잇서 吸煙者의 階級을 딸하 層이 만타 그러
나 우리나라와 가티 針이 아니라 全部가 煙이다 針은 效果가 濃厚하다는이
보다도 秘用하는 데 便한 關係로 우리나라에서는 專用되나 아모 거릿김 업
는 이곳에서는 天性이 急하지 못한 분들이라 그다지 서둘 必要도 업서 하로
진終日 꾸루룩 꾸루룩 빨고 잇는가 한다

---

64 "독"은 "목"의 오식 - 편자 주.

×

　담배는『川草』라 하야 中國서 처주는 담배이나 色이 黑褐色에 갓가와 色으로는 口味를 끌지 안흐나 맛인즉 깻긋하다 그러나 別한 風味는 모르겟다 담배닙은 좁고 길다 닙담배 그대로 묵거 파는 것도 잇고 水煙筒 所用으로『쇠털기사미⁶⁵』以上으로 가늘게 대패로 밀어 깍근 것도 잇다 또 呂宋煙式으로『시가 ㅡ』도 잇다 水煙筒은 꾸루룩式의 조흔 놈도 잇스나 一般 勞働者들은 참대로 간단히 만든 것을 使用한다 交通이 먼 곳이라 卷煙은 빗사서 좀체 勞働者들은 사먹을 수 업서 대개 이 기사미를 태운다。 닙담배는 닙을 두 치 가량식이나 되게 길게 잘나 그것들 펴서 卷煙보다 조곰 굴게 마라 대에 끼워 피움으로 가는 呂宋煙을 대에 꼬자 피우는 것 가타야 보인다。 딸서 대통이 작다。 그러나 대는 比較的 길어서 집행이 삼아 집고 다니는 사람도 잇다 勿論 이런 境遇에는 대통 끗에 따로 쇠꼬창이가 잇서 집허도 대통이 直接 따에 닷지 안케 되엇다 곰방대도 勿論 잇다 기사미조차 專賣局 것이 아니면 구경할 수업는 우리 愛煙黨들은 이러한『聞而不吸』의 이야기를 하야 침만 흐를 것이다

×

　술은 紹興酒에 갓가운 黃酒이니 花彫이니 하는 常用酒 以外에 杏花酒 桂花酒 等의 分酒에 菓汁을 푼 듯한 毒하고도 단 술이 잇스며 麯酒라는 白干 찝쩌먹을 毒酒도 잇다 그러나 술은 대개 瀘州서 온다 한다(瀘州는 釀酒業이

---

65 소털기사미: 소털처럼 가늘게 썬 잎담배 - 편자 주.

盛況할 뿐 아니라 이곳 路上에서 散見되는 紙牌 — 투전 —도 瀘州의 製가 大部分임을 보아 瀘州라는 곳의 一面이 推測된다).

中國사람은 一般的으로 우리보다 酒量이 적다. 아 — 니 덜 마신다. 우리 勞働者들 가튼면 첫 마듸가 『한잔』임인 만큼 술이 거의 必需品에 갓가움에 比하야 中國 勞働者들은 確實히 술 먹는 사람이 드물다고 할 程度로만 먹는다. 勿論 그 代身에 阿片을 빠는 關係는 잇지만 — 上海서 보아도 亦是 勞働者들이 담배는 適當히 먹지만 술은 덜 먹는다.

×

街頭에서 눈에 띄우는 것은 첫재로 唐材다. 소나 말도 먹을 것 갓지 안흔 소들소들 마른 이름 모를 풀. 곰팡이 신 듯도 하고 버러지가 먹은 듯도 한 풀뿔리 나무껍질. 담배개가에도 조곰 달어매어노코 길가에도 한 보재기 펴노코 바구미에도 듬뻑 처담어 걸어 미기도 하고 길가는 사람의 한 손바닥에도 멋 오래기 잡히우기도 하여 到處에 보이는 것은 이 藥材다. 京城 구리개 等은 명함도 못 드릴 藥材商의 羅列. 藥材 中에는 朝鮮서도 나는 것이 잇지만 우리가 튼[66]히 쓰는 加味六味湯이나 敗毒散 中에도 이 萬餘 里 他域 所産의 풀닙의 멋 種이 加入되는 것이다. 우리나라에서 藥材 中에 손꼽히는 附子 亦是 이 重慶 商人의 손을 거치는 것이다. 特히 麝香도 四川 所産이다. 專門家가 아니고는 그 眞假를 辨別치 못하나 何如튼 이것은 藥材보다는 最近에는 香料 所用으로 佛蘭西로 만히 輸出된다 한다.

다음은 紬緞과 苧布商이 만타. 勿論 이것은 成都 一帶에서 産出되는 것으

---

66 "튼"은 "흔"의 오식 - 편자 주.

로 다만 여긔 商人들이 갓다 파는 것이나 亦是 四川 所産인 만큼 다른 곳의
그것과 달른 以上 한 가지 異彩라고 할 수 잇다. 品質은 조흔 듯하나 特別히
어느 點이 조흔지는 모르겟다. 다만 모시 等屬이 눅어 보이는 것만은 事實
이다。 비단이 흔한 탓인지 또 繡도 만타。 이불 껍덕이감에 花帛 等의 刺繡를
燦爛히 노흔 것이 만히 보이나 繡 自體는 그리 잘된 것 갓지는 아니하되 이
곳 名物임은 事實이다。

×

電燈이 統一이 못 되어 大商店 料理店 等에서는 自家用으로 小型 發動機
를 使用하며 地盤 關係로 人口 百萬을 算하는 大都市에 轎子가 唯一한 交通
機關으로 電車 自働車는커녕 人力車도 大街를 시원히 通치 못한다 함은 旣
述하얏거니와 게다 電話가 업다 商業이 旺盛한 이 大港에 電話가 업다는 것
은 아모래도 아직까지의 重慶이 十九世紀 中葉 以前의 都市임을 如實히 左
證하는 것이다 電話局이 只今 設備 中이며 水道局이 只今 設備 中의 重慶을
아직도 前途가 遙遠한 代身에 모든 設備가 完成되는 날에는 現在의 重慶보
다 몃 倍의 發展을 볼 것이다。 하나 아모래도 그 때에는 嘉陵江 對岸에 잇는
江北縣 쪽으로 버더나갈 밧게는 道理가 업슬가 한다

×

演劇은 小戲와 漢戲가 잇스며 또 京戲도 잇기는 잇다 大體에 잇서서 이곳
은 多分이 喜劇이 만히 上演됨을 본다 笠翁十種曲의 上演을 나는 예서야 보
앗다 伴奏는 曲調가 粗喧한데다 또 伴奏者가 連해 俳優의 唱에 高聲으로 應

聲을 한다 唱이 神通치 못한 關係인지 動作이 만타 그러나 時代를 逆行하는 舊戲가 절문 男女의 耳目에는 아모 魅力을 가지지 못하게 하는가 보다 觀衆을 둘러보아야 無料入場客 軍人을 爲始하야 그 大槪가 中年 以上의 男女임을 보며 오직 花柳界 人物과 準 花柳界 人物로 推察되는 사람들이다 이미 上海에서는 西遊記나 列國誌에 半裸體 美人隊가 洋樂 따라 찐따라 찐따라 하는 만큼 예서도 눈치 빠른 興行主가 이것을 본밧기 始作하는 貌樣이다

反對로 影戲院에를 가면 場內가 靑年의 끌는 熱情으로 膨脹하다 눈이 놉은 이분들이 中國의 朦朧會社의 『馬馬虎虎』影戲에 感動될 理가 업다 조금 뒤떠러진 感이 잇기는 잇스나 그래도 『콩크린[67]』『쉐 — 라 —[68]』『맥카뽀이[69]』『게이너 —[70]』『키 — 통[71]』 等의 無聲映畵에 拍手와 歡聲이 震動한다

그러나 看戲이고 影戲이고 封建的 軍閥의 專制 미테서 世上風潮가 어듸로 부는 지 東西를 分揀치 못하고 그날그날 동전 멧 푼만 벌면 밥보다도 阿片 한 대로 달녀가는 大衆들은 돈 만히 드는 娛樂에 不幸中多幸으로 눈과 귀가 어두운 모양이다

×

이것보다는 妖術匠 宣講 等의 거의 돈 안 들고 便安하고 奇妙하고 滋味잇

---

67 콩크린: 미국 배우 Chester Conklin(1886 - 1971) - 편자 주.

68 쉐 — 라 —: 미국 여배우 Norma Shearer(1902 - 1983) - 편자 주.

69 맥카뽀이: 미국 여배우 May McAvoy(1899 - 1984) - 편자 주.

70 게이너 —: 미국 여배우 Janet Gaynor(1906 - 1985) - 편자 주.

71 키—통: 미국 배우 Buster Keaton(1895 - 1966) - 편자 주.

는 이 구경에 끌러운다 길가나 廣場에 쭉 돌나서서 手巾에서는 鷄卵이 나오는 妖術에 驚異이 눈동자가 번듸기며 싀어머니 毒殺한 寡婦 며누리가 刑을 밧는 句節에 快哉를 부르며 담배통을 두르리는 것이 이들 大衆에게는 唯一한 娛樂이다 或時 글자나 보는 親舊를 둘너싸고 안저 三國誌나 淫書에 귀를 기우리거나 담배를 퍽퍽 피우며 여페서 듯는 깡껭이 소리에 世上을 잇는 수도 만타

×

거리마다 또는 비인터마다 느러안즌 觀相匠이와 四柱占匠의 顧客은 누구보다도 大衆이다 銅錢 두 푼으로 慘憺한 現狀으로부터 버서나갈 길을 그래도 그래도 행여나 하는 아쉬운 마음이 두 꼬치나 두 장을 골나 빼는 산대나 복지상을 집는 손가락을 아슬아슬히도 떨리게 하는 것이다 손가락이 깟닥 잘못 노는 날에는 내 運命이 뒤집히는 것이로구나 하고 ― 萬一에

『運氣很好[72]!』

하는 占匠이의 占卦를 들 때에는 죽는 날까지 永遠히 한 번도 못 볼 듯한 動脈의 躁躍을 그의 全身에서 한 번 어더볼 수 잇슬 것이다

이날이야말로 그의 幸福한 날이다 一生 中 數百 番 數千 番이나 처본 占 中에 이 『運氣很好』의 占卦를 몃 十 番이나 들어왔스나 그 조흔 運數는 아직도 온 것 갓지 안할 때에는 오는 봄에나 가을에나 明年이나를 밀고 밀우어가 끗업시 그 『應當히』 올 幸運을 기다리고 잇다 이 意味에서 이들 大衆이 생각만 나면 보기만 하면 占을 치는 것은 어떠한 程度까지 그들의 慰安을 주는

---

72 "運氣很好": 중국어 "운수가 아주 좋다" - 편자 주.

點에 잇서서 그들에게는 한 娛樂이라고 나는 본다 勿論 賭博을 조하하는 民族性의 所有者인 그들에게 잇서서 亦是 賭博的 興味로부터 나오는 한 엽가닥지로도 보는 同時에 — 따라서 이 意味에 잇서서도 占卜이 그들에게 잇서서 한 가지 娛樂的 性質을 갓는 것이라고 밋는다

×

迷信의 『阿片』은 『업는 大衆』뿐만 아니라 잇는 一群에게 더욱 甚하다 올나오면 본 寺刹 廟宇가 거의 軍營이나 警察官廳으로 實用化되엇슴에 反하야 예서는 새로히 大刹이 新築되며 古佛이 燦爛한 金衣를 다시 닙으며 數十萬金의 舍利塔이 建設된다

아직도 아직도 그다지도 흔한 第三期는 커녕 第一期를 겨우 돌어슨 듯한 이 重慶은 어수룩하기 짝이 업다 商店마다 걸어노흔 市債券 이것이 賭博만을 조아하는 民族性으로만 解釋이 되며 글거 몹기만 爲主하는 爲政者의 狡策으로만 解決될 것이냐 幸여나 그 一萬 圓이 내게로나 올가 하는 그 어수룩한 생각이 무엇보다도 이 狡策을 낫케 하며 이 半 賭博이 全市를 휩쓸고 잇는 것이다 勿論 흔하고도 흔한 이 債券을 살 수 업는 『업는 大衆』에게는 金庫 속에서 數 千萬 金이 끌코 이슨 銀行 아플 지날 때에 이 世上에 잇기는 잇는 돈이지만 나는 바랄 수 업는 것이니 하고 지나치듯기[73] 이 債券 亦是 그들에게는 畵中之餠도 못 되는 것으로 생각이다 더욱이 그들에게 이것을 어찌하여야 업샐 수가 잇스며 어찌하야 내 것을 만들 수가 잇슬가 하는 생각은 생각하여볼 생각조차 하여볼 程度에조차 이르지 못하엿다고 본다

---

73 "기"는 "이"의 오식 - 편자 주.

大衆의 休憩所로 茶樓가 잇다 茶樓는 何必 이 重慶뿐에만 잇는 것이 아니다 그러나 이곳 茶樓는 그 性質이 퍽 달으다 上海의 茶樓와 가티 私娼의 大本營이 되거나 不良輩의 參謀部가 되는 弊端이 업다 오직 休憩所이며 俱樂部이다 茶나 마시며 멋 名이 돌라안저 雜談이나 하거나 그럿찬으면 商人들이 賣買 흥정을 할 뿐이다『아모데서 만나자』가 아니라『아모 茶樓에서 만나자』하는니 만큼 이 茶樓는 極히 便利한 存在다 勿論 한 푼 더 내고 가는 사람들이 가는 茶樓가 잇는 것은 事實이다 茶를 常吟하는 國民들이라 勞働者들도 暫時 수이는 동안 이 茶店에서 便安히 안고 멋 分의 安息을 엇는 것은 亦是 이곳이 아니고는 못 볼 光景이다 悠悠히 水煙을 피우며 悠悠히 버틔고 잇는 동안의 그들은 아모리 보아도 하로에 銅錢 멋 分 버는 그들로는 보이지 안는다

『곱백이 한 잔 부우』

하고 죽 마신 後 입 북 싯고 나스고 마는 우리나라 勞働者와는 相距가 멀다 한 堂 안에 數百 名 數十 名식 꽉 들어찬 茶樓의 모든 客이 한아도 急하고 焦燥한 樣이 업다 바람이라고는 불 턱이 업서 보인다 넘어도 悠悠한 그들을 볼 때에는 바람은커녕 햇빗조차 못 보고 사는 사람들 갓다 아니게 아니라 天井을 뚜른 구녕에 琉璃조각을 부처노코야 房안에 빗을 듸려받는 그들이 아닌가 勇躍과 潑剌[74]는 볼 수 업다

---

74 "潑"는 "剌"의 오식 - 편자 주.

嘉陵江을 건너 北對岸 江北縣을 가보다 조고만 고을이다 重慶港에 編入
되엿스나 將來의 重慶의 發展은 이 江北縣 便으로 버터나갈 것은 事實일 것
이다

公園에서 수이고 잇노라니가 寫眞機를 보고 異常히 生覺하는 軍人들이
죽 돌나싼다 『그게 뭘 하는 게냐』

하고 其中 威嚴잇는 者가 문는다

『寫眞機다』

하고 對答한 나는 말을 부처보앗다

『대관절 너희들이 무에냐』

『우리는 軍人이다』

『무슨 軍人이냐』

『우리는 劉湘의 部下다』

차차 무러나가는 동안에 그들이 劉湘의 直屬軍隊임을 아는 同時 말문이
맥힌 나는 붓을 들고 筆談을 始作코자 하엿스나

『이야 누가 글자 아는 사람이 업냐』

하고 連長이 部下에게 下問하나 쭉 돌나슨 二十餘 名 中에

『내가 아오』

하고 선뜻 나스는 친구가 업다 그러자 한 사람이

『저 지금 뒤 보러 간 部下가 글자를 좀 아오』

하는 吉報를 들은 連長은 急히 이 글자 아는 部下를 불너오라고 分付한다
그러나 이 글자 안다는 친구 역시 쓰는 글자가 『괴 그리고 개 그리고』다 적
어도 劉 將軍의 直屬部下가 全部가 이다지 無識할 理가 업다 오직 내가 만난
一 連의 軍隊만이 特別히 無識한 一 隊엇다고 나는 밋고 십다.

×

公園 石山에

『朋友們! 不要搖崩石山罷[75]!』

하는 木牌가 붓텃다 揭示나 告示 또는 注意라는 題目으로

『…… 하는 者는 ××法 第××條에 依하야 ×× 或은 ×× 以上의 ××
에 處함』

하고 세운 牌보다 얼마나 사람다우며 얼마나 땃뜻하냐 其 效果에 잇서서
는 말할 必要도 업다 억개를 스러주는 것과 뺨을 치는 것과는 주는 心志라
또 밧는 心志가 相合되는 것과 相反되는 것이 오직 다를 뿐임에 잇서서

×

市立平兒院 孤兒 百二十餘 名 五六 歲로부터 十 七八 歲까지 잇다 이곳은
中國에서 흔한 『十字架에 못 박히신 분의 恩惠』로 길니우지 안는다.

처음에는 어느 富豪의 出資로 設立되엿스나 現在는 市立이다 또 그러나
經費는 처음에 돈 내인 有志의 돈이 아직껏 부터 오는 利子인 것은 勿論이다
그럿타고 市立의 看板이 부튼 만큼 市에서 銅錢 한 닙의 保助도 업다고 大膽
하게 斷言하는 바는 또 아니다

널븐 校庭에는 무엇보다도 땃뜻한 情을 모르고 길니운 어린이들이 精力
과 愛情을 푹 쏘다노아 만든 花草가 가뜩 찻다 花草 栽培에 人工을 만히 듸

---

75 "朋友們! 不要搖崩石山罷!": 중국어 "친구들이여, 석산을 흔들어 망가뜨리지 말아주시오!" -
편자 주.

리는 이 나라의 國民性의 이들 어린이가 만든 花草에도 가지가지로 奇妙한 人工의 자최를 보인다

院內 設備는 東西 一律로 이에 細記할 必要가 도모지 업다 다만 아직껏 내가 본 中에서는 가장 잘 되여잇다는 한 마듸를 덧부침에 끈칠 뿐이다 只今은 單純한 意味에서 求하기 어려운 『新靑年』雜誌가 初號부터 가지런이 雜誌閱覽室 한복판에 꼬치어잇는 것을 본 나는 훌너 나오는 微笑를 禁치 못하엿다

땃뜻한 품을 모르고 자란 이 어린이들이어 따뜻한 품은 그대들이 스스로 만들어야만 품길 수 잇슬 것이다 아직까지의 따뜻한 품에 안기운 어린이돌[76]은 자긔들 홀로서만 안기엇슬 뿐이나 그대들이 만들어 안길 수 잇는 그 땃뜻한 품은 그대들뿐이 아니라 모든 사람이 안길 수 잇는 크고 길고 더욱 땃뜻히고 더욱 힘세인 품일 것이다 내 『카메라』아페는 두 어린이의 네 눈동자를 나는 힘잇게 내 『카메라』속에 집어너엇다

重慶市의 言論機關으로는 雜誌는 別로히 들 만한 것이 업스나 新聞은 거의 人口의 比例로 보아 어느 大都會에 못지지 안케 만타고 생각되리 만치 多數다

重慶商務日報 新蜀報 四川農報 川康日報 建設日報 民治日報 濟川公報 諭[77]江新報 大聲日報 巴蜀日報 等의 大報를 爲始하야 四川晚報 國民新報 新中華晚報 重慶晚報 世界晚報 等의 小報 等 二十餘 種의 大小 新聞의 叢立의 狀況을 본다 量으로 보아 相當한 新聞은 質로 보아 幼稚하기 짝이 업다

新聞 印刷는 다른 普通 印刷所에서 하는이 만큼 遲速이라는 新聞의 絶對 使命은 바랄 수가 업다 게다 寫眞 가튼 것은 藥에 쓰려야 눈에 띄우지 안는

---

76 "돌"은 "들"의 오식 - 편자 주.

77 "諭"는 "渝"의 오식 - 편자 주.

所以로 推測이 미친다 記事는 全部 通信이다 우리나라 新聞의 一面記事와 競爭하야도 遜色이 업슬가 한다

其中 만히 나가는 新聞의 部數는 얼마나 될가 이 問題는 重慶 新聞이 좀 더 資本主義化 하거든 적어도 廣告紙나 宣傳『비라[78]』의 程度나 넘어스거든 뭇기로 하자 雜誌라고 내세울 만한 雜誌가 □는 것은 業치고 中國서 잘 안 되는 業 업는 中에 오직 한 가지 안 되는 이 雜誌業이 重慶서만 唯獨 잘될 理도 업슬뿐더러 아직 雜誌라고 할 만한 雜誌가 나올 때가 안 되엿는지도 모른다 新聞 亦是 商務日報와 新蜀報를 除한 外에는 號數가 不過 百號이다 또 昨年 一個 年의 圖書館 閱覽者 中 傳記小說 閱覽者가 七 割에 達하는 現在 重慶의 讀書 傾向이다 그 七 割식이나 되는 傳記나 小說은 엇떠한 傳記와 小說인지 이것도 좀 두어두엇다가 무러보는 것이 彼此에 조흘 뜻하기에 무러볼 機會를 일부러 놋치기로 하엿다 다만 一年 間 閱覽者 總數가 三萬 三千餘 名이면 一日 平均 몃 명의 閱覽者가 小說이나마 愛讀하는 셈이 되는고 할 뿐이다

×

日曜日에 休刊하고 무슨 記念日에 休刊하는 新聞은 또 某報 記者 某 君 同志의 追悼式을 擧行함으로 休刊한다 上海서만 해도 新年에 一週日 以上이나 休刊하는 中國 新聞들이라 이곳에서 한 살 더 먹을 機會가 업섯는 筆者는 新年에는 몃칠이나 休刊하는지 알 수 업다 反對로 新年에 數萬 張式이나 增刊하는 우리나라 新聞을 생각할 때에는 말 못할 感懷가 돈다

---

78 비라: 삐라 - 편자 주.

×

　흔한 것이 戒嚴이다 저녁 여섯時만 되면 城 內外의 交通이 斷絶되고 다시 열時만 되면 市內의 通行도 不自由하다 戒嚴하는 理由는 風聞에 依하면 成都로부터 二百 名의 共産黨員이 市內 破壞와 要人 暗殺 次로 潛入하얏다 한다 어제 다섯 名 오늘 열 명 식 잡히엇다는 報告도 듯닌다 그러나 적어도 二百 名식이나 潛入하야 每日 十餘 名식 逮捕된다는 風說을 筆者는 미들 수가 업다 무릇 二百 名은 못 되엿다 하드래도 單 몇 名의 潛入者만이라도 아모리 戒嚴이 重嚴한 듯하나 筆者 所見으로는 큰일은 못 저질너도 爆彈은 姑捨하고라도 한 번 拳銃 소래라도 들닐 일이 아닌가 적어도 二百餘 名이 決死的으로 戒嚴網을 뚤코 示威를 敢行하고저 하얏슬진대 이에 對하야 或者는 云하되 『中國人은 犧牲的 精神이 薄弱하다고 그리고 反對로 『算盤에 눈이 빠르다』고 그러나 筆者는 이 說이 妥當한 一面觀임을 是認하는 同時에 그러나 筆者는 四川사람이 比較的 犧牲的 精神이 薄弱하지 안흔가 하는 疑問ㅣ 잇슴을 그들의 外貌로 憶測할 수가 잇지 안흔가 한다

×

　重慶 市街에서 보는 바 이곳 사람들은 男女를 通하야 이마가 좀 버서진 듯한데 광대뼤가 톡 나왓스며 男子는 키가 호리호리한데 콧날이 웃뚝하고 턱이 바튼데 큼직한 두 눈이 맑으며 말숙한 얼골은 怜悧한 듯하고 軟弱하야 보이어 기픈 맛이 적다 이 點에 잇서서 우리나라의 全羅道人士의 모습에 恰似한 듯하며 性質은 나긋나긋하고 順한 反對로 健實과 深長은 좀 바라기 어려운 듯하다 이 粗雜한 外貌觀에 依하야 多少 犧牲的 精神이 적지 안흘가 하

는 바이다

×

男子가 一般的으로 美男子型인 關係로인지 女子는 좀 美에 잇서서 男子에게 따르지 못하는 듯 십다 키가 적고 左右로 좁펴진 듯한 體格에 圓과 四角形의 中間을 가는 둥그레하고 좀 넙적한 얼골에 망울이 툭 소슨 듯한 커다란 눈은 아모리 보아도 近代型 美人도 될 수 업고 細腰柳眉型도 좀 못되는 듯하다 따라서 이곳 一流 노리개 아가씨들은 楊洲나 蘇州서 오신 분들이라 한다 反對로 數十 名 妾 中의 一員인 有閑婦人들 爲하야는 美男子의 存在가 間或 或是 잇는 緣故도 美男子가 만흔 事實이 其 要因의 하나일가 한다

×

外貌와는 좀 어그러지는 듯하는 感이 잇스나 이곳 女子들은 一般的으로 多産이다 한 어머니 所生이 八兄弟이니 十二男妹니 하는 것이 수두룩하다 況 한 男子가 數 名 乃至 數十 名의 妾을 거나린 집안이야말로 女子의 洪水를 이루울 것이다 더욱이 妾 數爻가 멧 名이든간에 모다 한 집안에서 버저시 사는 以上 그 混雜은 想像에 밋치지 못하는바가 잇슬 것으로 推測된다 따라서 한 名의 아버지는 數十 名의 子女의 父親이 되는 壯觀을 이루어 『모색 채의 떨처 입고 아홉 아들 열두 딸을 죽우로 거나리고 상평전으로 아주 펄펄 나라드는』 두견새도 이에는 저윽히 호젓한 늣김을 늣길 것이다 아모리 大家族制度에 저저오고 마음세가 조흔 분들이라 하여도 한 집안 食口가 數十 名式 되는 以上 저윽히 머리가 어지러운 일이 만흘 것이다 筆者는 이 以上의

追及은 必要를 늣기지 안는다 다만 『쌍거 ―』[79] 夫人은 第一 먼저 이 中國 四川省으로 와야 할 것이며 反對로 産婆學校를 卒業하고 求職하지 못햇거나 看板만 부치고 잇는 늣김이 잇는 분들은 一擧이 四川으로 와서 開業하기를 反對의 兩面的 別個 見地에서 勸告하는 바이다

×

重慶 滯在 兩 旬 間에 見聞한 바를 몃 가지 적어본 것이 以上이다 그러나 넘어도 秩序 업시 主見 업시 느려노아 雜同散異的 記錄이 된 것은 筆者의 見聞 自體가 秩序 업는 그것이엇든 所以 以外의 아모것도 아니다 다만 筆者는 重慶 雜觀의 一 項 末尾에 다음 한 마듸를 부처둘 뿐이다.

行政과 金融이 絶對 軍閥의 勢力 下에 잇다 敎育行政에 이르기까지 大劇場 大料理店에 이르기까지 勢力과 金力이 모다 軍閥의 手中에서 弄絡되고 잇다 主權이 軍閥의 掌握 中에 잇는 重慶市의 文化施設은 資本主義 黎明期에 處하는 어수룩하기 짝이 업는 現狀이다 적어도 封建主義 末路다 資本主義 黎明期에 介在한 重慶은 다른 모든 現代資本主義都市와 가튼 經路를 발버 發展될 것이냐 이것은 筆者는 否定한다.

激流가치 미는 思潮의 大勢는 重慶市로 하야금 急轉直下의 形勢로 飛躍을 거듭하야 發展하는 中에 只今 바야흐로 숨싹을 보인 大衆의 勢力은 이와 아울러 아니 이보다도 一層 急速度로 膨脹하야 가장 短期間 內에 다른 모든 都市와 並行될 것이라고 밋는다 또 이에 밋치는 동안의 모든 事態의 勃發과 아울러 이러나는 軋轢과 鬪爭은 적지 아니한 敎訓을 우리에게 주는 바가 잇

---

79 쌍거: Margaret Sanger(1879 ~ 1966), 처음으로 산아제한을 제창한 활동가 - 편자 주.

슬 것을 斷定한다 이 重慶의 所觀은 現在의 重慶이 四川의 門戶인 同時에 首
都인 成都를 凌駕하는 政治、軍閥、經濟 文化 等 一切의 勢力을 가지고 잇슴
에 잇서서 四川省을 代言하는 것이라고 筆者는 밋는 바이다

◇ 軍閥의 四川

四川은 禹貢의 梁州之域이며 蜀漢의 益州로서 古來로

天下未亂蜀先亂 天下已治蜀後治

라고 하여 오는이 만큼 公孫迷[80] 劉備 李特 王建 孟知祥 明玉珍 張獻忠 等이
이 難治之地에서 或 稱帝 或 號王 하야 覇를 天下에 떨치려고 要衝이다
　地勢로 보면 中國의 西南部로 끼우러진 高原地帶이나 東으로 巴山峻嶺 西
로 西藏高原 北으로 岷山山脈 南으로 長江의 奔流로 막질이우고 마라 周圍
는 險阻하나 內地는 沃野千里로 所謂 『天府之國』이다 泯[81]江、嘉陵江、陀[82]
江 黔江의 四大川(四川省의 省名의 四川은 以上의 四大川에 出據함) 以下
大小 諸河가 省內를 縱橫으로 貫流한 後 大長江으로 合流된다 이 四圍가 疊
嶂한 層巒과 環繞한 群峯 그리고 激奔하는 大江으로 둘니운 一大 盆地인 四
川은 그 面積에 잇서서 三萬 三千六百 方里로 二十一 省 中의 第二位며 中部
十八 省 中의 首位를 占領하는 最大 面積으로 朝鮮의 約 二 倍 半에 相當하며

---

80 "迷"는 "述"의 오식 - 편자 주.

81 "泯"은 "岷"의 오식 - 편자 주.

82 "陀"는 "沱"의 오식 - 편자 주.

人口 亦是 四千八百萬으로 二十一 省 中의 首位이며 朝鮮의 約 二 倍 半에 相
當하다 地大物滿하야 이 險阻로 둘너싸힌 大國 內에는 『업는 것이 업다』고
하는이 만큼 物産이 豊富하다 일로 말미암아 古來로 한번 中原에 깃발을 날
니고자 하는 者들이 이 蜀漢 益州에서 第一步를 내듸고저 한 所以가 여기 잇
는 同時에 反對로 中原과 隔住하며 이 둘이울 險阻가 도리혀 運兵에 不利하
야 거의 失敗를 보고 만 所以도 여기 잇는 것이다 況 蜀의 後主 望帝에 이르
러서는 當初부터 『歸蜀道杜鵑』이가 되고야 말게 運數가 뒤틀엿든 것이다.

×

딸하서 이 地勢의 關係는 中原 大局 變動에조차 別한 波動을 주지 안는 바
四川의 群雄은 各自 割據하야 相擁相濟 裡에 私鬪를 繼演할 뿐이다 이點에
잇서서 四川 一 省 亦是 大中國의 一 小略圖의 感이 잇는 同時에 四川의 人物
로서 中心勢力을 掌握할 만 한 者가 업슴을 反證하는 것이다

民國 以來 中國 各 省은 動亂으로부터 動亂으로 始終하얏스나 四川에 比
하면 다른 省은 天下泰平이엇다고 하야도 過言이 아닐 것이다 動亂이 하로
를 더 繼續하는 동안에 天府之國은 衰滅의 길을 한 거름 더 나가고 또 그 裏
面에 土匪는 土匪를 낫코 軍閥은 軍閥을 나헛다 한 戰爭의 結果는 또 반듯
이 勝利者의 登隴望蜀의 慾望으로 因하야 軍備가 더욱 一層 擴充되는 中에
一時의 小康을 맛보아야 할 民衆은 다시 橫征暴欲으로 말미아마 反對로 搾
取壓迫을 當할 수박게 업섯다 五 個年 동안에(自 民國 二年 全 七年) 大小
四百七十七 戰이 일어난 事實은 古徃今來 洋외東面[83]을 不問하고 업슬 것이

---

83 "面"은 "西"의 오식 - 편자 주.

다 戰爭 數爻에 잇서 最高記錄을 가진 四川 百姓은 暴政과 暴欲에 잇서서도 最高記錄을 가지고 잇다 嗚呼 懷璧之罪人들 ㅡ

×

戰爭이 거듭 처나오는 동안에 必要한 軍費가 하날에서 떨어질 理도 업고 따에서 소슬 理도 업는 以上 오직 民衆의 膏血일 것은 事實이며 달마다 해마다 增加되는 軍費는 結局 徵稅가 搾取 强奪에까지 發展되어 民國 十九年度의 總 軍費는 二億 元을 突破하야 總 預算의 八十 百分率이 超越하는 中央政府의 軍費預算으로 하야금 顔色이 업게 하고 말엇다 現存한 兵力은 十八 師 二十一 旅 二十二 特種部隊 總 三十萬 名。兵器廠 一百七十餘 個。이것을 가지고 三萬 六千餘 方里나 되는 四川이라는 蝸牛角에서 相軋相轢하고 잇는 大小 將軍 님들의 現勢는 大略 다음과 갓다

▲ 二十一軍長 劉湘(省督軍)
第一師 師長 藍文彬
第二師 師長 王纘緖
第三師 師長 王陵基
敎導師 師長 潘文華
模範師 師長 唐式遵
川鄂邊防軍 司令 范紹增
川東邊防軍 司令 陳蘭亭
機關槍隊 司令 劉湘 兼
航空隊 司令 劉湘 兼

以上 兵力 約 八萬 名、飛行機 十一 臺、다시 그 勢力圈內는 巴縣、夔江、南川、倍[84]陵、酆都、萬縣、奉節、合川、銅梁、武陵 等 二十八 縣으로 四川의 東北部

▲ 二十四軍長 劉文輝(省主席)

第一師 師長 劉文輝 兼

第二師 師長 向傳義

第三師 師長 夏首勛

川康邊防軍 第一師 師長 冷南薰

同 第二師 師長 陳光藻

以上 兵力 約 八萬 七千 名 勢力圈內는 雙流、天全、榮經、會埋[85] 丹稜、眉山、樂山、資中、威遠、永川、瀘縣、長審、華陽、遂審、潼南의 六十七 縣과 西康의 康定 附近의 十一 縣으로 四川 全省의 中部 以南 全部와 西康 東部에까지 밋치는 大幅의 壯觀을 呈한다

▲ 二十八軍長 鄧錫侯

第三師 師長 陳鼎勛

第七師 同 馬毓智

川陝甘邊防軍 總司令 黃隱

以上 兵力 四萬 五千 名 勢力圈內는 지난 四月 中에 發生되엇든 遂審戰爭으로 말미암아 新都 彭縣 崇審 汶川 綏淸 等의 十七 縣과 甘肅省 內의 武都 文縣으로 西北 一隅를 겨우 保守할 뿐이다

▲ 二十九軍長 田頌堯

---

84 "倍"는 "涪"의 오식 - 편자 주.

85 "埋"는 "理"의 오식 - 편자 주.

第一路 司令 薫珩

第二路 司令 王銘章

第三路 司令 羅逎瓊

第四路 司令 曾憲棟

西北屯殖軍 司令 孫震

以外 二 獨立旅로 總 兵力 約 五萬 勢力圈內는 成都 羅江 劍閣 南部 德陽 巴中 昭化 等의 二十五 縣으로 北部 中部를 割據하고 잇다

▲ 二十軍長 楊森

五 個 混成旅 外에 警衛憲兵 二 個 司令 等 總 兵力 三萬 三千 名으로 今年 四月에 順慶事變으로 因하야 廣安 營山 岳池 蓬安 渠縣의 五 縣을 僅守할 뿐 이다

▲ 新編 第六師 師長 李家鈺

總 軍力 七 旅 一萬 七千으로 西充 蓬溪 南充의 三 縣을 僅守하고 잇다

▲ 二十三師 師長 羅譯洲

總 二 旅 約 一千 名으로 南充 一 縣의 一部에 겨우 殘兵을 保有하고 잇슬 뿐이다

▲ 川陝邊防軍 督辨[86] 劉存厚

第一師 師長 劉肇乾

第二師 師長 魏聲華

兵力 約 一萬 三千 名으로 綏定 宣漢 萬源 城口의 四 縣를 固守할 뿐이다

×

---

86 "辨"은 "辦"의 오식 - 편자 주.

以上으로 結局 그 大勢에 잇서서 四川의 門戶를 掌握한 劉湘이 地利를 어덧다 할 것이며 兵力 亦是 川軍 中에는 가장 犀利하야 田氏나 鄧氏의 類가 아니며 地面으로 보아 四川省의 半分을 그 勢力 下에 두고 잇는 劉文輝도 民國 十四年에 楊森으로 말미암아 慘敗한 後 겨우 回勢한 지가 不過 얼마 되지 아니하여 軍備의 完備는 企待할 바이 아니나 現 地盤과 劉湘의 族叔인 關係로 放心을 不許하는 바 잇다 鄧錫侯는 今年 四月戰爭에 其 部下인 李家鈺 羅澤[87]洲 等의 反擧와 또 그 直屬 第十一師長이든 陳光藻가 劉文輝에게로 轉嫁하야 그 防區와 軍力의 損失이 莫大한바 아직 新傷未癒之感이 만타 其他 李家鈺 羅澤[88]洲 楊森 等은 劉湘과 田頌堯의 防區 間에 介在한 數 縣을 保有할 뿐임으로 何等 實力이 업스며 겨우 이들 三者의 三角同盟之勢에 相依相存하고 잇는 形勢다 結局 大勢는 劉湘 劉文輝 兩人이 가장 得勢之感을 주나 自力이 업스면 他力을 비러서라도 한번 해보는 將軍들이라 어느 때 어느 곳에 누가 또 뒷끈을 잡아주어 一大混戰이 惹起할는지 모르며 또 豫測과 豫斷이 絶對로 업는 四川의 軍事는 『오직 될 대로 될 터이지』以上의 先見은 無理다.

그러나 다만 四川 民衆이 어느 때까지 이들 軍閥 미테서 그 搾取와 劫奪를 甘受할는지 이것은 큰 疑問이다 川軍 中의 一 軍이 統一할는지 相殺相滅하야 新軍閥이 統一할는지 이것도 問題다 川軍 以外의 軍閥이 四川을 統一하리라고는 미들 수가 업다 그러면 오직 軍閥을 업샐 수 잇는 者 오직 民衆이 잇슬 뿐일가 何如間 어느 때가지 이 軍閥이라는 것이 그대로 잇슬 수가 업는 것만이 事實이면 四川 軍閥의 末路는 가장 興味잇는 事實일 것이며 이 消滅에 이르기까지의 民衆의 實踐 過程은 적지 아니한 敎訓이 될 것이다 또

---

87 "澤"은 "譯"의 오식 - 편자 주.

88 "澤"은 "譯"의 오식 - 편자 주.

오직 우리에게 直接 關係가 업는 中國 奧地에 蟄居하는 一群의 軍閥의 興亡
이라 하야 우리는 오직 興味眼으로만 對岸火視함에 끗칠 것일가 勿論 軍閥
興亡 其 自體는 우리에게 아모 關係가 업다 그러나 四川 五千萬 民衆이 밟는
바 實踐 過程만은 우리의 一大 關心事이라고 筆者는 밋는 바이다 다만 現在
의 四川이 너머도 軍閥萬能이 甚하야 有爲한 人才가 아직 理論과 實行하기
에는 極히 困難한 處地에 잇서서 얼마동안은 軍閥의 勢力이 繼續될 것만은
사실이다 그러나 四圍險阻한 이 別天地 속에서 私腹私利에 汲汲한 軍閥들의
邯鄲枕은 물 밀 듯하는 世界大勢의 必然的 結果인 民衆의 急速한 覺醒으로
말미암아 임이 좀이 먹기 始作하엿다 『疲弊한 益州』는 將次 어듸로 가려는
요 ―

◇ 太白과 東坡

　四川의 人物은 亦是 現在에 잇서서는 現在 四川을 支配하는 大小 將軍이
잇슬 뿐이다 劉湘 劉文輝 鄧錫侯 田頌堯 劉存厚 楊森 모다가 四川 胎生들이
다 最近 人物로서는 程德至 傳增湘 楊庶堪 等의 政客이 잇기는 잇스나 그 大
部分이 武將이다.

　그러나 反對로 古代로 遡及하는 境遇에는 四川은 武裝의 産地라는이보다
는 文人의 彬彬함을 볼 수 잇다 漢代에 잇서서는 卓氏宅 절문 寡婦를 후려가
지고 私奔한 司馬相如로부터 楊雄 王襃 嚴遵의 文章家와 晋代의 李密 唐代
의 李太白과 宋의 三蘇는 四川의 大眼目이다 湖北을 杜甫와 屈原이 代表한
다 하면 四川은 太白과 東坡가 代表한다고 할 것이다 더욱이 杜甫와 李白의
兩大 詩聖의 對照는 湖北과 四川의 對峙로 가장 興味잇는 對照이다 白과 軾
이 가티 飄逸한 一面의 共通點을 가진 것 이것도 가튼 四川 文人인 點에 잇

서서 四川의 氣質의 一面을 보아주는 것이 아닐가 그리고 長江의 自然文學에 잇서서 누구보다도 이 둘이 가장 뛰어남을 보는 것도 亦是 蜀國 江山에 태어난 所以가 아닐가

◇ 回程의 찻길

처음 旅行을 떠나며 豫定하기는 路程의 終點을 成都까지 갈여고 하엿다 또 交通만 便하면 西康의 豫定까지 바랫든 것이나 뜻하지 아니한 西北戰亂으로 말미암아 中途 交通杜絶로 重慶서 二旬 餘를 滯留하며 交通의 恢復을 기다렷다

格에 맛지 안는 冒險도 念頭에까지는 暫時 떠올낫스나 省黨部員은 極力 反對하얏다

그러치 아니하여도 車馬가 업는 陸路를 들껏을 하고 송장格으로 두러누어 여러 날을 갈 勇氣도 勇氣려니와 路中에 散在한 土匪의 危險에 아모 保障이 업는 以上 엇지하는 수가 업섯다 焦燥와 焦燥 中에 二十餘 日을 지난 後 五月 九日 저녁에 回程의 길을 밥기로 하얏다

×

뉴즌 봄비가 느실느실 오는 五月 九日 저녁에 行裝을 잇글고 重慶埠頭를 나섯다 中國旅行에는 寢具 一式을 가저야 하는 關係로 구찬은 點이 만타 이 짐을 가는 곳마다 오는 곳마다 펴보여야 하는 것은 또 적지 아니한 苦痛이다

城門에서 짐 檢査를 한 後 이튼날 새벽 네時에 夜襲을 바더 다시 檢査를 바덧다 이 卑劣한 檢査에는 돌부처도 顔色을 變할 것이다

十日 새벽 여섯時 퍼붓는 비를 헷치고 汽船은 嘉陵江을 나섯다. 그새 江물이 늘어 물결이 좀 더 세여진 데다 내려가는 배라 一瀉千里다. 올나올 때는 數十 名이 끄러 올니든 木船이 내려갈 때는 左右로 대여섯 名식 갈나서서 櫓를 젓로[89] 모양은 싀원싀원하여 보인다 나흘에 올나오든 路程은 半減하야 當日로 萬縣을 드러슨다.

심심하야 上陸하얏다 도라오는 길에 나루뱃사공이

『阿片 먹으러 갓다오십니가』

한다 우리나라 가트면

『藥酒 한 잔 하시고 오십닛가』

하는 셈이다. 이것도 인사인 以上 答禮는 잇서야겟기 사가지고 오는 술병을 가르치고 마럿다.

이튿날 비가 개고 난 巫山峽의 景致는 또 새로운 맛이 잇다. 단장을 하고 난 美人도 가티. 沐浴을 하고 난 處女와도 가티. 和氣가 감돌고 生氣가 나서 유달리 潤澤하여 보인다. 일층 빗이 진하여진 바위 절벽 풀 나무가 구름 사이로 빗초이는 봄 햇빗에 유달이도 반득인다. 올나갈 때 못 보든 이 山골물 저 山瀑布. 에서 쌀 제서 콸. 바위 뿌리에서 쪼고리고 구물질 하는 漁夫. 木船을 타고 구물질 하는 漁夫. 물결 세인 關係로 구물은 한번 잠겻다 쑥 들고

---

89 "로"는 "는"의 오식 - 편자 주.

만다。 내리치는 물에 고기가 딸여 흐른다 부듸친 후 다시 올나가지 못하는 듯이 보엿다。

한 時間만 잇스면 宜昌에 到着한다 하야 짐을 收拾하는 中에 求景이 낫스니 나와 보라고 한다。二 秒를 못 가서 떠러진 곳에 한 五六 間 더 흘너서 油布로 싼 누런 구러미가 불근 솟는다。그러자 마츰 그 여폐 잇든 木船이 그 누런 꾸러미를 건저가지고 『거름아 날 살여라』하듯키 다라난다。

이것은 배 茶房들이 阿片을 몰래 사서 海關 關吏의 눈을 속인 後 예까지 가지고 와서 이곳 뱃사공과 連絡하야 가지고 密輸入하는 것임을 乃終에야 알엇다 勿論 이러케 감추어 가지고 오는 것인 以上 量으로 보아 대수롭지는 아니하야 요러한 小規模의 密輸는 海關서도 一一히 딸아다니며 監視할 수가 업서 거의 黙殺하고 만다 한다。꾸러미를 바더간 뱃사공은 인품을 사서 陸路 아니 山路로 百餘 里를 지나 넘어 宜昌으로 가지고 가서 다시 主人의 손으로 넘어가서 結末을 짓는다 한다。

×

宜昌 到着하자 이튿날 새벽에 漢口로 떠나는 배가 잇섯슴으로 짐을 바로 새 배로 옴겨놋코 市街로 들어가서 저녁을 먹엇다

이튿날 일즉이 午前 열한時 頃에 沙市에 到着한 배는 그대로 하로를 묵는다 理由는 아모래도 사흘 길인 것이라는이보다 떠나면 밤에 石首縣 附近을 通過하는 危險을 避코자 함이라 한다

그러나 다음날 石首縣을 지나처도 그럿케 戰戰兢兢하는 품에 比하야 穩靜하기 짝이 업는 石首縣 가타여 보엿다 그래도 이번 길은 運이 조와서 無事히 通過하엿다고 한다 來往에 한번도 風波가 업시 이곳을 지나친 나는 相當

히 運이 조흔가 보다

江幅이 널버진데 물이 늘어 강물은 실로 탕양하다 長江 沿岸 住民은 全部가 이 長江 물을 먹는다 이 濁流를 기러다 그대로 가러안친 後 먹는다 게다 長江 沿岸의 汚穢物은 全部 長江으로 들어가는 以上 以前 平壤서 大同江 물을 기러다 먹는 것을 보고 흉본 것을 生覺하면 大同江 물은 蒸溜水 以上의 淸水일 것이다

배를 타고 보아도 그럿타 배머리 便에서는 그대로 물을 퍼올닌다 이것이 야말로 무슨 물을 먹게 되는 지 알 수 업다

그 물에 빨내 하고 便器 부시고 또 기러다 飮料水로 使用된다 이것도 몃 十 名 몃百 名 또는 엇떠한 한 地方에서만 그럿타 하면 또 엇떠할는 지 모르지만 長江 沿岸 住民 全部가 이러한 以上 이 住民의 數가 二億에 갓가움을 생각할 때에는 하로에도 長江 中에 품니우고 씻까어 내려오는 汚穢物은 實로 想像할 수가 업슬만 한 大量에 達할 것이다 이러한 關係로 長江 沿岸의 土地가 肥沃한 지도 모르나 一面 또 말가며 할 물이 흐린 것 따라서 물에 對한 觀念 中에 맑고 정한 생각이 적지나 아니한가

大體로 보아 中國사람이 그다지 淸淨한 便이 못되는 것 亦是 日常 보는 바 물이 모다 흐린 濁水인 影響이 잇지 아니할가 우리가 日常 보는 바 明朗하고 淸淨한 것으로는 蒼空과 淸水를 본다 이 蒼空과 淸水의 自然이 주는 바 깨끗하고 밝은 觀念이 또 日常生活에 잇서서 그 影響을 밧는바 잇다 하면 中國사람들은 不幸히도 이 揚子江의 조치 못한 影響을 밧지나 안헛는가。

食卓이자 麻雀床이자 洗濯床이자 裁縫床이자 또 두 個 맛부처노흐면 寢牀까지 되는 床에 對한 觀念 또는 食器 닥는 걸네와 食卓 닥는 걸네와의 區別이 업는 것 等도 亦是 習慣이라 無心코 지나면 그대로 지날 수 잇는 것일 것이나 何如튼 習慣에 익지 못한 눈에는 저잔히 끌니운다。

×

멀니 電燈이 輝煌하다 밤이라 똑똑지는 안흐나 武昌의 黃鶴樓와 漢陽의 晴川閣의 웃뚝한 꺼먼 形態가 보인다 宜昌서 漢口로 내려오는 데는 사흘 동안.

◇ 湖南 春色

四月 十五日 午後 네時 武昌 徐家棚 車站에서 長沙行 特別快車에 몸을 실엇다 江南의 春色은 잠이 온다 모 심는 農夫 낙시질 하는 漁夫 플 뜻는 도야지 뫼 줍는 닭 모다 오늘 하룻낫 동안 기지개와 하픔을 몃 百 번을 하엿는지 모르겟다는 듯이 기운 업시 노코 한 사지를 떼어버리지 못하야 달고 잇는 듯이 보인다

食堂車가 업고 寢臺車가 업는 이 『特別快車』는 飮食을 시키면 房 안으로 食卓을 갓다놓고 먹게 하며 中國 이불 두 個와 中國 벼개 한 개를 갓다준다 이불 두 개는 한아는 포단으로 使用될 것은 勿論이다 特別히 定價가 업는 것이라 『뽀이』의 팁을 厚히 주면 그만이다.

마조 안즌 唐某라는 前에 稅關 官吏 지나 먹엇다는 令監 님은 말 붓칠 맛 업는 令監이다 도라 눕고 讀書다 讀書라야 小說이라고 하기보다는 『에로·뿍』이라고 하는 便이 正當한 書籍이다.

旅館이나 船中에서 이러한 書籍 行客을 만히 맛난다 배에서도 冊 보는 사람의 表情을 보아 무슨 種類의 書籍을 일는지 自然 알 수 잇는 거도 이러한 種類의 書籍이 만히 愛讀되는 一面을 말하는 것일가 한다 또 아울너 이런 書籍을 팔러 다닌 商人의 고춤 속에는 寫眞 몃 十 數은 依例히 잇다 寫眞이라야 本國서 滿洲旅行 갓다 오는 親舊들이 『프레센트』로 한두 張 주는 露西亞

기행문 I   577

사람의 寫眞은 藝術寫眞이라고 할 만한 到底히 구역나는 그림이다

只今 이 老人이 年齡에 不相當한 讀書를 하고 잇는 셈이다 빗꼬아 도라눕고 보는 것도 『心不老』의 一面을 말하는 것일가

×

咸寧 蒲圻을 지날 때는 午後 十時 잠이 든 사이에 車는 湖南땅을 들어섯을 것이다 반듯이 눈을 뜨고 지나처야겟다고 생각한 汨羅水는 午前 다섯時 아직 咫尺이 희미한 黎明 裡에 지나친다 인당수로 가는 沈淸이는 『汨羅水를 바라보니 屈三閭 魚腹忠魂 無量도 하도든가』 하고 불넛거니와 조금만 江이 더 어두운 中에 보이는 만큼 저윽히、 쓸쓸하여 보인다 旣述 湖北 歸州城 下에 잇는 汨羅는 假字이라 한 바와 가티 後世의 두 記錄 즉

汨羅江名在湘陰縣北十里 源出予[90]章流經湘陰分二水 一南流
日汨水云云(一統志)
楚屈原不見用于君而被放于長沙 以五月五日投汨羅而死云云
(續齊諧[91]記)

과 가티 長沙에 와 잇다가 汨羅로 와서 죽은 것이 事實이다

×

---

90 "予"는 "豫"의 오식 - 편자 주.

91 "諧"는 "譜"의 오식 - 편자 주.

다시 깜박 잠이 든 사이에 해가 짝 퍼젓다 湖南의 農村은 깨끗하게 보인다 鐵路 沿線에는 窮農이 적어 보인다 말고 시원한 봄 아츰이다

長沙에 到着되기는 일곱時 半 停車場 構內에서 간단한 짐 檢査를 마추고 半湘街 長沙銀店으로 들어섯다 武昌으로부터 鐵路 約 二百二十 哩

×

長沙는 湘江의 東岸에 잇스며 對岸의 岳麓山을 爲主하야 四圍가 丘陵으로 둘니워잇스나 東北 兩方이 便河로 둘이우고 아울너 南方에 老龍潭塘의 小河가 잇서 갓가히는 거의 물로 둘니운 感이 잇다

城은 長方形으로 東西 約 三 里 南北 約 八 里에 大小 十三 門이 잇섯다 하나 城이 헐이자 門도 업서저 城牆馬路로서 城趾를 볼 뿐이다 南正街 地下街 心角亭 府正街 靑石街 等의 繁華한 거리는 南部 中央에 集中되어잇다

×

市街 全體로 보아 아조 淸淨하다 행낭 뒷골목 가튼 窄路도 汚穢物를 볼 수 업다 집집마다 商店마다 街路名과 號數를 적은 鐵板이 初行者의 눈에도 얼는 아러볼 수 잇게 親切히 부터잇다

街條도 比較的 整然한데 다만 城環馬路의 新道를 除한 外에는 全部 舊式 磚石道路로 道幅이 좁다 그러나 三 四 層 洋屋의 羅列을 보는 繁華로움이다

×

『一言堂』이라고 써부친 商店이 눈에 만히 띄운다 그래서 그러한지 定札의 五 割에 多少 에누리까지 붓는 商店도 잇다

×

男女老少를 勿論하고 衣服은 黑色이 만타 男女學校 制服도 黑色이다 藍色보다도 質朴한 듯이 보인다

體格은 一般的으로 통통한 使[92]으로 따라서 키가 그다지 큰 便이라고는 할 수 업다 머리통이 커 뵈고 이마가 좀 버서진 듯하다 옴숙 드러간 눈과 눈섭은 검고 코는 좀 뭉투룩한데 두 구녁 벌죽하고 턱 바튼 큰 입에 입술이 좀 두텁다 게다 광대뼈가 좀 두트르진 것 갓타야 溫厚한 데도 묵에가 잇서 보인다

말소리는 極히 柔順하야 다른 地方에서 듯는 바와 가티 쌈 싸오듯이 들니는 것과는 反對로 저윽히 『사람이』 이야기를 하는 듯싶다

×

司馬橋에 잇는 曾園[93]藩祠를 차저 보니 『湖南省公安局』의 牌가 부튼 門의 左右에는 巡査가 銃劒을 집고 버틔고 잇다 안으로 들어가니 마츰 저녁時間이라 巡査 님들이 여긔저긔서 밥碗을 들고 왓다갓다 한다 임이 警察署가 된지라 曾公의 位牌 대신에 孫中山의 肖像밧게 업다 어이가 업서 나와 버리고 마럿다

---

92 "使"는 "便"의 오식 - 편자 주.

93 "園"은 "國"의 오식 - 편자 주.

×

   그 길로 다시 三興街로 包車를 모랏다 수무 살에 博士를 하야 少年秀才의 別稱을 『賈生』이라고 하는이만큼 일즉이 出世한 賈誼의 故宅을 찻고자 함이다 바로 길 엽해 두고 한참 두리번 두리번 하엿다 그도 그럿케 된 것이 이 亦是 派出所가 되여잇서 얼는 이 派出所가 賈誼의 故宅일 줄은 꿈에도 生覺지 못하엿든 까닭이다

   그래도 안에는 賈太傅의 畵像도 걸리고 그 압헤는 香爐와 燭臺도 노혀잇다

   後世에 가티 長沙에서 謫居하게 된 賈誼가 일즉이 屈原을 吊한 바 잇거니와 劉長卿 亦是 이곳을 지나며

> 三年謫宦此樓遲 萬古惟留楚客悲 秋草獨尋人去後 寒林空見日斜時 漢文有道恩猶薄 湘水無情吊豈知 寂寂江山搖落處 憐君何事到天涯

라고 이 漢나라 謫客을 을펏스나 何如튼

   『長沙를 지내가니 賈太傅는 간 곳이 업고』일 뿐이다 外樣으로 보아 벽이 깨끗하고 기동도 그다지 끼우러지지 안이한 폼이 얼마 前에 修理한 모양이다

×

   修理를 하엿건 派出所가 되엿건 이러한 二千 年 前 古址를 市街 內에 아직 두고 잇는 湖南 省城인 이 長沙는 昨年 七月 末 頃에 彭德懷의 第五軍에게 占領되어 李立三을 主席으로 하는 湖南 『쏘비엣』政府가 成立되어 歷史를 가진

곳이다 勿論 열흘 동안밧게 되지 안엇지만 — 그래도 中國共産黨에서는『一省 又는 數 省의 勝利에 關한 戰略』이 中央政治局에서 決議된 지 不過 月餘 後에 그 方略 대로 實現된 것이라 하야 저윽히 코가 놉핫든 바 잇섯다

✕

長沙에 도착되는 날 밤부터 나리는 비는 繼續하야 나흘 내려 퍼부엇다 이 바람에 常德으로 건너가서 別有天地非人間이며 中國의『유 — 트리아[94]』인 武陵桃源을 求景하려든 豫定도 自動車 不通이 되고 또 갓가운 湘江 건너便에 잇는 民國의 革命兒 黃興 蔡鍔의 두 國葬墓와 朱子哲學의 大本營이든 岳麓書院이 잇는 岳麓山 求景도 트러지고 마럿다

✕

五月 二十日 午前 零時 부슬부슬 나리는 봄비를 마즈며 내가 탄 조고만 汽船은 湘江의 흐르는 물을 따럿다 江上의 비 더욱이 밤비는 조타 빗방울 듯는 소리가 더욱 조타 부슬 봄비라『山岳이 潛形하고 陰風이 怒號』하지는 안이하나 湘江의 밤비이니『瀟湘夜雨』는 정녕하다

湘水는 廣西省 興安縣에 잇는 海陽山에서 始作하야 湖南을 들어서 零陵 조금 못 밋처 瀟水와 合水친다 따라서 瀟湘 瀟湘 하여야 水는 湖南 廣東의 省境에 잇는 九疑[95]山으로부터 흐르는 아조 조고마한 물인 以上 江으로는 湘

---

94 "유트리아"는 "유토피아"의 오식 - 편자 주.

95 "疑"는 "嶷"의 오식 - 편자 주.

江이 主宰이다

湘江은 다시 春陵水를 合水한 後 衡州서 耒水 衡山 밋테서 蒸水 洙水 다시
淥口서 淥水 湘潭서 漣水 長沙 못 밋처서 渭水와 다음 瀏水를 合처 洞庭湖로
注入한다。全長 二千 里 楊子江에 比할 바는 안나나 大江의 한아이다。湘潭
은 勿論 夏季增水時에는 衡州까지 汽船이 通한다。湘江 全體로 보면 湖南省
을 南北으로 貫通하야 實로 湖南의 動脈이라고 볼 수 잇다。

◇ 岳陽樓 洞庭湖

자는 사이에 湘江을 나서 배는 이미 『銜遠山하고 呑長江하는』 洞庭湖를
드러섯다。아츰해가 비초이기 始作하는 이 七百 里 洞庭湖는 『浩浩蕩蕩』하
며 『橫無際涯』다。『春如景和』한지라 『波瀾이 不驚하야 上下天光이 一碧萬頃
이며 『錦鱗의 游泳함은』 보이지 안니하나 沙鷗는 무리무리 펄펄 나라든다。

洞庭湖는 總面積 四千 方里의 大湖다。湘江 資江 沅江 澧江의 湖南 四大水
는 모도 이 洞庭湖로 모여 運河를 거처 長江으로 드러간다。

멀니 보이는 듯 마는 듯하는 섬을 가르치며 저 섬에 娥皇女英廟가 잇다
고 엽헤 望遠鏡 빌녀보고 난 親舊가 알려준다。聖德이 壯하신 분의 따님이
며 또한 聖德이 壯하신 분의 마나님인 즉 堯姬이자 舜妃인 娥皇女英의 두 분
이 千萬秋後世의 오늘날까지 中國의 『多夫人』制의 『쌤풀』로 아직도 이 洞庭
湖 한가운데서 天下女下에게 舊式으로 貞淑하며 新式으로 一點의 『晴朗』한
敎訓을 베프시고 잇다。姉妹가 아조 情다웁게 한 男便을 섬기엇다는 點으로
보아서 즉 近代 女性의 『晴朗한』 ─ 要素의 한 조박지를 아득한 太古時節에
이미 보여주엇다는 것이다 하여도 그다지 말이 안 될 것이 업는 點에서 ─。

×

　午前 아홉時에 岳州서 배를 내려서 茶巷子 吉安旅館이라는 조고만 旅館에 짐을 풀엇다.

　이 湖南의 門戶인 岳州는 長沙 다음가는 湖南의 輸出港이다 市街는 洞庭湖를 따라 南北으로 길이 퍼젓다 人口 不過 二萬 長沙의 比가 아니다 더욱이 門어구에 잇는 感이 잇는 城陵磯로 말미암아 큰 發展은 企待할 수 업슬가 한다

×

　棚廠街를 지나 陰陽門 밧그로 나슨 즉 갈때집이 몃 채 느러섯다 갈대집이라는이보다는 그 모양을 보아 갈때 움집이라고 하는 便이 갓가울 뜻하다 그 살님사리는 京城서의 二村洞이나 新堂里 等의 움집과 比할 바가 아니다

　끼를 굼고 물도 못 키는 貧民窟이 아니라 픈득 내다보고 쏙 드러가는 어린 아가씨의 두 볼에는 봄빗에 윤택이 난다

×

　다시 堤署街로 올나가 西門正街로 휘돌아 西門外正街로 빠저 나스며 조분 길이 막다른 곳에 三層 樓門이 소사잇슴을 본다 이것이 岳陽妹[96] 西門인 岳陽樓이다

　唐代의 張說이 太守로 와서 建築한 後 宋代에 騰子京이 重修한 바는 보지

---

96 "妹"은 "城"의 오식 - 편자 주.

못한 우리나라 선배님들이 본 사람보다도 더 잘 아는 事實이어니와 그 後 淸朝 乾隆年間에 또 重修하얏스며 現在도 岳陽樓重修期成會會牌가 부터잇는 이만큼 不遠間 또 重修될 貌樣이다 딸하서 그만큼 退落된 것도 事實이다.

여페는 左右로 寫眞館이 버틔여잇고 二層樓에는 老子님을 모시어서 岳陽樓가 老關廟가 되여잇스며 얼크러진 기와장 터진 바람벽 문어진 담 於是乎 重修期成會가 成立될 理由가 넙고 넙는다 그러나 會牌만히 어지간이 꺼매진 품을 보니 엇재 얼는 重修工事가 着手될 것 갓지도 아니하다

『昔聞洞庭湖』한 筆者가 『今上岳陽樓하니』果然『吳楚東南坼』이다 茫茫湯湯한 大湖는 끗이 바라보이지 안는다 湖邊에 雲集한 木船 湖中에 뜬 帆船 부러오는 산들바람 저윽히 春困을 자어낸다

范仲淹의 岳陽樓記가 樓 下層 壁에 삭여잇다 이번 다시 重修하고 누가 또 重修記를 쓸는 지는 모르되 뜻 잇는 者 붓을 들지면 또 한 번 仲淹의 嘆을 禁치 못할 것이다

×

조고만 고을이라 무엇 오래 우물우물 할 必要가 업서 豫定을 닥아 그날 밤 열時 車로 武昌을 向하야 떠낫다

열두시가 조금 넘자 바야흐로 湖南 湖北의 省境을 넘어시려 한다

◇ 革命兒의 輩出地

湖南은 禹貢荊州之域으로 湖北과 아울너 吳楚엿다 일즉이 吳의 孫權이에서 江南에 唱覇하얏고 淸末에 曾國藩이 太平天國을 부슬넛스며 近代에도

黃興 蔡鍔 等의 數만흔 革命兒가 이곳서 輩出되엇다

面積 約 一萬 二千 方里 朝鮮보다 좀 적고 人口는 約 二千[97]으로 朝鮮과 伯仲이다 長江이 北部 一端을 스치고 洞庭湖 亦是 北部에 버틔여잇고 中國 五嶽의 一인 衡山이 省 中央에 聳立하고 湘江 資江 以下 大小 河가 全部 北部로 내려 흘러 洞庭湖로 注入하야 南으로부터 北으로 내려옴을 따라 平坦하여진다

東으로 江西 南으로 廣東 廣西 西로 貴州 四川 北으로 湖北으로 둘니윗스며 洞庭湖의 南便으로 퍼서잇는 關係로 湖北에 對하야 湖南이라 稱하는 배다 湖北과 아울너 中國 中央에 處하야 古來로 中原의 사슴을 쏘고자 하는 者이 湖南을 重視하야왓다 湖南이 手中에 들면 武漢을 略할 수 잇는 緣故이다 먼 例는 姑捨하고 갓가히 洪秀全이 漢西에서 이러나 湖南으로 進出하엿고 蔣介石 亦是 廣東으로부터 湖南을 거처 湖北을 占領하얏스며 또 이번 新廣東政府 亦是 이 湖南으로 드러스느니 마느니 하는 것이 모다 이 緣故이다

×

湖南은 上古에는 苗族의 住地로 三國時代에 吳國의 勢力도 밋친 바 잇스되 中國의 古代文明인 北方文化가 輸入되기는 庚水[98] 以後부터이다 따라서 比較的 北方사람보다 古態가 적다 近代文明이 南方으로부터 北進한 中國 新文化는 湖南으로 하야금 일즉이 新文明을 吸收시킴에 잇서서 地勢와 아울러 當時까지의 文化程度가 가장 適宜하며 容易한 情勢에 섯스며 아울러 氣銳慄悍하며 世利에 淡白한데 또 直情經行한 特質은 이 新文化를 消化함에 잇서

---

97 "二千"은 "二千萬"의 오식 - 편자 주.

98 "庚水"는 "唐宋"의 오식 - 편자 주.

서 가장 容易하고 迅速하얏다 아울러 革命的 思潮가 다른 곳보다 세인 緣故 고[99] 이에 잇는 것이다

×

딸하서 人物의 輩出도 古代보다 最近이 만흐며 人物 亦是 大部分 革命的 人物이다.

爲先 孫文과 아울너 中國革命에 雙璧이라 일컷는 黃興으로부터 袁世凱의 손에 暗殺된 宋敎仁 雲南에서 風雲을 이릇킨 蔡鍔 其他 譚仁鳳 譚延闓 等 一一히 枚擧할 수가 업다. 其他 政客으로 章士釗 范源濂 易培基 瞿鴻穢[100] 熊希齡 等이 잇스며 軍人으로 唐生智 傳[101]良佐 程潛 等이 잇다. 碩儒로 王開運 王先謙과 五年 前에 革命軍으로 말미암아 土豪劣紳의 아름답지 못한 罪目으로 銃殺 當한 葉德輝 等이 잇다.

×

最近의 人物로는 實로 濟濟多士의 感이 적지 안흔 湖南은 旣述한 바와 가티 古代의 人物로서는 저윽히 호젓함을 禁치 못한다.

오직 漢代에 잇서서는 조히(紙)를 創作하얏다는 蔡倫 一人이 잇슬 뿐이오 三國時代에 孫權 一家가 가장 出衆하얏스며 다음은 唐代 歐陽詢과 宋代에

---

99 "고"는 "도"의 오식 - 편자 주.

100 "穢"는 "禩"의 오식 - 편자 주.

101 "傳"은 "傅"의 오식 - 편자 주.

大儒 周敦頤 一人이 잇슬 뿐이다. 以後 金元明에 이르기까지는 地勢의 關係
도 잇서 아조 寂寞하며 淸朝에 들면서부터 忽然히 人才의 輩出을 보게 되엿
다 曾國藩 以下 胡林翼 羅澤南 左宗棠 曾國基 劉坤一 等 차츰차츰이 民國으
로 미처 온 바이며 現在 湖南省 主席인 何健 將軍 亦是 湖南 醴陵縣 産이다

◇ 潯陽江頭

五月 二十一日 아츰 十時에 武昌으로 도라온 나는 그날 하로를 수이고 이
튼날 밤 漢口港을 떠낫다

忽晴忽雨하든 天候는 二十三日 아츰 九江서 내린 後에도 繼續하엿다 旅
館에서 中火한 後 梁代에 建設되엿다는 能仁寺를 차저갓스나 古來 大刹인
만큼 比較的 큰 절이나 最近에는 別로히 손을 다히지 안흔 모양이며 다만 六
面七層의 大磚塔이 옛 자최를 보여줄 뿐이다

엇저녁의 大雨로 웬만한 길은 모다 탕수가 가저서 人力車軍이 바지를 깡
충이 추것고 철벅어리며 끌고간다 九江은 地盤이 좀 움숙한 모양이다

西門 안에 잇는 延技[102]山 椙[103]蘆亭이라는 조고마한 亭子가 잇서 예서 九
江市는 勿論 北으로 長江 南으로 盧山을 俯仰할 수 잇다

江西 唯一의 開港場이다 市街는 저윽히 繁華하다 이곳 居留地는 英國 居
留地뿐인데 이 居留地 안에는 中國人의 居住를 許치 안는다 그래서 이 居留
地는 淸潔하다고 居留地의 主人公들은 자랑한다 나는 九江의 英國居留地 紹
介하기 爲하야 이 一節를 添加하는 것이 아니다 오즉 中國人의 中國에서 中
國人이 살 수 업는 地帶가 잇다는 事實을 나 以外에도 아는 사람이 잇기를

---

102 "技"는 "支"의 오식 - 편자 주.

103 "椙"은 "揖"의 오식 - 편자 주.

願하는 所以다

×

이前에는 亭子가 잇어서 蘇東坡는 『潯江暮雨晴』할 때 이곳서 『潛然涕泗下』할 수도 잇섯스나 이미 停車場 倉庫가 스고 만 琵琶亭은 遺址도 듸더보지 못하게 되엇다

亭子는 못 볼지언정 그래도 이곳 司馬 白居易가 靑衫을 적시인 尋[104]陽江頭나 볼여고 江가으로 나섯다 商女의 琵琶 뜻는 소리를 듯는 이 江頭에는 日淸汽船會社의 埠頭가 잇슬 뿐이다

×

내가 投宿한 花園飯店이라는 旅館 뒤門 밧이 甘棠湖라는 조고만 湖水가 잇스며 湖水 안에 煌水亭이라는 亭子가 있다 景致도 조흐니만큼 한 盞 마시는 客들에게는 어지간히 實用될 것이다

◇ 盧山

午後 네時 해가 반짝 드는 듯하기에 自働車를 불러 타고 盧山으로 向하얏다 登山口인 蓮花洞서부터는 四人轎를 타고 다시 짐은 따로 사람을 사서 메여가지고 올나가야 된다

즉 그만큼 놉고 갑팔느다 한 길 두 길 올나가는 동안에 다시 날이 흐리자

---

104 "尋"은 "潯"의 오식 - 편자 주.

안개가 나린다 기픈 산골에 저녁안개와 아울너 안개비가 국수발가티 쏘다 저 나리는 風景은 저윽히 웃쑥하고도 고적한 흥치가 난다

이 골짜기 저 山 중툭에 길길히 소슨 참대숩. 말근 골작이 물을 나갈수록 山水畵는 佳境으로 드러간다 三分之 一이나 올나스자 산마루는 보이지 안코 만다 가팔은 이 산길이 全部 石階가 노혓다 到底히 一二 年에 完成되엇슬 것도 아니며 一二 百 名의 손으로 되엇슬 理도 업슬 것이다 오란 文化의 功勞는 아즉도 所用이 되고도 넘치고 잇다

한참 치깍꺼 올나오다가 다시 길이 저윽히 平坦하여지자 正面으로 牧山嶺 市街가 보인다 바로 아페다 두고도 이 산빗 저 산허리를 이리 돌고 저리 휘넘어 안탑갑게도 눈아페 노코 보며 三十 分이나 돌아간다

×

枯[105]嶺에 到着되기는 일곱時 半 牯嶺은 盧山五蓬 中의 最高峰으로 海拔 三千五百餘 尺. 伏中에도 七十五 度를 넘는 法이 업는 避暑地로서는 理想的이라 한다

盧山은 中國의 五岳의 一로 古來로 文人墨客으로 말미암아 風景의 絶勝함은 周知하는 바이며 또 山內에 大刹이 만코 名僧 知識이 만히 隱居하여잇서 저윽히 佛家들의 來往도 頻繁한 바 잇섯스나 避暑地라는 近代意識이 붓게 되기는 三十六年 前에 『에드워드·릿틀[106]』이라는 宣敎師의 仁慈한 活動

---

105 "枯"는 "牯"의 오식 - 편자 주.

106 "에드워드·릿틀": Edward·Little(1864~1939), 중국명 李德立. 19세기 말 중국에서 활동한 영국 선교사로 노산(盧山) 고령(牯嶺)의 땅을 조차하여 유명한 피서지와 휴양지를 개발하

으로 말미암아 租界地契約이 成立됨으로부터이라 한다

×

　牯嶺에는 조고마한 市街가 잇서 日用品에 不便이 업게 되고 一般 別莊들은 이 산 밋 저 山골작式으로 뚜염뚜염히 버러저 그대로 한 都市를 만들어노아 實로 繁雜한 普通 都市에 比하면 참으로 理想的 都市라고 할 수 잇다 아울너 學校 病院 遊泳地[107] 運動場 俱樂部 劇場 等의 施設이 잇서 地上의 天國之感이 잇다고 자랑한다 자랑이 아니라 事實 그럿타고 할 수가 잇다

　小商店을 爲始하야 中國人들이 살기는 하나 이곳 規則에 依하야 純全한 中國式 家屋은 建築하지 못하야 洋鐵板 집웅의 異常야릇한 집이 잇다금식 잇다

　原體가 避暑地의 都市인만큼 七月 以後부터야 活氣가 띄워짐으로 아즉은 거의 집집마다 門이 닷첫다 郵便局、銀行 等도 그때야 버리가 된 것임으로 勿論 다첫다 山上이라 水道의 設備는 바라지 못하나 말고말근 물은 水道보다도 淸潔할 것이다 오직 電燈의 設備가 업다 몃해 전에 電燈과 아울너 九江서부터 電車를 치노흘여고 거의 準備까지 다 하야노앗다가 蔣中正 氏가 치미려 올나오는 통에 쾅 하고 마럿다 한다

×

　엿다 - 편자 주.

107 "地"는 "池"의 오식 - 편자 주.

高山인만큼 비가 오며 또 저녁이라 어지간이 차다 피어오르는 안개가 바람결에 스르르 저 산골작이로 도라가고 빗발이 이 산 아프로 쏠니자 안개 亦是 좍 몰여든다 저 산꼭작이에서 한 개 이 산 미테서 두 개 燈盞불이 깜빡인다

×

이튼날 아츰 內案[108]者를 따라 『竹杖芒鞋單瓢子』로 遊覽을 떠낫다

大林寺를 지나 御碑亭 仙人洞을 둘는 後 天池山으로 올나스니 東으로 佛手巖 西로 白雲峯 南으로 九奇峯 北으로 石門澗이 두루두루 바라다 보인다 高峰 上頂에서 아마아마한 深谷을 나려다 보며 또 여페 잇는 峯을 바라다 보는 그 맛이다 山 頂上에 塔趾가 잇다

天池寺에서 中火 中火라야 가지고 간 麵麭와 鷄卵 그리고 절에서 내놋는 茶菓이다 어듸든지 절에 가면 의례히 茶菓를 내놋는다 따라서 나올 때에는 얼마간 인사를 하여야 된다 내놋는 茶菓는 各其 달으나 乾餅 乾果 等의 단것과 또 乾菜 짠 것도 잇다 菜는 竹筍 生薑 고비 등의 山菜를 말인 後 소금을 무친 것 가타어 보이는 것이다 달든 짜든 수히며 茶盞이나 기우리는 데 입노릇하기에는 십상이다

×

龍魚潭을 지나 錦繡谷으로 내려가다 길 여페 월계꼿이 여긔저긔 피어잇다 本國서는 花盆에 심는 것만을 보다가 처음으로 이러한 山中에 野生으로

피인 곳을 보매 新奇도 한便 中國서 幸福스럽게 보이는 것이 오직 이 월계 뿐만인 아닌 것임에까지 생각이 미친다

×

오라간만에 아니 中國을 건너온 以後 처음으로 말근 물을 對하니 반가운 마음이 치미러 활활 벗고 뛰어 돌어갓다. 中國에도 말근 물이 잇기는 잇구나 하고 —

다시 돌아 올나 梳樹臺와 白鹿昇仙臺를 둘너 牯嶺으로 도라오든 길에 길엽 岩上에 『花經』이라고 삭인 것 — 즉 白樂天의 筆跡이라는 것을 마자 보고 또 大林寺 바로 압 시내에서 바윗돌에 귀를 대고 물 내리는 소리의 다금다금 變함을 듯고 왓다. 『꼴꼴꼴』 하다가 다시 『꾹루룩 꾹루룩』 하는 듯이 들니는 이것을 어떠한 生員님이나 또 멧중님이 發見하엿는지는 모르되 이것도 名山인 鹿[109]山 求景의 하나이라 놋치고 못 드고 가고 만 사람은 乃終에 저윽이 遺憾한 生覺을 禁치 못하게 될 것이니 생각하면 어지간히 우서운 일이다。

×

第二日은 方向을 東쪽으로 돌리어 歡喜嶺을 넘어 當日로 갈 수 잇는 곳까지 가볼 豫定으로 떠낫다

좁고 또 가파른 산길을 배추 鷄卵 等의 市場商人의 무리와 나무를 부여 메고 오는 樵夫 等 아츰길이 메여서 올라온다

---

109 "鹿"은 "盧"의 오식 - 편자 주.

含鄱嶽[110]을 떡 올라스니 아프로 鄱陽湖가 환하게 피저 보인다 이 點에 잇서서 『東海之東에 更無東』이라고 부르짓는 金剛山 昆盧峯에서 東海를 바라보는 것보다 도리여 낫게 보인다 盧山 中에서도 이 含鄱嶺에서 鄱陽湖 바라다 보는 맛이 第一 낫다 왼만한 峯이면 모도다 鄱陽湖가 바라다 뵈이기는 하지마는 ―

東北으로 李白이 『靑山削出金芙蓉』이라 嘆詠한 五老峯과 西로 太乙峯 九奇峯의 疊疊한 連峯을 보며 大石頭 息肩亭을 지나 棲賢寺에 到着하기는 바로 正午엿다 예서 中火 한 後에 案內로 老僧 한 名을 데리고 나섯다

×

金剛山에서도 이러한 꼴을 當하는 수가 잇지마는 案內者라는 것들이 案內를 도리어 밧는 그 境遇가 예서도 잇다 안다고 한 것을 모르고 한 가지 峯名을 몃 번이든지 써먹으려고 하는 것 等 꼴사나운 일이 이곳도 마찬가지다 다음 길부터는 말하는 품이 엇재 아즉까지 온 程度만도 못한 듯하야 半日 짝으로 그대로 낫살이나 먹어 山길이 익은 便이 나흘가 하고 老僧 한 名은 덧찜친 것이엇다

×

이 棲賢寺는 廬[111]山 中의 最大 谷인 棲賢谷 우에 잇는 절로 蘇東坡의 棲

---

110 "嶽"은 "嶺"의 오식 - 편자 주.

111 "廬"은 "盧"의 오식 - 편자 주.

賢寺記가 잇는 만큼 歷史가 오래엿스며 처음에는 棲賢然寺라 하엿다고 한다 主持가 古畵 數 幅을 내놋는데 筆者 그림 속에는 무엇이든『조타』하면 主人 이 조와하는 것 박게는 아모것이 업는 지라 그저『그이 그림 참 조흔 그림이 요』한 즉 主持가 벙긋이 웃으며 그러타는 듯이 깍가머리를 끗떡인다

✕

行次 못지지 안케 前後로 案內者를 세우고 시내가 棲賢谷 九十九 谷이 合 水처럼 흐르는 三峽澗 그 中의 한 못인 玉淵 물이 몃번 꺽기어 내려저 金井 이 되고 그 흐르는 中途에 觀音橋이자 三峽橋인 棲賢橋가 잇다. 形容詞는 朱 子 님의 句를 빌니는 것이 朝鮮서는 가장 有効할 것 갓다.

兩岸蒼壁對 直下成陡絶 一水從中來 蕩潏知幾折 石梁據其會 近望遠明滅 倏至走長蛟 捷來飜素雪 ……

別것 업시 金剛山 萬瀑洞의 四寸 格이다.

✕

五乳峯을 치어다보며 개 짓는 村落을 몃 곳 지나 萬杉寺를 들넛다. 古刹 이라 하나 只今은 그저 엇지 現狀維持로 버틔여 나가는 貌樣이다. 절 아페 五爪樟이라는 다섯 갈래로 퍼진 梁代에 심엇다는 樟樹가 잇다.

萬杉寺에서 約 한 時間이면 秀峯寺 즉 開先寺. 더리고 온 老僧은 도라가 겟다 한다. 할 수 업시 예서 또 절에서 사람 한아를 또 사가지고 靑玉峽을 건 너 香爐峯을 左便으로 보며 文殊塔으로 올나간다. 어지간이 가파르다.

　　　　　　　　　　　　　　　　×

　盧山 求景 와서 다른 求景은 못해도 그래도 飛流直下三千尺의 盧山瀑布
는 보고 도라가야 盧山 求景한 행세를 할 것 가태서 다른 求景은 다 집어치
우고 예까지 차저왓다.

　馬尾泉 한 줄기 물이 雙劒峯 絶壁을 흘너 龍潭으로 떠러지는 그 掛水 一幅
이『有名한 盧山瀑布』다. 事實에 잇서서『飛流直下三千尺은 옛말로 들엇드
니』가 單 千 尺도 못되어 疑是銀河落九天은 과연『虛言이루구나』가 된다면
저윽히 섭섭함을 禁치 못할 분이 게실는지 모르되 千 尺이라고만 하여도 넘
치고 넘칠 것이.

　千 尺도 못된다 하드래도 何如튼 이 瀑布가 저윽히 큰 瀑布이며 또 그 景
致에 잇서 무엇보다도 盧山 風景 中의 白眉이니 瀑長의 長短이 問題가 아니
다. 文殊塔 우에서 北向 正面으로 바라다 볼 수는 잇스나 勿論 미튼 아니 보
인다.

　　　　　　　　　　　　　　　　×

　몸을 돌여 東便을 바라보면 星子縣城을 지나 茫茫히 퍼진 鄭[112]陽湖의 거
울을 싀원하게도 바라다 볼 수 잇다. 그와 反對로 北의 慶雲峯 鶴鳴峯을 爲
始하야 西、南으로는 山으로 꽉 막히여잇다

---

112 "鄭"은 "鄱"의 오식 - 편자 주.

×

瀑沛의 上流인 馬尾泉은 極히 적다 여페 조고만 庵子가 잇고 다시 그 우에 洞穴이 잇서서 仙人이 살엇다는 傳說을 지어내리 만하다

해가 기우러저서 秀峯寺로 돌아와서 來日 길을 餘裕잇게 하기 爲하야 다시 回程을 始作하엿다 初生이라 달이 저윽히 밝다 深山 中에서 月夜에 步行하는 것도 一趣다。여름이 갓가왓다는 듯이 이 숩풀 저 논두덩이에서 반듸불이 數업시 반짝인다

물 흐르는 소리 以外에는 아모것도 들니우는 것이 업다 오라간만에 남의 잔등에 업히에 시내를 건너보는 멋도 아닌 게 아니라 處所가 處所라 맛이 如前하다 景致도 夜景이라 一層 森嚴하고 幽靜하다

×

棲賢寺로 돌아와서 임이 잠든 중을 깨워가지고 저녁을 식히어 먹게 되엿슬 때에는 밤 열두 時 반 에서는 담배나 또 술을 사러 가려면 한 四 里나 가야 된다 徃復에 한 時間 조금 사다놓은 汾酒에 對酌軍으로는 중님 한분이 나슨다 수물세 살에 喪妻하고 出家하엿다는 어지간히 『로맨틱』한 이 중은 『汾酒면 저도 한 너덧 兩(四分之 一 斤)은 하죠』하고 달녀든다 外樣은 보아야 아모래도 生員型인즉 무슨 醉態가 그다지 凶할 것 가지는 아니하나 그래도 한 마듸 부처보기로 하고

『智深和尙의 末流인가』

하엿든이 그만 呵呵 一聲大笑로 남의 奇問을 抹殺하고 만다

×

　한 盞 술이 두 盞 술이 되고 한 斤 사온 瓶 저윽히 들기에 가벼워젓슬 대에는 多少 內心之事가 醉中에 나오는 格으로 不滿이 나온다 曰 和尙이라고 獨身生活 할 必要가 어듸 잇느냐 曰 술잔이나 할 줄 아는 사람이면 좀 하기로서 어떠며 曰 이 절에서 年收로 三百 石을 하는데 바다가고 빼서가고 무러주고 하면 百 石도 채 못 남는다 等等 그래도 百 石이라도 남는 것은 아직 이 附近에는 水利組合이 안 생기인 關係일 것이며 帶妻하고 십흔 生覺이 좀 잇는 것은 아직도 俗塵의 자릿자릿한 맛을 잇지 못한 돌중인 所以인가

　疲困하얏든데다 또 밤늣도록 客說竪說하느라고 늣게 잔 탓으로 이튿날 아츰은 저윽히 늣게 이러낫다

　朝飯은 수수떡이다 饌은 어제와 가티 제법 차려노앗슴에 不拘하고 아츰 수수떡을 내놋는 것은 亦是 산꼴 風俗이다 饌은 勿論 素菜다 기름도 참기름 들기름 等의 植物性 油로 버무려노앗다

×

　棲賢寺를 떠나기는 午前 열한時 어제 내려오든 길과는 反對로 치올나 오느라고 학을 그리며 그래도 엇찌엇찌 含鄱嶺을 올나스기는 午後 두時

　蘆林을 지나 黃龍寺를 들느다 불탄 後에는 再興하기가 困難하얏는지 庵子에 不過하다 아프로 天王峯이 屹立하고 뒤로 玉屛峯이 가로질니엇다 절 아페 一千 年이 넘엇다는 裟羅樹가 잇다 또 그리로 내려가면 바위 우에 降龍이라고 크게 삭인 글자가 잇다 朱元璋의 筆蹟이라 稱한다 다시 그 비탈을 내려가면 左便으로 黃龍潭이 잇고 이 黃龍潭 물이 흘러 黃龍溪가 된다

×

旅館으로 도라오기는 午後 여섯時 半 主人 老人이 야단이다 아초에 어제 中路에서 자지 안켓다고 하고 떠낫다가 자고 왓슴으로이엇다

갑작히 步行을 連 二 日 하얏든 關係로인지 어지간히 困하다 이튼날 아츰 牯嶺을 내려왓다 轎子 타는 것이 神通치 아니하야 또 내려오는 길이다 짐만 사람을 사서 지운 後 徒步로 내려오고 말엇다

×

勿論 盧山은 到底히 數三 日로서 다 □□할 수 잇는 바가 아니다 적어도 六 七 日은 걸여야 한번 大綱 볼 것이다 歸宗寺、白鹿洞、三疊泉 等 아직도 볼 곳이 잇섯지만 더 볼 必要가 업다고 생각하얏다

避暑 次로 온 것이 아니오 暫時 지나든 길에 둘너서 보는 以上 그 風景이 우리 金剛山을 보는 것과 갓다 그와 同時에 모든 點에 잇서 金剛山만 못하다 그 趣意가 金剛山과 가트며 또 보는 方法 亦是 同一한 以上 오래 이러한 中 에서 墨客詩人이 못되는 爲人이 여러 날을 隱遁味에 耽誤할 수가 업섯스며 따라서 또 詳述을 避하는 바이다

×

蓮花洞서 九江까지 人力車로 두 時間 半。하로 九江서 자고 來日은 南昌 으로 들어가리라 하고 생각하얏다

그러나 廣東問題가 시크러워지는 一面 또 共産軍討伐隊로 말미아마 南部

로 守備를 堅固히 하기 爲한 結果 軍隊의 輪送으로 좀체 一般 乘客을 태우기까지는 압길이 아득하야 할 수 업시 南昌行을 또 中止하지 안흘 수 업게 되엿다 이리하야 翌 五月二十八日 아츰 九江을 떠나 一路 上海로 向하게 되엿다

◇ 毛澤東의 贛省

江西省을 떠나며 이저서는 안 될 것이 江西의 共産黨이다 現在도 全省 八十一 縣 中에 오직 赤化되지 안한 곳은 不過 四分之 一도 못되여 거의 共産軍의 天下를 이루운 江西을 이즐 수가 업는 것이다

勿論 共産軍은 이 江西省뿐만이 아니다 湖南 湖北할 것 업시 업는 곳이 업다 其中에 江西와 湖南 湖北이 特히 그들의 勢力이 커진 것은 地理的 關係가 크다 南方에 갓가운 것 그리고 中部에 얼는 나슬 수 잇는 것 따라서 人物들이 얼는 깨인 것 湖南에서 革命兒가 叢輩出된 理由와 彷佛하다 湖南도 그럿커니와 江西사람 亦是 利害가 밝다

자그마한 키 통통한 體大 동글고 적은 얼골에는 눈 코 입 할 것 업시 모다 그 적은 얼골에 調和되리만큼 모다 적다 생글생글하는 듯하면서 제 속은 단단히 차리는 그들이다 毒種이라면 毒種이요 단동내기라면 단동내기라고 할 수 잇슬 것이다

×

全省이 赤化된지라 이 地域 內의 누구 하나가 黨員이 아니면 軍人의 一分子가 아니리오만은 그 中 큼직큼직한 軍隊는 다음과 갓다

紅軍 總司令 兼 四軍 軍長 朱德 一萬 名

第五軍 軍長 彭德懷 一萬 五千 名

第六軍 軍長 黃公略 四千 名

第六軍 第二[113]縱隊 司令 李韻[114]九

第六軍 第二縱隊 司令 羅炳輝 五千 名

第一團長 方志敏 三千 名

第二團長 周郁文 二千 名

第三團長 河[115]武東 三千 名

第四團長 段月泉 千 名

赤衛軍 第一路 總指揮 邱訓民 千 名

雜軍 胡竹笙 三千 名

同上 李燦 千 名

同上 劉作述 千 名

同上 陳競進 千 名

同上 侯萬元 千 名

其他 總計 六萬 名으로 稱한다 勿論 이것은 確數가 아니며 이外에 얼마가
될는지 알 수 업다。江西 人口 一千八百萬을 생각할 때에는 六萬 같은 數字
는 問題가 안 된다。치고 들어안는 곳의 百姓은 全部 共軍으로 編入되고 마
는 以上。딸하서 現在 江西의 共軍을 總指揮하는 者 中國의 『스타ー린』인

---

113 "二"는 "一"의 오식 - 편자 주.

114 "韻"은 "韶"의 오식 - 편자 주.

115 "河"는 "柯"의 오식 - 편자 주.

毛澤東 그 사람일진대 江西省을 統治하는 者 省主席 魯滌平이 아니라 毛澤東이라 할 것이다.

◇

江西는 東은 仙露嶺山脈으로 浙江 大杉嶺山脈으로 福建 南은 九連山山脈으로 廣東 西는 幕阜 羅宵[116] 兩 山脈으로 湖南 北은 盧山山脈과 長江으로 湖北 安徽를 가로막어 四方이 全部 山으로 둘니웟스며 中央엔 貢水、章水、禾水、錦水、盱[117]江 等의 大小水를 合水한 水가 貫通하야 鄱陽湖로 北注하며 鄱陽水는 다시 修水 信江、鄱江 等의 大小 河 물을 아울너 바더가지고 湖口에서 長江으로 흘너들어 山水秀麗한 別天地를 形成한다

×

山水가 秀麗한 곳이라 人物들이 才智에 長하며 또 好學한데 利에 밝다 그러나 唐 以前까지는 南蠻之地로 未開하엿든 關係로 人物의 輩出도 宋 以後로부터 始作된 感이 만타 勿論
九日無酒 出籬邊 悵望久之
한 안[118]큼 어지간히 술도 사랑하엿거니와 술보다도 菊花를 사랑함으로

---

116 "宵"는 "霄"의 오식 - 편자 주.

117 "盱"은 "盰"의 오식 - 편자 주.

118 "안"은 "만"의 오식 - 편자 주.

써 유명한 陶淵明이 晉代에 出生되기는 하엿지마는 ―

宋代에 들어스자 古文의 復興을 부르지진 六一居士 歐陽修 富國强兵策으로 靑苗法이니 保申[119]法이니 하는 新法으로 失手하기는 하엿스나 文章으로는 唐宋八大家의 一人인 宰相 王安石 以下 象山 陸九淵 山谷 黃庭堅 南豊 曾鞏 其他 誠齋 楊萬里 貴興 馬瑞臨 澹庵 胡銓 等의 文豪大儒와 中國 史上에 稀有한 忠節之士 萬古에 일흠이 떨치는 南宋의 忠臣 文天祥 또 이 文宋瑞와 아울너 南宋의 忠臣인 謝林得 元代의 大文豪 道國園[120] 虞集 明朝의 大儒 胡居士 淸代의 碩學 張士銓 등 濟濟多士하다

×

그러나 現代를 살피건대 勿論 未知數일 것이나 저윽과 寂寞함을 禁치 못한다

第二革命의 第一聲을 江西에서 先發하야 討表[121]의 氣勢를 노피 울렷스며 北伐軍 中路 總司令으로서 江西로 들어왓슬 때에는 贛人治를 理想으로 하는 省民의 絶對歡迎 미테 一時 破竹之勢를 보히엇스나 結局에 잇서서 得意之人이 못되는 協和 李烈鈞 將軍과 이 革命兒의 風雲兒라는 正反對로 極端한 保守派의 一人으로 淸朝 復僻[122]運動의 巨頭인 張勳의 兩極端을 除한 外에는 別로히 大端스럽게 들추울 만한 人物이 업다 勿論 趙惟熙 蔡儒楷 李盛澤 李

---

119 "申"은 "甲"의 오식 - 편자 주.

120 "道國園"은 "道園"의 오식 - 편자 주.

121 "表"는 "袁"의 오식 - 편자 주.

122 "僻"은 "辟"의 오식 - 편자 주.

國珍 湯漪 文羣 朱念祖 羅家衡 鈕傳善 等의 官僚와 彭程萬 歐陽武 林虎 賴世
璜 等의 武人이 업는 바는 아니나 史上에 남을 만한 爲人들이 못 된다

다만 이들 江西 人物들이 張勳 一派를 除한 外에는 처음부터 國民黨 色彩
가 濃厚하얏든 것 亦是 湖南과 同一한 一大 特點이다

◇ 좀 먹는 萬里長江

五月 二十九日 午後 한時에 南京을 지난 배는 하 翌 三十日 午前 아홉時
半에는 長江의 물과 한가지로 東海로 나섯다

茫茫한 大海로 흘러드는 長江은 처음 靑海 唐古拉山에서 木魯烏蘇江이라
는 조고마한 江으로부터 始作하야 四川省 邊疆에서 布魯楚河가 되고 다시
雲南省에서 金沙江이 된 後 四川省 叙州에 이르러 岷江과 合친 後 비로소 揚
子江이라는 偉大한 名稱을 바다가지고 重慶서 嘉陵江 濠州서 貴州省으로부
터 오는 黔江을 바든 後 三峽의 激流가 된다 다시 宜昌을 지난 後 한번 꺽끼
어 東南으로 흘으다 洞庭湖에서 湘江 資江 沅江 澧江의 四大河를 合水하고
東北으로 뒤처저 漢陽서 漢水를 밧고 다시 東南으로 휘어저 湖口에서 鄱陽
湖 다시 東北으로 再廻하야 安徽를 지나 江蘇省으로 들어서서 鎭江 附近서
大運河를 橫斷한 後 吳淞서 마즈막으로 黃浦江과 合水친 後 崇明島를 끼고
東海로 흘러드는바 이 長江이다

×

全長 一萬 五千 里 南北 緯度 十 里 流域 八 省 七十萬 方哩 支流를 合한
灌漑區域은 十二 省 다시 이것을 面積으로 따지면 百萬 方哩가 넘으며 이 人

口 亦是 二億을 넘어 實로 中國의 半分 以上에 미치는 同時에 가장 中央이며 모든 中心인 地域을 占領하고 잇다 이 點에 잇어서 揚子江은 中國의 心臟이다 萬一에 이 滔滔한 一條의 大濁流가 업섯던들 中國의 形態는 只今 우리가 보는 바와는 別個의 것이엿슬 것이다 現代에 잇어서 揚子江은 精神上으로서는 中國의 中樞神經이며 物質上으로서는 『화수분』이다

×

그러나 現在의 揚子江은 中國의 中樞神經으로서는 痲痺된 神經이며 『화수분』으로서는 저윽히 『客코』가 들엇다 管理權을 쥐인 列强 私鬪와 似而非한 公戰으로 爲主하는 軍閥 貪官汚吏의 酷斂 奸商輩의 跳梁 …… 等等의 가지가지의 좀버러지로 말미암아 結局에 잇어서 흐르는 물과 가티 터진 화수분으로부터 흘러나리는 黃金寶貨는 東海로 흘녀나와 或은 東으로 或은 南으로 永久히 도라오지 안흘 곳으로 흐르고 잇다 『滾滾長江東逝』나 『大江東去』의 두 句 亦是 이 意味로서도 解釋을 나리게 된다 그러나 貫中이나 東坡가 百代後世에 이르러 이리한 解釋이 붓기를 豫期하엿슬 理는 萬無할 것이다 어이 무삼 慘變인고。

×

그러나 勿論 長江이 눈뜨는 날은 中國이 다시 한 번 形態를 밧구는 날이다. 長江이 짓는 날부터는 오직 물만히 흘으게 될 것이다. 中央에 國民黨이 잇고 各地에 大小 英雄들의 軍閥이 잇고 邊境은 勿論 中樞에까지 列强의 資本 손이 미치인 지 이미 오래엇스며 또 一便 共産黨의 新勢力이 날로 膨脹하

여가는 中의 中國은 아직도 얼마 동안은 大小 修羅場을 몃 번 거듭나야만 할 必然的 形勢에 잇다 何如튼 每日 아츰 한 張씩 뜻기는 『카렌다 ―』의 한 張 한 張이 차츰차츰 이 必然的 歸結에까지 마듸를 지어 나갈 것이다.

×

四億 大衆의 生動脈인 萬里長江은 方今 좀먹어 들어가고 잇는 中이다 東海로 나슨 나는 다시 한 번 이 좀먹는 長江을 치울려 바라다보앗다 바야흐로 눈뜨고 부러지즐여 하는 이 좀먹는 萬里長江을 ―

그리고 다시 그 눈으로 떠날 때에 싹 돗기 始作하는 上海의 나무닙이 이미 싱싱하게 욱어저서 첫녀름의 가벼운 바람결에 간들간들 나붓기고 잇슴을 보앗다.

×

돗는 싹은 반드시 욱어지고야 만다

(完)

『追記』擱筆에 다다라 貧弱한 見聞과 拙劣한 文章으로 誤記錯述의 甚한 바 잇슴을 慙愧하는 同時에 敢히 大家先輩의 訓訂을 바라는 바이다.

―『東亞日報』, 1931년 8월 23일~10월 14일, 34회 연재

엮은이
소 개

최　일(崔一)

중국 연변대학교 조선언어문학학과 교수. 2002년 동 대학교에서 문학박사 학위를 취득한 뒤 한국 근현대문학, 재중 조선인문학, 중한근대문학의 교류 등 방면의 강의와 연구를 진행하여 「민족상상과 일제식민지 말기 한국문학 중의 '만주국'형상」, 「이기영의 만주 상상과 『대지의 아들』」 등 논문과 『위만시기 문학자료 정리와 연구·조선작가작품집』, 『'중국현대문학과 한국' 자료총서』 등 편저와 역저를 완성하였다.

박미혜(朴美惠)

중국 흑룡강성 치치하얼시 출생. 연변대학교 중국어학과를 졸업 후 동 대학교 조선언어문학 학과에서 석사학위를 받았다. 현재 한국 성균관대학교 국어국문학과에서 박사 과정을 밟고 있다. 한중 근현대문학 비교와 한국 근현대소설, 번역문학, 대중문학 등 영역의 공부를 통해 한중 양국의 문학을 비교적으로 넓게 접근하는 중이다. 최근에 1920년대부터 본격적으로 시작한 한국 아동문학으로 시야를 넓히고 있다.

'한국근대문학과 중국' 자료총서 ❽

기행문 I

초판 1쇄 인쇄	2021년 9월 17일
초판 1쇄 발행	2021년 9월 27일
지은이	김 엽 외
엮은이	최 일·박미혜
기 획	『한국근대문학과 중국' 자료총서』편찬위원회
펴낸이	이대현
편 집	이태곤 문선희 권분옥 임애정 강윤경
디자인	안혜진 최선주 이경진
마케팅	박태훈 안현진
펴낸곳	도서출판 역락
주 소	서울시 서초구 동광로 46길 6-6 문창빌딩 2층
전 화	02-3409-2060(편집), 2058(마케팅)
팩 스	02-3409-2059
등 록	1999년 4월 19일 제303-2002-000014호
전자우편	youkrack@hanmail.net
홈페이지	www.youkrackbooks.com
字 數	438,864字

ISBN	979-11-6742-023-7 04810
	979-11-6742-015-2 04810(전16권)